7E | 수정판

심리학 실험법

DOING PSYCHOLOGY EXPERIMENTS

***Doing Psychology Experiments,* Sixth Edition**

David W. Martin

Original edition © 2008 Wadsworth, a part of Cengage Learning.
Doing Psychology Experiments, Sixth Edition by David W. Martin
ISBN: 9780495115779

This edition is translated by license from Brooks Cole, a part of Cengage Learning, for sale in Korea only.

ISBN-13: 978-89-6218-521-8

Cengage Learning Korea Ltd.
14F YTN Newsquare 76 Sangamsan-ro
Mapo-gu Seoul 03926 Korea

Printed in Korea
Print Number: 02 Print Year: 2024

DOING PSYCHOLOGY EXPERIMENTS

DAVID W. MARTIN

7E | 수정판

심리학 실험법

김민식 • 감기택 | 옮김

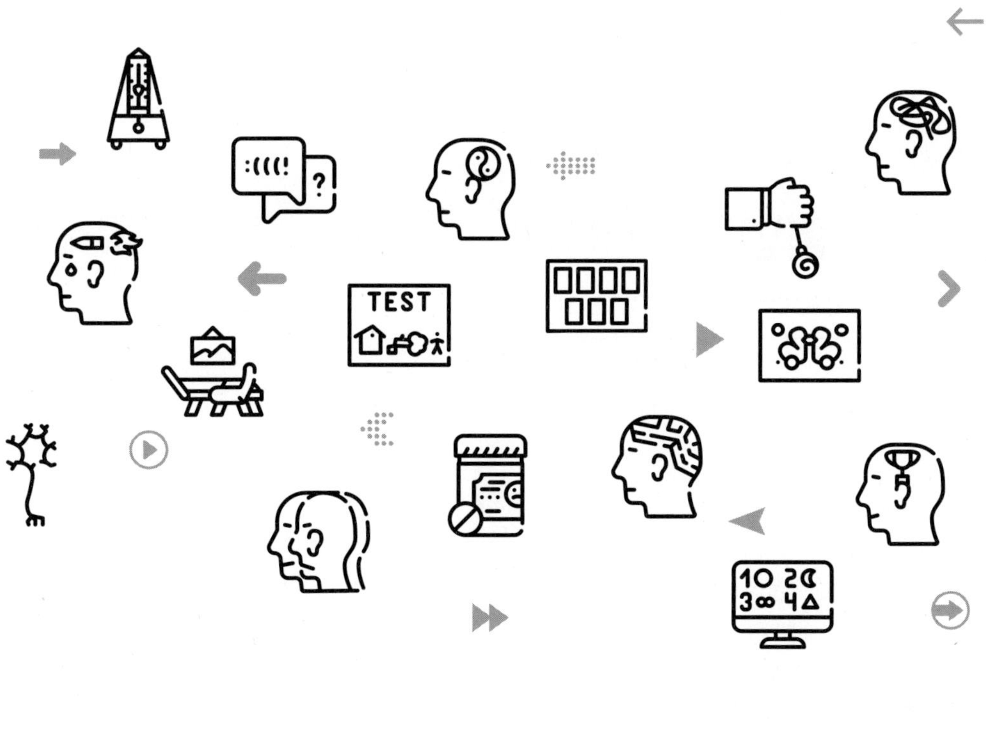

Cengage

Australia • Brazil • Canada • Mexico • Singapore • United Kingdom • United States

심리학 실험법 제7판 수정판

Doing Psychology Experiments 7th Edition

제7판 수정판 1쇄 발행 | 2021년 8월 25일
제7판 수정판 2쇄 발행 | 2024년 2월 15일

지은이 | David W. Martin
옮긴이 | 김민식, 감기택
발행인 | 송성헌
발행처 | 센게이지러닝코리아㈜
등록번호 | 제313-2007-000074호(2007.3.19.)
이메일 | asia.infokorea@cengage.com
홈페이지 | www.cengage.co.kr

ISBN-13: 978-89-6218-521-8

정가 26,000원

역자서문

이 책은 1977년 초판이 발행된 이후 오랫동안 학부의 실험심리학이나 심리학 연구방법과 관계된 과목의 주교재나 부교재로 널리 애용되어 왔다. 역자들 역시 학부 시절 이 책의 초판으로 실험심리학 과목을 배웠고, 미국 대학에서 강의 조교를 했을 때에도 담당 교수가 이 책을 학부 실험심리학 과목의 교재로 사용했었다. 미국뿐 아니라 세계 많은 대학에서 이 책이 학부의 실험연구방법의 교재로 사용되는 데에는 많은 이유가 있겠지만, 무엇보다도 딱딱하고 거부감이 생기기 쉬운 연구방법의 내용들을 초심자도 이해하기 쉽게 재미있는 예들을 많이 사용하여 친근한 어투로 풀어 설명하고 있기 때문이다.

연구는 '관찰'과 '질문'으로부터 시작하고 연구 결과의 보고나 발표로 끝이 난다. 이 책은 그야말로 연구의 시작부터 끝까지 친절한 개인 교사가 옆에서 설명하는 것 같은 착각이 들 정도로 알기 쉽게 소개하고 있다. 뿐만 아니라 구체적인 연구방법이나 기법들을 소개하기 전에 연구자로서 갖추어야 할 윤리의 문제들을 심도 있게 다루고 있다. 특히 개정을 거듭하면서 인간 참가자 및 동물 피험자에 대한 윤리뿐 아니라 연구 전반에 걸친 윤리에 대한 새로운 정보를 제공하고 있는데, 이러한 점은 최근에 우리나라에서 그 중요성이 더욱 강조되는 '연구윤리'의 문제가 학부 기초 과목부터 중요하게 다루어져야 한다는 역자들의 생각과도 일치하는 것이다. 표절이나 학력 위조, 연구 결과의 날조, 인간 및 동물 대상 연구의 부적절한 수행 등과 관련하여 이 책은 이미 초판부터 심리학자뿐 아니라 학문을 하는 모든 사람들이 알고 지켜야 할 윤리문제를 자세하게 소개해 왔다.

우리는 이 책처럼 관찰을 어떻게 하고, 제대로 된 질문을 어떻게 하는지, 이전 연구들을 어떻게 탐색하는지 그리고 어떻게 하면 연구보고서 작성이나 학회 발표를 잘 할 수 있는지에 대해 친절하게 소개하면서도 연구방법 일반에 대한 대부분의 내용을 빠뜨리지 않고 다루는 '연구방법' 교재를 경험한 적이 없다. 그러면서도 이 책은 개정을 거듭하면서 내용이 점점 늘어나지 않도록 애쓴 흔적들이 보인다. 책 두께에 압도되어 '연구방법'에 거부감이 생기거나 혹은 책값이 부풀려지는 것을 저자가 원하지 않은 이유이기도 하다. 심리학의 연구방법에서 다루어야 할 대부분의 내용을 다루면서 책 분량을 적게 유지하고 있다는 점이 이 책을 더욱 매력적으로 보이게 한다. 한마디로 이 책은 심리학을 처음 접하는 학생들이 다양한 심리학 영역에 관한 과목들(콘텐츠 과목)을 듣기 이전에라도 심리학의 연구가 어떻게 진행되는지에 대해 그리고 왜 심리학을 과학으로 정의하는지에 대해 올바른 개념을 세울 수 있도록 하는 데 더없이 훌륭한 교재임에 틀림없다.

이 책의 제5판을 번역한 후 7년이 지났다. 중간에 제6판이 나왔지만 역자들의 게으름으로 번역하지 못하다가 이제 제7판을 번역하게 되어 그간의 죄책감(?)에서 다소 해방된 느낌이다. 번역한 책을 사용하다 보면 역자들 역시 부드럽지 못한 번역체나 이상하게 보이는 문장들 때문에 짜증이 났던 기억이 있다. 이 책 역시 그러한 부분들이 있을 것이다. 잘못된 점이나 개선해야 할 점들에 대해 미리 고개 숙여 죄송하다는 말씀을 드리며, 이들을 지적해 주면 새로 인쇄될 때마다 모두 반영토록 할 것이다.

제7판이 번역되어 나오는 데에 도움을 준 연세대학교의 정수근과 강원대학교의 전현민에게 고마움을 전한다. 또한 출판사 관계자 여러분들께도 감사의 뜻을 전한다. 끝으로 이 책을 통해 심리학이 학생들에게 보다 흥미롭고 친근한 학문으로 다가가기를 희망한다.

김민식, 감기택

저자서문

이 책이 시중에 나온 지도 이제 30년이 되었고, 아직도 이 책을 처음 썼을 때 의도했던 기능은 살아 있는 것 같다. 원래 의도했던 이 책의 용도는 심리학에서 간단한 실험들을 어떻게 하는지, 실험 연구법에 대한 배경지식이 전혀 혹은 거의 없는 학생들을 가르치기 위한 것이었다. 이 책이 제7판을 거치면서 나는 계속해서 좀 더 이해하기 쉽고 딱딱한 느낌이 들지 않도록 쓰려고 애써 왔다. 물론 과학적 결과들은 객관적이고 공식적인 형식으로 보고되는 것이 보통이긴 하지만, 실험을 하는 것 자체는 매우 개인적인 경험이라고 나는 생각한다. 실험자는 문헌들을 리뷰하여 관련 지식을 얻고 관점을 형성하게 된다. 그리고 검증을 위한 이론과 가설을 만들고, 어떤 변인을 조작하고 어떤 변인을 측정할지를 결정하게 된다. 또한 실험자는 실험 결과를 해석하고 어떻게 기존의 지식에 추가적인 진보를 가져다줄지를 결정한다. 이렇게 실험자는 일련의 실험과정에 개인적으로 관여하고 있으며, 그래서 나는 처음 시작하는 실험자들에게 이러한 과정에 대해 가르치는 가장 좋은 방법은 바로 사적인(personal) 책을 통해서라고 믿고 있다.

보다 사적으로 쓰여진 책을 사용하는 것과 관련하여 학생들의 선호도와 학습을 측정하는 몇몇 연구들이 발표되었는데, 예를 들면 Paxton(1977)은 "눈에 보이는 저자(visible author, 직접 개인적인 의견과 자기 스스로를 드러내면서 책을 쓴 사람)"가 제공되는 교재를 읽는 학생들은 그 저자와 정신적인 대화를 하게 되고 이것은 다시 그 교재에 있는 정보를 보다 친밀하게 느끼도록 한다는 사실을 밝혔다. 미시간 주립대학교의 학생인 Lorin Sheppard(2001)는 이 책에 나오는 내용과 다른 교재의 같은 내용을 사용하여, 교재에서 유머를 사용하는 것의 효과를 연구하였다. 연구 결과, 학생들은 유머가 있는 장(chapter)이 더 재미있고 유익한 것으로 보고했을 뿐 아니라, 지연 회상 검사에서도 유머가 있는 교재에서 나온 내용들을 더 잘 회상하였다. 나는 이러한 결과가 유머와 사적인 방식으로 글을 쓰는 것이 교육적으로도 더 유익하다는 나의 오랜 직관을 지지해 주는 것이어서 더욱 기쁘게 생각한다.

이제 이 책이 제공하는 것과 제공하지 않는 것들에 대해 간단히 정리해 보고자 한다. 이 책은 실험에 대한 배경지식이 전혀 없는 학생이 간단한 심리학 실험들을 설계하고, 실행하고, 해석하고, 보고할 수 있도록 하는 데 충분한 정보를 제공하고 있다. 비록 이 책이 실험연구 방법과 관계된 학부 과목에 교재로 가장 자주 사용되어 오긴 했지만, 그 밖의 다른 목적으로 다른 교재와 함께 이 책이 사용되기도 했다. 몇몇 대학들은 이 책을 심리학개론 과목의 연구방법 부분을 가르치기 위해 사용하고 있으며, 간혹 실험심리학 관련 과목에서 통계책이나 다른 주교재와 함께 이 책을 사용하기도 한다. 이 책은 또한 학부 수업에서 방법론 과목이 아닌 콘텐츠 과목들(이탈 행동부터 소비자 심리학에 이르기까지)에서도 종종 사용되는데, 이때는 수업에서 실험을 하는 것이 필요하지만 학생들이 실험방법에 대한 배경지식이 거의 없는 경우이다. 나는 이 책을 사용한 많은 사람들, 즉 강사나 학생 모두와 얘기를 많이 해 왔다. 그들은 이 책을 단일 주교재나 혹은 보조교재로 잘 사용할 수 있다고 얘기했다. 사실 내가 가르치는 실험방법 과목의 경우, 나는 강의 전에 한두 개의 장을 학생들이 미리 읽도록 숙제로 내고 간단한 퀴즈를 본다. 그러고 나서 필요한 부분을 좀 더 명료하게 설명하고, 대부분의 강의시간은 실험 제안서와 그 문제점들을 토론하는 데 보낸다. 이 책은 다양한 학생들을 비슷한 수준으로 끌어올리는 데 매우 유용해서 강의시간은 좀 더 창의적인 상호작용을 위해 쓸 수 있게 해 준다.

이 책이 종종 보조교재로도 사용되고 시중에 다른 책보다 물리적으로 좀 작게 보일지는 모르지만, 그럼에도 불구하고 실험 연구방법에 나오는 중요한 개념들 대부분을 이 책은 다루고 있다. 필자는 이 분야를 포괄적으로 모두 다루려고 했으며, 이러한 노력은 몇몇 연구에서도 성공적이었다고 평가하고 있다.*

심리학의 많은 분야에서 대표적인 교재들의 저자들에게 그들의 분야에 나오는 용어나 개념들의 중요도를 평정하도록 했다. 방법론/통계학 분야에서 상위 100위 안에 있는 용어 중에 33개는 통계학이나 심리검사를 강조하는 개념이었다. 방법론을 강조하는 나머지 67개의 용어 중에 이 책은 6개를 제외한 모든 용어들 다루고 있다. 6개 중에 4개는 다른 용어를 사용하여 개념적인 수준에서 다루었고, 단지 순위가 90번대에 있는 두 개의 용어만이 이 책에 나오지 않는다. 이것은 이 책이 실험방법을 포괄적으로 다루고 있다는 나의 주장을 입증하는 것이라 생각한다.

이 책이 제공하지 않는 것에 대해 말하자면, 이 책은 학생들에게 실험 심리학의 다양한 영역의 연구 내용이나 현재 발견된 것들에 대해서는 별로 가르치는 바가 없다는 것이다. 필자가 사용한 많은 예들은 의도적으로 필자가 만들어낸 것들이다. 즉, 여기서 다루는 방법들을 예를 들어 설명하기 위해 만든 것들이지 실제의 예가 아니며 따라서 이 예들은 실험 심리학의 대표적인 내용들을 담고 있지 않다. 하지만, 제6장에 소개된 것처럼 문헌 탐색을 수행하게 되면 실험 심리학의 내용들을 접하기 시작하게 될 것이다. 또한 이 책은 학생들에게 아주 복잡한 실험설계나 통계분석에 대한 것들을 가르쳐 주지는 않는다. 필자는 이들을 되도록 단순 명료하게 다루려고 했다. 비록 필자가 기술 통계나 추리 통계의 기저에 있는 이론적 원리를 다루기는 했지만 부록 A에 제시된 실제 통계 수식들은 그야말로 요약집같이 매우 단순화 한 것이라고 말하는 것이 맞다.

몇 개의 오류들을 교정하고, 각 장 시작 부분의 새로운 인용 문구나 새 카툰을 넣는 등의 미미한 개정부터 시작하여, 이 책에서는 여러 군데 개정 작업을 하였다. 가상적으로 만든 몇몇 사례들도 실제 자료와 상반되어 변경하였다. 제3장에서는 근접적 질문과 궁극적 질문 각각을 다루는 이론들의 차이점에 대한 간단한 논의를 추가하였다. 제4장에서는 피험자라는 용어보다 참가자라는 용어를 사용하는 것에 대한 논의에서 몇 가지 반대 의견들을 추가하였다. 또한 동물 윤리에 대한 부분을 최근 것으로 바꾸었다. 제5장에서는 인터넷 표절과 위반 사례들을 추가하

* Boneau, C. A. (1990). Psychological literacy: A first approximation. *American Psychologist, 45,* 891-900.

여 표절에 대한 논의를 확장하였다. 또한 연구와 관련된 미국심리학회(APA) 심리학자 윤리 원칙 및 행동 강령을 최신판으로 추가하였다. 제6장에서는 PsycINFO와 PsycARTICLES에 대한 추가적인 정보를 포함하여 전자 탐색하는 부분을 최신 것으로 바꾸었다. 제12장에는 추론 통계에 대한 논리와 관련해서 영가설 검증, 1종 오류와 2종 오류, 통계 검증력 결정에 대한 더 많은 정보를 포함시켰다. 제13장에서는 오늘날 거의 모든 발표들이 컴퓨터를 이용하기 때문에 그에 맞게 학술대회 발표 부분을 개정하였다. 이 책을 미리 보고 평가를 부탁했던 사람들로부터 제안을 받아서 통계 결과를 적절한 방식으로 나타내는 예를 포함했는데, 부록 A의 각 예제 다음에 제시하였다.

추가적으로 강사를 위한 "Test Bank"를 이 책에 맞게 보다 확장하고 개정하였다. 학생과 강사를 위해 새롭게 개선된 웹 주소는 http://www.thomsonedu.com/psychology/martin이다.

제7판 개정을 하는 동안 필자는 필요한 주제들을 모두 다루면서 동시에 가능하면 이 책의 분량을 줄이기 위해 많은 노력을 하였다. 실제로 전 판에 비해 서너 쪽 분량이 줄었다. 학생들에게 책이 너무 부담스럽게 보이지 않도록 하고 싶었고, 가격도 적당하게 유지하게 만들고 싶었다. 이전 판을 사용해 왔던 분들과 새로 이 책을 사용하는 모든 분들이 이번 개정판이 마음에 들기를 바란다.

나에게 책을 쓸 수 있는 시간과 자원을 허락한 North Carolina State University에 감사하고 싶다. Wadsworth에서 일하는 Marcus Boggs, Karol Jurado, Gina Kessler, Christina Ganim, Lauren Keys, Karin Sandberg, Natasha Coats에게 감사의 뜻을 전한다. 또한 원고를 리뷰해 준 분들에게 감사한다. Dr. Jennifer Bonds-Raacke(Briar Cliff University), Dr. Daniel Cerutti(Duke University), Dr. Joy Drinnon(Milligan College), Dr. Julie Evey(University of Southern Indiana), Dr William Hardy (Sierra College). 마지막으로 내 수업을 들으면서 자신들의 수행을 통하여 내가 무엇을 잘 했는지(그리고 잘 못했는지) 알려 준 나의 학생들과, 학회 모임 등에서 나를 알아보고 내 책이 좋다고 말해 준 전국 각지의 학생들에게 감사의 뜻을 전한다.

차 례

CHAPTER 01 관찰을 제대로 하는 법

CHAPTER 02 실험하는 법

CHAPTER 03 실험 아이디어 얻는 법

CHAPTER 04 참가자를 올바르게 대하는 법

CHAPTER 05 과학을 올바르게 대하는 법

CHAPTER 06 기존 연구를 알아내는 법

CHAPTER 07 조작하고 측정할 변인을 결정하는 법

CHAPTER 11 실험준비가 다 되었음을 아는 법

CHAPTER 12 실험 결과를 해석하는 법

1

관찰을 제대로 하는 법

의문을 갖거나 상상에 의해 혹은 창의적 생각으로 직접적인 통찰적 관찰을 하는 것은 제한적이고 일을 그르치기 쉬운 과학이 발달하기 이전의 기법이다.

— *C. F. Monte (1975)*

삶을 조각내어 분석하게 되면 그것의 본질로부터 멀어지게 된다. 삶의 일부인 행동은 더욱 분석하기 어렵다.

— *K. Z. Lorenz (1962)*

행동과학에서 살아 있는 피험자를 대상으로 연구하는 어려움은 필연적으로 매우 세련된 실험기법을 낳아 왔다.

— *S. N. Roscoe (1980)*

이 책의 의도는 심리학이라는 과학에서 실험연구방법을 가르치기 위한 것이다. 물론 많은 대학에서 심리학 전공을 위해서는 실험하는 방법을 배우는 것이 필수로 정해져 있기는 하지만, 심리학적 실험방법을 알아야 하는 이유가 무엇인지, 여러분은 왜 이것을 배우려 하는지 생각해 보자. 한 가지 이유는 여러분이 심리학자, 즉 인간의 행동, 때로는 동물의 행동을 연구하는 과학자가 되고 싶기 때문일 수 있다. 실험방법은 심리학에서 과학적인 지식을 축적하기 위해 필요한 자료를 수집하는 데 주로 사용되는 연구 수단 중의 하나이다. 이 책에서 실험연구방법 외에 다른 연구 수단들에 대해서도 간략하게 논의하긴 하겠지만, 이 책의 대부분은 어떻게 실험을 하는지와 관계되어 있다.

여러분이 심리학자가 되려고 하지 않더라도 심리학에서 실험연구방법을 사용하는 것에 대해서 배우는 것은 훌륭한 교양인이 되는 데 도움을 줄 뿐 아니라, 수많은 직업에 적용할 수 있는 유용한 기술을 제공해 줄 수 있다. 가령, 당신이 은행에 취직해서 열심히 일하여 지점장이 되었다고 가정해 보자. 심리학 과목에서 배운 것 중에 인간 관계에 대한 내용이 당신이 성공하는 데 분명히 도움을 주었을 수 있다. 그러나 그것이 전부는 아니다. 실험법에 대하여 배운 것도 도움이 될 수 있다. 당신의 상사가 당신에게 이렇게 말했다고 하자. "당신도 알다시피 우리는 모든 은행에 이 현금 자동 지급기의 설치를 완료했소. 많은 돈을 들여 이 최신식 기계를 설치했는데, 무슨 이유인지 모르겠지만 우리 고객들이 이 기계를 이용하고 싶어하는 것 같지 않소. 고객들이 왜 그러는지 좀 알아보고, 어떻게 바꾸어야 고객들이 이 기계를 사용하게 될지 알려 주시오."

여러분은 이 책을 읽으면서 위의 과제를 수행하기 위해서는, 물론 정식 실험은 아니지만, 심리학 실험을 하는 데 필요한 대부분의 기법을 알아야 한다는 것을 깨닫게 될 것이다. 우선, 여러분은 그 현금자동지급기가 애용되지 않는 이유에 대하여 몇 가지 가설을 설정해야 한다. 가령, 그 이유가 고객들이 기계와 상호작용하는 것을 비인간적인 것으로 느끼기 때문인가? 아니면 단순히 겁이 나서? 아니면 사용하는 방법을 모르기 때문에? 다른 사람이 지켜보는 가운데 돈을 가지고 가는 것이 더 안전하다고 느끼기 때문에? 두 번째 단계로, 가능한 가설들의 범위를 좁히기 위하여 자료를 수집해야 하는데, 인터뷰 혹은 설문지를 이용하여 할 수도 있을 것이다. 그러고 나서 고객들의 행동을 바꿀 수 있는지를 알기 위해 모종의 조치를 취해야 할 것이다. 가령, 지식이 모자라기 때문이었다면 교육 프로그램을 제공할 수도 있고, 동기가 문제라면 상품을 줄 수도 있고, 안전이 문제라면 프라이버시를 증대시키는 조치를 취할 수 있다. 마지막 단계는 고객들의 행동이 그러한 조치들로 변화되었는지를 알아보기 위해 그리고 그러한 변화가 의미 있는 것인지를 결정하기 위해 고객들의 행동을 측정하는 일이 될 것이다. 비록 여러분의 상사가 심리학 실험을 하도록 요청하진 않았어도 여러분은 그것을 하는 데 필요한 대부분의 단계들을 수행해야 할 것이다. 대부분의 직업은 사람과 관계된 문제를 해결할 것을 요구하는데, 이 책을 통하여 여러 기법들을 배우고 익힘으로써 여러분은 이들 문제에 대한 훌륭한 해결사가 될 수 있을 것이다.

여러분이 심리학자가 되기를 정말로 원한다면, 연구와 실험법에 대해 배우는 이유는 보다 분명해진다. 확실히 실험심리학자가 되기를 원한다면 실험을 하는 것이 여러분의 주된 활동이 될 것이고, 이 책에서 가르치는 기법들을 계속 사용하게 될 것이다. 설령 여러분이 임상이나 상담분야에서 일하고자 해도, 최소한 여러분은 심리학적 연구가 어떻게 수행되는지를 알아야 하며, 더 나아가 그런 연구를 수행할 수 있어야 이상적이라고 할 수 있다. 임상심리학자가 치료를 하는 다른 사람들, 가령 사회사업가나 정신과 의사 등과 구별되는 주된 특징 중의 하나는 바로 행동 자료와 매우 밀접하게 관계한다는 점이다. 약 50년 전쯤, 임상적 훈련을 시작하던 시기에, 교육자들이 함께 모여 임상심리학 학생들은 과학자로 먼저 훈련받고 나서 그 다음에 치료사로 훈련 받도록 정하였는데, 그것은 과학의 도움 없이는 어떤 치료 기법이 잘 듣는지 아닌지에 대해 단지 추측만 할 것이라는 판단 때문이었다. 이것이 바로 대부분의 임상심리학자가 연구 학위인 Ph.D.(철학 박사)를 취득하는 이유이다. 오늘날 임상심리학자 중 약 25%가 Ph.D.보다는 Psy.D.(심리학 박사)를 취득하는 것도 사실이다. 그러나 이러한 학위 역시 학생들로 하여금 연구 방법에 철저하게 숙달되도록 교과과정이 구성되어 있다. 임상가들은 연구나 실험을 이해할 수 있어야 하며, 그렇지 못하면 다양한 치료법 중에 더 효과적인 것을 결정하거나 새롭게 소개되는 검사법 등을 평가할 수 없을 것이다.

심리학 실험 기법을 배우는 이러한 실용적 이유에 덧붙여, 필자가 바라건대 여러분이 이들 기법을 배우는 것이 그냥 재미있기 때문에 배우고 싶어했으면 좋겠고, 그것 역시 배우는 하나의 이유가 될 것이다. 우리 모두는 우리를 둘러싼 이 세상에 대하여 호기심을 갖고 있다. 우리는 어떤 일들이 왜 그렇게 일어나는지를 알고 싶어한다. 인간은 자신들이 살아가는 세상을 좀 더 잘 이해하기 위하여 과학을 발명했다.[1] 과학은 이러한 발견과정을 체계적으로 접근하기 위한 하나의 시도이다. 처음에 나는 실험이라는 것이 과학에서 가장 흥미로운 도구라는 생각을 했는데, 그 이유는 실험을 통해서 이전에 전혀 알지 못했던 사건들 간의 관계를 발견할 수 있기 때문이다. 그리고 나서 심리학이라는 과학을 접하고, 실험이라는 강력한 도구가 나에게 무엇보다도 가장 흥미 있는 주제라고 생각되는 인간의 행동을 이해하는 데 사용될 수 있다는 것을 발견하게 되었다.

대부분의 사람들은 자기 자신의 행동에 대해서 그리고 타인의 행동에 대해서 지대한 호기심을 갖고 있다. 이런 이유 때문에 우리는 TV 연속극도 보고, 남의 뒷말도 하고, 공상을 하는가 하면, 주간지의 가십 기사를 읽는다—이는 모두 인간의 행동에 대하여 추측하기 위한 것이다. 심리학에서 실험방법을 사용하는 것은 우리의 추측이 맞는지 점검할 수 있게 해 준다. 처음 실험심리학을 수강했을 때 필자를 가장 흥분시켰던 일은 이제껏 아무도 몰랐던 과학적 관계를 발견하는 방법을 배운다는 것이었다. 실험을 한 지 여러 해가 지났어도 새로운 실험 결과를 처음 대할 때, 내 가슴은 여전히 두근거린다. 내 동료들은 아마도 내가 그들에게 내 실험실에서 전개되고 있는 흥미로운 발견들을 보여 주기 위해 그들의 연구실로 달려가는 것에 신물이 났을는지도 모른다. 나는 여러분이 자신의 연구를 할 때도 이와 같은 흥분을 느끼게 되길 바란다. 비록 심리학이라는 과학을 하는 데에는 더 진지한 여러 이유들이 있긴 하지만, 여러분이 실험을 하면서 그 재미의 진가를 계속 느꼈으면 하는 것이 필자의 바람이다.

1) 그리고 천문학의 경우에는 다른 세상에 대하여서도.

과학으로서의 심리학

심리학자들은 다른 분야의 과학자들과 매우 유사한 방법으로 일한다. 인간의 행동을 이해하기 위하여 심리학자들은 첫째, 환경과 행동과의 관계를 수립하고 둘째, 이러한 관계들을 기존의 전체 지식 체계와 조화롭게 맞추어 나가는 시도를 한다. 이 책 전반에서 우리는 위의 첫 번째 활동을 주로 다룰 것이며, 제3장과 제13장에서는 두 번째 활동에 대해서도 다룰 예정이다.

과학자로서 우리가 인정할 수 있고 수용할 수 있는 관계란 어떤 종류의 것들인가? 한 사건이 다른 사건과 어떤 예측 가능한 방식으로 관련되어 있다는 것을 증명할 수 있을 때 우리는 과학의 지식체계에 잘 들어맞는 하나의 진술을 하게 되는 것이다. 이 사건들 중 적어도 하나는 측정 가능한 행동이어야 한다. 여기에서 우리는 여러 과학 분야 가운데 구분되는 점을 발견할 수 있다. 심리학자의 주된 관심이 되는 행동은 인간행동—그리고 때로는 동물행동—이다. 그리고 여기에서부터 심리학자들에게 항상 붙어 다니며 괴롭히는 그러나 물리학자들에게는 그렇지 않은 우리의 첫 번째 문제가 시작된다. 인간과 동물은 가변적이다. 우리 인간들은 정확한 반응을 반복하고 싶더라도 종종 그렇게 하는 데 성공하지 못한다. 그리고 어떤 경우는 우리가 그것을 원하지 않을 수도 있다. 변산성(variability)이라는 문제에 있어서는 전형적으로 물리과학자들이 심리학자보다 더 쉬운 입장에 있다.

나무블록의 마찰계수를 측정하는 물리학자는 그 블록이 기울어진 평면을 미끄러져 내려오는 데 걸리는 시간을 측정할 수 있다. 비록 그 시간은 시행마다 변할 수 있지만 그러한 변산성은 비교적 작을 것이다. 그 물리학자는 그러한 변산성을 사소한 것으로 생각하여 단지 한번의 시행에서만 그 시간을 측정했다고 하더라도 중대한 오류를 범하고 있는 것은 아니다. 그러나 인간이 불빛에 반응하는 데 걸리는 시간을 측정하려는 심리학자는 인간의 변산성을 무시하면 훨씬 더 큰 오류를 범하게 될 것이다. 그 물리학자의 블록이 다른 데 정신을 팔아서 미처 반응할 준비를 하지 않거나 혹은 눈을 깜빡이거나 졸려서 어떤 시행에서는 좀 더 천천히

반응할 가능성은 거의 없지만 인간은 이러한 일들이나 많은 다른 문제들로 인하여 그렇게 반응할 가능성이 충분히 있다.

심리학자들은 시행들 간의 변산성뿐만 아니라 인간들 간의 변산성 역시 고려해야 한다. 위의 물리학자는 원래의 것과 똑같은 크기와 무게 그리고 원래의 것처럼 다듬어진 표면을 가진 다른 블록을 만들 수 있다. 그러나 심리학자는 똑같은 인간을 다시 만들 수 없다. 인간은 결코 똑같은 유전적 배경(일란성 쌍생아는 예외이지만)을 가질 수 없으며, 결코 똑같은 환경적 배경을 가질 수 없다. 이러한 이유로 불빛에 반응하는 데 있어서 어떤 사람의 가장 빠른 반응이 다른 사람의 가장 느린 반응보다 더 느릴 수도 있다. 그러므로 심리학자로서 우리는 시행에 따르는 한 사람의 변산성뿐 아니라 사람들 간의 변산성도 다루어야만 하는 것이다.[2]

변산성을 취급하는 한 가지 방법은 통계적 기법을 사용하는 것이다. 많은 심

2) 여러분은 일부 심리학자들이 동물들을 실험에 사용하는 이유를 이해할 수 있다. 심리학자들은 비슷한 유전적 특징을 가진 동물들을 낳게 만들고 이들을 비슷한 환경 안에서 기를 수 있지만, 만일 그들이 똑같은 일을 사람에게 하려 한다면 반대에 부딪칠 것이다. 여러분의 친구들이 "모든 남자들은 동물이야."라고 말하거나 혹은 "모든 여자들도 마찬가지야."라고 말한다고 해도 그 말을 믿어선 안 된다.

리학 전공생들은 기초과목으로 심리통계 강의를 수강함으로써 이것을 배운다. 이 책은 통계학 교과서가 아니기 때문에 통계적 해결책에 대해 많은 시간을 소비하지는 않을 것이다. 단, 이 주제는 제12장에 간략히 언급되어 있는데, 그곳에서 실험결과를 해석하는 방법에 대한 논의가 있겠고, 부록 A에 간단한 통계 수식들을 제시하였다. 변산성을 다루는 두 번째 방법은 연구를 설계하는 단계에서 그것을 가능한 한 많이 통제하는 것이다. 이 책은 여러분이 훌륭한 연구를 하는 데 도움을 주기 위해 쓰여졌는데, 그것을 한마디로 말하자면 다음과 같다. "변산성이 어디에서 기인하는지를 알고 그것을 설명할 수 있도록 하라."

심리학자와 여타 사회과학자들은 변산성을 설명하기 위한 시도로써, 제대로 된 관찰을 하기 위한 다양한 연구 기법들을 사용한다. 이 장에서 여러분은 이러한 다양한 기법에 대한 개관을 할 것이다. 그리고 다음 장과 나머지 대부분의 장에서 실험법에 대하여 보다 구체적으로 언급해 나갈 것인데, 그 이유는 실험법이 바로 이 책에서 강조하는 주된 기법이기 때문이다. 제10장에서는 몇 가지 덜 전통적인 기법들, 즉 설문지연구(questionnaires), 단일피험자 설계, 준실험(quasi-experimental) 설계 등에 대해서도 좀 더 자세히 언급할 것이다.

가장 널리 사용되는 연구 기법들은 때때로 **수량적 설계**(quantitative designs)라고 불리는데, 이런 설계에서 사건들은 수량화 될 수 있어서 그 데이터가 숫자로 나타나게 된다. 실험과 상관적 관찰이 이러한 설계에 포함된다. 가능한 연구 기법들에 대한 전체적인 이해를 돕기 위하여, 이 장에서는 **질적 설계**(qualitative designs)에 대해서도 간단히 살펴볼 예정인데, 이런 설계에서 연구되는 사건들은 쉽게 숫자로 변환되지 못한다.

수량적 설계

실험적 방법

과학자로서 우리는 사건들 간의 관계를 수립해 나가지만 이 사건들이 항상 행동을 의미하는 것만은 아니다. 사실 우리가 실험을 할 때나 **실험적 방법**(experimental method)을 사용할 때, 관심이 되는 관계는 일련의 상황과 행동 간의 관계이다. 물리학자는 어떤 블록이 경사면을 미끄러져 내려오는 데 걸리는 시간을 알고자 할 때, 그 경사면의 각도와 표면의 특성, 온도 등과의 관계를 생각하게 된다. 반면, 심리학자는 어떤 교실에서 학생들의 행동을 연구하고자 할 수 있다. 두 과학자 모두 일련의 상황과 행동과의 관계를 수립하려 하고 있는데(여기서 행동이란 물리적 대상의 행동이나 인간의 행동을 말한다) 이 관계들은 과학적 사실들이며 이러한 과학적 사실이라는 벽돌로 우리는 과학이라는 건물을 짓는 것이다.

이러한 관계를 수립하기 위해 실험을 설계하는 일은 불행하게도 항상 쉬운 것만은 아니다. 이상적으로 말하자면, 우리는 특정한 일련의 상황을 하나도 남김없이 그리고 정확하게 기술하고, 그러고 나서 그러한 상황하에서 일어나는 모든 행동을 측정하고 싶어할 것이다. 그렇게만 된다면 우리는 이러한 일련의 상황이 다시 발생할 때마다 똑같은 행동이 나타날 것이라고 말할 수 있을 것이다. 그러나 만일 우리가 그러한 모든 상황들의 목록을 작성할 수 있다면, 그 목록은 단 하나의 유일한 상황들의 집합이 될 것이다. 다시 돌아가서, 우리가 어떤 교실에서 학생들을 연구하고자 한다면, 관심의 대상이 되는 상황은 무엇인가? 아마도 우리는 선생님이 남성인지 여성인지 혹은 그 선생님이 입은 옷의 종류에 따른 효과를 알고 싶어할 수도 있고 또는 학급의 크기나 교실에서 컴퓨터를 사용하는지의 여부 혹은 수업 시간에 따른 효과 등을 알고 싶어할 수도 있다. 여기서 보듯이 우리가 알아보고 싶어하는 상황들은 너무나 많다. 사실 상황의 수는 무한하고, 그래서 이들은 결코 반복될 수 없는 유일무이한 상황들의 집합을 형성하게 된다.

물리학자의 경우와 마찬가지로 심리학자는 상황들과 행동들 간에 관계를 수립하려고 하며, 여기서 비슷한 문제점이 발생한다. 우리는 어떤 행동을 조사하려고 하는가? 학생들이 얼마나 주의를 기울이는지를 조사할 수도 있고, 아니면 학생들이 얼마나 필기를 많이 하는지를 혹은 얼마나 많은 질문을 하는지를, 아니면 수업에 얼마나 빠지지 않고 출석하는 지를 조사할 수도 있다. 심지어 학생들이 얼마나 고개를 끄덕거리고 고개를 젓는지 등을 조사할 수도 있다. 다시 말해서 상황과 마찬가지로 우리가 측정하려고 하는 행동의 수도 무한한 것이다.

따라서 과학자는 서로 연관 지을 수 있는 행동과 상황 간의 무한한 조합을 잠재적으로 가지게 된다. 측정할 대상이 아닌 행동은 측정의 대상이 아닌 상황보다는 처리하기가 쉽다. 일단 특정한 행동을 측정하기로 선택했다면 다른 행동들은 대체로 무시될 수 있다. 그러나 일단 상황을 선택했을 때 다른 상황들을 무시할 수는 없다. 한 가지 가능한 해결책은 행동과 선택된 상황 사이의 관계를 엄밀히 진술하기 위해 다른 모든 상황들을 동일하게 유지하는 것이다. 그러나 그렇게 한다면 결국 무한한 숫자의 진술을 만들어야 하며, 각각의 진술은 다시 무한한 수의 행동들과 짝지어진 무한한 상황의 조합이 될 것이다. 비록 특정한 상황과 행동 간의 관계에 대해 정확히 진술할 수 있다고 하더라도 결코 상황으로부터 미래의 행동을 예측할 수 없을 것이다. 왜냐하면 특정한 상황과 짝지어진 동일한 행동을 미래에도 다시 찾기란 불가능하기 때문이다. 어떻게 이 문제를 해결할 것인가?

과학자들은 여기서 타협을 할 수밖에 없었다. 그들은 한번에 조사할 상황들을 단지 몇 개만 선택하고, 나머지 다른 상황들은 일반적 상황으로 놓는 것이다. 이 말은, 관심의 초점이 되는 상황(혹은 상황들)만은 정확하게 명시하되, 다른 상황들은 하나의 일반적 집합으로 만든다는 것이다. 이러한 방식으로 이 상황들은 더 이상 유일한 상황의 집합을 형성하지도 않게 되고, 오히려 다시 반복적으로 일어날 수 있는 하나의 일반적 상황 집합이 될 수 있다.

실험적 방법을 사용하는 데 있어서 과학자는 상황들 중 적어도 하나를 조작하고, 적어도 하나의 행동을 측정한다. 예를 들어 단어와 그림 중 어느 것이 더 외우기 쉬운가를 알고 싶다고 하자. 우리는 자동차, 나무, 집, 손 등과 같은 단어 목록을 만들고 각 단어에 해당하는 간단한 사진이나 그림을 찾을 수 있다. 그러고 나서 사람들에게 단어나 그림을 제시한 후 각 유형의 목록을 학습하는 데 얼마나 많은 시행이 필요한지를 알아볼 수 있다. 이렇게 조작할 상황을 선택하고 이를 단어와 그림이라는 두 수준으로 설정하여 각 수준을 학습하는 데 걸리는 시행 수를 측정한다. 이런 방식으로, 실험을 마친 후 단어나 그림으로 제시되는 방식이 학습에 미치는 영향이 있는가에 대한 분명한 진술을 만들어낼 수 있어야만 한다. 사실 우리는 모든 다른 주변 상황들을 그저 무시할 수만은 없다. 다음 장에서 언급하겠지만, 우리는 우리가 조작하지 않는 상황들을 어떻게 다루어야 하는지에 대해서도 조심스럽게 고려해야만 한다. 그러나 하나의 실험이 제대로 수행되었다면, 다음과 같은 분명한 진술이 가능해진다. 관심의 대상이 된 상황이 조작되었을 때 측정된 행동에 어떤 변화가 나타났다면 이는 그 조작에 기인하는 것이다. 과학에서 실험 방법이 그토록 광범위하게 사용되는 이유는 다른 어떤 방법도 이처럼 강력한 인과적 진술을 가능하게 할 수는 없기 때문이다. 이 장에서 다른 과학적 방법에 대해서 언급한 내용들을 보면 알게 되겠지만, 이 방법들은 과학의 이상적 수준, 즉 특정한 상황의 변화가 특정 행동의 변화를 일으켰다고 분명하게 말할 수 있는 수준에는 조금 미치지 못하는 것들이다.

상관적 관찰

인간행동에 관한 우리의 지식을 증가시키는 관계를 정립하는 데 있어서 실험을 수행하는 것이 항상 가능한 것은 아니다. 이럴 때 **상관적 관찰**(correlation observation)을 사용하는 것이 종종 적절할 수 있다. 상관적 관찰법에서는 어느 변인도 실험적으로 조작하지 않은 채로 두 개의 변인들 간에 관계가 있는지를 결정하고자 한다. 가령, 우리가 아마도 높은 인구밀도로 인한 스트레스가 청소년 범죄를 증가시킬 것이라 가설을 세울 수 있을 것이다. 이를 실험적 모형에 맞추기 위해서는 인구밀도를 조작할 수 있는 상황으로 놓고 동시대에 태어난 신생아의 부모들로 하여금 서로 다른 인구밀도를 가진 집단에 거주하도록 강요해야 할 것이다. 하지만 대부분의 부모가 그러한 실험에 참여하는 데 동의하지 않을 것이며, 우리 사회 역시 좋은 연구를 하려는 우리의 진지한 노력에 미소를 보내지 않을 것이라는 점은 분명하다. 그렇다고 중요한 질문이 될 수도 있는 주제에 대하여 연구를 포기하기보다는 이러한 문제에 대하여 상관적 관찰법을 사용하는 것을 고려할 수 있다.

그와 같은 관찰을 할 때 우리는 서로 다른 인구밀도를 가진 여러 집단들에서 많은 아이들을 무선적으로 선택할 수 있다. 인구밀도에 따라 낮음부터 높음까지

척도를 매길 수 있다. 그리고 각 아이들이 얼마나 많은 위법행위를 저질렀는지 법정기록을 조사하고 인구밀도와 위법행위의 수 간에 관계가 있는지를 결정할 수 있을 것이다.

상관적 관찰로부터 나온 자료 혹은 데이터[3]는 각 변인이 하나의 축 상에 표시되고, 각 점이 하나의 측정치로 표시되는 **산포도**(scatterplot)에 전형적으로 그려진다. 예를 들어, 앞의 인구밀도 연구로부터 나온 가상적 자료가 그림 1-1에 도표로 나와 있다. 이 경우 각 점들은 인구밀도 점수와 각 아이들의 법정출두 횟수를 나타낸다. 가령 도표의 우측 상단에 있는 점은 4번의 법정출두를 하고 인구밀도가 높은 집단에 속한 아이를 나타내고, 좌측 하단의 점은 법정에 한 번도 출두한 적이 없으며 인구밀도가 낮은 집단에 사는 아이를 나타낸다. 이 산포도는 위의 가상적 예에서 인구밀도와 법정출두 횟수 간에 중간 정도의 관계가 있음을 보여 준다. 이 자료에 나타난 점들은 도표의 좌측 하단에서부터 우측 상단에 이르는 하나의 가상선 주위에 모여 있다. 이러한 가상적인 예에서는 인구밀도가 낮은 집단에 거주하는 아이는 법정출두 횟수가 더 적은 경향을 보인다.

우리는 앞에서 과학자들이 하는 일은 사건들 간의 관계를 정립하는 것이라는 점에 동의하였는데, 그렇다면 상관적 관찰을 사용한 위의 연구 결과는 왜 실험의 결과보다 못한 것일까? 실험적 방법을 논의한 앞 절을 상기해 보라. 우리가 좋은 실험을 수행했다면 우리는 조작한 상황의 변화가 측정한 행동의 변화를 유발했다고 말할 수 있다. 그러나 상관적 관찰로부터 우리가 할 수 있는 가장 최선의 것은 하나의 변인이 또 다른 변인과 관계가 있다고 결론짓는 것이다.

왜 우리는 인구밀도가 청소년 범죄를 유발한다고 말할 수 없는가? 그 근본적 이유는 우리가 어떤 상황도 조작하지 않았기 때문이다. 즉, 우리가 한 것이라곤 두 개의 행동을 측정한 것뿐이다. 우리가 실험에서 인구밀도를 조작했어야만 인과적 진술을 할 수 있을 것이다. 우리는 직접 인구밀도를 조작하는 대신 사람들이

3) 훌륭한 실험자라면 data가 복수 단어라는 것을 알고 있어야 한다. 즉, datum은 단수지만 data는 복수이다("a datum is, but data are"). 여러분이 매일 아침에 일어날 때마다 세 번씩 "these data are"라고 노래를 불러도 여전히 그것을 깜박 잊게 될 지도 모른다.

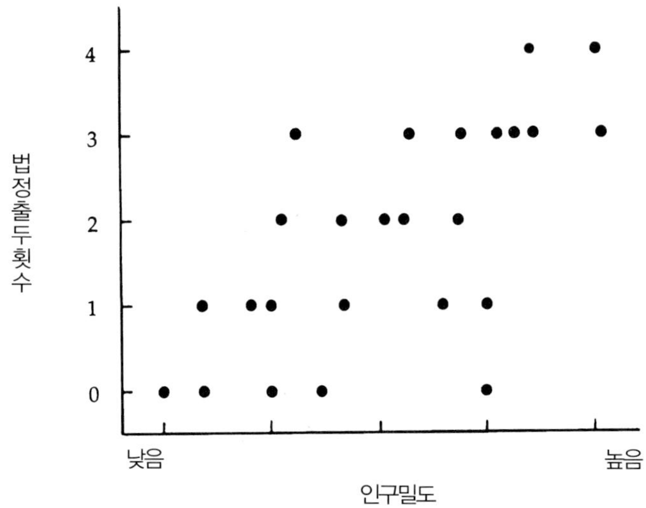

그림 1-1 인구밀도와 아이들의 법정출두 횟수 간의 관계를 나타내는 가상적 자료

각자 살 곳을 마음대로 정하게 내버려뒀다. 따라서 특정한 인구밀도를 가진 집단에 살지 정하는 것은 조작된 상황이라기보다 하나의 행동이며 우리가 실험을 통해 내릴 수 있는 강력한 인과적 결론을 여기에는 적용하지 못하게 된다. 왜 그럴까?

상관적 관찰에서도 어떤 행동은 다른 행동을 유발할 수도 있다. 그러나 그런 경우에라도 우리는 여전히 어떤 행동이 인과관계의 원인이 되고 어떤 행동이 결과가 되는지를 알지 못한다. 이러한 문제를 때때로 **방향성 문제**(directionality problem)라고 부른다. 가령 앞의 예에서 청소년들이 불량해져서 그들의 부모가 더 인구밀도가 높은 곳으로 이사하게 된 것일 수도 있다. 다시 말하면, 비록 그럴듯하진 않지만, 청소년 비행이 인구밀도 선택의 원인일 수도 있다. 즉, 청소년 비행이 관대한 훈육방식을 유발했을 수도 있다. 하나의 행동이 다른 행동을 유발했다고 해도 상관적 연구를 통해서는 그 인과관계의 방향을 알 수 없다.

어떤 두 행동이 서로 관계가 있다고 하더라도 그 두 행동 모두 서로를 유발한 직접적인 원인이 아닌 경우도 있다. 어떤 제3의 변인이 이들 행동 모두를 유발했을 수도 있는데, 이는 **제3의 변인 문제**(third variable problem)로 알려져 있다.

아마도 다음과 같은 예를 보면 상관적 관찰에 근거하여 인과적 진술을 하는 것이 왜 어려운지를 알 수 있을 것이다. 육군이 오토바이 사고 횟수를 사회경제적 수준과 나이와 같은 다른 변인들과 상관지어 보고자 하여 오토바이 사고에 관한 연구를 실시하였다. 오토바이 사고를 가장 잘 예측해 주는 요인은 오토바이 운전자에게 있는 문신의 수라는 것이 발견되었다. 문신이 오토바이 사고를 일으켰다거나 또는 오토바이 사고가 문신의 원인이 되었다고 결론짓는 것은 어처구니없는 오류를 범하는 일일 것이다. 분명한 것은 제3의 요인이 이 두 행동 모두와 관련이 있다는 것이며, 그것은 아마도 모험을 더 선호하는 것일지도 모른다. 모험적인 일들을 기꺼이 하려는 사람은 자신의 몸에 문신을 새기기 좋아하고 오토바이를 더 많이 타려고 할 수 있다.

여러분은 흡연이 건강에 미치는 영향에 대하여 담배회사와 정부 사이에 오래된 논쟁이 있다는 것을 잘 알고 있을 것이다. 약 수십 전 미국 보건부 장관이 당면했던 딜레마는 상관적 자료에 근거하여 인과적 진술을 하는 것이 얼마나 힘든 일인가를 잘 보여 준다. 비록 흡연 양이 폐암이나 기타 건강을 해치는 일들과 정적인 상관관계가 있다는 것은 이미 알려져 왔지만, 보건부 장관은 흡연이 폐암의 원인이 된다고 말하는 것을 꺼렸던 것이 사실이다. 그렇게 꺼려 했던 이유는 부분적으로 정치적인 의도와 관련이 있었을지도 모른다. 그러나 주된 이유는 정당한 과학적 조심성 때문이었는데, 즉 암을 유발하고, 흡연에도 영향을 주는 제3의 변인이 있을 수도 있기 때문이었다. 예를 들어, 신경이 과민한 사람들은 신체를 불안한 상태로 만드는 화학물질들을 만들어내어, 결국 악성화 되기 쉬운 불안정한 세포가 생겨나도록 할 수 있다. 신경이 과민한 사람들이 담배를 더 많이 피운다는 것이 사실로 밝혀질 수도 있다. 그렇게 된다면 신경과민이란 제3의 요인이 이 두 변인 모두에서 변화를 유발시켰을 수도 있는 것이다.

따라서 보건부 장관이 흡연이 폐암의 원인이 된다고 분명하게 말할 수 있으려면, 보건부에서는 하나의 실험을 수행했어야 했다. 그런 실험이라면 아마도 1,000명에게 하루에 40개비의 담배를 피우게 하고, 또 다른 1,000명에게는 하루에 30개비의 담배를 피우게 하는 등의 방법을 사용해야만 할 지도 모른다. 이와 같은 실험설계에서 실험자들은 각 집단의 개인들이 살아가는 동안 얼마나 폐암에 걸리는지를 조사할 수 있다. 이 실험이 적절하게 수행되었다고 가정한다면, 집단들 간에 나타난 암 발생의 실제적 차이는 담배 때문이라고 말할 수 있을 것이다. 하지만 우리 사회에서 개인의 기호는 존중되어야 하며, 따라서 이러한 실험은 윤리적인 면에서 수행될 수 없으며 수행되지도 않았다. 그렇다면 어떻게 담뱃갑에 "보건부 장관의 경고: 흡연은 폐암과 심장질환, 폐기종을 일으키며, 임산부에게 해롭습니다."[4]라는 경고문이 붙게 되었을까? 이 경우에는, 건강문제와 흡연에 관련될 수 있는 많은 다른 변인들에 대해 상관관계들이 조사되었다. 이들 변인들이 점점 더 많이 제거되면 될수록 흡연이 원인이 될 가능성이 점점 더 높아진다. 보건부 장관은 논리적으로 개입 가능한 모든 제3의 변인들이 마침내 제거되었다는 믿음을 갖게 되었고, 이와 더불어 동물실험을 통하여 인과관계가 확실히 있다는 사실에 힘

4) 실제로 흡연의 결과를 경고하는 문구는 여러 가지가 있지만, 결국 모든 문구들은 흡연하는 것이 건강문제를 유발한다는 뜻을 지니고 있다.
(역자 주) "담배연기에는 발암성 물질인 나프틸아민, 니켈, 벤젠, 비닐 크롤라이드, 비소, 카드뮴이 들어있습니다."

을 얻어, 경고 문구가 가능하다는 확신을 하게 되었다.

요컨대, 우리는 때때로 사건들 간에 중요한 심리학적 관계가 있는지 알아보기 위해서 상관적 자료들을 수집해야 한다. 그러나 우리는 상관적 관찰의 결과를 인과적 관계로 해석하는 일상적인 오류를 피하기 위하여 이러한 자료들을 주의해서 살펴봐야 한다.

이 절의 처음에 나온 예의 경우처럼, 상관적 관찰을 위한 자료 수집에 자주 사용되는 기법 중에 하나는 설문조사(survey)이며, 이는 설문지(questionnaire)나 면담(interview)의 형태로 이루어진다. 연구과목을 수강하며 이 책을 이용하는 학생들 중에는 설문지를 사용하여 연구 프로젝트를 하는 경우가 많기 때문에, 이 책의 제10장에서 설문지 사용에 대한 보다 구체적인 논의를 제공할 것이다. 여기서는 설문조사에 대한 개략적인 소개만 하도록 하겠다.

설문조사

설문조사(survey)는 전형적으로 사람들에게 자신의 행동이나 의견 등에 관하여 질문을 하는 것이다. 여러분 스스로도 많은 설문조사에 참여해 본 적이 많이 있을 것이며, 어떤 경우에는 자신이 참여한다는 사실조차 모른 채 설문조사에 참여했을 수도 있다. 예를 들면 필자가 있는 학교에서는 졸업 예정자들에게 그들의 대학 생활에 관한 설문을 우송하는데, 교수나 학교 보건소, 직업 상담, 구내 식당 등에 대한 그들의 경험을 묻는 설문이다. 또는 여러분 중에는 전화로 정치적 문제나 정당 후보자에 대한 질문에 대답해 본 일이 있는 사람들도 있을 것이다. 인터넷상에서 여러분이 몇몇 서비스에 가입하려고 할 때도, 여러분은 자신이 누구이고, 자신이 선호하는 것이 무엇인지에 대한 질문들에 대답해야 한다.

설문조사 방식 중에는 설문지(questionnaire)를 이용하는 것이 있는데, 즉 지필(paper-and-pencil) 형태를 띠고 직접 만나서 개별적으로 혹은 집단적으로 실시할 수 있다(이때, 설문 참여자를 **응답자**—respondents—라고 부른다). 설문지는 물론 우편을 통해서 혹은 인터넷을 통해서도 보낼 수도 있다. 설문조사는 또한 면담

(interview)을 통해서도 이루어지는데 이 경우에는 직접 만나서 면대면(face-to-face)으로 혹은 전화를 통해서 진행될 수 있다. 이들 방법들은 상대적으로 각각 장단점들이 있으며 그것들에 대해서는 제10장에서 더 논의하도록 하겠다.

설문조사 연구가 갖는 몇 가지 일반적 장점들에 대해서 말해 보겠다. 우선 설문조사에서는 응답자들에게 그들의 의견이나 태도, 동기에 대하여 직접적으로 물어볼 수 있다. 즉, 여러분은 응답자의 행동을 관찰하여 그들의 의견이나 태도, 동기 등에 대하여 추론을 해야만 할 필요가 없는 것이다. 가령 우리가 어떤 상점에서 상품 진열 방식을 바꾸는 등의 조작을 가하여 하나의 실험을 한다고 하자. 그리고 손님들이 바뀐 상품 진열 방식에서 더 많이 구매한다는 것을 발견했다고 하자. 하지만 우리가 손님들이 더 많이 구매하고 있다는 것을 알고 있다고 해도 실제로 왜 그러는지는 알지 못한다. 손님들이 그 상점에 대하여 더 좋은 인상을 갖게 되어서 그럴 수도 있고, 아니면 손님들이 찾으려는 물품을 더 쉽게 찾을 수 있게 되어서 그럴 수도 있다. 설문조사를 통해서 우리는 손님들이 왜 더 많이 사는지에 대하여, 아니면 적어도 더 많이 사는 이유에 대한 손님들의 생각을 알아볼 수 있다. 설문조사의 두 번째 장점은 대량의 자료를 신속하게 수집하는 일이 비교적 쉽다는 것이다. 필자는 지난 밤 TV에서 대통령이 대국민 연설을 하는 것을 지켜보았는데, 그 방송국은 연설이 끝난지 불과 수분 후에 시청자 설문조사 결과를 내보냈다.

설문조사의 단점 역시 없는 것은 아니다. 사람들이 자신의 행동이나 의견에 대한 사실적 정보를 여러분에게 주고 있다고 생각할 수도 있지만, 실제로 그들이 말하고 있는 것이 진실과는 거리가 먼 것일 수도 있다. 예를 들면, 갤럽 회사가 사람들에게 교회 참석에 대하여 60년 동안 설문조사를 해 왔는데, 전형적인 결과는 응답자의 약 40%가 일주일에 한 번은 예배에 참석한다는 것이었다. 이것은 다른 서구 국가와 비교할 때 훨씬 높은 참석률을 의미하는 것인데, 최근 많은 교회들은 교인의 수가 줄어들었음을 보고하고 있다. 무엇이 진실인가? Hadaway와 Marler(1998)는 목사들과 의논해서 교인의 수를 세기로 하였고, 결국 교회 참석률은 40%가 아니라 20%에 가깝다는 사실을 발견했다. 그렇다면 교회 다니는 착한 사람들이 왜 그렇게 거짓말을 하고 있을까? 어쩌면 어떤 사람들은 바로 전 주에 교회에 가지 않았어도 평상시에는 잘 나가는 편이니까 그냥 일주일에 한 번씩 나간다고 대답해도 괜찮을 걸로 생각했는지 모른다. 혹은 어떤 사람들은 좋은 사람들이 으레 교회에 나간다고 생각하고 자신들을 좋은 사람으로 생각해 주길 바라는 마음으로 그렇게 대답했을지도 모른다. 그 이유가 무엇이든 간에, 설문조사에서 사람들은 자신들이 투표에 참여하거나 기부금을 내는 빈도는 과장하고, 마약이나 개인적 용도로 사무실 복사기를 사용하는 빈도 등은 과소평가하는 경향이 있음을 우리는 알고 있다. 따라서 연구자로서 여러분은 다음과 같은 점을 명심해야만 한다—설문조사와 관련된 가장 큰 문제점은 사람들이 실제로 자신이 어떻게 행동하고 실제로 무엇을 생각하는지를 여러분에게 보고하는 것이 아니라, 단지 그들이 느끼기에 다른 사람들이 자신들의 행동이나 생각에 대해서 할 수 있는 말들만을 보고할 수 있다는 점이다.

설문조사의 또 다른 단점은 이미 언급한 장점과 동일한 것인데, 즉 설문조사는 너무도 많은 자료를 제공한다는 점이다. 한 가지 문제점은 자료를 수집하기 위해서는 많은 수의 응답자가 필요하나, 어떤 상황에서는 응답자의 수가 제한적일 수밖에 없다는 데 있다. 가령 필자가 있는 대학에서는 심리학개론을 수강하는 전체 학생들을 응답자로 사용하는 대규모 설문조사를 실시하는 연구자는 때때로 다른 연구자들이 그들의 연구를 끝낼 때까지 기다려야만 한다. 그렇지 않으면 몇 개의 설문조사로 인해 전체 응답자들이 녹초가 될 수 있기 때문이다. 사실 연구자에게 더 심각한 문제는 수집된 방대한 자료를 해석하는 것이 쉽지 않다는 것이다. 필자는 학생들이 쓴 설문조사 연구의 보고서를 수없이 읽어 왔지만, 학생들은 자신이 실시한 설문조사의 결과들을 열거만 해 놓았을 뿐 결과에 대해 뭐라고 말해야 하는지를 아는 사람들은 거의 없었다. 이론적으로 동기화 되어 실시되는 설문조사 연구는 거의 없다는 점을 고려할 때, 그 결과 역시 실험 연구 결과와는 달리 어떤 이론을 지지하거나 혹은 반박하는 것으로 사용되는 일은 드물다. 덧붙여 얘기하자면, 설문조사 결과를 자세하게 분석하기 위해서는 요인 분석과 같은 복잡한 통계 기법들을 종종 사용해야만 하는데, 이러한 기법들에 관해서는 초보 연구자의 훈련 범위를 벗어나기 때문에 언급하지 않겠다. 그밖에 설문조사의 다른 장단점들은 설문지를 자세히 다룰 제10장에서 언급할 것이다.

기록 연구

상관적 관찰의 또 다른 유형은 기록 연구이다. 이것은 다른 사람이 여러분이 해야 할 관찰들을 여러분을 대신해서 이미 기록해 놓았을 경우에 해당된다. 즉, 여러분에게 유용한 정보가 이미 어딘가에 기록되어 보관되어 있을 수 있다. 이들 기록들을 연구 목적으로 검토하고 어떤 관계성을 찾기 위하여 그 정보를 조직화하여 해석하는 과정이 바로 **기록 연구**(archival research)를 하는 과정이다. 필자가 이러한 연구를 수량적 연구의 하나로 본 이유는, 대부분의 이들 기록들은 수량화 될 수 있으며 따라서 숫자로 표시될 수 있기 때문이다. 그러나 기록들이 면담이나 사례사 등으로만 이루어져 있는 경우에는 질적인 연구로 볼 수 있다. 심리학자들에게 관심의 대상이 되는 몇 가지 기록들을 예로 들자면, 인구조사 자료, 법정 기록, 신문, 병원 기록, 사고 기록, 범죄 기록, 임상 기록, 정부 부처의 기록들, 공공기관 종사자의 급여 목록, 전화번호부, 회사의 판매 기록 등이 있다.

기록 보관된 자료를 사용한 연구의 예로서, 애리조나 주립 대학의 Kenrick과 그의 동료는 수많은 신문에서 결혼을 알리는 기사를 조사했다. 이들은 개인 간 매력에 대한 진화 이론 중에 하나를 검증하려고 하였다.

그 이론에서 말하는 여자가 어떤 남자를 매력적으로 느끼는 주된 이유 중 하나는 그 남자가 자신의 자녀들에게 자원을 공급할 수 있는 잠재력이 있기 때문이라는 것이다. 다른 한편으로 남자가 여자에게 매력적으로 느끼는 이유는, 적어도 부분적으로는, 아이를 많이 낳을 수 있는 잠재력이 그 여자에게 있기 때문이라고 본다. 이 말이 사실이라면 그 이론이 예언하는 바는, 여자는 이미 많은 자원을 갖고 있는 상대적으로 나이가 있는 남자에게 일반적으로 매력을 느끼고 결혼해야 할 것이며, 남자들은 아이를 낳을 수 있는 햇수가 많이 남은 보다 젊은 여성과 결혼을 해야 할 것이다. 이러한 가설을 조사하기 위하여 Kenrick과 그의 연구원들은 결혼

할 사람들과 그들의 나이를 열거한 신문의 섹션을 단지 읽어 내려갔고, 그 이론이 예언하는 바대로 Kenrick은 신랑들이 대체로 자신의 신부들보다 더 나이가 많다는 것을 정말로 발견했다. 물론 이러한 나이 차에 대한 다른 가능한 설명들이 있을 수 있으며, 이들 가능한 이유에 대하여 그동안 많은 논의가 있었다(Kenrick & Keefe, 1992). 그럼에도 불구하고 이 연구는 일상적인 신문까지도 포함하는 우리 모두에게 이용 가능한 이들 기록 자료들이 중요한 심리학적 연구의 기초를 제공할 수 있다는 점을 잘 보여 주고 있다.

가장 방대한 기록 연구 사례 중의 하나는 Daly와 Wilson(1988)이 쓴 『살인(Homicide)』이라는 책의 기초가 되었다. 이 연구자들도 선택 사고(selection thinking)라고 부르는 진화 이론이 예언하는 바를 검증하려고 하였다. 이 이론이 일반적으로 예언하는 바는 사람이 다른 사람을 살해하려 할 때, 살해 대상은 자신들의 자손 번성에 가장 도움이 되지 않는 사람이어야 한다는 것이다. 이렇게 본다면 살해 당할 확률이 가장 낮은 사람은 자신의 유전인자를 지닌 생물학적 자손들이고, 또한 이들 자손과 앞으로 생길 자손들이 생존하는 데 도움을 줄 바람을 피우지 않는 배우자와 같은 타인들이 될 것이다. 그래서 예를 들면 이 이론은 다음과 같이 예언을 할 수 있는데, 부모들은 자신의 생물학적 자식보다 의붓자식을 살해할 가능성이 높으며 남자들은 자신의 배우자나 여자친구를 어떤 다른 이유보다도 외도나 부정의 의심으로 살해할 가능성이 가장 높아야 한다. 위의 연구자들은 디트로이트 시와 캐나다의 경찰 기록에 나타난 살인 보고서를 면밀히 조사하였고, 결국 거의 모든 예언들이 들어맞는다는 사실을 발견했다. 아이들은 친부모에 의해서보다 양부모에 의해서 살해될 가능성이 40에서 100배 정도나 더 높았다. 남자들이 자신의 짝을 살해한 경우의 대부분은 성적인 질투심이 그 동기가 되었다.

심지어 우리의 일반적 상식과는 상반되어 보이는 몇몇 예언들까지도 이들 자료에 의해 지지되었다. 예를 들면, 일정한 나이의 성인이 된 자식의 경우, 상대적으로 더 연로한 부모를 살해할 가능성이 더 높게 나왔다. 진화 이론은 이러한 결과를 그대로 예언하는데, 왜냐하면 상대적으로 더 연로한 부모일수록 가족의 유전인자를 지닌 자식을 낳을 가능성이 더 적기 때문이다. 이러한 발견은 심리학의 몇몇 다른 이론들이 예언하는 바와는 대치되는 것이다. Daly와 Wilson의 기록 연구 보고들은 다방면에 걸쳐 이루어져 있고 대부분의 자료들은 통계분석이 가능하도록 수량화될 수 있었다.

기록 연구가 갖는 장점들은 여러 가지가 있다. 여러분이 이미 존재하는 적당한 기록들을 발견할 수만 있다면, 자신만의 자료를 수집하기 위하여 시간과 노력을 들일 필요가 없다. 또한 때때로 그 기록들은 여러분이 직접 수집할 수 있는 것보다 훨씬 더 방대하고 포괄적인 자료를 제공하는 경우도 있다. 마지막으로 어떤 자료는 보관된 기록 자체가 이용 가능한 유일한 자료이며, 따라서 여러분의 연구 조작에 의해 새로운 자료를 수집되는 것 자체가 불가능한 경우도 있다. 어떤 심리학자라도 자료를 수집하기 위해 사람들에게 살인을 하라고 부추기거나 심지어 어떤 사람들에게 서로 결혼하라고 설득할 수는 없는 것이다. 예상하겠지만, 기록 연구에도 몇 가지 단점이 있다. 상관적 관찰이나 자연 관찰의 경우와 마찬가지로, 여기서도 어떤 변인도 독립적으로 조작되지 않았으며, 따라서 인과관계가 아닌 단지 관계성만을 발견할 수 있을 뿐이다. 더욱이 대부분의 경우 기록상에 있는 정보들은 훈련된 과학자에 의해 수집된 것이 아니어서 그것을 어느 정도 신뢰해야 할지 잘 모르거나 의심스러운 경우도 있다. 때로는 기록들을 찾기 힘들거나 혹은 얻기 힘든 경우도 있고, 심지어 얻었다고 해도 그것들을 체계적 방식으로 조직하는 것이 어려울 수도 있다. 마지막으로 대부분의 경우지만, 여러분이 필요로 하는 정보를 제공해 줄 기록 자체가 없을 수도 있다.

질적 설계

심리학의 대부분 연구들은 실험이나 상관적 관찰과 같은 수량적 설계를 사용하는데, 그 이유는 심리학 역사의 초창기에 과학을 강조하는 심리학에서 자신의 모습을 물리학이나 화학과 같은 소위 하드 사이언스(hard science)의 이미지에서 찾으려 했기 때문이다. 초기 내성주의자들(introspectionists)은 수치화 할 수 있는 행동 측정 대신 말로 보고하는 내용(verbal reports)을 자료로 사용하려고 하였으나 이러한 시도는 행동주의자들(behaviorists)에 의해 비판을 받아 사라졌고 결국 그 후 몇십 년 동안 다시 나타나지 않았다. 그러나 최근에, 특히 교육심리학, 임상심리학, 사회심리학과 같은 영역을 포함한 일부 심리학자들은 이러한 엄격한 규칙들이 심리학 연구에 너무 제한을 가하고 있다고 생각하기에 이르렀다. 이들은 과학의 테두리 안에서 말로 보고하는 내용을 자료로 사용할 수 있는 방법을 찾으려 했다. 이들이 찾아서 채택한 것은 질적 연구라고 불리는, 인류학과 좀 더 근자의 사회학으로부터 온 방법들이다. 질적 연구자들은 기술적(descriptive) 자료를 사용하는데, 즉 의견이나 태도 등을 포함하는 사람에 대한 기술과 사건이나 환경에 대한 기술 등을 사용한다.

문화기술지

이색적인 문화를 조사하기 위해 멀리 외국으로 여행하는 어떤 문화인류학자가 있다고 하자. 이 학자는 어떤 절차를 밟아 일을 진행할 것인가? 이상하고 낯선 문화에 대해서 알려진 것이 거의 없기 때문에 실험을 준비하는 것은 분명 불가능할 것이다. 설문지나 면담 질문을 준비하는 것조차도 그곳의 사람들에 대한 기본적 지식이 있어야 가능할 것이다. 이 인류학자의 첫 번째 목표는 아마도 그곳의 사람들과 의사소통을 하고, 그들의 문화가 더 이상 이상하거나 낯설게 보이지 않도록 그들과 그들의 환경을 있는 그대로 기술하는 일이 될 것이다. 질적 연구의 한 유형인 **문화기술지**(Ethnography) 연구를 하는 사람들은 이와는 거꾸로, 우리에게 친숙한 문화를 이상하게 보이도록 하기 위해서 친숙한 문화를 연구한다는 말을 때때로 듣는다(Erickson, 1973). 예를 들면 우리가 초등학교에서 특정한 유형의 강의기법의 효과를 연구하고자 한다고 생각해 보자. 우리 모두는 초등학교를 나왔고, 그래서 우리는 거기서 어떤 일이 일어나는지에 다들 잘 알고 있다. 우리가 연구하고자 하는 수업 유형에 대해 새로운 사실을 알고자 한다면 우리는 마치 우리가 외계로부터 와서 교실이라는 것을 처음 본 것처럼 이 일을 해야 하고, 모든 것을 마치 낯설고 이상한 것처럼 보는 훈련을 해야 한다고 이들 문화기술지 연구자들은 말할 것이다.

우리는 아마도 처음에 어린이와 교사들을 면담하는 일부터 해야 할 것이며, 이때 우리는 교실에서 일어나는 일에 대해 편견을 일으킬 어떤 가정이나 가설도 미리 갖지 말고 완전히 열린 마음으로 이들을 대하도록 노력해야 한다. 이들 면담은 되는 대로 아무렇게나 해서는 안 된다. 면담내용을 나중에 기억해내려고 하기보다는 녹음하여 요약, 기록해 두는 것이 좋다. 또한 수업에서 각 개인들의 행동과 일어난 일들 그리고 그런 일들이 일어난 상황이나 맥락에 대한 다양한 기록들을 하는 것이 좋다. 문화기술지 연구자들은 보통 그들의 자료가 의미하는 바를 해석하려 하지 않는다는 점을 생각할 때, 우리 역시 어린이와 교사들이 하는 말과 행동, 교실 환경 등에 대해 최대한 정확하게 있는 그대로 기술하려고 노력해야 한다. 문화기술지 연구자들은 때때로 참여적 관찰자로 행동하기도 한다. 가령 앞의 교실 상황에서 교사가 하나의 참여적 관찰자로 연구를 하고 있을 수도 있다. 참여적 관찰자는 다른 참여자들의 행동에 편파적 영향을 주지 않도록 가능한 한 지나친 참견이나 관여를 하지 말고, 쉬는 시간에만 기록을 한다든지 해서 다른 참여자들이 자신이 관찰대상이라는 느낌을 갖지 않도록 해야 한다.

앞의 교실 예는 자연적 관찰의 한 사례이기도 한데, 이 설계는 다음 절에서 알아볼 것이다. 그렇다고 모든 기술적 인종학이나 질적 연구들이 자연적 무대를 배경으로 이루어져야만 하는 것은 아니다.

필자의 한 동료는 모녀관계에 관심을 갖고 모녀관계가 과거에서부터 현재까지 어떻게 변해왔는지를 연구하였다. 그녀가 자료를 수집하는 방법은 그녀의 연구실에서 모녀 모두를 불러 다방면에 걸친 면담을 하고 이를 녹음하여 다시 글로 옮겨 적는 것이었다. 그녀는 또한 순수한 문화기술지 연구자와는 달리 단순히 자료를 기술하기보다는 그 자료를 해석하는 데 관심이 있었다. 면담을 할 때마다 유사한 주제가 거론되도록 그녀의 면담은 구조화되어 있긴 하지만, 그렇다고 질문들이 미리 정해져 있어서 면담자가 특정한 순서로 질문을 해야 하는 건 아니었다. 그녀의 면담은 단순히 구두로 하는 설문지의 성격을 지닌 것이 아니라 어느 정도의 유연성이 허용된 것이었다. 질적 연구를 하는 사람들은 이러한 유연성이 그들의 방법이 지닌 강점 중에 하나라고 주장하며, 참가자와 상호작용 할 때 참가자들이 자신의 경험이나 느낌, 태도 등을 그들 자신의 방식대로 기술할 수 있도록 해야 한다고 역설하고 있다. 이들 연구자들은, 실험자가 제한적인 가설을 검증하고 고도로 구조화 된 자료를 수집하는 식의 실험적 방법이야말로 매우 인위적이고 제약이 많아서 실제로 사용할 수 있는 방대한 자료 중 극히 일부만을 건드릴 뿐이라고 믿고 있다. 사실, 일부 질적 연구자들은 초보적인 철학 수준에서 질적 연구가 더 바람직하다고 믿고 있는데, 그 이유는 질적 연구가 더 인본적이기 때문이라는 것이다. 즉, 질적 연구는 참여자를 완전한 인간으로서 대우하고 그들의 인간적 측면을 존중하는 반면, 실험 연구는 참여자를 마치 실험 대상(피험자)으로만 취급한다는 것이다.

자연적 관찰

앞 절에서 언급한 것처럼 일부 심리학자들은 자연적 환경에서 행동을 연구하는 것이 최선의 방법이며, 설문지를 채우거나 실험에서 답하는 행위는 참가자의 행동을 왜곡할 수 있다고 믿고 있다. 우리가 알코올 섭취량과 사회적 공격성 간에 관계가 있는지를 알아보려고 한다고 해 보자. 우리는 하나의 실험을 설정하여, 참가자들로 하여금 일정한 양의 알코올을 마시게 할 수 있다. 그러고 나서 실험자는 그 방에 앉아 참가자들이 얼마나 공격적 행위를 하는지 기록할 수 있다. 이런 상황에서 여러분은 그 음주자들이 과연 얼마나 공격적인 행동을 보일 것이라고 생각하는가? 아마도 그들이 보이는 행동은 술집에 있는 사람들보다는 교회에서 예배보는 사람들에 더 근접해 있을 것이다.

우리가 알고 싶은 것을 제대로 알기 위해서는 술집에 가서 거기 있는 손님들을 관찰해야만 할 지도 모른다. 이러한 심리학적 연구 기법을 **자연적 관찰**(naturalistic observation)이라고 부르는데, 그 이유는 연구자가 행동을 관찰하는 조건이 그 행동이 자연적으로 일어나는 조건이기 때문이다.[5)]

자연적 관찰이 필요한 경우는 우리가 연구하려는 행동이 실험적 상황이라는 인위성에 의해서 왜곡될 가능성이 있다고 판단될 때이다. 예를 들면, 어린이들은 전형적으로 어른, 특히 낯선 사람이 있으면 행동이 위축된다. 자기의 집에서 자기의 장난감을 가지고 노는 어린이의 행동은 이들이 낯설게 보이는 실험자가 있는 심리학 실험실에서 낯선 장난감을 가지고 놀 때의 행동과 매우 다를 것이라고 우리는 쉽게 짐작할 수 있다.

오랫동안 비교심리학자들[6)]과 동물행동학자들은 인간 이외의 어떤 동물들이 도구를 사용하는지에 대해 의문을 품어 왔는데, 자연적 관찰이 그들에게 해답의 실마리를 제공하였다. 처음에는 동물원에 있는 침팬지를 관찰해서 자료를 수집했는데, 이들 자료는 다른 동물들은 도구를 사용하지 않는다는 일반적인 신념을 지

5) 자연적 관찰을 때로는 현장조사연구(field study)라고 부르는데, 연구자가 자료를 수집하기 위해서 직접 현장에 가기 때문이다(웬만하면 이런 말 안 하려고 했지만, 들판—field—에서는 농부가 최고지만 현장조사에서는 반드시 그렇지만은 않다).

6) 비교심리학자(comparative psychologist)는 X 상표가 Y 상표에 밀려났다는 TV 광고를 만드는 사람이 아니다. 비교심리학자는 인간을 포함한 동물의 행동을 종들 간에 비교하는 사람이다. 비교심리학자들은 우리들이 연구에 있어서 너무 자기중심적이라고 주장한다. 인간은 동물의 왕국에서 극히 작은 부분에 지나지 않는다.

지해 주었다. 그러나 얼마 후 이들 연구자들은 동물원 내의 침팬지들이 도구를 사용하지 않는 것은 동물원 내에 아무런 도구도 없기 때문일 수도 있다는 의문을 갖기 시작했다. 그래서 침팬지들에게 집게와 드라이버 같은 도구를 주었지만 그들은 여전히 그 도구들을 사용하지 않았다. 마침내 Jane Goodall이라는 매우 명석한 연구자가 침팬지들이 사는 숲 속으로 갔다. 그녀는 그 침팬지들과 살면서 수년간에 걸쳐 계속 그들의 행동을 관찰하였다. 그러던 어느 날 그녀는 어떤 침팬지가 나뭇가지를 가져와 옆에 붙은 잎사귀와 잔가지를 끝까지 떼어내어 부드럽게 만든 후 그것을 흰개미 집에 넣었다가 꺼내어 그 막대기에 달라붙은 흰개미들을 핥아먹고 있었다는 사실을 알아냈다. 비록 그 막대기가 인간의 도구만큼 세련된 것은 아니었지만 몇몇 연구자들은 그것이 적절한 침팬지의 도구라고 생각하고 있다. 자연적 관찰이 없다면 연구자들은 아직도 동물원에 있는 동물들 주위에 앉아서 이들이 도구를 사용하지 않는가를 관찰하고 있을지도 모른다.

심리학과는 달리 어떤 과학 분야에서는 그들이 연구하는 변인들에 대해 통제할 수 없음으로 인하여 일차적 연구 수단으로 자연적 관찰을 사용한다. 가령 천문학자들은 우주를 자연 그대로 연구할 수밖에 없다. 고고학자나 고생물학자, 문화기술지 연구자, 인류학자들의 경우도 거의 마찬가지다. 변인에 대한 통제 없이 있는 그대로를 연구해야 한다는 제약에도 불구하고 이들 과학자들은 진화와 같은 중요한 현상들을 발견해 왔다. 통제와 관련된 문제가 있기 때문에 심리학에서 자연적 관찰은 나중에 실험 연구를 통해 보다 철저하게 검증될 수 있는 가설들을 제안하기 위해 종종 사용되어 왔다. 이런 방식으로 사용된다면 자연적 관찰은 가치 있는 연구 수단이 될 수 있다.

여러분은 이제 연구 기법으로서 자연적 관찰이 지닌 주된 문제점이 무엇인지 눈치챘을지도 모른다. 연구자들은 그들이 관찰하는 어떤 변인에 대해서도 통제를 할 수 없기 때문에 어떤 하나의 변인은 관찰의 대상이 되는 주된 변인이 변함에 따라 체계적으로 함께 변하고 있을 수도 있다. 가령, 앞의 술집 예에서 연구자는 술집 손님들이 술을 더 많이 마실수록 이들의 상호작용이 더 공격적으로 된다는 것을 관찰했을지 모른다. 그러나 이 연구자는 밤이 깊어갈수록 사람들이 술을 많이 마시게 되고, 이와 함께 술집에 오는 사람 또한 늘어나는 것을 눈치 채지 못했을 수도 있다. 그렇다면 어쩌면 공격성은 사람이 붐비는 것과 관계가 있을지 모른다. 아니면 종업원이 피곤해져서 더 느린 속도로 술을 가져올 수도 있으며 이러한 사실은 공격성이 좌절과 관계가 있음을 암시하는 것일지도 모른다.

따라서 비록 자연적 관찰이 현실적이라는 점에서 장점을 지니고 있긴 하지만 통제가 어렵다는 단점 또한 가지고 있다. 상관적 관찰에서와 마찬가지로 실험자들은 오염변인이 있을 수 있다는 것을 알아야 하며 인과적 진술을 하지 말아야 한다.

사례사

심리학자가 쓸 수 있는 마지막 연구 기법은 **사례사**(case history)라고 부르는 또 하나의 질적 설계이다. 사례사란 하나의 사례에서 일어난 일들을 자세하게 보고하는 것이며, 여기서 사례는 한 개인의 삶이 되는 것이 보통이지만, 핵발전소의 폐쇄와 같은 하나의 사건이 될 수도 있다. 임상심리학의 경우는 많은 자료들이 사례 연구로부터 얻어지는데, 이는 Freud의 임상적 사례 보고까지 거슬러 올라간다. 전형적인 질적 연구들이 그러하듯이, 사례사의 자료들 역시 보통 구두 보고로 되어 있다. 가령 여러분이 다중성격을 지닌 몸이 붙은 샴 쌍둥이*[1]를 환자로 맞은 치료자라고 하자. 그리고 여러분은 왜 샴 쌍둥이에게 이중 성격이 나타나는지, 그 원인에 대해 알고 싶다고 하자. 하지만 여러분은 그 원인을 알기 위해 실험을 하려고 하는 것이 얼마나 무모한 일인지 즉각적으로 알 수 있을 것이다. 실험을 할 정도로 충분히 많은 샴 쌍둥이를 찾기도 힘들지만, 설령 찾았다고 하더라도 실험을 통하여 샴 쌍둥이가 정신적 고통을 갖게 된다면 이는 비윤리적인 일이다. 물론 샴 쌍둥이가 아닌 다른 누구라도 정신적 고통을 주는 일은 비윤리적인 일이다.

실험이 안 된다면, 다음으로 상관적 관찰을 생각해 볼 수 있다. 아마도 여러분은 샴 쌍둥이의 다중 성격의 수와 아동기의 스트레스 정도 간에 상관관계를 낼 수도 있다. 그러기 위해서는 전과 마찬가지로 다중성격을 지닌 많은 샴 쌍둥이들을 찾아야만 한다. 그렇게 하기란 사실상 거의 불가능하며 그렇다고 하나의 사례만으로 상관적 관찰을 하는 것7)은 아무런 의미가 없기 때문에 이러한 접근도 포기할 수밖에 없다.

여기서 우리가 할 수 있는 유일한 방법은 샴 쌍둥이들의 삶에서 그들의 발달에 영향을 준 요인들이 무엇인지를 개략적으로 기술해 주는 사례사 연구일 것이다. 우선 우리는 출생부터 현재에 이르는 그들의 생애사를 정립하기 위하여 샴 쌍둥이들을 면담하는 데 많은 시간을 보내야 한다. 그와 더불어 우리는 그들의 친척이나 친구들과도 면담을 하고, 그들의 학교나 병원 기록들 그리고 심리검사 기록들을 살펴보아야 한다. 이 모든 정보들을 다 기록하자면 너무나 많은 지면이 필요할 것이므로 우리는 가장 중요한 것이라고 생각되는 것만을 선정하도록 해야 한다.

사례사 기법은 알지 못하는 오염변인에 의해 영향을 받을 수 있고 인과관계를 설정할 수 없다는 단점을 포함해서 다른 방법에서 언급되었던 모든 위험성들을 그 안에 내포하고 있으며 그 외의 추가적인 단점까지도 가지고 있다. 첫째, 연구자들은 일반적으로 과거 사건들을 이와 연관되었던 사람들의 주관적 보고를 토대로

---

*1 (역자 주) 샴 쌍둥이(Siamese twins)는 태어날 때 허리나 등과 같이 서로의 몸 일부가 붙은 쌍둥이를 말한다.

7) 두 개의 변인 각각이 하나의 수치만을 갖고 있는 상태로 이들 간에 관계가 있는지를 알아보는 것은 매우 어려운 일이다. 물론 각 변인이 두 개의 수치를 지니게 되면 두 변인 간에 관계를 알 수 있는데, 그 이유는 두 점을 잇는 하나의 직선적 함수관계가 생기기 때문이다. 하지만 두 점에 근거해서 어떤 관계가 있다고 보고하는 것은 허풍을 떠는 것과 매한가지이다. 그렇게 보고하는 것이야 쉽겠지만 아무도 관심을 주지 않을 것이다.

재구성하려고 하는데, 문제는 많은 연구에서 밝혀진 것처럼 과거에 대한 우리의 기억이 정확하지 않다는 점이다. 한 연구자는 어머니들이 자식을 낳고 6개월에서 1년 정도 지나게 되면 자신들의 임신과 출산에 대한 구체적인 일들을 정확하게 잘 기억해내지 못한다는 것을 발견하였다. 그러니 20년이 지난 일들에 대한 기억들은 오죽하겠는가!

사례사 방법의 두 번째 단점은 보고할 사건을 선정하는 데 있어서 연구자의 편견(bias)이 개입될 수 있다는 점이다. 필자가 오래 전 심리학 과목을 들을 때, 이런 과제가 있었다. 여러 성격이론들 중 어느 이론이 더 맞는지를, 소설 『죄와 벌』에 나오는 주인공의 생애에 일어났던 사건들을 이용해서 설명해 보는 것이었다. 필자는 가장 그럴듯한 성격이론을 하나 골랐고, 그 이론을 지지해 줄 만한 소설 속의 사건들을 쉽게 찾았다. 그런데 재미있는 것은 그 수업을 들었던 다른 학생들 역시 똑같은 책을 사용해서 내가 선택했던 성격이론이 아닌 다른 세 개의 성격이론들을 그럴듯하게 지지하였다는 점이다. 그들은 내 이론을 지지하기 위해 사용한 것과는 다른 사건들을 골랐거나 아니면 내가 사용한 똑같은 사건을 이용해서 거기에 다른 해석을 가하였다. 단 한 권의 책에 기술된 한정된 수의 사건들을 가지고도, 우리가 수립한 관계들을 결정하는 데 매우 중요했던 것은 바로 우리가 갖고 있던 편견이었다. 어떤 사람의 전 생애에 거의 무한한 수의 사건들 중에서 연구자들이 자신이 좋아하는 이론을 지지해 줄 만한 증거를 찾는 일은 그야말로 누워서 식은 죽 먹기나 다름없지 않겠는가?

닉슨이나 케네디, 프로이드와 같이 유명한 역사적 인물들의 생애와 성격을 분석하는 수많은 책들이 출간되어 왔다. 소위 **역사심리학**(psychohistory)이라고 불리는 이 책들은 비록 재미있는 추리적 읽을거리를 제공할 수는 있어도, 사례사에 내재해 있는 모든 위험요소들에 노출되어 있다. 더욱이 저자들이 자신의 이론을 지지하는 것으로 사용하고 있는 대부분의 사건들은 대중매체에서 간접적으로 보고된 것에 기초하고 있다. 따라서 이 사건들은 객관적 진실에서 한 걸음 더 물러나 있는 것이다(예를 들면 한 저자는 닉슨이 정신병적이라는 결론을 내렸는데, 다른 저자는 그가 신경증적이라고 결론지었다).

자주 일어나지 않는 사건들을 연구하기 위하여 응용 실험 장면에서도 사례사 접근이 사용되어 왔다. 예를 들면 비행기 사고의 원인에 관심을 가진 심리학자라도 그 원인을 밝히기 위해 적절한 실험을 준비하는 것은 기본적으로 불가능하다. 그래서 사례사 접근을 하는 연구자들은 사고가 일어나기 전에 있었던 사건이나 정황들을 가능한 한 자세하게 재구성하는 일들을 한다. 사고와 사고 주변 일들을 기술해 주는 이들 결정적 사건들(critical incidents)에 대한 자료를 충분히 수집함으로써 이들은 사고의 원인에 대한 몇 가지 가설을 수립하고자 한다. 그러고 나서 이 가설들은 통제된 실험 조건하에서 더욱 철저하게 조사될 수 있다.

사례 연구 접근법이 가장 정당하게 사용될 수 있는 곳 중에 하나는 바로 신경심리학(neuropsychology)분야이다. 신경심리학자 및 신경과학자들은 뇌의 여러 구조들의 기능을 연구하고 있다. 뇌의 어떤 부분이 무슨 일을 하는지 알기 위한 주된 방법 중에 하나는 그곳을 파괴하고 나서 어떻게 행동이 바뀌는지 알아보는 것이다. 인간의 경우, 뇌 조직을 파괴하는 일은 분명 윤리적으로 문제가 있다. 뇌 조직은 한 번 파괴되면 다시 복구되지 않기 때문에 그런 절차는 영구적인 손상을 주게 된다. 한 가지 방법은 사고나 질병에 의해 뇌 조직이 파괴된 환자를 찾는 것이다. 심리학개론 시간에 여러분은 광산 사고로 인해 쇠막대기가 뇌를 관통한 Phineas Gage라는 사람의 사례를 배웠을 것이다. 이것은 연구자들이 뇌의 작용을 이해하기 위해 사용한 초기 사례 중 하나이다. 오늘날에는 다양한 신경학적 문제를 지닌 많은 환자들에 대해서 그들의 행동을 다방면에 걸쳐 기록하고 있다. 이러한 사례들은 동물 연구의 자료들을 포함한 많은 다른 자료들과 함께 인간 두뇌의 기능을 이해하기 위하여 사용된다. 그러나 이렇듯 잘 정리된 사례 연구라도 이들 자료는 실험에서 나온 것이 아님을 명심해야 하며, 따라서 이들 상황과 행동간의 인과관계를 설정하는 것은 매우 조심해서 해야 한다.

사례사 접근의 분명한 이점은 단지 하나 혹은 소수의 사례만이 연구 가능한 경우에 사용될 수 있다는 데 있다. 물론 몇몇 사람들은 그것의 이점으로, 실험이 인공적 장면에서 자연스럽지 못한 단순한 행동만을 연구하는 반면, 사례 연구는 자연적 맥락에서 복잡한 행동들을 연구할 수 있다고 주장할지도 모른다. 그러나 사례사는 다른 사람의 장기 기억에서 인출된 편파적일 수 있는 주관적 보고에 종종 의존해야 하는 경우를 포함하여, 앞서 언급했던 모든 단점들을 갖고 있기 때문에, 우리는 단지 하나의 사례사로부터 내려진 결론에 대해서 회의적일 수밖에 없다.

수량적 대 질적 설계

불행하게도 수량적 연구나 혹은 질적 연구 하나만을 배워 온 많은 연구자들은 자신이 배워 온 연구가 아닌 다른 연구 접근법을 사용하는 사람들에 대하여 이들이 잘못 배웠다고 생각을 한다. 수량적 연구자들은 자료가 숫자로 전환될 수 없다면 이들 자료는 과학적 지식 체계를 구성하는 데 필요한 요소로서 조직될 수 없으며, 행동을 이해하는 데 도움을 주는 이론을 만들지 못한다면 과학은 발전할 수 없다고 주장하고 있다. 행동을 이해하는 데 도움을 주는 이론은 행동의 원인에 대한 지식을 제공해야 하며, 실험을 하지 않고는 어떤 인과관계도 수립될 수 없다(물론 상관적 관찰도 어느 정도까지는 가능하지만). 무엇보다도 수집된 자료의 신뢰도(reliability)가 가장 큰 문제점이다. 연구를 반복할 수 없다면, 우리는 우리의 자료가 신뢰 받을 수 있는지의 여부를 알 길이 없다. 어떤 실험자들은 문화기술지 연구자와 같은 질적 연구자들은 단순히 행동을 기록하는 일만 하며 이런 일은 역사가나 소설가의 일이지, 과학자의 일은 아니라고 말하곤 한다.

이런 논쟁의 다른 한쪽에는 질적 연구자들이 있는데, 이들 중 어떤 사람들은 실험 연구법이야말로 매우 인공적인 상황에서 아주 미미한 행동, 그것도 인간의 행동과는 동떨어진 것만을 다룬다고 주장한다. 수량적 연구자들은 전체적인 맥락에서 실재하는 인간의 행동을 결코 이해할 수 없을 것이라고 이들은 말하고 있다. 또한 질적 연구를 통해서만 연구 대상인 각 개인들이 자신의 잠재적 능력을 깨달아 발휘할 수 있게 된다고 주장하며, 이는 질적 연구가 우리의 과학을 이룩하는 데 도움이 될 개인들의 통찰과 창조성을 사용하기 때문이라고 주장한다. 어떤 사람은 한 술 더 떠서, 실험 참가자를 하나의 인간이 아닌 그저 실험 대상으로만 취급하는 실험 연구법은 윤리적 문제를 지니고 있다고 주장한다. 질적 연구자 중 가장 극단의 입장을 취하는 사람들은 전통적인 과학을 완전히 부정하고, 나아가 질적 설계를 받아들이려고 하지 않는 수량적 연구자들이야말로 정치적 권력욕에 눈이 멀거나 관습적으로 침묵을 강요 받아 온 사람들이라고 주장하고 있다.[8)]

과학자로서 우리가 취해야 할 합리적이면서 적당한 하나의 입장은 우리의 질문을 해결하는 데 필요하다면 어떤 연구 설계라도 사용할 수 있어야 한다는 것이다. 적어도 질적 방법들이 가설들을 설정하는 데 도움이 되고 이들 가설들은 수량적 방법을 사용하여 좀 더 철저하게 검증될 수 있다면, 우리는 질적 방법을 사용할 수도 있다. 어떤 경우에는 이 두 가지 방법을 혼합하여 사용할 수도 있다. 예를 들면, 많은 설문들은 리커트(Likert) 척도와 같이 수치로 표시되는 자료를 수집하는 수량적 설문 부분과 주관식처럼 자유롭게 대답할 수 있는 질문을 하는 질적 설문 부분을 함께 갖고 있다. 이런 경우, 자유롭게 대답할 수 있는 질문들은 수량적 반응들을 이해하고 해석하는 데 도움이 되는 자료로 사용될 수 있다. 다음 기술된 사례 역시 우리가 이 장에서 소개한 연구 방법들을 다각적으로 함께 사용함으로써 보다 더 좋은 연구가 가능할 수 있음을 보여 주고 있다.

여러 방법을 함께 쓰는 일

이 장에서 소개한 다양한 연구 기법들이 하나의 연구 가설을 검증하는 데 어떻게 사용될 수 있는지를, 다음과 같은 상황을 통해 설명해 보도록 하겠다. 여러분이 큰길로 차를 몰고 나오려고 좌우를 재빨리 살핀 후에, 막 출발하려 하다가 급히 브레이크를 밟으며 이렇게 중얼거렸다고 하자. "아이쿠! 오토바이가 오고 있잖아.

8) 가장 극단적인 질적 연구자들은 후기구조주의자들(poststrucuralists)인데, 이들은 객관적 과학을 위해 애쓰는 것이 아무 소용이 없다고 생각한다. 질적 연구의 기원에 대해 관심이 있는 사람은 LeCompte와 Preissle(1993)이 쓴 『교육 연구에서 문화기술지와 질적 설계(Ethnography and Qualitative Designs in Educational Research)』라는 책의 제1장을 참고하기 바란다.

거의 못 볼 뻔했네!" 아니면 여러분이 오토바이를 몰고 있는데 여러분 앞으로 자동차가 마치 여러분을 못 본 것처럼 달려 나왔다고 하자. 여러분은 이런 일이 일어나는 이유가 무엇이라고 가정하는가? 제3장에서 논의하겠지만, 이와 같은 일상적인 관찰과 질문들은 심리학적 연구에서 가설을 형성하는 데 도움을 줄 수 있다. 가설을 형성하는 첫 단계는 그 상황을 논리적으로 면밀히 검토하는 일이다. 오토바이와 다른 자동차 간의 주요 차이점이 무엇인가를 생각해 볼 수 있다.[9] 분명 오토바이는 승용차나 트럭과 같은 다른 승용차에 비해 더 작고 그래서 눈에 덜 띌 수 있다. 그러나 이런 아이디어를 생각해 낸 것이 우리가 처음은 아닐 것이다. 제6장에서는 다른 누군가가 우리의 연구 주제를 이미 다루었는지 여부를 알아보는 방법에 대해 설명을 했다. 여러분은 이미 많은 사람들이 비슷한 연구 주제를 다루어 왔다는 것을 발견하게 될 것이다. 미시건 대학 교통 연구소(Transportation Research Institute)의 Paul Olson은 몇 개의 이런 연구들을 검토한 후 위의 가설을 **오토바이 가시성 가설**(motorcycle conspicuity hypothesis)이라는 이름을 붙였다(Olson, 1989). 필자는 이 연구 가설을 검증하는 데 사용할 수 있는 연구 기법들을 설명하기 위하여 Olson이 인용한 몇 개의 연구 예들을 이용할 것이다.

첫째로, 사례사 방법은 비록 그것이 많은 단점이 있기는 하지만, 우리가 가설을 설정하는 데 많은 도움이 된다는 면에서 유용한 방법일 수 있다. 앞의 오토바이 가시성 가설을 연구하기 위하여, 비록 그것이 단일 사례를 집중적으로 연구하

9) 물론 오토바이가 훨씬 더 재미있다고 생각할 수도 있겠지만, 여기에서는 틀린 대답이다.

는 전통적인 사례 연구 방법과는 조금 다르긴 하지만, 우리는 오토바이가 오는데도 그쪽으로 차를 몰아 거의 부딪칠 뻔한 사람들을 만나 그러한 행동이 일어나게 된 원인에 대해 물어볼 수 있다. 이런 유형의 자료를 수집하는 데 있어서 좀 더 체계적으로 할 수 있는 방법은 없을까? 다행스럽게도 누군가가 이미 우리를 위해 어느 정도의 일을 해 놓았는데, 그들은 바로 경찰이다. 이런 경우 하나의 사고 기록은 짧은 사례 연구와 유사하다. 만일 여러분이 오토바이와 자동차 간의 사고 기록들을 수집하여 살펴보니, 오토바이의 진로를 방해한 운전자들이 종종 오토바이가 오는 것을 보지 못했거나 혹은 충돌 사고를 피하기에는 이미 너무 늦게 보았다고 주장하는 것을 발견하게 될지도 모른다. 이것은 앞의 가시성 가설이 참일 수 있음을 암시하는 일종의 진술이 된다. 물론 이러한 발견을 해석할 때, 우리는 사례 연구 접근법의 한계점을 잊지 말아야 한다. 앞의 예에서 우리는 많은 사례들을 수집함으로써 어느 정도 확신을 갖게 될 수도 있지만, 명심해야 할 것은 그 자료가 사람들의 기억으로부터 그것도 대부분 연구에 관한 훈련을 받지 않은 사람들로부터 수집된 것이며, 더욱이 이 자료는 사고와 연루된 운전자들이 스스로 보고한 것으로 이들의 반응 여하에 따라 법적인 결과가 달라질 수 있다는 점이다.

우리의 가설을 검증하기 위하여 자연적 관찰을 사용할 수 있는가? 시간이 아주 많다면 거리 한편에 앉아서 오토바이 사고가 일어나는 것을 목격할 때까지 기다릴 수도 있다. 여기서도 우리는 사고 기록들을 얻을 수 있는데, 거기에는 오토바이 사고를 직접 목격한 사람들과 사고가 일어난 후에 현장을 목격한 경찰로부터의 정보가 있다. 즉, 우리는 기록 연구를 할 수 있는데, 여러 가지 유형의 오토바이-자동차 사고로부터 나온 통계적 자료를 살펴보고 이를 자동차-자동차 사고와 비교하여 이 둘 간의 차이를 알아볼 수 있다. 이런 방식으로 우리는 아마도 자동차와 오토바이가 비슷한 빈도로 비슷한 종류의 충돌 사고를 보여 왔지만, 오토바이는 곧바로 달리는데 자동차가 오토바이 앞에서 좌회전하여 충돌이 일어나는 경우에서만 차이가 남을 발견할 수도 있다. 우리가 여기서 명심해야 할 점은 모든 자연적 관찰의 경우와 마찬가지로 이들 자료는 기껏해야 상관적 관찰이라는 점이다. 실험자는 어떤 것도 조작하지 않은 상태에서 행동의 변화를 측정한 것이다. 아마도 우리는 이들 통계적 자료가 가시성 가설을 지지하는 것으로 해석할 수도 있지만, 이러한 지지는 매우 미약한 것이다. 왜 오토바이는 이러한 일련의 상황에서 눈에 덜 띄게 되는가? 어쩌면 자동차 운전자들이 오토바이를 잘 못 보는 이유는 오토바이에 대한 가시성과는 무관하게 운전자들이 오토바이가 오는 쪽보다는 운전자가 회전하는 방향에서 왼쪽만을 보기 때문일지도 모른다.

우리의 가설을 검증하기 위해 실험적 방법을 사용하는 것이 가능할까? 제10장에서 살펴보겠지만, 우리는 완전한 실험이 불가능한 몇몇 경우에 준실험적(quasi-experimental) 기법을 사용할 수 있다. 그러한 기법의 한 예는, 오토바이에 대한 가시성에 변화를 가져온 사건의 시점을 기준으로 그 이전과 그 이후의 사고 통계를 비교하는 것이다. 1967년에 미국의 많은 주에서는 오토바이를 주간에 모는 경우에도 전조등을 반드시 켜도록 하였다. 만일 여러분이 그러한 사건을 기준으로 그 이전과 그 이후에 각각 수 차례에 걸쳐 측정을 하려고 한다면, 이는 **단속적 시간 계열**(interrupted time-series)이라고 부르는 준실험적 설계를 하는 것이 된다. 이 설계는 실험만큼 엄밀한 것은 아니지만 상관적 관찰보다는 분명 더 엄밀하다. 몇몇 초기 연구자들은 이러한 방법을 사용하여, 주간에 충돌사고가 약 4%에서 20% 정도까지 감소하였다고 어림잡았다. 하지만 최근의 연구자들은 주간에 전조등을 켜는 것이 오토바이 충돌 사고에 미치는 효과는 아주 미미하거나 없다는 결론을 내렸다. 또한 오토바이에 대한 전조등 사용의 효과가 발견되었을 때, 가시성의 문제가 거론되지 않았던 자동차의 경우에도 자동차 전조등을 사용하는 것이 사고를 줄이는 데 똑같이 효과적일 수 있다는 것이 발견되었다. 따라서 전조등과 관계된 자료만으로 결론을 내리기에는 설득력이 약하다.

오토바이에 대한 운전자의 행동을 연구하기 위하여 정식으로 실험을 하는 것 역시 가능하다. 한 실험 연구에서, 실험 참가자는 100미터 떨어진 거리에서 다가오는 차량을 2초 동안 보고 언제쯤 그 차량이 자신들의 앞으로 지나갈지를 판단하였다. 그 결과, 다가오는 차량이 무엇인지는 이들의 판단에 영향을 주지 않았다. 즉, 오토바이나 승용차, 트럭이라는 조건 간에는 차이가 없었다. 그러나 참가자로 하여금 접근하는 차량 앞에서 안전하게 정지할 수 있도록 브레이크를 밟아야 하는

표 1-1 여러 가지 연구 설계의 장점 및 단점에 대한 요약

설 계	장 점	단 점
실험적 방법	•엄밀한 통제 가능 •인과적 결론 가능 •정확한 측정 가능 •이론 검증 가능	•인위적 환경이 전형적임 •전형적으로 개입을 많이 함 •복잡한 행동은 측정이 어려움 •비구조화된 탐색적 연구가 어려움
상관적 관찰	•변인들 간의 관계를 밝힐 수 있음 •엄밀한 측정이 보통 가능 •개입이 보통 낮음	•인과적 결론이 불가능 •변인의 통제가 어려움 •많은 참가자들이 필요함
설문조사	•자료 수집의 효율성 •태도나 의견을 측정할 수 있음	•인과적 결론이 불가능 •자기 보고를 입증하기 어려움 •편파적이지 않은 표집을 선정하기 어려움 •우송하는 경우 반응률이 낮음
기록 연구	•추가적 자료 수집이 불필요 •진귀한 행동 연구 가능 •조작할 수 없는 사건 연구 가능	•적절한 기록이 종종 없음 •비과학자에 의해 자료가 수집됨 •기껏해야 상관적 자료가 보통임
문화 기술지	•익숙하지 않은 상황 기술 가능 •복잡한 행동 기술 가능 •개입 낮음 •참가자를 인간적으로 다룸	•변인의 통제 불가능 •엄밀한 측정 어려움 •연구자의 편견 가능성 •인과적 결론 불가능
자연적 관찰	•실제적 환경이 일반화에 도움을 줌 •개입 낮음	•변인의 통제 불가능 •자료수집의 비효율성 •연구자의 편견 가능성 •인과적 결론 불가능
사례사	•진귀한 사례 연구 가능 •복잡한 행동을 집중적으로 연구 가능	•변인의 통제 불가능 •자료가 잘못된 기억에 의존될 수 있음 •연구자 편견 가능성이 매우 높음 •인과적 결론 불가능

최종 순간을 판단하도록 했을 때에는 조건 간에 차이가 발견되었다. 즉, 참가자들은 접근하는 오토바이에 대해서는 평균적으로 더 늦게 브레이크를 밟아도 된다는 판단을 하였다. 그러나 현재까지 이러한 가시성 가설만을 특별히 검증하기 위한 실험은 수행되지 않았다.

Olson(1989)이 인용한 그리고 여기서 살펴본 연구를 통해 우리는 하나의 가설을 조사하기 위해 다양한 연구 기법들을 사용할 수 있음을 배웠다. 또한 우리는 다양한 기법들이 지닐 수 있는 장단점의 예들을 살펴보았다. 사례 연구와 자연적 관찰은 보다 현실적인 경향이 있긴 하지만 엄격함과 정밀성에 있어서는 뭔가 부족한 듯하다. 반면에, 정식 실험들은 매우 엄밀하지만 비현실적이라는 비판을 종종 받을 수 있다. 표 1-1은 우리가 살펴본 설계들의 몇 가지 장점과 단점들을 열거하고 있다.

자, 이제 여러분에게 앞의 연구 가설에 대한 결론을 알려줄 때가 된 것 같다. Olson이 여러 연구들을 검토하고 내린 결론이 무엇이었을까? 그는 가시성 가설이 지지될 만한 증거는 거의 없다고 생각했다. 가장 그럴듯한 대안적 설명은 오토바이가 상대적으로 작고 그래서 다른 자동차나 운전자의 앞 유리창틀 혹은 크고 작은 나무들과 같은 사물들에 의해 상대적으로 쉽게 가려질 수 있다. 따라서 운전자들이 자주 오토바이를 못 보게 되는 이유는 오토바이가 눈에 잘 띄지 않기 때문이 아니라 가려져서 안보이기 때문인 듯하다.

요약

인간행동을 연구하는 과학자로서 심리학자에게는 가용한 많은 연구 기법이 있으며, 이들 기법을 사용하는 목적은 사건들 간의 관계를 정립하고 이들 관계를 정돈된 지식체계와 조화롭게 맞추어 나가기 위한 것이다. **수량적 설계** 중에는 이 책의 기본적 초점인 **실험적 방법**이 있다. 이 설계에서는 특정한 상황이 조작되고 어떤 행동 양상이 측정되어야 한다. 실험을 통해서 우리는 상황의 조작이 행동 상에 변화를 일으켰다고 말할 수 있다.

때때로 실험적 접근을 사용할 수 없을 때, **상관적 관찰**을 사용해야 하는 경우가 있는데, 여기서는 변인들이 관찰되고 그들 간의 관계가 평가된다. 이런 연구의 결과들을 이용하여 인과관계를 수립할 수는 없는데, 그 이유는 어떤 변인도 연구자의 통제를 받지 않았기 때문이다. 상관적 관찰은 종종 **설문조사**를 통해 수행되며 설문조사는 설문지나 면담의 형태로 이루어진다. 상관적 자료는 또한 **기록 연구**를 통해서 획득할 수 있는데, 기록 연구는 인구조사 자료나 법정 기록과 같은 공공 및 개인 기록들에 있는 자료를 이용한다.

일군의 연구자들은 **질적 설계**를 이용하여 연구를 수행하고 있다. 질적 연구자들은 기술적(descriptive) 자료를 사용하는데, 이러한 자료는 의견이나 태도와 같이 사람에 대해서 그리고 사건이나 환경에 대해서 서술적으로 묘사한 글을 포함한다. **문화기술지**는 기술적 자료를 모으기 위해 면담과 때로는 참여적 관찰 방법을 사용한다. 질적 연구의 한 형태는 **자연적 관찰**을 사용하는데, 여기서 자료는 실재적 환경에서 수집된다. 관찰할 수 있는 기회가 제한적일 때 사용되는 마지막 질적 설계가 바로 **사례사**인데, 여기서는 한 개인의 삶에서 일어난 사건들이나 역사적 사건들에 대한 구체적인 이야기들이 기술되고 분석된다.

2

실험하는 법

Doing Psychology Experiments

19세기 중반까지의 오랜 기간 동안 심리학은 사실(fact)을 주의 깊게 관찰해야 할 필요가 있다는 것을 깨닫지 못한 사람들에 의해 육성되었다. … 마침내 심리학자들은 물리학, 화학, 생리학이 나간 길을 따라서 심리학을 실험적 과학으로 변모시켜야 한다고 결정했다.

– R. S. Woodworth (1940)

우리는 대항해야 한다. … 너무 모호하게 조작되어 여러 추론이 가능한 실험 또는 관찰 결과를 믿고 선불리 결론을 내리려는 것에 대하여.

– K. Dunlab (1920)

제1장에서 실험적 방법(experimental method)에 대해 대략 살펴보았다. '어떤 상황(circumstances)이 행동의 변화를 야기시켰다'라고 하는 인과적 진술(causal statements)을 가능하게 한다라는 실험적 연구의 주된 장점이 떠오를 것이다. 인과적 진술은 그 자체가 매우 정밀한 관계를 말하는 것이라서 이러한 진술을 지지하기 위해서는 엄중한 규칙이 요구된다. 이 규칙들의 대부분은 변할 수 있는 모든 상황(circumstances)을 설명할 수 있는 것이라야 한다.

예를 들어, 불빛이 특정한 강도일 때, 불빛에 반응하여 버튼을 누르는 시간에 관심이 있다고 하자. 여기서 우리는 조작할 하나의 상황(빛의 강도)과 측정할 하나의 행동(버튼을 누르는 시간)을 선택하게 된다. 이 두 변인들은 각각 공식적인 이름을 갖고 있다.

변인

독립변인

위의 예에서 불빛의 강도와 같이 한 실험에서 주된 관심이 되는 상황을 **독립변인**(independent variable)이라 부른다. 이 명칭을 기억하는 가장 좋은 방법은 이 변인이 참가자의 행동과는 독립적이라는 것을 떠올리는 것이다. 즉, 독립변인의 수준을 둘 이상으로 선택하는 등의 독립변인을 조작하는 일은 실험자의 몫이며, 참가자가 그 독립변인의 수준들을 변화시킬 수 있는 길은 아무것도 없다. 예를 들어, 독립변인이 불빛의 강도라면 우리는 높고 낮은 두 수준의 불빛 강도를 선택할 수 있으며 그 두 상황에서 참가자의 행동을 관찰할 것이다. 적어도 독립변인의 수준(level)이 두 개는 되어야 실험을 할 수 있으며, 수준을 더 많이 선택하거나 하나 이상의 독립변인을 선택하는 것은 얼마든지 가능하다. 이 책의 뒷부분에서 이러한 좀 더 복잡한 실험들을 설계하는 방법들에 대해 논의할 것이다.

종속변인

일단 독립변인을 선택하고 나면, 그 독립변인의 조작에 대한 반응으로 나타난 참가자의 행동을 측정하고 싶을 것이다. 우리가 측정하기로 한 그 행동은 참가자에게 달려 있기 때문에 우리는 그 행동을 **종속변인**(dependent variable)이라 부를 것이다.[1)] 예를 들어 반응시간 연구에서 우리는 불빛 강도와 반응하는 데 걸리는 시간 사이에 관계가 존재하는지를 발견하고자 한다. 따라서 종속변인은 불빛이 켜진 시간으로부터 버튼을 누르기까지 걸린 시간이다. 때때로 예측되는 관계의 성질을 진술해 놓은 것이 유용할 수 있다. 그러한 진술문을 **가설**(hypothesis)이라고 부른다. 위의 예에서 우리는 불빛이 강하면 강할수록 반응시간이 더욱 더 짧아질 것이라는 것을 가정할 수 있을 것이다. 그 가설이 지지를 받아 과학 지식체계의 일부가 될 수 있을지 아니면 반박될지는 실험 결과가 결정할 것이다.

이 책의 몇몇 부분에서 가설에 대해 다루었다. 다음 장에서는 어떻게 이론으로부터 가설이 연역될 수 있고 이론이 참일 경우 왜 가설이 반드시 참이어야만 하는지에 대해 다룰 것이다. 제12장에서는 영가설의 개념에 대해 논의할 것이다. 앞으로 나오겠지만 영가설은 단지 한 집단에 있어 독립변인이 종속변인에 아무런 효과를 가지지 않는다는 통계적 진술이다. 하지만 정말 아무런 효과가 없다고 생각했다면 아마도 실험을 하지 않을 것이다. 대개 독립변인의 수준 변화가 종속변인에 변화를 가져올 것이라 예상한다. 이러한 예측이 진짜 가설이다. 사실 실험자들은 종종 단순히 종속변인의 변화가 있을 것이라는 **등가설**(nondirectional hypothesis)을 넘어 독립변인이 조작됨에 따라 종속변인의 값이 특정한 방향으로 변할 것이라는 **부등가설**(directional hypothesis)을 제시한다.

어떤 경우에는 가설 자체가 다소 모호하고 불확실할 때도 있는데, 특히 독립변인의 조작이 어떤 행동 변화를 야기할지에 대해서만 알고 싶은 경우가 바로 그렇다. 이때의 가설은 단순히 질문에 대한 답이다. 어떻게 혼잡함(crowding)이 공

1) 필자는 이런 방식으로 이 용어를 기억하는 것이 더 쉽다고 생각해서 그렇게 말하였지만, 실제로 종속변인에서 종속이라는 말은 행동이 독립변인의 수준에 종속될 수 있음을 의미하는 것이다.

격성에 영향을 주는가? 객관식 시험에서 좀 더 오랫동안 추측하고 생각하면 더 좋은 성적을 받는가? 포스터에서 웃고 있는 정치인이 그렇지 않은 정치인보다 당선될 확률이 높은가? 이러한 질문에 대한 답도 지식의 과학체계에 덧붙여질 수 있다.

통제변인

지금까지 우리는 조작해야 할 하나의 상황(독립변인)을 선택하였다. 그러나 우리는 어떤 식으로든 한 실험에 존재하는 다른 상황들도 설명해야 한다. 한 가지 방법은 그것들을 통제하여 **통제변인**(control variable)으로 만드는 것이다. 우리는 그러한 상황들을 단일 수준에서 변화하지 않도록 고정함으로써 그것을 통제할 수 있다. 예컨대 반응시간 연구에서는 방 안에서의 불빛의 밝기가 일정할 것, 모든 피험자가 오른손잡이이며 기온이 일정할 것 등이 요구된다. 그리하여 이상적으로는 독립변인을 제외한 모든 상황들이 실험 전체에서 균등하게 유지되어야 할 것이다. 그러면 우리는 종속변인에서 나타난 어떠한 변화도 실험자에 의해 야기된 독립변인의 변화에 기인하는 것이 틀림없음을 알게 될 것이다.

통제의 개념은 실험에서 매우 중요하다. 통제는 실험과 앞 장에서 논의되었던 다른 형식의 연구들을 구별시켜 준다. 여러분이 실험을 수행할 때 여러 변인들이 통제변인이 될 것이다. 실험자로서 여러분은 확실히 실험에서 통제변인을 완벽하게 제어하기를 원할 것이다. 통제라는 개념은 실험적 방법에서 빼놓을 수 없는 중요한 개념이다. 통제가 중요하기 때문에 심리학자들은 소리와 빛, 기온들이 통제되는 특별한 환경을 만들기 위해 많은 비용을 들인다. 또한 자극의 성질이 일관되고 반응이 주의 깊게 측정되도록 보장하기 위해 특별한 설비를 사용한다.

그러나 비록 실험에서 여러 변인들을 통제변인으로 지정한다고 하더라도, 특히 심리학에서는 모든 변인들을 통제변인으로 할당하는 것은 아님을 명심해야 한다. 첫째, 모든 변인들을 통제하는 것은 불가능하다. 많은 유전 및 환경적 조건을 통제하는 것도 불가능할 뿐더러, 인간 피험자에게 협동적 자세, 주의상태, 신진대사율 그리고 다른 많은 상황적 요인들을 강요하는 것 또한 불가능하다.

둘째로, 우리는 어떤 실험에서 모든 변인들이 다 통제되는 것을 바라는 것은 아니다. 왜냐하면 모든 변인을 통제한 상황 자체가 하나의 독특한 상황이 되어 버리기 때문이다. 우리는 독특한 일련의 상황을 창조해낸다. 만일 독립변인을 조작하면서 모든 변인들을 통제할 수 있다면 그런 실험에 의해 확립된 관계는 단지 한 경우, 즉 모든 변인들이 통제에 의해 조정된 바로 그 수준으로 고정되었을 경우에만 유지된다. 다시 말해서, 우리는 그 실험의 결과를 다른 상황에 일반화 할 수 없게 되는 것이다. 한마디로 실험이 더욱더 고도로 통제될수록 그 결과를 보다 일반적으로 적용하는 것은 더욱더 어렵게 된다.

만일, 예를 들어 공군의 아무개 장군이 당신에게 와서 "여보시오, 듣자 하니 당신이 반응시간에 관한 실험을 하셨다는데, 내 조종사들이 2분의 1초 내에 반응하게 하기 위해서는 F-111의 발화경고등을 어떠한 강도로 제작해야 하는지를 내게 알려 주시오."라고 말했고, 그에 대해 당신은 "만일 그 조종사가 115의 지능지수를 가진 19세의 대학 2학년생으로, 냉방이 잘된 가로 10피트, 세로 15피트의 방에 앉아 있으며 아무런 방해음도 들리지 않고 다른 아무 일도 하고 있지 않으며, 또한 불이 들어오기 1초 전에 경고신호를 주기만 한다면 나는 답을 줄 수가 있소." 라고 말했다고 하자. 아마도 여러분은 그 장군의 대답을 상상할 수 있을 것이다. 이 이야기의 교훈은 실험의 결과를 일반화 하고 싶다면 모든 변인들을 통제하지는 말라는 것이다.

실험을 통해 얻은 결과에 대한 일반화 가능성(generalizability)을 **외적 타당도**(external validity)라고 한다. 외적 타당도란 서로 다른 사람들, 환경, 시간 간의 우연적 관계가 얼마나 잘 일반화 될 수 있는가에 관한 것이다. Cook과 Campbell(1979)은 몇 가지 타당도 종류를 소개했다. Cook과 Campbell(1979)에 따르면 타당도란 원인에 대한 적절한 실험적 결론을 이끌어냈는지의 여부를 뜻한다. 여러 타당도의 용어들은 이 책의 다른 적절한 곳에서 소개하겠다. 여러분이 한정된 표본의 참가자—이를테면 대학 2학년—에 대해서만 실험한 후 그 결과를 모든 연령과 지식 수준의 사람에게 일반화 하려 한다면(앞의 예의 공군 조종사도 포함해서), 외적 타당도에 위협이 발생하게 된다. 물론 당신이 원한다면 실제 노동 현장, 즉

시끄럽고 덥고 사람들로 북적대는 곳에서 지치고, 일할 의욕도 없는, 그러나 매우 숙련된 노동자들이 있는 그런 상황에 일반화 시킬 수 있는 고도로 통제된 실험실 실험을 할 수도 있다. 하지만 일반적으로, 실험이 고도로 통제되면 될수록, 즉 더 많은 상황을 통제변인으로 넣으면 넣을수록 외적 타당도는 더욱 위협 받을 가능성이 커진다.

무선변인

어떻게 하면 그 상황들이 변화하도록 내버려두면서도 그것들이 실험을 오염시키지 않도록 할 수 있을까? 한 가지 대안은 몇몇 상황들을 무선적으로 변화하도록 만드는 것인데, 이러한 변인들을 **무선변인**(random variable)이라고 한다.

과학에서 무선, 무선화라는 용어는 몇 가지 다른 방법으로 사용된다. 한 가지 사례는 모집단을 대표할 수 있는 표본을 만들기 위해 항목을 **무선선택**(random selection)하는 상황에서 쓰이는 것이다. 이 경우 항목들로 이루어진 집단에서 어떤 항목을 선택할 확률이 다른 어떤 항목을 선택할 확률과도 거의 같은 어떠한 무선적인 과정이 사용된다. 무선선택은 결과의 외적 타당도를 보장하기 위해 사용되는데, 다시 말하면 이는 모집단에서 무선적으로 선택된 표본이 그 모집단으로 일반화 될 수 있음을 보장한다는 것이다. 따라서 실험의 결과를 한 국가의 모든 사람들에게 적용하고 싶다면, 이론적으로는 한 국가에 있는 모든 사람들의 이름을 거대한 모자에 넣고 그 중에서 꺼낸 이름들로 표본을 추출해야 할 것이다. 그럴 경우에만 표본을 무선적으로 선택했고 결과가 충분한 외적 타당도를 갖추고 있다고 말할 수 있을 것이다.

하지만 무선변인이라는 용어 속 무선이라는 말은 이런 상황에선 보통 독립변인의 수준에 상황을 **무선할당**(random assignment)하는 것을 말한다. 실험에서 많은 상황이 참가자의 개인차에 관한 것이다. 확실히 독립변인의 여러 수준에 모두 동일한 참가자를 사용한다면 개인차를 걱정할 필요는 없다. 그러나 독립변인의 각 수준에 서로 다른 참가자가 할당된다면 각 수준에 할당된 참가자의 특성이 결과에 편향을 가져오지 않는다는 것을 확실히 해야만 한다. 예를 들어 TV의 폭력성이 아이들의 공격성에 미치는 영향을 알아본다고 하자. 200명의 6살 어린이를 어떤 큰 모집단으로부터 무선적으로 추출한 후 이들을 폭력적인 TV 쇼를 보는 것과 그렇지 않은 TV 쇼를 보는 것이라는 두 수준의 독립변인에 무선적으로 할당할 수 있다. 아마도 동전을 던져 앞면이 나오면 첫 번째 수준의 집단에 아이를 할당하고 뒷면이 나오면 두 번째 수준 집단에 아이를 할당하는 방법을 쓸 수도 있을 것이다. 첫 번째 집단에 할당된 아이들이 폭력적인 학교에 다니거나 많은 양의 설탕을 섭취하고 집에서 학대를 당하는 반면 두 번째 집단에 할당된 아이들은 그렇지 않을 가능성이 있을까? 그럴 수도 있다. 하지만 정말 무선적인 선택이 일어났다면 큰 표본이 그렇게 편향될 가능성은 통계적으로 있을 법하지 않다.

집에서 아이들에게 폭력적이거나 그렇지 않은 TV 쇼를 보게 한다고 생각해 보자. 그런 경우 한 집단에 할당된 아이들이 큰 화면을 가진 극장 같은 TV를 가지고 있는 반면 다른 집단의 아이들은 소형 휴대용 TV를 가지고 있을 가능성이 있을까? 이번에도 역시 가능할 수 있지만 무선화는 이런 일이 벌어질 가능성을 거의 없게 만들어 준다.

무선적 선택에 특별한 비결은 없다. 모집단 내에 있는 각 항목들이 선택될 수 있는 기회만 균등하다면 어떤 방법을 사용하든 상관이 없다. 여러분의 모집단에 두 개의 항목이 있다면 동전을 튕겨서 선택할 수 있다.[2] 만일 항목이 여섯 개라면 주사위를 던질 수 있다. 대부분의 수학책과 통계학 교과서들은 10,000장의 종이 조각들로부터 뽑아내는 것과 동등한 과정에 기초한 난수표들을 가지고 있다. 난수표상의 하나 이상의 열을 사용하여 각 항목에 하나의 숫자를 할당할 수 있으며, 그 숫자가 나타날 때 그 항목을 선택할 수 있다. 만일 여러분이 컴퓨터광이라면 여러분은 무선 숫자나 사건들을 생성해내는 데 컴퓨터를 사용할 수 있다.[3]

2) 사실상 대부분의 동전들은 앞쪽이 나오는 쪽으로 약간 편향되어 있다. 그러나 만일 여러분이 만 번 이상의 시행을 하는 실험을 한다면 그것에 대해 너무 신경 쓸 필요는 없다.

3) 컴퓨터는 무선적 사건들을 생성해내는 데 완벽하지 못하다. 그러나 그것은 동전보다는 낫다. 한 실험에서 사건들을 할당하기 위해서는 어떠한 방법을 사용하든 별 차이가 없다.

만일 하나의 상황을 무선변인으로 만들기로 했다면 여러분은 그것이 정말 무선적인 방식으로 변화하는가를 확신해야 하는데, 무선적으로 보이는 모든 사건들이 실제에 있어서 모두 그런 것은 아니기 때문이다. 인간은 무선적인 사건을 만들어내는 데에 어처구니없이 서투르다. 예를 들어 여러분이 스스로 사건들을 할당해서 실험조건을 무선화 하려 한다면 그것은 무선화 한 것이 아니다. 만일 참가자들이 그날이나 그 학기 동안 무선 순으로 실험실에 나타날 것이라고 가정한다면 여러분은 잘못 생각한 것이다. 아침에 오거나 오후에 오거나 학기 초에 오거나 학기 말에 오는 참가자들은 서로 다른 성격을 가지고 있다. 무선화에 있어서의 오류는 신참 실험자에게는 흔한 일이다. 그런 실수를 저지르지 말라!

실험에서 무선변인이 되는 상황들은 대부분 참가자와 연관되어 있기 때문에 참가자를 무선할당 하는 것으로 무선화 할 수 있다. 하지만 때로는 참가자와 연관되지 않은 다른 상황들도 무선변인으로 취급될 수 있다. 앞에서 예로 든 TV와 폭력성 실험에서 아이들은 오전 혹은 오후에 TV를 볼 수 있다. 만약 TV 쇼의 폭력성 정도와 무관하게 아침이나 오후에 TV를 보는 것이 아이들의 공격성에 영향을 미칠 것이라 생각된다면, 폭력-TV 집단과 비폭력-TV 집단을 오전과 오후 시간에 무선적으로 할당하고 싶을 것이다. 분명 한 그룹은 오전에만 TV를 보고 다른 그룹은 오후에만 보게 되는 것을 원하진 않을 것이다.

무선할당을 할 수 없었지만 아이들의 공격성에 영향을 미칠 수 있는 무선변인이라 생각되는 상황들이 있을 것이다. 날씨가 얼마나 궂은지, 특정한 날에 폭력적인 내용이 뉴스에 얼마나 나오는지 등이 그러한 예가 될 수 있다. 만약 실험을 여러 회기 동안 진행한다면 아마도 앞에서 언급한 상황들은 독립변인의 모든 수준에 무선적으로 배분되어 결과에 체계적인 편향을 일으키지는 않을 것이다.

앞서 언급하였듯이 무선선택의 주된 장점은 결과를 일반화 할 수 있다는 것이다. 상황을 통제변인으로 정하면 결과를 오직 한정된 그 수준의 상황에만 일반화할 수 있다. 그러나 만일 모집단에 여러 수준의 상황이 있도록 내버려두고 무선적으로 표본을 선택하게 되면 그 결과를 모집단 전체에 일반화 할 수 있다. 무선할당의 주요한 장점은 결과의 편향을 제거할 수 있다는 것이다. 따라서 무선화는 강력한 실험도구가 될 수 있다.

제약 내 무선화

어떤 경우에 여러분은 한 상황을 무선 또는 통제변인으로 만들기를 원하지 않을 수도 있다. 실상 무선화와 통제는 연속선 상의 양쪽 끝에 위치한다. 이 두 극단 사이에 다양한 정도의 **제약 내 무선화**(randomization within constraints)가 놓인다. 이 경우, 여러분은 사건 할당의 일부를 통제하고 나머지 부분을 무선화 한다. 우리가 반응시간 연구에서 연습이 중요 변인이 될 수 있다는 것을 알았다고 가정하자. 만일 낮은 강도 불빛 제시시행을 모두 실시한 다음에 높은 강도 불빛 제시시행을 모두 실시하였다면 그 실험은 오염되었다는 비난을 면하기 어려울 것이다. 즉, 낮고 높은 강도 불빛에서 나타난 어떠한 반응시간의 차이도 사실은 연습시간이 짧거나 길다는 데에 기인된 것일 수 있다. 이와 같은 문제점을 없애기 위해 우리는 연습변인을 통제하고 각 피험자에게 1회씩의 시행만을 실시하기로 할 수 있을 것이다. 그렇지 않으면 우리는 동전을 튕겨서 앞면이 나올 때마다 밝은 불빛을, 뒷면이 나올 때마다 어두운 불빛을 비춰 주면서 12회의 시행에 걸쳐 낮거나 높은 강도 시행을 무선적으로 할당할 것이다. 그러나 이와 같은 방법이 가장 매력적인 대안이라고는 할 수 없는데, 그 이유는 이 방법이 불빛 강도의 높고 낮음을 적절하게 대표하지 못할 수 있기 때문이다(동전을 튕기는 것은, 예컨대 세 번의 높은 강도 불빛 시행과 아홉 번의 낮은 강도 불빛 시행을 만들어낼 수도 있다). 이와 같은 가능성을 피하기 위해서 우리는 높고 낮은 강도의 불빛 시행이 같은 수가 되도록 할 것이다. 이러한 해결책으로 우리는 시행의 할당에 각 유형의 시행이 같은 수가 되도록 제약을 가하도록 하며, 이와 같은 제약 내에서 무선적인 할당을 실시한다. 여섯 장의 종이 조각에는 높음을 그리고 다른 여섯 장에는 낮음을 쓰고 제시 순서를 결정하기 위해 그것들을 모자에 넣고 그로부터 그것들을 끄집어 낼 수 있을 것이다. 이 절차는 두 가지 불빛 강도가 똑같은 수로 제시되어야 한다는 제약 내에서 조건들이 모든 시행에 걸쳐 무선적으로 나열되어 있어야 한다는 요구를 충족시킨다.

물론 다른 제약조건들도 가능하다. 우리는 특정 강도의 시행들이 계열의 초기에 너무 많이 나타날 가능성을 피하고 싶을지 모른다. 그럴 때 우리는 구획을 제약조건으로 만들어 **구획 내에서 무선화**(randomize within blocks) 할 수 있다. 이 대안을 사용하여 우리는 2회의 높은 강도 시행과 2회의 낮은 강도 시행이 각 구획 내에서 무선적으로 선택될 수 있도록 보장되어 있는 각각 네 개의 시행으로 구성된 세 개의 구획을 선택할 수 있다. 이 절차에 대해서 우리는 각 불빛 강도가 각 구획 내에서 동일한 횟수로 제시된다는 제약하에서 조건들이 각각 네 개의 시행으로 된 세 개의 구획에 무선적으로 할당되었다고 말할 수 있을 것이다.

그와 같은 많은 제약조건들은 그것들이 구체화 되어 있기만 하면 정당하게 사용될 수 있다. 그러나 더 많은 제약들을 명시하면 할수록 선택과정은 덜 무선적으로 될 것이며, 결과의 일반화 가능성 또한 낮아질 것이다.

오염변인

실험을 완벽하게 설계해서 조작할 독립변인과 측정할 종속변인을 선택하고, 나머지를 통제변인, 무선변인 또는 제약 내에서 무선화 된 변인으로 분류했다면, 앞으로 논의할 변인에 대해 걱정할 필요가 없다. 그러나 모든 실험이 다 완벽하게 설계되는 것은 아니며 실제 세계에서 완벽한 실험을 설계하는 것은 불가능하다. 이 경우 오염변인이 그 못생긴 머리를 언제 쳐들지를 알아야 한다. 독립변인이 조작됨에 따라 체계적으로 변화하는 모든 상황을 **오염변인**(confounding variable)이라고 부른다.

예를 들어 우리가 세 가지의 불빛 강도, 즉 처음 20시행에는 낮은 강도의 불빛, 다음 20시행에는 중간 강도의 불빛, 마지막 20시행에는 높은 강도의 불빛을 사용하였다고 하자. 만일 우리가 "실험 참가자들은 불빛이 강해질수록 더 빠르게 반응한다."고 보고한다면, 다른 어떤 사람은 "아니다. 실험 참가자들은 연습 후에 더 빨리 반응한다."고 말할 수 있을 것이다. 사실상, 모두 맞았을 수 있다. 또는 둘 중의 하나는 틀렸을 수 있다. 문제는 우리가 비의도적으로 그 실험을 독립변인과 함께 체계적으로 변화하는 변인으로 오염시켰다는 것이다.

실험자는 가장 정교한 측정치로 기록하고, 가장 세련된 통계적 검증을 실시하고, 결과를 정확하고 간결하게 써내려 가지만, 오염변인은 그 모든 노력을 무가치하게 만들 수 있다. 최근에 일어난 코카콜라와 펩시콜라의 반목이 이러한 방식에 의해 일어날 수 있는 유형의 갈등을 예시해 주고 있다(Staff, 1976). 펩시는 콜라 마시기 대회에서 코카콜라를 마신다고 하는 피험자들로 하여금 M자 표시가 된 펩시콜라 잔과 Q자 표시가 된 잔에 든 코카콜라를 구분해내도록 하여 그들의 콜라를 코카콜라와 겨루게 했다. 반 수 이상의 피험자들이 펩시가 든 잔을 더 맛있는 것으로 선택했다는 것이 보고되었다. 코카콜라 측은 그들이 수행한 선호도 검사—콜라에 대해서가 아니라 철자에 대한 선호도 검사—를 통해서 반격을 가했다. 그들은 더 많은 사람들이 Q자의 잔보다 M자의 잔을 고른 것은 그들이 M자의 잔에 든 콜라를 선호했기 때문이 아니라 Q자보다는 M자를 좋아했기 때문이라고 주장했다. 이러한 가설은 검사에 참여한 대다수의 사람들이 두 잔 모두에 코카콜라가 담겨 있을 때에도 M자의 잔에 든 콜라가 더 맛있다고 주장했기 때문에 지지되었다.

이 예에서 철자들은 분명히 오염변인이다. 철자들이 원검사에서 콜라에 따라 체계적으로 변화했기 때문에 콜라 시음자들의 콜라에 대한 선호도는 철자에 대한 선호도로부터 구분될 수 없었던 것이다.

이 장의 앞부분에서 Cook과 Campbell(1979)이 타당도 종류를 구별했음을 밝힌 바 있다. 또 하나의 타당도는 내적 타당도(internal validity)이다. 내적 타당도에서는 독립변인의 변화가 종속변인의 변화를 유발시켰는지 혹은 그 밖의 다른 요인이 종속변인의 변화를 유발시켰는지에 관한 문제를 다룬다. 만약 독립변인이 변화를 일으킨 것이 아니라면 오염변인이 있음에 틀림없다. 그래서 만약 실험에서 오염변인을 피하는 방법을 알고자 한다면, 내적 타당도에 위협을 줄 수 있는 여러 요인들에 대한 이해가 필수적이다. 실험자로서 여러분에게 무엇보다도 중요한 것은 실험에 오염변인을 불러올 수 있는 이들 내적 타당도에 위협을 주는 요인들을 제대로 알아낼 수 있는 능력이며, 그리고 가능하면 이들 위협요인들을 피할 수 있는 능력인 것이다.

내적 타당도에 대한 위협요인

역사

실험실 실험에서는 독립변인의 모든 수준에 걸쳐 비교적 짧은 시간에 자료를 수집할 수 있는 것이 보통이다. 이러한 경우에 종속변인에 있어서의 어떠한 변화도 **역사**(history)에 기인하는 것은 아니다. 즉, 독립변인의 수준들을 검사하는 동안에 어떤 사건이 일어날 가능성은 거의 없다.

예를 들어 심리학입문 대형강의에서 컴퓨터 시청각 자료가 OHP를 사용하는 전통적인 방법보다 성적을 향상시키는지의 여부를 알고 싶어한다고 가정하자. 더 나아가 이 입문 강의가 일년에 한 번씩만 개설된다고 하자. 현실적인 이유로 금년에 컴퓨터 시청각자료를 사용하기로 결정했고, 금년의 이 학급의 성적과 작년의 학급 성적을 비교하기로 했다. 만약 올해 학급의 전반적인 성적이 더 좋은 것으로 나타났다면, 컴퓨터 시청각자료를 사용했기 때문에 향상되었다고 보는 것이 옳을 것이다. 그러나 어떤 역사적 사건이 그 변화를 야기했을 수도 있다. 예를 들어 학교측이 입학허가 요건을 강화해서 학급 내 학생들의 수행을 질적으로 변화시켰을 수 있다. 또는 공과대학에서 그 대학의 모든 상급생들로 하여금 그 과목을 재수강하도록 결정함으로써 학급 구성을 변경시켰을 수 있다. 아니면 개인용 컴퓨터가 나타난 이후 컴퓨터 과학 과목에서 있었던 것처럼, 세계적으로 그 과목에서 가르치는 주제에 대해 흥미가 고조되는 과정이 일어났을 수도 있다. 또는 지엽적인 수준에서, 같은 클럽의 한 학생이 작년 시험지를 입수해서 그 반에 있는 몇몇 학생들이 사용하는 일이 벌어졌을 수도 있다. 학급들 간 성적의 차이가 컴퓨터 시청각자료의 사용 때문이라는 결론에 확신을 가지려면, 여러분은 그 결론의 내적 타당도를 위협하는 다른 요소들은 물론 이러한 역사적 사건들을 반드시 제거해야 한다.

성숙

성숙(maturation)은 피험자가 나이를 먹거나 또는 경험이 풍부해짐에 따라 내적 타당도가 위협되는 것을 말한다. 확실히 성숙은 성인보다는 어린 아동들에게 더 위협이 되는데, 이를테면 취학 전 교육 프로그램을 조사하려는 경우를 들 수 있다. 그러나 성인이라 할지라도 실험이 장기화 되거나 피험자가 급속한 변화–예를 들면 피고용자가 처음으로 경영업무에 배정될 때–를 겪고 있을 때 성숙이 문제가 될 수 있다.

선택

선택(selection)은 실험 참가자를 무선적으로 배정하지 않을 때, 특히 참가자가 지원하는 방식일 때 내적 타당도를 위협할 수 있다. 만약 앞의 예에서, 가을강좌를 선택한 학생들과 봄강좌를 선택한 학생들을 비교했다면, 선택이 문제가 되었을 것이다. 필자의 가을학기 심리학입문 강좌에는 심리학을 전공하는 1학년 학생들이 많이 있다. 봄강좌의 경우 4학년이 되어서 이 수업을 필수강좌로 듣는 공대 학생들이 많다. 이 두 강좌 사이에 컴퓨터 시청각자료 외에 차이점이 있는 것 같은가? 대학생을 피험자로 사용하는 실험자들은 학기 초 자원자들[4]과 학기말 자원자들

간의 잠재적인 차이를 익히 알고 있다. 일반적으로 학기 초에 지원한 학생들이 좀 더 열정적이고 동기화 되어 있으며 아마도 더 열심히 공부하는 학생일 것이다. 최소한 시간 계획을 세우는 데 능숙한 학생일 것이다. 그러나 무엇보다도 가장 나쁜 선택 위협은 선택이 독립변인에 직접적으로 연결되어 있는 경우에 온다. 예를 들면, 새로운 산업 훈련 프로그램을 평가하고자 한다고 가정하자. 여러분은 자원자들에게 새로운 훈련 프로그램을 수행하도록 한 후 이 프로그램에 자원하지 않은 근로자들과 수행을 비교할 것이다. 자원한 근로자들의 수행이 두 집단에서 차이가 있을 것이라고 생각하는가? 자원한 근로자들의 수행과 자원하지 않은 근로자들의 수행을 비교하거나, 새로운 유형의 치료를 선택한 사람들과 거절한 사람들의 회복률을 비교하는 건 어떨까?

사망률

참가자가 실험에서 중도 탈락할 때, **사망률**(mortality)[5]은 내적 타당도에 또 하나의 위협이 된다. 다행히도 대부분의 실험에서 참가자들은 일반적인 삶이 아닌 실험에서의 삶에서 사망한다. 전반적인 사망은 실제로 문제가 되지 않는다. 차별적인 사망률이 문제이다. 이러한 문제는 독립변인의 다양한 수준에 할당된 집단으로부터 더 많은 수의 참가자들이나 다른 유형의 참가자들이 탈락될 때 일어난다. 예를 들면, 한 회사에서 새로 승진한 중진 경영자들에게 사회적으로 스트레스를 주는 상황에 면역이 되도록 하기 위해 새로운 훈련 프로그램을 사용하기로 결정한다고 가정해 보자. 새로운 경영자들 중 절반을 무선으로 선발하여, 그들이 피고용자들과 개인적인 마찰을 갖도록 고의로 조작된 시간을 하루에 한 시간씩 경험하게 한다. 나머지 경영자들은 이러한 훈련에 노출되지 않는다. 훈련이 있은 지 5년이 지

4) 자원자(volunteer)라는 용어는 심리학 강사들이 성적이 깎이지 않도록 하기 위해, 즉 강의의 요구를 이행하기 위해 신청서 용지에 사인하려고 몰려드는 학생들을 기술하는 데 사용하는 완곡한 말이다.

5) 사망률(mortality)은 Cook과 Campbell(1979)이 사용한 용어이다. 일부 실험자들은 이를 감소(attrition)라고도 부른다.

차별적 사망률의 위협

난 후, 두 집단에서 스트레스와 관련된 건강에 관한 불평을 들어본다. 그들은 스트레스에 면역된 집단이 불평을 덜 한다는 것을 알아내고는 그 프로그램이 성공적이었다는 결론을 내린다. 정말 그런가?

여러분이 자문해야 할 질문들 중에는 다음과 같은 것이 있다. 훈련 프로그램 도중 각 집단으로부터 몇 명의 경영자가 탈락되었는가?[6] 반대로 훈련이 경영자들을 민감하게 만들어서 경영자들이 스트레스와 관련된 건강문제들을 더 잘 알아차리게 되었을 수 있다. 스트레스 집단으로부터 더 많은 경영자가 탈락했을 수 있고, 탈락된 이들은 스트레스에 가장 민감한 경영자들이었을 수 있다. 그러므로 훈련집단의 성공은 면역 과정과는 전혀 관계가 없고 전적으로 그 집단의 특성을 바꾸어 버린 사망률에 기인한다.

검사

피험자 집단에게 **검사**(testing)를 실시하는 행위는 다른 어떤 조작과도 무관하게

6) 사망률이라는 내적 위협 말고도 여러분은 다른 잠재적인 위협 요인을 발견할 수 있어야 한다. 예를 들면 이 경영자들이 스트레스와 관련된 건강문제를 보고할 수 없도록 몰아가는 훈련 프로그램에 기인한 요구특성(제4장 참조)이 있을 수 있다. 또는 반대로 그 훈련이 경영자들을 스트레스와 관련된 건강문제에 대해 더 각성하도록 민감화 했을 수 있다.

그들의 행동을 변화시킬 수 있다. 사전검사 또는 중다검사 방안이 사용될 새 검사는 내적 타당도에 위협이 될 수 있다. 새로운 광고 캠페인이 여러분 회사의 면도용 크림 상표에 대한 대중의 인식을 증진시키는가에 관심을 갖고 있다고 가정하자. 여러분은 아주 큰 소비자 무선표본을 추출하여 그들에게 질문지를 보낸다. 질문지는 면도용 크림의 다양한 상표와 그 회사와 관련된 광고들에 대한 많은 질문을 담고 있다. 회사를 알리는 새로운 일련의 광고를 내기 시작한 지 3개월 후, 여러분은 동일한 피험자들에게 다시 질문지를 보내어 그들이 여러분 회사의 면도용 크림에 이제 더 많이 친숙해져 있음을 발견한다고 하자. 여러분은 그 광고가 성공적이었다고 천명할 것이다. 그것이 옳은가?

선전광고가 인식의 변화를 가져왔다는 결론의 한 가지 문제점은 사전조사가 인식의 변화를 가져왔을 수도 있다는 점이다. 그 검사는 이 특정 집단의 사람들에게 전반적으로 면도 크림 상표들에 주목하도록 민감화 시켰을지도 모른다. 후의 3개월 동안 그들은 모든 종류의 면도 크림 광고를 더 친숙히 보아서 이제는 새로운 광고가 시작되었는지의 여부와 관계없이 각각의 상표에 대해 더 많은 것을 말할 수 있게 되었을 수 있다.

피험자를 민감하게 만든 것에 덧붙여, 검사는 피험자들에게 실험자의 관심영역, 심지어는 실험 가정에 정보를 줌으로써 요구 특성을 창출할 수 있다. 사전검사 역시 피험자들에게 정보를 제공하여 그 주제가 어떻게 검사되는지에 관한 지식을 갖게 함으로써 실험조작과는 무관하게 사후검사의 점수를 더 높이는 결과를 초래한다.

통계적 회귀

아마도 내적 타당도에 가장 미묘한 위협으로 작용하는 것은 **통계적 회귀**(statistical regression)일 것이다. 이 용어는 피험자들이 특정검사에서 매우 높은 점수를 얻거나 매우 낮은 점수를 얻었다는 사실을 근거로 하여 선발되었을 때, 두 번째 검사에서는 그들의 점수가 평균을 향하여 옮겨가기 쉽다는 것을 말한다. 평균을 향한 회

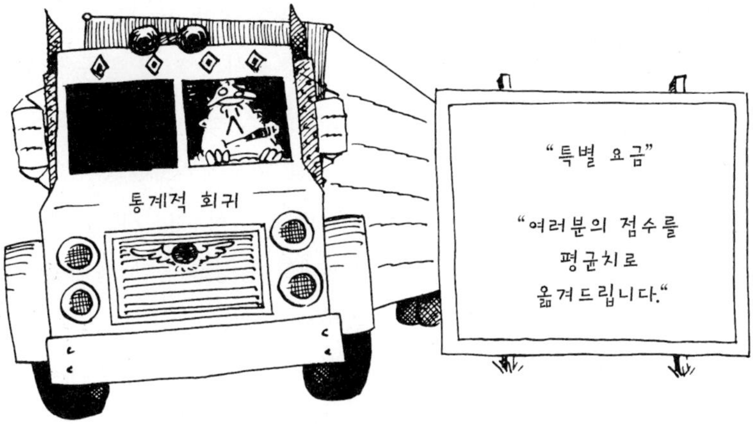

귀가 왜 일어나는지는 명백하지 않으나 다음의 예가 도움을 줄 것이다.

당신이 고안한 프로그램이 가벼운 정도의 발달지체(IQ 53~68)로 분류된 취학전 어린이들의 지능을 향상시킬 것이라고 주장하는 경우를 보자. 여러분은 IQ 검사를 하여 가벼운 발달지체 범위에 속하는 30명의 어린이들을 선발한다. 프로그램을 실시한 지 1년 후, 아동들에게 동일한 검사를 다시 실시한다. 여러분은 그 집단의 평균 IQ가 7점 향상되었으며 이것이 통계적으로도 유의미하다는 것을 알게 된다. 여러분은 그 프로그램이 성공적이었다고 주장한다. 과연 그러한가?[7)]

통계적 회귀가 어떻게 이러한 결과를 일으켰거나 이러한 결과에 기여했겠는가? 사전 IQ검사가 완전한 검사가 측정할 수 있는 "참" IQ와 "오차"의 두 가지 성분들로 구성되어 있다고 상상해 보라. 물론 완전한 검사는 전적으로 신뢰할 만하고 특정 어린이에게 검사를 실시할 때마다 매번 동일한 점수를 내는 검사를 말한다. 그러한 검사를 사용할 수만 있다면 통계적 회귀는 아무런 문제도 되지 않을 것이다. 그러나 놀랍게도 여러분이 측정하는 IQ는 또 다른 오차요인을 갖고 있다.

7) 이 시점에서 여러분은 회귀 말고도 내적 타당도에 잠재적 위협으로 작용하는 수많은 요소들을 찾아낼 수 있어야 한다. 취학전 아동에게서 일 년간에 걸친 성숙이 문제가 된다는 것은 명백하다. 검사 역시 문제가 될 수 있다. 사전검사는 이 아동들이 맛보게 되는 최초의 검사일 것이다. 그들은 검사를 받는 것에 관한 일반적인 요령을 학습했을 수 있다. 그들은 사전검사로부터 특정항목들을 기억하고 그 답을 일 년 동안 학습했을 수도 있다.

이 오차는 아마도 많은 예측 불가능한 요인들에 의해 발생할 것이다. 예를 들어, 어떤 어린이는 운이 좋아 사전검사의 몇몇 항목에서 추측을 잘하여 올바른 답을 얻었을 수 있으며, 또 어떤 경우는 운이 나빠 추측으로 확률보다도 적게 맞혔을 수 있다. 또는 그 어린이가 그날 기분이 안 좋았기 때문에 사전검사에 집중하지 못했을 수도 있다. 아니면 아마도 검사 실시자가 그날 아침 유난히도 기분이 언짢아 그 어린이와 좋은 유대관계를 형성하는 데 실패했을 수도 있다. 어떤 특정 점수에 대해서 이러한 오차요인들의 크기나 방향을 예측할 수 없기 때문에[8] 우리는 오차를 마치 어떤 사람이 모자에서 아무 수나 뽑아서 진짜 점수에 이 숫자를 더하거나 뺀 것처럼 다루어야 한다.

사전검사에서는 낮은 점수를 근거로 가벼운 정도의 발달지체 집단을 선발했다면 아마도 진짜 점수보다 점수가 올라간 오차를 가진 아동들보다는 그 반대방향으로 작용하는 오차를 가진 아동들을 더 많이 선발했을 것이다. 다시 말해서, 이 집단의 진짜 점수는 평균적으로 그들이 사전검사에서 받은 것처럼 실제로 그렇게 낮지는 않았다는 말이다. 낮은 점수를 가진 어린이들을 선발하기 때문에 여러분은 그 집단에 역으로 작용하는 오차를 가지는 쪽으로 집단을 편중시킨 셈이 되었다. 그러나 1년 후 재검사시에 우리는 덜 편파된 오차를 기대해도 좋다. 왜냐하면 우리가 더 이상 한 집단을 선발하지 않으므로 우리는 진짜 점수를 감소시키는 오차와 동등한 정도로 진짜 점수를 증가시키는 오차를 가지게 되리라고 기대할 수 있기 때문이다. 아직도 오차요인이 남아 있기는 하다. 그러나 이제 그것은 측정된 점수를 진짜 점수로부터 편파시키지는 않는다.

아직 확신을 가질 수 없다면, 간단한 증명을 시도해 보라. 진짜 점수를 하나 상정해서 그 수를 100이라 해 보자. 동일한 크기의 종이 쪽지에 −10부터 10까지의 숫자를 쓰고 이것을 그릇에 넣어라. 그릇으로부터 숫자 하나를 뽑고 100의 숫자에 그 수를 빼거나 더해서 그 결과를 쓰고 숫자를 다시 그릇에 넣어라. 30번 동

8) 만일 표준화 된 검사가 사용되었다면 여러분은 그 검사에서 일반적인 오차의 크기에 대해서 알 수 있을지도 모르며, 이 오차는 그 검사의 신뢰도를 알려 주는 숫자이다. 이 숫자가 낮을수록 통계적 회귀의 효과에 더욱 관심을 가져야 한다.

안 이렇게 하고 나서 가장 낮은 다섯 가지 수를 뽑아 평균을 내라(다섯 숫자를 더하여 5로 나누어라). 자, 이제 동일한 절차를 밟아서 다섯 가지 수만을 뽑아 평균을 계산하라. 첫 번째 평균이 두 번째 평균보다 낮은가? 여러분은 방금 통계적 회귀를 입증하였다.

선택과의 상호작용

마지막으로 성숙이나 역사와 같은 변인들이 **선택과 상호작용**(interaction with selection) 할 수 있다. 역사와 선택의 상호작용이 가능한 예로 다음의 연구에 대해 생각해 보자. Stanley Coren과 그의 동료들은 오래된 공문서 기록들을 연구했다. 이들은 10세부터 80세까지의 연령층에서 왼손잡이와 오른손잡이의 분포가 매우 다르다는 것을 발견했다(Coren & Halpern, 1991; Porac & Coren, 1981). 왼손잡이의 비율은 10세 어린이들 사이에서는 15%이었으나 80세 노인들 사이에 이르자 0%로 하락했다. Coren과 그의 동료들은 왼손잡이가 생존에 부적합하여 더 일찍 죽는다고 결론 내렸다. 그러나 Lauren Harris(1993a)는 이 결론을 논박하고 선택과 역사의 상호작용이 두 집단의 백분율에 변화를 가져다주었다고 주장했다. 80년 전에는 왼손잡이에 대한 상당한 사회적 낙인이 있었다. 그래서 선생과 부모들은 강제적으로 아이들에게 오른손으로 먹고 쓰고 다른 일을 하도록 시켰다. 즉, 사회압력에 의한 선택이 오른손잡이 쪽으로 일어났다. 그러나 이 선택은 역사와 함께 변했다. 오랜 시간에 걸쳐 왼손잡이는 점점 더 받아들여졌고, 정말로 왼손잡이인 어린이들이 오른손잡이가 되도록 강요 받는 일이 거의 사라졌다. 그래서 Harris는 왼손잡이들이 노년층에서 상대적으로 그 수가 적은 이유는 왼손잡이가 일찍 죽어서가 아니라 지금의 노년층은 어린 시절부터 왼손잡이의 수가 원래 적었기 때문이라고 주장하고 있다. 이런 주장은 아직 확정되지는 않았지만(Halpern & Coren, 1993; Harris, 1993b), 어쨌든 왼손잡이가 사라지는 이러한 사례는 선택이 역사와 상호작용 할 수 있다는 하나의 흥미로운 예를 제공하는 것이다.

지금까지 내적 타당도에 대한 위협들을 언급하였는데 이러한 논의가 여러분이 오염변인을 찾는 데 도움이 되기를 바란다. 이 논의가 여러분이 실험을 계획할 때마다 어떤 위협요인이 여러분의 실험에 문제가 될 수 있는지 확인해서 이들을 제거하는 데 도움이 되리라 생각한다. 어떤 경우에는 잠재적인 위협을 완전히 제거하는 것이 어렵거나 불가능할 수 있는데, 이런 경우에는 유사실험설계를 이용할 수 있으며, 이에 관해서는 제10장에서 구체적으로 다룰 것이다.

실험적 방법의 요약

실험적 방법에 친숙해졌다면 이제까지 배운 모든 용어들을 개요표에 적어 보자. 그림 2-1은 실험 모델을 요약한 것이다. 왼쪽에는 행동에 영향을 미칠지 모르는 모든 상황이 나열되어 있다. 오른쪽에는 잠재적으로 측정될 가능성이 있는 행동들의 목록이 있다. 왼쪽 상단에는 상황 중의 하나가 조작, 즉 독립변인으로 선택되었다. 오른쪽 상단에는 행동들 중 하나가 측정, 즉 종속변인으로 선택되었다. 화살표는 독립변인이 종속변화에 변화를 일으키는지의 여부에 관심이 있음을 나타낸다. 비록 다른 행동들은 무시하고 있지만 모든 상황들을 설명할 수 있다는 것을 보장해야 한다. 그림에서 이 상황은 통제변인, 무선변인, 제약 내 무선화 된 요인 그리고 오염변인으로 나뉜다. 이 변인들을 나누면서 우리가 기억해야 할 사실은 통제를 많이 할수록 결과의 정확성(내적 타당도)은 증가하나, 일반화(외적 타당도)는 감소한다는 점이다. 이와는 반대로 무선화를 많이 할수록 정확성은 감소하지만 일반화는 증가한다.

실험에 사용되는 이러한 유형의 변인들을 묘사하는 마지막 예로써, 두 동료와 함께 수행했던 실험을 기술하고(Grobe, Pettibone, & Martin, 1973), 그림 2-1과 같이 그림에 변인들의 목록을 적을 것이다. 우리는 강의속도가 학생들의 주의를 기울이는 정도의 차이를 가져오는지의 여부에 관심이 있었다. 나는 그 당시 200명의 학생들이 수강하는 심리학입문 수업을 가르치고 있었다. 그래서 다른 속도로 강의를 진행하는 영광을 가졌다. 독립변인은 강의 속도 세 수준이었다. 각 강의당

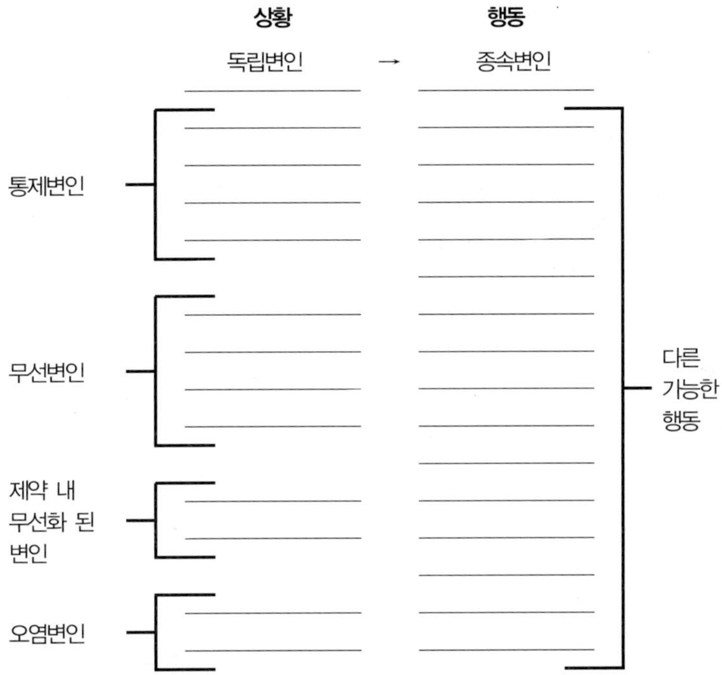

그림 2-1 하나의 실험을 나타내는 그림. 상황들 중 하나는 독립변인으로 선택되었다. 나머지들은 통제변인, 무선변인, 제약 내 무선화 변인 그리고 오염변인으로 나뉘어졌다. 행동들 중 하나는 종속변인으로 선택되었다.

속도별로 적어도 5분씩은 수업하고자 했다. 강의 속도가 허용할 수 있는 오류 범위에 있는지를 확실히 하기 위해 각 강의의 비율을 녹음했고 1분당 음절의 수를 셌다. 그림 2-2에서 강의 속도가 독립변인으로 이름이 올라 있는 것을 볼 수 있을 것이다. 학생들의 주의 정도는 여러 방법으로 측정되었다. 학생들을 비디오로 찍었으며 심사위원들이 주의 정도를 판단하도록 했다. 또 학생들은 각 강의를 얼마나 경청했는가를 나타내는 질문지를 채워야 했다. 신뢰성 있는 양적 측정을 하기 위해 교실의 배경소음을 기록하고 학생들이 가장 조용할 때 가장 주의 깊게 수업을 듣는다고 추론했다. 그림 2-2에서 소음의 수준이 행동에 관한 부분에서 종속변인으로써 이름이 올라가 있는 것을 볼 수 있을 것이다.

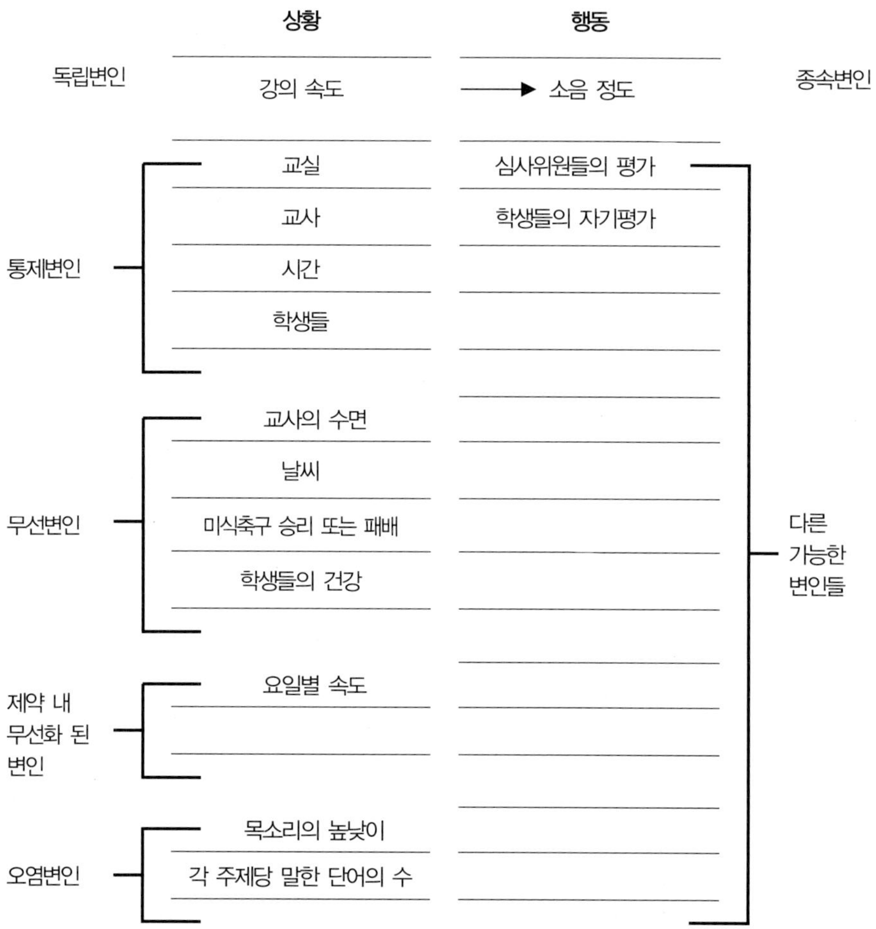

그림 2-2 강의 속도에서 나온 변인들은 독립변인, 통제변인, 무선변인, 제약 내 무선화 된 변인, 오염변인, 종속변인으로 나뉘어졌다.

여러 변인들이 통제변인이 되었으며, 교실, 강사, 수업 날짜, 수업에 참가한 학생들 등은 실험 전반에 걸쳐 변하지 않았다. 이 변인들 중 어떤 것은 그림 2-2에 통제변인으로 이름이 올라가 있다. 전날 밤 얼마나 잠을 잤고, 바깥 날씨가 어떠했고, 각 주의 미식축구팀의 승리, 수업을 듣는 학생 중 몇 명이나 감기에 걸렸는지(그리고 크게 기침을 했는지) 등과 같은 다른 변인들은 통제되지 않은 채로 무선적 방법으로(무선적 방법이기를 바란다) 다양하게 내버려두었다. 이 변인들 중 어떤 것은 그림에 무선변인으로 이름이 올라가 있다. 한 변인은 제약 내 무선화 되었다. 요일에 따라 학생들의 주의 정도가 달라질 것을 우려했기 때문에 느린 속도의 강의를 월요일에만, 중간속도 강의를 수요일에만, 빠른 속도 강의를 금요일에만 넣지 않았다. 그래서 우리는 하루당 각 강의 속도 수준이 같은 횟수로 주어지도록 제약된 내에서 요일을 무선화 했다. 마지막으로 비록 오염변인은 최소화 시켰지만, 많은 다른 응용 실험에서처럼, 무언가가 일어날 수 있다는 것을 알고 있다. 하나는 의심할 바 없이 내 목소리의 평균 높낮이다. 나는 기계가 아니다. 그래서 다른 사람들처럼 말을 빨리 할수록 목소리가 더 높아진다. 목소리의 높낮이가 강의 속도를 오염시킨다는 것은 확실하다. 또한 강의 시간이 일정하다면, 내가 말을 빠르게 함에 따라 한 가지 주제에 대해서 더 말을 많이 하거나 혹은 한 주제에 대해서는 같은 양의 말을 하지만 말하는 주제의 수는 늘어나게 될 것이다. 나는 전자를 하려고 노력하였으며, 그래서 각 주제당 말한 단어의 수가 필연적으로 강의 속도와 마찬가지로 오염되었다. 이 두 오염변인은 또한 그림 2-2에 이름이 올라 있다. 이러한 예를 통해 여러분은 변인들이 어떻게 상황과 행동[9)]의 여러 유형으로 나누어질 수 있는지 잘 이해가 되었으면 좋겠다.

요약

실험적 방법은 원인과 결과에 대한 진술을 할 수 있게 해 준다. 한 상황이 조작될 때 그 상황이 행동에서 변화를 일으킨다고 말할 수 있게 해 준다. 조작되는 상황을 **독립변인**이라고 부른다. 독립변인은 적어도 두 수준 이상이 되어야 실험이 가

9) 한 독자는 이 실험 결과가 어떻게 나왔는지 알고 싶다고 하였다. 간략하게 말하면, 강의 속도는 분명히 주의 집중에 영향을 주었다. 다행히도 중간 강의 속도에서 아이들이 떠드는 소음 수준은 가장 낮았고, 빠른 강의 속도에서는 가장 높았다. 따라서 중간 속도가 최상이고, 강의를 너무 빠르게 하는 것보다는 천천히 하는 실수를 범하는 것이 오히려 낫다고 추론하였다.

능하다. 측정되는 행동을 **종속변인**이라고 하는데, 종속변인이 독립변인의 수준에 따라 변하기 때문이다. 예측되는 독립변인과 종속변인 간의 관계를 **가설**이라 한다. 단순히 독립변인이 종속변인에 변화를 가져올 것이라고만 예측하는 것을 **등가설**이라 하며, 특정 방향으로의 변화를 예측하는 것을 **부등가설**이라 부른다. 어떤 상황은 **통제변인**이라고 부르는데, 이는 특정한 수준으로 정해져 있으며 변화되어서는 안 되는 변인이다. **무선변인**이라고 부르는 다른 상황은 무선적 방식으로 변화될 수 있다. 일반적으로 무선변인들은 실험의 **외적 타당도**를 높여 주어 다른 사람이나 환경, 시간에서도 일반화 되도록 해 준다. **제약 내 무선화 된 변인**은 실험자에 의해 제한된 범위 내에서만 무선적으로 다양할 수 있다. 실험 전체에 걸쳐서 실험자들은 독립변인과 함께 체계적으로 변화하며 독립변인 및 종속변인 사이의 관계를 왜곡시키는 **오염변인**을 제거하거나 최소화해야 한다.

오염변인은 **내적 타당도**를 낮게 만들며, 오염원인이 있다면 단지 독립변인만이 종속변인을 변화시킨다고 하기는 어렵다. 내적 타당도에 대한 위협은 다음의 것들을 포함한다. **역사**—실험 도중에 일어나는 통제되지 않은 사건의 발생, **성숙**—실험 동안에 일어난 피험자들의 연령이나 경험의 변화, **선택**—집단에 대한 피험자의 편파적인 배정, **사망률**—집단으로부터의 피험자의 비무선적 상실, **검사**—검사과정에서 비롯된 피험자내의 변화, **통계적 회귀**—극단적 점수에 근거하여 선발된 집단에서 점수의 평균으로의 이동 그리고 **선택과의 상호작용**—비동등집단에 대한 위협의 차별적 효과 등이 그것이다.

3

실험 아이디어 얻는 법

단지 바라보는 것만으로도 많은 것을 발견할 수 있다. — *Yogi Berra*

완벽함은 좋은 시작의 가장 큰 적이다. — *작자미상*

그가 첫 번째 가설을 실험적 방법에 의해 검증하고 있는 동안 다른 가설들이 머릿속에 홍수처럼 밀려왔을 것이다. 그리고 이것들을 검증하는 동안 더 많은 것들이 머리에 떠올라 결국에는 가설을 검증하고, 그것들을 제거하거나 확신해 나가는 동안 가설의 수는 줄어들지 않는다는 것이 어쩔 수 없이 분명해졌다. 실제로 그가 계속 나아감에 따라 그 수는 증가되었다.

— *R. M. Pirsig (1975)*

지식의 섬이 크면 클수록 미지의 해안선은 더 길어진다. — *John Donne*

우리는 어떠한 것에 관해서도 100만분의 1퍼센트조차 알지 못한다.

— *Thomas Alva Edison*

아인슈타인은 자신이 어릴 때부터 빛을 좇아가는 사람과 떨어지는 엘리베이터에 갇혀 있는 사람에 대하여 어떻게 생각했는지를 내게 말해 주었다. 사람이 빛을 좇는 상상은 특수 상대성이론을 낳았고, 떨어지는 엘리베이터 속에 있는 사람에 대한 상상은 일반 상대성 이론을 낳았다.

— *L. Infeld (1950)*

홈즈 : 나는 아직 자료가 없소. 자료를 얻기 전에 이론을 세우는 것은 중대한 실수요. 사람은 이론을 사실에 맞추는 대신 눈에 뜨이지 않을 정도로 서서히 사실을 이론에 맞추려 왜곡하고 있소.

— *A. Conan Doyle (1891/1989)*

한때 나는 심리학입문을 수강하는 학생들에게 한 학기에 일곱 개의 실험을 계획하도록 하는 숙제를 낼 정도로 무모하고 어리석었다. 처음에 나는 이 숙제에 대한 그들의 반응에 당황했었다. 이를 갈고 끙끙대며 불평하는 소란 속에서 얼이 빠진 학생들의 애처로운 소리가 들렸다. "어떻게 아이디어를 얻지?" 나는 아이디어를 얻는 일이 왜 그처럼 골칫덩어리인가를 이해하기도 곤란했지만 그 질문에 대해 대답을 하기도 어렵다는 것을 발견했다. 지금 나는 이 심오한 문제에 대해 많이 생각하였고, 왜 문제가 일어나며 그것을 해결하기 위해 어떤 일을 할 수 있는지에 관한 견해를 확립했다.

나는 그 문제가 학생들이 아이디어를 못 가졌기 때문에 오는 것이라고 생각하지는 않는다. 어린아이들처럼 우리는 인간행동을 포함한 모든 것에 호기심을 갖고 있다. "엄마, 이 사람은 왜 이렇게 뚱뚱해?", "제니는 어떻게 왼손으로 밥을 먹어?", "왜 나는 베티만큼 글자를 잘 쓰지 못하지?", "왜 토미네 엄마와 아빠는 그 애를 그렇게 많이 때려요?" 나는 이 호기심이 단순히 사라져 버렸다고 믿고 싶지 않다. 사실상, "아이디어를 낼 수 없었던" 바로 그 학생이 파티나 자유토론석상에서는 다음과 같은 인간행동에 관해 많은 생각을 가진 것 같아 보인다. "생물 시험공부를 어떻게 하는 것이 가장 좋을까?", "그와 결혼을 할까 아니면 동거를 해야 하나?", "나는 아침에 더 창의적인가?"

이러한 이유로 나는 여러분이 내게 실험에 대해 아무런 아이디어도 갖고 있지 않다고 말하는 것을 믿지 않을 것이다. 어떤 아이디어도 갖고 있지 않다는 것은 사실이 아니다. 하지만 자신의 아이디어에 잘못이 있을까봐 두려워하고 있다는 것은 사실일 수도 있다. 이러한 공포는 타고난 창의성을 움츠러들게 할 수 있으며 얼마 후에는 여러분의 모든 아이디어들이 부적절한 것처럼 느껴질 것이다.

실험 아이디어에 관한 공포

실험 아이디어에 관한 공포는 심리학 실험에 관한 오해에서 출발하는 것으로서 보통 비합리적이기 마련이다. 심리학자들은 비합리적 공포를 공포증(phobia)이라고 부른다. 나는 심리학자이기 때문에 실험 아이디어를 얻는 데 대한 무능력의 뒤편에 존재하는 공포증을 이름 붙여 보고 싶은 유혹을 물리칠 수 없다. 다음 공포증들이 가장 보편적인 것들이다.[1)]

천재공포증

천재공포증(geniephobia)은 연구에 종사하는 사람은 누구든 천재임에 틀림이 없으며 여러분의 평범한 지적 능력은 아마도 그에 도달할 수 없을 것이라는 일반적인 믿음에서 온 것이다. 연구자들이 나서서 이러한 믿음이 잘못된 것이라고 반박하는 경우는 거의 없다. 그리고 소수이긴 하지만 이러한 믿음이 생기도록 만든 사람들도 있어 온 것이 사실이다. 수년 동안 논문에 실린 글들을 읽을 때마다 나는 저자가 흐르는 듯한 흰 수염을 가진 현명해 보이는 노인일 것으로 상상하곤 했다. 많은 실험자가 실제로 젊고, 바보 같은 실수를 저지르는 평범하게 생긴 사람들이며, 바로 우리들처럼 어리석은 말을 하는 사람들이라는 것을 발견한 것은 꽤 충격적이었다. 나 자신의 천재공포증은 아직도 치료중이다. 더 많은 실험심리학자들을 만나면 만날수록 천재만이 이런 종류의 일을 할 수 있다는 생각을 덜 갖게 된다.[2)] 그러므로 긴장을 풀어라. 여러분의 아이디어는 아마도 그들이 출발했을 때에 가졌던 것과 다름이 없을 것이다.

모방공포증

모방공포증(imitatophobia)을 가진 사람들은 아이디어가 완전히 독창적이지 않으면 어떤 아이디어도 제안하기를 두려워한다. 가치 있는 모든 것은 이미 누군가가

1) 용인된 심리학적 용어와 이 명칭들 간에 유사성이 있다면 그것은 우연의 일치일 뿐이다.

2) 실험심리학자들이 다른 과학자들보다 더 우둔하다는 것을 의미하는 것은 아니다. 생리학자나 물리학자들도 우둔할 수 있다.

수많은 아이디어를 가진 공포증 이전의 아기

생각해 놓은 것이라는 신념과 이러한 공포증을 연관시키는 모방공포증 환자는 종종 전적인 마비상태에 도달한다. 심리학에서 진정으로 독창적인 실험들은 거의 없다. 대개의 실험들은 다른 이의 이론을 증명하기 위해 다른 이의 방법을 약간씩 변형하여 사용한다. 제6장에서 여러분은 여러분의 관심영역에서 다른 실험들이 해온 것이 무엇인지를 발견하는 법을 배울 것이며 여러분이 얼마나 비독창적인지를 정확히 발견하게 될 것이다. 하지만 과학을 조금씩만 진전시켜 나가는 것을 두려워 하지는 말라. 그것이 바로 우리들이 하는 일인 것이다.

장치공포증과 수작업공포증

만일 여러분이 자동차에 대해 알고 있는 기계적 지식의 전부가 오른쪽 페달은 자동차를 가게 하고 왼쪽 페달은 서게 한다는 것이라면, 여러분은 장치공포증(paraphernaliophobia)의 일등 후보이다. 이 병은 여러분을 위협하여 카드묶음보다 더 복잡한 장치를 요구하는 어떠한 실험 아이디어와도 멀어지게 한다.

반대로 여러분이 복잡한 과학적 설비를 요구하지 않는 한 어떠한 실험도 해보려 생각하지 않는다면 여러분은 반대쪽 병인 수작업공포증(손으로 하는 것에 대한 두려움, manuphobia)에 걸린 것이다. 더 복잡한 설비를 사용할수록 더 좋은 연구를 할 수 있다는 것은 누구나 아는 사실이다.

양쪽 입장 모두가 확실히 규명된 것은 아니다. 그러나 몇몇 훌륭한 연구들은 장치를 아예 사용하지 않았거나 기본적인 장치만을 사용하였다. Piaget는 장난감 벽돌, 물잔과 진흙 정도만 가지고 아동심리학의 주요영역을 개척하였다. 언어학습, 개념형성, 태도평가 그리고 성격과 같은 기타 심리학 분야는 연필과 종이 이외의 장치를 요구하지 않는다. 장치는 연구 수행을 돕지만 그것이 연구 자체는 아니다. 그리고 장치가 필요한 때에는 누군가가 있어서 여러분에게 그 사용법을 가르쳐 줄 수 있을 것이다.

단순성 공포증

단순성 공포증(parsimoniophobia)인 사람들은 그들이 한 번의 치명적인 일격으로 과학의 흐름을 변화시킬 수 있는 거창한 실험을 제안하여야만 한다고 생각한다. 그들의 신조는 간단한 것은 과학일 수 없다는 것이다. 복잡한 실험에도 몇 가지 장점은 있지만, 일반적으로 여러분은 자신의 실험적 질문에 대답할 수 있는 가장 단순한 실험을 계획해야 한다. 단순성 공포증을 가진 사람들은 그들이 계획한 거창한 실험을 좀처럼 완성시키지 못한다. 실험을 하더라도 대체로 실험 결과를 해석할 수 없다. 그러므로 처음에는 간단한 것을 생각하라. 항상 나중에는 더욱 복잡한 질문으로 이끌어 갈 수 있다(제9장에서 우리는 단순하거나 복잡한 실험이 무엇을 뜻하는지에 관해 이야기할 것이다.)

계산공포증(통계에 대한 두려움)

어떤 사람들은 자기 손가락을 세는 것보다 더 어려운 어떤 계산을 해야 하는 것을 두려워한다. 만일 여러분이 여러분 차의 휘발유 계량기를 어떻게 계산해야 하는지 또는 계산책을 어떻게 정리해야 하는지를 결코 기억할 수 없다면 여러분은 잠재적인 계산공포증자(calculatophobia)다. 만일 여러분이 가장 간단한 통계적 검증을 요구하는 실험만을 하려고 한다면 그러한 검증들은 결과를 해석하는 것을 도와 줄 수 있는

계산공포증자

도구라는 점을 명심하라. 그것들이 여러분이 가진 훌륭한 실험 아이디어를 내버리도록 하는 원인이 되어서는 안 된다. 여러분은 항상 자료 분석을 도와 줄, 숫자 다루기를 즐기는 사람을 발견할 수 있다. 통계적 지식이 중요하지 않다는 것을 말하고자 함은 아니다. 그것은 결국 과학에서 사용되는 도구일 뿐 과학 자체는 아닌 것이다.

불완전 공포증

불완전 공포증(imperfectaphobia)자는 모든 사소한 세부들이 완전히 다 완성되고 자신의 연구 계획서가 최종 보고서처럼 보이게 되기 전까지는 실험 아이디어에 관해 이야기하지 않을 것이다. 이와 같은 마음가짐은 종종 옛날에 보고된 학술잡지 논문들을 너무 많이 읽었다는 데서 비롯된다. 제5장에서 논의하겠지만, 학술잡지에 실린 논문들은 최종 산물들이다. 그것들은 실험 전에 나타나게 되는 엉성한 생각이나 일반적인 혼동된 느낌을 거의 나타내지 않는다. 완성된 실험들은 종종 실험자의 원래의 아이디어와 꽤 다를 수 있다. 실험을 위한 원래의 아이디어는 단지 핵심이 될 뿐이며, 실험 절차는 실험을 시작하고 수행해 나감에 따라 진화해 나갈 것이다. 만일 여러분이 어설픈 형태로 여러분의 실험에 관해 말하기 시작한다면 다른 사람들이 그것을 완벽하거나 거의 완벽한 실험으로 만들 수 있도록 도와 줄 수 있을 것이다.

비과학적인 것처럼 들리는 것에 대한 공포증

이 무시무시한 병을 가진 사람들은 아이디어가 과학적 전문용어(scientific jargons)[3]로써 표현되어야만 훌륭한 아이디어라는 것을 인식할 수 있다. 과학적 전문용어는 몇몇 과학자들이 그들과 유사한 연구를 하는 다른 과학자들과 이야기할 때 그럴듯하게 들리도록 하는 가언어(pseudolanguage)이다. 그것은 일반대중이나 때로는 다른 과학자들까지도 그 연구를 명확히 알지 못하도록 한다. 예를 들면, 전문용어에서는 사람들이 집단으로 제시된 단어들을 더 잘 기억하는지를 결정하기 위해 고안된 실험을 "분류학적 및 사전적, 범주적 집단화가 언어과제의 파지에 미치는 영향"에 관한 연구로 기술한다. 또는 친구들로부터의 압력 때문에 같은 이웃에 살게 된 인종이 있다는 생각은 "또래 집단 강요의 함수로서 나타나는 인종우호감에 의한 인구학적 분포의 효과"를 검증하는 실험으로서 기술된다. 전문용어 애용자의 말은 일상언어로도 번역될 수 있다. 만일 여러분이 "우호적 선호가 개인지각에서의 차원의 현저성에 미치는 효과"에 관심을 가지고 있다면 여러분은 실제로는 특정조직체에 가입한 사람들이 다른 사람들을 보는 방식에 차이를 나타내는지를 알아내려는 것이다. 여러분 자신이 하나를 번역해 보도록 하라. "형제간 공격성향에 미치는 어머니 직업 유무의 영향."[4]

일 공포증

유감스럽지만 이 병에는 알려진 약이 없다.

어떤 공포가 우리의 창의성을 막는지를 알게 되었으니 이제 실험 아이디어를 갖도록 시도해 보자. 무엇부터 시작하는 것이 가장 좋을까?

---

3) 전문용어 애용자의 말(jargonese)이라는 단어를 전문용어(jargon)의 네 번째 사전 뜻풀이인 과장, 용어 그리고 뒤얽힌 문장과 같은 것으로 특징지어지는 연설이나 작문이란 뜻으로 씀으로써, 첫 번째 정의(특정 직업 또는 집단에 특별히 통용되는 언어)와는 반대되는 뜻을 나타내려 한다. 전문용어와 전문용어 애용자의 말(jargonese)의 뜻의 차이는 실로 근소하다.

4) 만일 여러분이 '직업을 가진 어머니들의 아이들이 더 많이 싸우는가?'라고 생각했다면 여러분은 이해한 것이다.

관찰

한때 누군가가 글쓰는 일이 쉽다고 하면서 글을 쓰기 위해서는 그저 컴퓨터 앞에 앉아서 이마에서 핏방울이 맺힐 때까지 키보드를 노려보라고 하였다. 그러나 이것은 실험 아이디어가 떠오르지 못하도록 하는 최악의 방법이기도 하다. 우리는 키보드의 행동보다는 인간의 행동에 관심을 가지고 있으므로 우리가 해야 할 가장 좋은 일은 사람을 관찰하는 것이지 키보드를 관찰하는 것이 아니다!

실험 아이디어는 여러분 주변에서 무엇이 진행되고 있는지를 주목함으로써 얻어진다. 일단 좋은 관찰자가 되면 자연스럽게 호기심이 생기고, 이러한 호기심에서 실험적으로 검증할 수 있는 질문들이 생겨나게 한다. 일주일만 계속해서 관찰을 하면 일생 동안 다 하기 힘든 수많은 실험들이 생각날 것이다.

사실상 실험심리학의 고전적인 몇몇 연구들이 단순한 관찰로부터 시작되었다. 만일 Ekhard Hess가 새 그림을 볼 때 그의 동공이 더 커지는 것을 그의 아내가 주목하지 못했다면 동공 측정술은 진보하지 못했을 것이다. 만일 Ivan Pavlov가 그의 개들이 고기가루가 아닌 다른 자극에 침을 흘리는 것에 주목하지 못했다면 그 대신 Igor Nosnoranovitch가 조건형성의 시조가 되었을 것이다. 만일 Piaget가 그의 딸 Jacqueline이 우유 병이 눈앞에서 사라졌을 때 꾸루룩 하고 소리내는 것을 그만둔다는 것을 눈치채지 못했다면 Piaget는 그냥 유명한 스위스의 시계 제작자로 남아 있었을 수도 있다. 대부분의 혁신적인 실험 아이디어는 단순한 관찰에서 만들어졌다.

공공장소에서의 관찰

다음의 두 문단을 읽은 후에 종이와 연필을 가지고 지금 있는 방에서 나와 관찰할 수 있는 사람들이 있는 바깥으로 가라. 관찰의 훈련을 위한 연습으로 주변을 거닐 때에 여러분에게 떠오르는 실험적 질문들을 적어 두라.

우선 나는 내가 말하고자 하는 것을 여러분에게 보여 주기 위해서 산책을 계속할 것이다. 나는 바깥을 거닐며 태양이 반짝이는 것을 바라본다.

1. 사람들이 날씨가 좋을 때 일을 더 하거나 덜 하는가?
   나는 자전거 보관대를 만들기 위해 콘크리트를 부설하는 두 명의 일꾼을 지나서 걸어간다. 한 사람은 일을 하고 다른 사람은 서서 바라보고 있다.
2. 노동조합에 가입한 일꾼들이 더 빈둥거리는가?
   달리기 하는 한 쌍이 지나간다.
3. 규칙적으로 운동하는 사람들이 그렇지 않은 사람들보다 밤에 더 숙면하게 되는가?
   한 젊은 여인이 턱수염이 난 젊은 남자하고 나무 밑에 앉아 있다. 그들은 서로 연애를 하는 것 같으며, 나는 훔쳐보는 사람이 된 느낌이다. 그냥 가는 것이 낫겠다.
4. 여자들은 턱수염이 있는 남자를 그렇지 않은 남자들보다 더 매력적으로 느끼는가?
   나는 교실 안을 가득 채운 많은 학생들을 본다.
5. 대형강의를 듣는 학생들이 적은 인원의 수업을 듣는 학생들보다 더 성적이 좋은가?
   나는 교차로에 도달한다. 저 차가 멈출 것인가? 맞았다. 그 차가 섰다. 나는 건너간다.
6. 운전자들이 이성의 보행자들에게 길을 더 잘 양보하는가?
   나는 길을 따라 내려가는 스포츠카를 보려고 멈추어 섰다.
7. 사람들은 보통 차보다 스포츠카를 더 빨리 모는가?
   도서관을 지나서 돌아선다.
8. 도서관에서 공부를 하면 기숙사에서 공부하는 것보다 더 오래 기억을 하는가?
   나는 내 사무실 건물 앞에 있는 자전거 보관대를 지나면서 수많은 자전거들을 본다.

나는 기다리는 중

9. 산악용 자전거는 일반 자전거보다 타기가 더 쉬운가?

나는 2층의 내 사무실로 걸어 올라왔다. 다시 내 자리로 돌아왔다.

나는 아홉 가지의 잠정적인 실험 아이디어를 얻었다. 그것은 거의 1분에 한 개꼴이다! 자, 이제 내가 기다리는 동안 당신도 그것을 한번 시도해 보라.

당신은 많은 아이디어를 얻었는가? 당신이 계속해서 세심한 관찰자였다면 분명히 얻었을 그 아이디어들에 관해 생각해 보라. 이제 문제는 "어떤 아이디어를 실험으로 돌려야 하는가?"이다. 왜냐하면 모든 질문들이 실험에 의해서 해결되지는 않기 때문이다. 모든 실험적 질문들은 ROT검사를 거쳐야 한다: 그것들은 반복 가능(Repeatable), 관찰 가능(Observable), 검증 가능(Testable)해야 한다. 예를 들어 초능력(ESP; extrasensory perception)을 지지하는 어떤 사람들은 초능력이 특정한 상황에서만 일어나지만 그 상황이 언제 일어날지는 예측이 불가능하다고 주장한다. 다시 말해 이러한 기본적인 정의가 초능력 효과의 전제가 되는 한 초능력의 존재를 검증하는 것은 불가능하다. 다른 질문들은 그것들이 관찰 가능하지 않기 때문에 실험아이디어가 될 수 없다. "개들이 사람처럼 생각하는가?", "빨간 색깔에 대한 나의 경험이 여러분의 경험과 같은가?" 마지막으로 몇몇 질문들은 검증할 수 없는 것이기에 실험에 적합하지 않다. 예를 들어, 과학은 "낙태가 옳지 못한가?", "여인들이 미니스커트를 입는 것이 적합한가?", "마약이 나쁜 것인가?"라는 도덕적 질문에 답할 수 없다. 우리는 확실히 이러한 질문들에 관한 사람들의 의견을 결정

모든 질문이 다 훌륭한 실험을 만드는 것은 아니다.

하는 데 과학적인 방법을 사용할 수 있지만, 그 질문들 자체에 대답해 줄 수 있는 어떠한 검사도 고안해 낼 수 없다. 따라서, 우리는 그와 같은 모든 질문들을 실험 아이디어의 목록으로부터 제거해야 한다.

여러분의 아이디어 목록에 있는 모든 질문들이 ROT 요구사항을 만족시키는가? 목록을 따라가면서 그렇지 못한 문항들을 제거할 시간을 가져라. 제1장을 읽은 후에 여러분은 몇몇 질문들이 실험보다는 상관적 관찰에 의해서 대답되어야 한다는 것 또한 인식했을 것이다. 예를 들어, 질문 7에서와 같이 우리가 스포츠카를 타려고 하는 사람들이 다른 종류의 차를 모는 사람들보다 더 빠른 속도로 차를 운전하는지를 알고 싶어한다고 하자. 그렇다면 그 질문에 대답하기 위해 우리는 상관적 관찰을 하여야 한다. 반대로 모든 운전자가 스포츠카를 몰 때 더 빨리 모는 경향이 있는지를 알고 싶을 때 우리는 그 질문에 대답하기 위해 실험을 설계할 수 있을 것이다. 여러분의 실험 아이디어 목록을 다시 한번 들여다 보라. 그리고 각 아이디어를 실험적인 것과 상관적인 것으로 분류해 보라.

잠시 동안의 우리의 나들이는 흥미 있는 것이었다. 그러나 공적인 장소에서 사람들은 한정된 행동들만을 보여 준다. 우리는 어떤 다른 이들을 관찰할 수 있는가?

자신을 관찰하는 것

내성법은 실험심리학의 최초의 기법 중의 하나였다. 그러나 내성론자들은 그들 자신의 행동보다는 그들 자신의 정신적 과정을 바라보는 데 더 집중하였다. 그러던 중 사람이 자기 자신의 정신과정에 관해 알 수 있는가에 관해서 논란이 생겨났기 때문에 실험심리학자들은 그들 자신을 관찰하는 일을 완전히 그만두게 되었다. 실험심리학자들은 “너 자신을 알라.”는 격언을 따르는 대신에 “너 자신을 알지 말라.’’[5]고 해결을 보았다. 자신을 단 한 명의 피험자로 삼아 실험을 실시하면 일반적으로 빈축을 사게 된다. 그럼에도 불구하고 여러분은 이 방법으로 좋은 실험 아이디어를 얻을 수 있다. 관심을 가지고 있는 행동의 표본들을 수집할 수 있을 뿐만 아니라 그 일을 왜 했는지에 대해 약간의 아이디어를 얻을 수 있을 것이다. 전자는 여러분에게 실험을 위한 아이디어를, 후자는 이론에 관한 아이디어를 줄 수 있을 것이다. 이 장의 후반부에서 이론들에 대해 알아보겠다.

조금만 노력하면 여러분은 자신의 행동에 주목하기 시작할 수 있다. 여러분

너 자신을 알라.

5) 몇몇 실험심리학자들은 아직도 자신들이 누구인지를 알지 못하고 있다.

이 자신에 관해 주목하지 않는다고 한다면 우습게 느껴질 수도 있겠지만 이것은 아마도 사실일 것이다. 옷을 입을 때 여러분은 어느 팔을 셔츠나 블라우스에 먼저 넣는가? 머리를 빗거나 이를 닦을 때 왼쪽이나 오른쪽 중 어느 쪽을 먼저 닦는가? 대문이나 방문에 열쇠를 꽂을 때 바로 넣는가 거꾸로 넣는가? 다리를 꼬고 앉을 때 왼쪽 다리나 오른쪽 다리 중 어느 다리를 더 자주 위에 두는가? 이 모든 것들은 여러분이 매일매일 하는 일들이다. 여러분은 그것들을 주목했는가? 여러분 자신을 관찰하는 것은 아이디어의 좋은 출처가 될 뿐만 아니라 재미있는[6] 것일 수 있다. 아이디어가 떠오를 때마다 그것들을 적어 둬라.

친구를 관찰하는 일

여러분의 친구들 또한 실험 아이디어의 훌륭한 근원이 된다. 그러나 그들의 행동을 가능한 한 눈에 띄지 않게 관찰하는 것이 중요하다. 남을 응시하는 것은 잘해야 무례한 것으로밖에 인식되지 않으며 나쁜 경우에는 싸움의 이유가 된다. 때때로 사람들은 자신이 행동하는 방식을 좋아하지 않기 때문에 다른 사람이 자신의 행동을 관찰하는 것을 좋아하지 않는다. 결과적으로 친구를 잃지 않기 위하여 관찰을 여러분 자신에게 국한시켜야 한다. 여러분이 관찰을 통해 알아낸 것을 지적해 주는 것은 그것이 아무리 훌륭한 것이더라도 여러분이 친구를 얻거나 사람들에 대해 영향력을 갖게 하는 것을 돕지 못한다.

어린이들의 관찰

어린이들을 관찰하는 것은 여러분이 발달심리학 분야의 실험에 관심을 가지고 있는 경우에 필수적이다. 그러나 어린이들은 여러분에게 다른 연구분야를 위한 아이디어 역시 제공해 줄 수 있다. 만일 여러분에게 아이가 없더라도[7] 아마도 잠시

6) 만일 이 기술이 발전하게 되면, 여러분은 공적으로 자신을 통제하는 것을 배워야 할 것이다. 만일 자신의 행동에 관해 박장대소하게 된다면 여러분은 다른 사람의 눈에는 좀 이상해 보일지도 모른다.

동안 여러분에게 기꺼이 자기 아이들을 관찰할 수 있도록 하여 줄 친구나 친척들이 있을 것이다. 행동이 외부의 관찰자에게 합리적이고 논리적이며 일관성 있게 보여야 한다고 배워 온 어른들과는 달리, 어린이들은 대체로 복잡한 행동방식이나 사회적 억제 등에 의해 구애 받지 않고 행동한다. 대부분의 어린이들이 어른들의 표준에 대해 별로 신경을 쓰지 않기 때문에 여러분은 어린이들로부터 비교적 덜 오염된 행동유형들을 관찰할 수 있을 것이다.

애완동물의 관찰

애완동물을 관찰하라.

동물들은 그 자체로서도 연구될 가치가 있을 뿐 아니라, 그들 행동의 많은 부분이 인간에게까지 일반화 될 수 있다. 더 나아가 여러분은 애완동물이 어린이보다도 훨씬 덜 억제되었다는 것을 발견하게 될 것이다. 그것들은 매우 복잡한 행동유형에 대한 수행능력은 가지고 있지 않기 때문에 그 행동을 해석하는 일은 종종 더 쉽다. 더욱이 당신은 동물에게 발생할 수 있는 영구적인 손상에 대한 도덕적 책임에 구애 받지 않고 애완동물의 환경을 조작할 수 있다(동물 다루기에 대한 윤리적 논의를 위해서는 제4장 참조).

대리적 관찰

직접적인 관찰보다는 재미가 덜하지만, 다른 사람들의 연구를 읽음으로써 실험 아이디어를 얻을 수 있다. 여러분은 이러한 **대리적 관찰**(vicarious observation)의 기법이 다른 사람들의 독창성을 이용하는 것이라고 느낄는지 모른다. 그러나 이 접근에는 몇 가지 실용적인 이점이 있다. 첫째, 여러분이 던지고 있는 전반적인 실험

7) 또는 (여러분 견해에 따라서는) 아이들에게 괴로움을 당하고 있지 않다면

적 질문은 다른 연구자나 학술지 심사자들에 의해 이미 인정받은 것이므로 제안된 질문들이 중요한 것으로 고려되고 있다는 사실을 알 수 있다. 둘째, 누군가가 이미 실험적 결과를 기존의 지식체계에 맞추어 놓았거나 심지어는 하나의 이론을 제안해 놓음으로써 여러분을 위해 관련 연구 분야를 구조화해 놓았고 여러분의 시간과 노력을 절약할 수 있다. 마지막으로 이전의 연구자들이 효과적인 공략 방법을 고안해 냈으므로 그것을 수정하여 여러분의 연구에 사용할 수 있다.

아이디어를 찾을 때, 여러분은 우선 관심을 끄는 연구분야를 확인하여야 한다. 그리고 나서 어떤 종류의 학술잡지를 읽어야 하는지를 알아야 한다. 여러분의 주제는 예를 들어 소집단 간의 경쟁, 학교 내의 놀이치료, 착시의 지각, 수리능력의 발달 등 가능한 한 구체화된 것이어야 한다. 보다 일반적인 주제를 찾기 위해서는 관계된 논문을 담고 있는 잡지를 살펴보면 된다. 보다 구체적인 주제를 찾을려고 할 때 이 절차는 오히려 비능률적이며, 여러분은 제6장에 기술된 것처럼 문헌조사를 해야 한다.

논문을 읽으면서, 여러분은 그 연구에 의해 밝혀지지 않은 중요한 문제가 무엇인지 늘 생각해야 한다. 저자는 때때로 추후 어떤 연구가 수행되어야 할지를 제안함으로써 여러분들이 밝혀지지 않은 문제들이 무엇인지를 알아내는 데 도움을 주기도 한다. 그러나 논문을 다 읽은 후에 밝혀지지 않은 문제들을 밝히기 위해 연구가 어떻게 진행되어야 할지를 결정해야 하는 사람은 바로 여러분이다. 여러분은 단순히 원래 연구를 반복하는 것을 원하지 않겠지만, 비슷한 실험을 하는 것이 확실히 적절하다.

예를 들어 텔레비전의 폭력성이 어린이들을 폭력적으로 만드는지의 여부를 알기 위한 실험에 대해 읽었다고 가정하자. 이 실험에서 6세 어린이들을 폭력적인 프로그램과 비폭력적인 프로그램 중 하나에 하루에 30분씩 한 달 동안 두 시간을 노출시켰다. 그러고 나서 어린이들이 총, 칼, 탱크와 같이 공격적인 장난감과 인형, 트럭, 블록과 같이 비폭력적인 장난감 중에서 어떤 장난감을 가지고 노는지를 보고 어린이들의 행동을 측정했다. 이 책을 읽은 후 여러분은 여러분이 더 나은 방법으로 독립변인을 조작할 수 있다고 생각할 지도 모른다. 여러분은 원래의 연구자들이 폭력성을 정의한 방식을 좋아하지 않을지 모른다. 혹은 연구자들이 폭력성과 비폭력성을 보여 주기 위해 고른 프로그램들이 적합하지 않다고 생각할 지 모른다. 여러분은 원래의 연구자들과 다른 방식으로 폭력성과 비폭력성을 정의하여 보이기를 원할 것이다. 아니면 여러분은 폭력적인 프로그램과 비폭력적인 프로그램이 혼합된 프로그램이나 좀 더 중성적인 쇼를 시청하는 세 번째 집단을 추가하고 싶어할 지도 모른다. 아니면 텔레비전을 전혀 보지 않는 집단을 추가하고 싶어할 수도 있다.

독립변인을 바꾸는 대신에 종속변인을 바꾸기를 원할 수도 있다. 어린이들이 무엇을 갖고 노는지를 보고 그 어린이들이 얼마나 공격적인가를 결정하는 것은 공격성을 제대로 측정하지 못할 것이라고 생각할 수 있다. 아마 훈련 받은 심사위원들에게 어린이들이 함께 노는 것을 관찰하도록 한 후 각 어린이마다 공격성에 대해 평정하도록 하는 것이 더 낫다고 생각할 지도 모른다. 아니면 어린이들의 선생님이나 부모와 면담을 하기를 원할지도 모른다.

몇몇 통제변인이 적절하지 않은 수준(level)에 놓여 있다고 생각할 수도 있다. 6세의 어린이라면 이미 텔레비전에 많이 노출된 상태이다. 나이가 더 어린 어린이들을 대상으로 하거나 다양한 연령층의 어린이 집단을 대상으로 하는 것이 더 낫다고 생각할 것이다. 어린이들의 평균 텔레비전 시청시간이 4시간인 데 비해 두 시간은 너무 짧다고 생각할 수 있다. 아니면 한 달은 텔레비전이 행동에 미치는 영향을 제대로 보여주기에는 너무 짧다고 생각할 수도 있다.

원래의 실험의 통제변인들 중 하나가 무선화 되었어야 했다고 생각할 지 모른다. 예를 들어 어린이들이 가정에서 가족들과 함께 텔레비전을 보도록 하지 않고 실험실에서 텔레비전을 보게 한 것은 잘못된 것이라고 생각할 수도 있다.

제거할 수 있는 오염변인을 발견한다면 자신의 연구를 하는 것이 좀 더 흥미로워질 것이다. 예를 들어 폭력적인 프로그램은 그렇지 않은 프로그램보다 단순히 소리가 좀 더 클 뿐일 수 있다. 즉, 폭력성보다는 큰 소리가 어린이들을 폭력적이게 만드는 것인지도 모른다. 다른 방식으로 가설을 검증하기 위해서, 가정을 좀 더 정교화 하기 위해 그리고 비슷하지만 다른 가설을 검증하기 위해 원래의 실험을 변형시키는 보다 많은 방법들을 떠올릴 수 있다.

다른 이들의 연구에 대해 읽을 때 다음과 같은 질문들이 도움이 될 수 있다는 것을 깨닫게 될 것이다. 독립변인, 종속변인을 조작하는 더 좋은 방법이나 다른 방법이 있는가? 통제변인에 적절한 수준을 선택하거나, 통제변인을 무선변인으로 혹은 그 반대로 바꾸거나, 오염변인을 피하는 더 좋은 방법이 있는가? 다시 말해서 이 연구의 내적, 외적 타당도를 향상시킬 수 있는 방법을 생각해 낼 수 있는가? 만약 당신이 논문을 주의 깊게 읽고 스스로에게 이렇게 질문한다면, 연구를 위한 많은 아이디어들을 생각해 낼 수 있을 것이다.

자신의 연구를 확장하는 것

일단 여러분이 몇 가지 연구를 하고 나면, 여러분의 연구가 많은 실험 아이디어를 제공해 줄 수 있다. 여러분이 하는 모든 실험은 풀리지 않은 여러 가지 질문들을 남길 것이다. 예를 들면, 한 실험에서 몇 수준의 독립변인을 사용해 본 뒤에 여러분은 다른 수준들을 선택할 때는 무슨 일이 일어나는지가 궁금해질 것이다. 또는 한 실험에서 특정한 변인을 특정 수준에 통제한 뒤, 만일 그 변인을 다른 수준에 고정시켰다면 무엇이 발생하였을는지 알고 싶어질 수 있다. 또는 기대하지 않았던 결과를 얻게 되어 결과가 예측했던 것과 왜 다른지를 알아내고 싶은 것이다. 각 실험은 대체로 해결하는 것보다 더 많은 의문을 낳는다.

과학을 새로운 질문의 계속적인 증가로 보는 이런 견해는 과학을 우리가 밝혀야 할 지식의 고정된 체계로서 인식하는 많은 사람들의 생각과는 매우 다르다. 이와 같은 후자의 견해는 과학적 연구가 진행되어 나아감에 따라 풀리지 않은 질문들이 점점 더 적게 남는 것으로 생각한다. 그러나 실제에 있어서 각각의 실험은 대답해야 할 질문들의 숫자를 증가시킨다. 우리의 일이 없어지기는커녕 우리는 우리가 다룰 수 있는 것보다도 더 많은 일을 하도록 만든다.

과학에 대한 이런 개방적인 견해는 우리를 매우 의기소침하게 하는 동시에 흥미를 불러일으킨다. 이런 견해는 때때로 한 걸음 나아갈 때마다 다섯 걸음 후퇴하는 듯이 보이는 끝없이 팽창하는 하나의 분야에서 우리의 진척을 확인하기 어렵기 때문에 우리를 의기소침하도록 만든다. 반면에 과학은 우리가 점점 더 나은 질문을 하면서 끝낸다는 점 때문에 흥미진진하다. 아마도 과학의 목표는 모든 가능한 실험적 질문들에 대해 해답을 발견하는 것이 아니라 더 유망하고 중요한 질문들에 대해 대답하는 것일 것이다. 당신 자신의 연구를 수행해 나가면서 당신은 당신의 주요 문제가 "어떻게 내가 실험 아이디어를 얻을 수 있는가?"가 아니라 "어떤 아이디어가 연구할 만한 중요성을 가지는가?"라는 것을 발견하게 될 것이다.

아이디어를 얻기 위한 이론의 이용

여러 관찰자료를 수집했다면, 어떻게 이것들을 모아서 어떤 종류의 실험을 할 것인가를 제안 해주는 하나의 틀(framework) 속에 어떻게 넣을 것인가? 과학에서는 대개 하나의 이론을 제안함으로써 이 문제를 해결한다. 대부분의 전형적인 경우 실험을 수행하는 이유는 바로 이론을 검증하기 위해서이다. 그러므로 관찰한 것을 하나의 이론으로 바꾸어 실험을 통해 이론을 검증하는 것이 실험의 아이디어를 떠올리는 데 도움을 줄 것이다. 불행히도 이론이 과학에서 어떻게 사용되어 왔는지를 이해하지 못하는 사람들은 종종 이에 대해 부정적으로 생각한다. 이론에 대한

실험심리학자는 두 가지 일을 한다.

첫 번째 오해는 이론이 극단적으로 복잡해서 천재만이 이론을 이해할 수 있다는 것이다. 즉, "아인슈타인은 $e=mc^2$을 이해할 수 있을지 몰라도 나는 이해할 수 없다."와 같은 것이 잘못된 생각의 예이다. 이론에 대한 두 번째 오해는 이론이 단순히 어떤 사람의 무모한 추측일 뿐이라는 것이다. 즉, "그건 단지 이론에 불과해."와 같다. 사실 이론은 이해하기 쉽고 매우 단순할 수 있다. 그리고 특정 이론을 지지하는 증거가 모임에 따라 그 이론이 사실임을 점점 더 확신할 수 있다. 그러나 우리가 앞으로 살펴볼 부분에서 나오듯이 완전히 확실한 것은 없다.

왜 이론이 필요한가? 실험과 다른 연구들의 소산은 사실(facts)이다. 그러나 과학은 사실을 마구잡이로 모아 놓은 것 이상이다. 과학은 지식의 조직적인 집합체이다. 빌딩이 구조를 갖고 있는 것처럼 과학도 구조를 지니고 있다. 마구잡이로 놓여진 벽돌더미가 건물이 아닌 것처럼 마구잡이로 배열된 사실들의 모임은 과학이 아니다. 이론은 이들 사실들이 어떻게 조직화된 과학적 지식의 집합체로 구조화될 수 있는지를 알려 주는 청사진을 제공한다. 필자의 견해로 실험심리학이 몇몇 다른 과학보다 더 재미있는 한 가지 이유는 실험심리학자는 벽돌을 만드는 사람뿐 아니라 건축 설계와 건설을 하는 사람도 될 수 있다는 데 있다. 다른 과학은 노동의 분업을 강요해 왔다. 예컨대 대부분의 물리학자는 이론물리학자이거나 실험물리학자이며, 둘을 동시에 하지는 못한다. 그러나 실험심리학자는 전통적으로 이 두 가지 일을 다 맡아왔다.

이론을 한 마디로 정의하기는 어렵다. 그러나 **이론**(theory)을 정의해야 한다면, 이론은 직접적으로 관찰할 수 없는 과학적 관계를 부분적으로 입증한 진술이라 할 수 있다. 이론적 진술은 여전히 검사를 필요로 하기 때문에 단지 입증 가능한 것에 지나지 않는다. 우리가 간단히 살펴볼 내용에서처럼 이론은 입증하기보다는 검사를 통해 기각하는 것이 더 쉽다. 이론에서의 관계란 추상적 변인들 사이의 관계를 의미한다. 만약 변인들이 직접 관찰 가능한 사건들로 구성되었다면 우리가 하고 있는 것은 이론이 아니라 직접 관찰한 것을 설명하는 사실의 진술이 될 것이다. 이론에서 추상적 변인들은 특정 예들 간의 관계라기보다는 환경이나 행동의 일반적 범주 사이의 관계이다. 예를 들어 폭력을 보는 것이 공격성을 유발한다는 이론적 진술은 전쟁영화를 본 어린이가 총을 갖고 놀려 한다는 실험적 진술과는 다르다.

이론이 어떻게 사용되는지에 대한 이해를 돕기 위해서 예를 통해 이론이 어떻게 실험의 계획과 해석에 맞춰지는지 알아보자. 우리가 주위의 세계를 관찰하고 다음의 사항들을 깨달았다고 하자. 어린이들은 텔레비전에서 총을 쏘는 프로그램을 본 후, 더 거칠게 노는 것 같다. 근래에 들어서 어린이들이 범죄를 저지르는 비율이 증가하고 있으며 동시에 미디어의 폭력성도 증가하고 있다. 전쟁으로 황폐해진 나라의 어린이들은 어린 나이에 무기를 가지고 나가 싸운다. 이 발견들과 다른 발견들을 통해 '어린이들이 폭력적 행동을 많이 보면 볼수록 공격적 행동을 보이는 경향이 높아진다'는 하나의 이론을 주장하게 될 것이다.

위의 이론은 이해하기 매우 쉽다. 여기서 주목할 점은 이론은 그것을 이끌어 낸 관찰들보다 더 추상적이고 더 일반적이라는 점이다. 우리가 미처 깨닫지 못했을 수도 있지만 어쨌든 우리는 귀납적 방법을 통해 이 이론을 이끌어 냈다. **귀납**(induction)은 하나의 논리적 과정으로 그 결론은 관찰에 근거를 두고 있으면서 개개의 관찰 이상의 정보를 지니고 있다. 즉, 위의 예에서 폭력성과 공격성의 이론은 위의 세 가지 관찰뿐만 아니라 폭력적 프로그램을 보는 모든 어린이들에게도 적용될 수 있는 것이다. 물론, 이러한 적용이 틀릴 수도 있다. 어쩌면 위의 이론이 우리가 관찰한 사례에만 들어맞고 다른 사례에는 맞지 않을 수도 있는데, 이런 경우 우리의 귀납적 결론은 잘못된 것이다. 하지만 적어도 일단 이론이 만들어지면 그 이론은 실험을 통해 보다 자세히 검증될 수 있는 여지가 생기는 것이다.

우리의 이론이 옳다면 이론은 여러 예측을 가능하게 해 주어야 한다. 예측을 하는 논리적 과정이 **연역**(deduction)이다. 우리가 연역적 방법을 사용할 때 우리는 여러 전제에서 결론을 이끌어내며 결론은 전제에서 수집된 정보 이상의 정보를 가지지 못한다. 그러므로 만약 전제가 참이라면 결론은 참이 되어야 한다. 예를 들면 말은 포유류이고, 모든 포유류는 동물이라면 연역적 추론에 의해 말은 동물이다. 앞의 폭력성의 예에 적용해 보면 '어린이들이 폭력적 행동을 보면 볼수록 공격적이 된다.' 텔레비전의 탐정프로그램이 폭력적 행동을 포함하고 있다면, 탐

정프로그램을 보는 사람은 공격적 행동이 증가해야만 한다. 그러므로 연역법을 통해서 이론으로부터 여러 상황을 예측할 수 있다. 이 예상되는 관찰이 실험의 **가설**(hypothesis)을 만든다. 이 가설을 검증하기 위해서 우리는 실험을 수행해야 한다. 이 실험에서 한 집단은 폭력적인 내용이 담긴 탐정 프로그램을 하루에 네 시간 보는 어린이들로 구성되고, 또 한 집단은 비폭력적인 텔레비전 프로그램을 하루에 네 시간 본 어린이들로 구성된다. 며칠 후에 얼마나 공격적인지를 결정짓기 위해 어린이들의 노는 모습을 관찰한다. 우리의 이론에서 연역적으로 추론된 가설은 탐정 프로그램을 본 아이들이 더 공격적으로 행동한다는 것이다. 만약 이 이론이 참이라면 가설도 참이 되어야만 한다. 그림 3-1은 지금까지 우리가 이야기했던 사고과정을 보여 준다. 이 시점에서 우리는 관찰된 사실을 이론으로 바꾸기 위해 귀납법을 사용했고, 연역적으로 이론에서 예상되는 관찰을 이끌어냈다. 우리는 이제 이 예상을 검증하는 실험을 할 준비가 다 되었다.

실험이 예상되는 관찰과 일치되었다고 가정해 보자. 이론이 증명되었는가? 아니다. 가설이 맞는 것으로 확인되었다고 해서 그 가설을 만든 이론을 증명하지는 못한다. 그것이 하는 것은 증명(prove)이 아니라 이론이 맞을 가능성이 있음을 지지(support)하는 것이며, 연역이 아닌 귀납적 방법을 통해서는 그럴 수밖에 없다. 하나의 이론이 맞는 것으로 확증되기 위해서는 그 이론에서 도출될 수 있는 모든 가설들을 검증해야 한다. 우리 예의 경우 어린이들이 폭력을 관찰할 수 있는 모든 가능한 방법을 검증해야 하며 나타날 수 있는 모든 공격적 행동들을 측정할 수 있어야 할 것이다. 이것을 다 마친 후에 우리 모두는 실험 결과가 이론을 지지한다고 말할 수 있다. 이론을 지지하기 위해서 부가적인 실험이 수행된다면, 특히 넓은 범위에서 변인들을 검증한다면, 이 이론에 대한 우리의 자신감은 계속 증가하겠지만, 이론이 증명되었다고 말하기가 얼마나 어려운지를 알게 될 수도 있다.

반면에 실험 결과가 예상했던 결과와 일치하지 않았다고 가정해 보자. 이론이 반증되었는가? 논리적 관점에서 보면, 이론이 반증되었다(다시 그림 3-1을 보라). 하나라도 일치하지 않으면 전제를 반증한다. 결과가 연역적으로 추론되기 때문이다. "말이 포유류이고, 모든 포유류가 동물이라면 말은 동물이 되어야만 한다."는 예를 기억하는가? 만약 말이 동물이 아니란 것을 발견했다면 그것은 포유류라고 해도 동물이 아닌 것이 있거나 말이라고 해도 포유류는 아닌 것이 있기 때문이

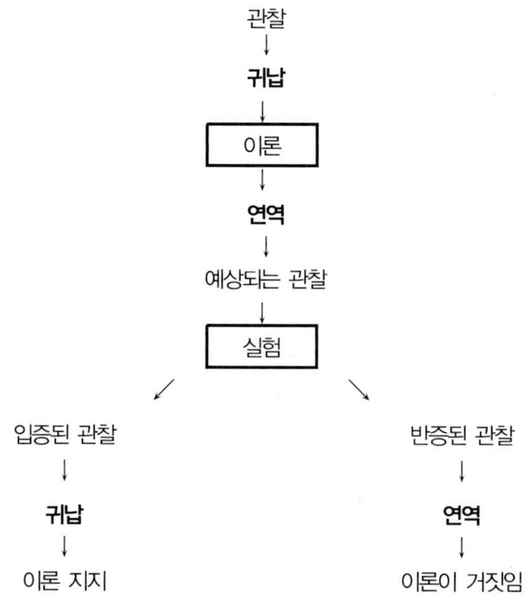

그림 3-1 이론을 실험에 연결시켜 주는 데 있어서의 귀납적 방법과 연역적 방법의 역할

어야 한다. 다른 논리적 가능성은 없다. 같은 논리를 사용해서 만약 폭력적인 프로그램이 비폭력적 텔레비전 프로그램보다 공격적인 행동을 증가시키지 못한다면 어린이들이 폭력적이지 않다고 보았던 실험 결과와 우리의 이론 중 어느 한 가지는 잘못된 것이다.

적어도 하나의 전제에서 결과가 거짓이면 이론이 반증될 수 있다. 결과가 이론에서 연역적으로 추론되기 때문에 이론이 참이면 결과가 틀림없이 참이라는 것을 안다. 따라서 결과가 거짓임을 보여 주는 실험을 한다면 이론 또한 거짓임에 틀림없다고 연역적으로 추론할 수 있다. 과학자로서의 우리의 임무가 이론을 증명하는 것이 아니라 반증하는 것이라고 말하는 이유를 알 수 있을 것이다(Popper, 1968). Popper는 이 개념을 다음과 같이 요약했다. "아무리 많은 흰 백조를 봤다 해도 모든 백조가 희다는 이론을 증명하지 못한다. 단 한 마리의 검은 백조를 봤다면 그 이론의 반증이 될 수 있지만."

우리가 실험을 통해 이론을 논리적으로 반증하는 데 있어서의 약점은 실험 결과가 일치하지 않다는 것을 보이기 위해 사용된 통계가 연역적인 것이 아니라는 점이다. 이 문제에 대해선 제12장에서 보다 자세히 알아보겠지만, 여기에서 기본적인 설명을 하겠다. 우리의 실험에서 실험의 가설을 반증하는 방법은 두 집단 간의 공격성의 차이가 발견되지 않는 것을 보이는 것이다. 즉, 통계학적으로 유의하지 않다는 것을 발견하면 된다. 문제는 통계적 검증이 전형적으로 독립변인의 수준에 따라 행동이 같게 나타나는지를 보는 것이 아니라 차이를 일으키는지 아닌지를 본다는 것이다. 그러나 실험적으로 가설을 반증하는 것은 대개 이 수준들이 다르다기보다는 같다는 것을 보여 주는 것이나 일반적으로 이것을 검증하기 위해 통계적 검증을 하지는 않는다. 그래서 우리는 가설이 그리고 이론이 거짓이라고 결론 내리는 데 주의해야 한다.

적절한 방향으로의 검증을 통해(즉, 효과가 의미있기 때문에 결과가 거짓이라고 결정함으로써) 결과가 거짓임을 보일 수 있었다 하더라도 우리는 여전히 오류를 범하고 있을 수 있다. 제12장에서 살펴보겠지만, 적절히 통계적 검증을 한다고 하더라도 이 통계적 검증은 확률적 수준에서만 유효하다. 표본과 모집단이 정말로 차이가 나는 부분은 어떤 신뢰 수준에서만이다. 예를 들어, .05 수준에서 검증했다면 20번에 한 번의 오류를 기대할 수 있다. 따라서 이 경우에서조차 이론을 반증할 수 있도록 해 주는 강한 연역적 연결이 실험 결과를 해석할 때 하는 귀납적 추론에 의해 약화된다.

이미 언급된 통계적 검증 외에도 가설의 불일치가, 연역적 논리에 의해 기대되는 것만큼, 이론을 강력하게 반증하지 못하는 다른 이유들이 있다. 예를 들어, 이론이 실험에서 사용된 방법에 문제가 있을 수 있다. 폭력성을 조작한 방법이나 공격성을 정한 방법 혹은 통제변인이나 무선변인에 문제가 있을 수도 있다. 그래서 단일 실험(a single experiment)은 여러 반대 결과가 발견될 때까지는 거의 이론을 반증하지 않는다.

이 장에서는 실험의 아이디어를 얻는 데 도움을 주는 측면과 결과 해석을 도와주는 측면에서 이론의 역할을 살펴보았다. 일반적으로 실험이 이론과 어떻게 상호작용하는지에 대해 이해하는 것은 중요하다. 그러나 다행히도 실험할 때마다 이러한 형식적 논리과정을 거쳐야 할 필요는 없다. 모든 실험에서 논리의 단계들은 같다. 사실 이 단계들은 인간에게는 자연스러운 것이다. 살아가면서 끊임없이 관찰하며 관찰된 것을 일반화 하고, 추가적 관찰을 통해 일반화를 검증한다. 비록 이러한 것들을 이론이라 부르지는 않지만 우리는 이러한 일반화에 근거하여 살아간다. 여기서 기술한 모든 것은 동일한 자연적 과정을 좀 더 형식적으로 변형한 것에 불과하다.

이론의 유형

지금까지 이론의 한 예만을 살펴보았다. 그러나 이론에는 여러 유형이 있다. 본 장에서는 이론의 세 가지 유형[8]에 대해 논의하고 "텔레비전 폭력이 공격성을 유발하는가?"라는 질문을 이용해서 이론들을 예시하고자 한다.

8) 여기에서 논의된 이론의 세 유형은 명칭이 조금 다르기는 하지만 Amoult(1972)가 그의 책 『심리학에서 과학적 방법의 기초(Fundamentals of Scientific Method in Psychology)』에서 언급한 것과 유사하다.

기술적 이론

기술적 이론(descriptive theory)은 사건이 왜, 어떻게 일어났는지에 대한 적절한 설명 없이 단지 사건에 이름을 붙인다. 예를 들면 정신분석이론의 일부로서, Freud는 억압은 우리가 무의식적으로 고통스럽거나 수긍할 수 없는 사고를 의식적 사고에 받아들이기를 거부할 때 발생한다고 보았다. 이런 이론이 임상가의 역할에 도움을 줄지 모르지만, 단순한 명칭 부여는 어떤 상황에서 억압이 발생하는지 또는 그것이 어떻게 실험적으로 검증될 수 있는지에 대해서는 거의 설명하지 못한다. 이와 유사하게 동기에 관심이 있는 심리학자들은 여러 해 동안 본능에 대한 명칭 부여에 사로잡혀 있었다. 처음에는 대부분의 동물행동이 특정 본능들(섭식 본능이나 짝짓기 본능)로 분류될 수 있는 것 같았기 때문에 본능의 개념이 유용한 것처럼 보였다. 그러나 종국에 가서는 심리학자들이 ("앞에서 공격 받았을 때 구멍으로 달려 들어가는" 본능과 같이) 관찰 가능한 행동의 수만큼 본능의 명칭을 늘려 놓음에 따라 그 개념은 유용성을 상실하게 되었다.

그러나 기술적 이론은 개별적으로 관찰 가능한 사건이 아닌, 조작적으로 정의될 수 있는 사건의 범주에 명칭이 붙는 경우에 유용할 수 있다. 만일 우리가 폭력과 공격행동을 사건의 일반적 유목으로서 조작적으로 정의한다면, 우리는 유용한 기술적 이론을 가질 수 있게 될 것이다. 그러나 이러한 종류의 기술적 이론은 관계가 어떻게 작용하는지를 설명하지 못하기 때문에 가치가 제한되어 있다.

기술적 이론

유추이론

유추이론(analogical theory)은 물리적 유추가 심리학적 행동 모형으로 되도록 하기 위해 심리적 관계와 물리적 모형 사이에 유추를 함으로써 그 관계가 어떻게 작용하는지 설명한다. 예를 들어 인간의 정보처리 과정을 설명하려는 많은 이론들은 물리적 유추로서 컴퓨터를 사용한다. 두뇌가 정확히 컴퓨터와 같이 작동한다고는 보는 사람은 물론 아무도 없지만, 그들 간에는 충분할 만큼의 유사성이 있으므로 컴퓨터 모형은 중요한 유추이론으로 자리잡아왔다.

유추이론의 예로 폭력과 공격성의 관계에 대한 유추로서 운동량의 물리적 속성을 생각해 보자. 물리적 물체는 속도와 질량에 비례하여 운동량을 가지며, 운동 속도가 빠르고 질량이 클수록 운동량은 커진다. 이 운동량은 마찰에 의해 제지될 수 있고, 따라서 폭력과 공격성에 관한 유추이론은 다음과 같이 진술될 수 있다. "관찰자에 의해 표현된 공격의 양은 운동하는 물체에 의한 힘과 같아서 관찰된 폭력의 정도는 물체의 질량에, 관찰시간은 물체의 속도에 유추될 수 있다. 폭력에 노출된 후에 공격성 경향은 높아지지만, 마찰이 운동량을 제지하는 것과 마찬가지로 시간이 지나면서 감소된다."

이 유추이론은 복잡한 관계성의 일부를 설명하기 때문에 앞 단위에서 제안된 기술적 이론보다 더 유용하다. 우리는 물리적 모형이 어떻게 작용하는지에 대한 지식에 근거하여 이론을 검증할 수도 있다. 예를 들면, 물리적 물체에 가해진 힘이 오래 지속될수록, 속도가 빨라지고 운동량도 커진다. 따라서 운동량을 제지하기 위한 마찰에 필요한 시간도 길어진다. 유추에 의해, 폭력을 오래 관찰할수록 공격적 경향성이 사라지는 데 걸리는 시간도 길어진다.

유추이론은 기술적 이론보다 설명력이 크므로 확실히 더 유용하다. 그러나 물리적 유추의 속성이 어떤 지점에 이르러서는 인간의 속성에 더 이상 상응될 수 없기 때문에 유추이론은 결국 실패하게 된다. 이런 이유로 유추이론은, 주요 변인을 확인하고 어떻게 변인들이 서로 간에 영향을 미치는지에 관해 일반적인 방법으로 개요하도록 해주는 첫 번째 접근으로서 가장 유용하다. 그러나 유추이론은 변인들 간의 정확한 수학적 관계를 명시해 줄 만큼 강력하지는 못하다.

유추이론

수량적 이론

수량적 이론(quantitative theories)은 수학적 용어로써 관계를 진술하려 한다. 이것은 변인의 범주 간 관계의 방향뿐만 아니라 이 범주들이 수량적으로 어떻게 관계되는지에 대해 명시한다. 이 정도로 정교한 수준에 도달한 심리학적 이론은 거의 없다. 학습, 기억, 정보처리에서의 몇 개 하위영역만이 수량적 이론을 사용하려고 시도했을 뿐이다.

수량적 이론은 심리학에서는 제한되어 있는데, 왜냐하면 심리학자가 물리학자보다 변산성을 다루는 데 더욱 곤란을 겪고 있기 때문이다. 예를 들면 물리학에서 중력이론은 정확한 수학적 용어로 표현된 수량적 이론이다. 중력은 모든 물체에 똑같은 방식으로 영향을 미치기 때문에 물리학자는 실험 결과로서 나타난 어떤 변산성도 단지 측정오류로 간주하고 말 수 있다. 그러나 심리학에서는 한 피험자의 행동에 근거해서 모든 피험자가 어떻게 행동하는지를 예언하거나 동일한 피험자가 어떤 순간에 어떻게 행동할 지를 예언할 수 없다. 결국 수량적 이론은 변산성을 조작할 수 있어야 한다. 우리가 할 수 있는 최선의 것은 행동이 일어날 가능성을 예언하는 것이므로,[9] 우리는 수학적 관계를 확률적 용어로 진술해야 한다(예

9) 어떤 분야에서는 물리학자들도 유사한 문제를 다룬다. 예컨대 원자의 구조는 확률적으로 표현된다. 사실, 비선형적 수학에 근거한 역동체계이론인 혼돈이론(chaos thoery)은 물리학에서 전통적 과학의 결정론적 법칙이 잘 들어맞지 않는 확률적 사건들을 다루기 위해 근자에 개발되어 온 것이다.

를 들면 다섯 번의 시행에서 단어목록을 피험자가 학습할 확률은 .8이다).

심리학자는 행동측정에서 어떤 척도를 사용해야 할 지를 결정하는 문제에 직면한다. 물리학에서 속도나 질량의 측정단위에는 논란의 여지가 없다. 그러나 심리학에서 우리는 폭력이나 공격성 같은 개념을 측정할 수 있는 척도를 찾아야 한다. 다음의 수량적 이론을 생각해 보자. 사람들은 그들이 관찰한 폭력의 평균수준에 비례하여 공격수준을 표출한다. 제안된 이론이 폭력척도와 공격척도 간의 수학적 관계를 설정하려 하기 때문에 우리는 우선 그것들을 어떻게 측정할지 결정해야 한다. 그러한 개념을 위한 척도를 확립하는 것은 쉬운 작업이 아니다.

최근에 들어 심리학의 몇몇 분야에서 수량적 이론화가 빠르게 진행되고 있다. 이 중의 하나가 **구조 방정식 모형**(structural equation modeling)이다. 이 모델은 기술적 이론처럼 여러 개념들을 규명하고 묘사하는 하나의 이론에서 출발한다. 그 다음 이 개념이 다른 개념과 어떤 관계를 가지는지에 대해 추측한 후, 이 개념들 사이의 관계를 나타낼 수 있는 연결고리를 끌어낸다. 이때 각 개념에 대해 측정이 이루어져야 하고(이 장에서 배우고자 하는 부분을 상당히 넘어서는 부분이지만) 통계적으로 계산되어야 한다. 이것은 연결고리에 연결의 중요성을 나타내는 가중치를 준다. 이런 식으로 연구자들은 개념들이 어떻게 양적으로 연결되는지를 배운다.

두 번째 분야는 좀 더 양적으로 이론화 되었는데, 이것을 **연결주의**(connectionism)라고 한다(이것은 때때로 **병렬적 분산 처리 과정**[parallel distributed processing]이라 불리기도 한다). 이러한 유형의 이론화는 유추적 모델에서 비롯되었는데, 여기서 유추는 인간 신경 체계에 대한 것이다. 컴퓨터에 적어도 세 수준의 단위(unit)를 설정하는데, 이것은 뉴런의 세 수준과 유사하며, 신호를 서로 간에 보낼 수 있다. 이 단위가 세계를 경험하면(예를 들어 문자의 곡선과 선의 분석), 상위 수준의 단위에 신호를 보내고, 마치 뉴런이 하는 것처럼 어느 정도는 세계로 보낼 신호를 만들어내기도 할 것이다. 세계를 반복적으로 경험한 후, 단위에는 가중치가 설정되기 시작한다. 이 가중치는 학습이 어떻게 진전되었는지를 보여 주는데, 예를 들어 상위 단위는 문자의 분석을 넘어서서 어떤 문자들을 재인하기 시작한다. 이러한 수량적 가중치는 인간의 신경 체계가 작동하는 방식의 이론적 표상으로 간주할 수 있다. 또한 이론적 표상을 이끌어내는 행동들은 수량적인 면에서 인간의 행동과 비교할 수 있다. 예를 들어 인간처럼 이 체계도 어떤 문자를 다른 문자로 혼동하는지를 알아볼 수 있다.

위와 같은 몇 가지 예외가 있긴 하지만, 심리학에서 대부분의 이론은 아직도 기술적이거나 유추적이다. 그러나 심리학이 더욱 정교해지고 우리가 변산성과 척도화로 인한 난점을 다룰 수 있게 됨에 따라 더 많은 심리학적 이론들이 수량적인 것으로 될 것이다.

좋은 이론의 특성

여러분은 이론을 보고 그것이 좋은 이론인지를 어떻게 아는가? 바로 앞 단원에서, 기술적 이론보다 유추이론이 낫고, 그보다는 수량적 이론이 더 좋다고 했다. 왜 그럴까?

첫째, 이론은 이미 수집된 대부분의 자료를 설명(account for most of the data) 할 수 있어야 한다. 자료가 뒷받침되지 않는다면 제안된 이론은 효과가 없다. (철저한 문헌조사가 왜 그렇게 중요한지를 알 수 있다. 문헌조사는 자료수집 전에 그것과 경쟁하는 이론을 제거하게 해 줄 것이다.) 그러나 이론에 반대되는 한두 항목은 대안이 되는 이론이 모든 증거를 설명하지 않는 한 대체로 그 이론을 훼손하

좋은 이론은 예측할 수 있게 해 준다.

지 않는다.

이론은 또한 검증 가능(testable)해야 한다. 이 장의 앞 부분에서 보았듯이 과학은 어떤 이론은 없애고 다른 이론은 그대로 남기는 연구를 함으로써 발전한다. 검증 가능하다는 것은 이론이 일치하지 않을 가능성이 있다는 것을 의미한다. 만약 실험 결과가 이론에서 예상되는 것과 다를 때 이론은 일치하지 않는다(disconformed). 이론이 너무 보편적이어서 어떤 실험 결과라도 다 설명할 수 있으면, 그것을 증명하거나 반증하는 것이 불가능하다.[10] 어떤 이론이 검증 가능하지 않다면 그 이유는 어떤 때는 일어나고 어떤 때는 안 일어나는 식으로 일정하지 않기 때문이다. 예를 들면 Freud의 억압이론은 너무 일반적으로 진술되었기 때문에 검증 불가능하다. 어떻게 억압을 반증할 수 있겠는가? 아마도 여러분은 피험자로 하여금 잊고 싶은 경험을 제공할 수 있다. 예를 들어 다른 사람에게 속임수로 사기를 치도록 실험 참가자에게 시킨 후, 나중에 자신이 속인 사람과 대면하도록 해보자.[11] 얼마 후 여러분은 각 피험자의 가까운 친구들로 하여금 그들이 속임수를 쓴 적이 있는지를 물어보게 한다. 아무도 속인 것에 대해 보고하지 않으면 모든 피험자가 그 사건을 억압하고 있는 것이므로 그 이론은 지지되었다고 볼 수 있다. 그러나 모든 피험자가 속인 경험이 있다고 보고한다 하더라도 이 결과가 그 이론을 반증하는 것은 아니다. 왜냐하면 이 이론은 모든 사람이 모든 경우에 억압을 한다는 것이 아니라 몇몇 사람이 특정한 경우에 억압을 한다는 것이기 때문이다. 따라서 여러분의 실험은 그 이론을 제거하기 위해 거의 아무것도 할 수가 없다. 너무 일반적으로 진술되어 그것을 반증하기 위한 어떤 검증도 불가능한 이론은 무가치한 이론이다.

이론은 모든 행동을 설명할 수 있을 만큼 너무 일반적이어서도 안 되지만, 그렇다고 지나치게 제한적이어서도 안 된다. 즉, 어떤 이론으로 설명할 수 있는 직접 관찰 가능한 사건이 적으면 적을수록 그 이론의 가치는 떨어진다. 가장 극단적인 경

10) 이런 이유 때문에 검증 가능성(testability)은 반증성(falsifiability)이라고 불리기도 한다. Karl Popper(1968)는 그것이 반증될 수 있을 때만 아이디어가 검증 가능하다고 주장한 것으로 잘 알려져 있다.

11) 이 실험이 윤리적인지에 대해서는 잠시만 무시하자.

우 어떤 이론은 관찰 가능한 사건들 간의 관계를 단순히 재언급하는데 그친다.[12] 예를 들면 "8세 된 어린이는 '로드러너'라는 만화를 텔레비전에서 본 후에 펀치백을 더 많이 친다."는 진술은 "텔레비전 폭력 시청이 어린이에게 있어 공격성을 유발한다."는 진술보다 덜 유용하다. 오히려 "폭력의 관찰이 사람들을 더 공격적으로 만든다."라는 진술이 더 유용하다. 진술이 더욱 일반적일수록 관찰 가능한 사건의 설명영역이 넓어지기 때문에 더 큰 가치를 갖는다.

좋은 이론은 또한 자료를 설명할 수 있는 한도에서 가능한 한 단순해야 한다. 이론을 새로운 상황에 적용하려고 할 때 모든 조건을 다 알 수 있는 것은 아니기에 너무 복잡하고 자세한 이론은 그다지 유용하지 않다.

좋은 이론은 미래의 실험 결과를 **예언**(predicts)한다. 기술적 이론조차 사건의 범주 간의 관계를 밝혀줄 수 있다. 따라서 이들 범주에 속하는 직접 관찰 가능한 사건 간의 관계는 이론으로부터 예언될 수 있다. 유추이론과 수량적 이론도 사건 간의 관계를 예언하도록 해주며, 이 예언은 훨씬 더 정확하다.

마지막으로 가장 좋은 이론은 **근접적 질문**(proximate question)이 아닌 **궁극적 질문**(ultimate question)에 대한 답을 찾게 도와준다. 궁극적 질문이란 '왜'에 대한 질문이다. 근접적 질문은 '무엇'이나 '어떻게'에 관한 것이다. 이 장의 앞에서 다룬 "아이들이 폭력적인 행동을 많이 볼수록 공격적 행동을 할 가능성이 높아진다."는 이론은 '무엇'에 관한 질문이다. 즉, 아이들이 폭력적인 행동을 보게 되면 무슨 일이 일어나는가라는 질문에 답을 준다. 하지만 궁극적 질문인 '왜'에 대한 답은 주지 못한다. 왜 아이들이 그렇게 행동하는가? 궁극적 질문에 기반한 이론이라면 다음과 같이 말할 것이다. "진화는 사람들이 폭력적인 환경에 대한 반응으로 공격성을 높이는 경향을 가지도록 만들었다. 왜냐하면 이러한 적응은 생존에 더 적합하기 때문이다." 아직까지는 대부분의 심리학 이론은 근접적 질문에 기반하고 있다. 하지만 최근 심리학에서 증가하는 진화이론에 대한 강조는 궁극적 질문에 답할 수 있는 이론을 더 많이 이끌어 낼 것이다.

12) 실제로 그런 진술은 우리가 내린 이론의 정의에 따르면 이론이라고 볼 수 없지만, 몇몇 연구자는 그것을 이론이라 부른다.

이론은 항상 자료수집에 선행하는가?

앞에서는 이론과 실험에 관해 다소 이상적으로 논의하면서, 먼저 이론이 제시되고 그 이론을 평가하기 위해 실험을 하는 것처럼 얘기하였다. 그러나 이론이 덜 중요한 연구들도 있다. 많은 연구자들은 셜록 홈즈(Sherlock Holmes)의 모형을 따르기를 더 좋아한다. 즉, 모든 가능한 실마리(자료)들을 모두 수집한 뒤에 범죄자(이론)로 못박는다. 그들은 자료수집 전에 이론을 제시하는 것은 범인을 결정하고 나서 그 사람의 죄와 관련된 단서들을 찾는 것과 같다고 생각한다. 그러나 두 방법 모두 잘못되었다. 사실 조작적 조건형성 연구의 아버지인 B. F. Skinner는 대부분의 이론들이 좋은 영향을 주기보다는 해를 끼친다고 했다(Skinner, 1950).

Skinner는 과학자로서 우리의 임무는 관찰 가능한 사건을 설명하는 것인 데 반해 이론은 관찰 가능한 사건보다 추상적이기 때문에 관찰 가능한 사건을 설명하는 데 현실적으로 도움이 되지 않는다고 믿었다. 또한 이론은 관찰한 사건뿐만 아니라 관찰하지 않은 사건을 설명하는 것처럼 보이기 때문에 연구해야 할 것이 아직 남아 있는데도 연구가 완결된 것처럼 믿도록 유도할 수 있다. 우리는 이론이 제공하는 해답이 진실인지 아닌지 실제로 알지도 못하면서 우리의 연구에서의 결함을 이론으로 채우려는 생각을 하게 된다. 끝으로 Skinner는 한 이론이 연구를 이끌어 간 뒤 그 이론이 무너지게 되면, 우리는 그 이론에 의해 발생된 다수의 연

구를 잃게 된다는 것을 지적한다. Skinner의 다소 극단적인 주장은 행동주의가 일반적으로 정신적 사건(mental event)을 기각하고, 현재의 이론들의 기초가 되는 변인들을 조정(intervening)했다는 문맥 내에서 이해되어야 한다. 대부분의 심리학자들은 그의 견해에 동의하지 않고, 이론이 연구에 필수적이라고 생각한다. 그러나 이 연구자들조차도 이론이 연구를 이끌어가는 데 큰 역할을 못하는 경우가 있음을 알고 있다.

어떤 특정한 연구 주제가 여전히 초기단계에 머물러 있을 때, 성급한 이론화는 문제의 해결보다는 오히려 문제를 일으킬 수 있다. 만약 자료를 수집하기도 전에 보잘것없는 이론을 주장한다면, 우리는 그 이론을 검증하는 데 많은 시간과 노력을 낭비하게 될 것이다. 차라리 그 시간과 노력을 자료를 수집하는 데 사용한다면 더 나은 이론을 만들 수 있을 것이다. 특히 새로운 연구 프로그램을 시작하는 데에는, 이론적 예상을 검증하기보다 단순히 "만약 …하면, 무슨 일이 일어날지 궁금하다."는 질문에 대한 답을 얻기 위해 여러 실험을 하는 것이 더 낫다. 관찰을 충분히 하여 이론을 검증한 다음에 다시 구조화되지 않은 조사방법으로 자료를 수집하는 것은 효율적이지 않을 것이다.

다른 위험은 이론 게임을 수행하는 것이 지적 즐거움을 줄 수 있다는 것이다. 처음에 연구자들은 중요한 문제를 발견하고, 관찰을 하고, 이론을 주장한다. 그 다음, 다른 사람들은 이 이론을 검증하고, 그것을 기각하고, 자신의 이론을 주장하고, 다시 그 이론들이 기각되는 등의 과정을 거친다. 이론이 이론을 낳을 때 게임은 그 수명을 다하고, 우리는 때때로 무엇이 중요한가를 잊게 된다. 가장 심각한 결점은 연구자들이 종종 중요한 문제보다는 쉽게 풀 수 있는 문제를 위한 이론을 제안한다는 데 있다. 어떠한 과학도 모든 문제를 연구할 만한 자원을 가지고 있지 못하기 때문에 반드시 중요한 문제를 선택해야 한다. 중요하고 더 어려운 문제 대신 쉽지만 중요성이 덜한 문제를 그것이 이론에 더 적합하기 때문에 연구하기로 한다면 자원을 오용하게 될 수도 있다.[13] 이런 문제에 대항하기 위해 "심리학(Psy, 371)—심리학이 모르는 것들"이라는 강의를 할 때 때때로 겁을 주기도 했다. 이 강의의 목적은 현재 아무도 연구하지 않는 인간행동의 주요 영역을 찾아내고 이러한 분야에서 연구를 어떻게 시작해야 하는가를 제시하려는 것이었다.

마지막 연구는 **응용연구**(applied research)인데, 응용연구에서는 때때로 이론이 그리 중요하지 않을 수 있다. 응용연구는 특정한 문제를 해결하기 위해 설계되는데, 이는 과학적 지식을 증가시키는 것만을 목적으로 하는 **기초연구**(basic research)[14]와는 대비되는 것이다. 기초연구가 실용적인 문제해결을 위해 고안된 것이 아니라 할 지라도, 그것은 실용적 문제해결에 도움을 줄 수 있다. 오늘날 인간행동의 문제를 고치기 위한 가장 유용한 방법인 행동수정기법은 쥐 실험실에서 행해졌던 기초연구에 기반을 두고 있다. Adams(1972)는 우리 군대체제의 대부분이 20년 이전에 이루어진 기초연구에서 나온 정보를 사용하여 설계되었다는 것을 발견하였다. 이렇게 기초연구는 때때로 실용적인 문제를 해결하는 데 유용한 것으로 판명되었지만, 일반적으로 그러한 연구는 과학의 진보라는 이름으로 이루어진다.

반면에 응용연구의 주목적은 문제의 해결이다. 아마도 여러분은 자동적으로 우편번호를 읽을 수 있는 기계를 설계하기 위해서 사람들이 어떻게 손으로 쓴 숫자를 읽는지를 알아야 할 필요가 있을 것이다. 여러분은 또한 매일 쪽지시험을 보는 것이 주요 시험에서의 학생의 학급 내 석차를 향상시키는지를 알고 싶을 것이다. 혹여 여러분 중에는 인지행동치료가 정신분석보다 더 효과적인지 알고 싶어하는 사람이 있을 수도 있다. 이러한 많은 실용적 문제들은 즉각적인 해답을 요구하는데, 어쩌면 이러한 해답을 기초연구자들은 결코 발견하지 못할 수도 있다. 실용적인 문제에 대한 답을 얻기 위해 연구를 하는 것은 그 자체로 연구수행을 위한

13) 사실, Kuhn(1970)은 그의 저서 『The Structure of Scientific Revolutions』의 37쪽에서 다음과 같이 주장했다. 일단 과학계가 한 패러다임(일련의 가정이나 폭넓게 인정되는 모형)을 받아들이면 과학자들은 그 패러다임 내에서 해결할 수 있다고 생각되는 문제들에 관해서만 연구한다. 상당한 정도까지 이것들은 과학적이라고 인정되는 유일한 문제가 된다. … 그 일에 관해서라면 한 패러다임은 단순한 형태로는 축소시킬 수 없을 만큼 사회적인 중요성을 갖는 문제로부터 과학계를 분리시킬 수도 있는데, 이는 그 문제들이 그 패러다임이 제공하는 개념적 또는 기구적 도구로서 진술될 수 없기 때문이다.

14) 기초연구를 때로는 순수연구라고도 부르는데, 그 이유는 그것을 하는데 다른 동기가 섞여서는 안 된다는 생각 때문인 듯하다.

매우 정당한 이유가 되며, 특히 그 연구성과가 세상에 즉각적인 영향력을 가진다면 더욱 만족스러운 연구가 될 수 있다. 많은 경우 응용연구를 하면서 동시에 이론을 검증하는 것이 가능하기까지 하다. 이런 경우 이 연구는 실용적인 면에서 즉각적인 공헌을 할 수 있을 뿐 아니라 과학적 지식의 조직체를 짓는 데 도움을 주게 된다.

관찰은 다시 한번 응용연구의 아이디어를 얻기 위한 열쇠가 된다. 실용적인 문제를 발견하는 것은 단순히 얼마나 인간행동을 주의 깊게 관찰하고 여러분의 호기심을 자유롭게 허용하느냐의 문제이다. 우리가 실험 아이디어를 얻기 위해서 논의해 왔던 다른 절차들과 함께 여러분은 실험으로 해결할 수 있는 것보다 풀어야 할 실용적인 문제들이 더 많이 있다는 것을 발견하게 될 것이다. 이전과 마찬가지로 그 질문은 "내가 무엇을 할 수 있느냐?"가 아니라 "내가 무엇부터 해야 하는가?"가 될 것이다.

심리학적 연구의 중요성

이 장을 마치기에 앞서 다음의 사항들을 지적하고자 한다. 연구를 하는 것이 재미있고, 인간 행동에 대한 호기심을 만족시켜 주기 때문에 연구를 한다고 강조했지만, 그와 더불어 심리학적 연구는 삶에 있어 중요한 문제들에 해답을 제공해 주기 때문에 이루어져야 한다. 그것은 어떤 경우에는 심리학적 연구가 가장 중요한 문제들에 대한 답을 제공해 주기 때문이다. 만약 우리 사회를 가장 슬프게 만드는 문제들이 무엇이고 돈을 낭비하게 하는 것이 무엇이냐고 묻는다면 무엇이라고 대답하겠는가? 여기에 생각할 수 있는 10가지 사항이 있다.

1. 어린이들이 학교에서 충분히 배우지 못한다(예를 들어 많은 어린이들이 읽을 줄 모르고, 쓸 줄 모르며, 셈을 할 줄 모른다).
2. 너무도 많은 사람들이 약물남용을 하고 있다.

3. 사람들이 건전하지 못한 방식으로 행동한다(담배를 피우며, 성병을 옮기고, 제대로 식사를 하지 않으며, 운동을 하지 않는 등).
4. 인간의 분쟁은 전쟁을 일으킬 가능성이 있다.
5. 가정의 폭력은 가족 구성원에 나쁜 영향을 미친다.
6. 폭력은 높은 범죄율의 원인이 된다.
7. 너무도 많은 사람들이 생활보호를 받고 있다.
8. 우리 사회에서 예의가 무너지고 있다. 예를 들어 난폭 운전, 쓰레기 버리기, 무례함과 하찮은 싸움 등.
9. 너무도 많은 사람들이 사고로 죽거나 다친다.
10. 많은 노동자들이 자신들의 일에 대해 제대로 교육을 받지 못했거나 재교육이 필요하다.

이 문제점들 중 인간 행동과 관련되고, 심리학 범위 내에 있는 것들이 얼마나 되는가? 모두라고 대답한다면 맞다! 정치가들이 말하는 주제들에 대해 생각해 보라. 전쟁, 건강, 교육, 마약, 경제. 이 분야의 문제점들은 사람들이 행동하는 방식 때문에 일어나는 것이다. 이 문제점들을 해결하기 위해 우리는 인간의 행동을 더 잘 이해할 필요가 있으며 연구를 해야 한다. 그러므로 심리학자로서 우리가 하는 일은 흥미롭고 재미있을 뿐만 아니라 종종 매우 중요하기도 하다. 사회는 심리학적 연구를 필요로 하며, 사람들이 더 나은 삶을 살 수 있도록 돕는 것이 심리학자들이 추구하는 것이다.

요약

우리 모두가 인간 행동에 대한 자연스러운 호기심을 가지고 있지만 우리들 대부분이 우리의 생각을 차단하는 비합리적인 공포심을 형성해 놓았다. 어떤 사람들은 모든 다른 연구자들이 천재이며 우리의 생각은 독창적이 아닐 것이라는 점을 두려워한다. 어떤 사람들은 복잡한 장치를 필요로 하는 실험을 계획하는 것을 두려워하는 반면, 다른 사람들은 단순한 장치를 가진 실험을 두려워한다. 다른 이들은 그들의 생각이 너무 단순하다는 것을, 그들의 실험이 복잡한 통계를 요구하는 것을 또는 그들의 생각이 제안될 때에 완벽하지 못하다는 것을 걱정한다. 마지막으로 많은 사람들은 그들이 좋은 생각을 가지고 있다는 것을 그 생각이 과학적인 용어로서 표현되기 전까지는 믿으려 하지 않는다.

실험 아이디어를 얻기 위한 주요 열쇠는 주변의 세상을 관찰하는 것을 배우는 일이다. 여러분은 어느 아이디어가 과학적으로 적합한가를 알 필요가 있다. 아이디어가 실험적 아이디어로 되기 위해서는 **반복 가능하고**, **관찰 가능하며**, **검증 가능해야** 한다. 아이디어를 얻기 위해서 여러분은 자신, 친구, 아이들과 심지어는 애완동물들까지도 관찰할 수 있다. 비록 최선의 아이디어는 직접적인 관찰에서 오지만 여러분은 다른 사람의 연구(대리적 관찰)와 자신의 연구를 읽음으로써 아이디어를 얻을 수 있다.

관찰을 통해 이론을 만드는 전형적인 방법은 **이론**을 이용하는 것이다. 이론이란 추상적 변인들 간에 가능한 관계에 대한 진술을 말한다. 관찰은 구체적 사례에서 일반적 진술을 도출해내는 **귀납적 추론**을 통해 이론으로 이어진다. **가설**이라 불리는 예상은 **연역적 추론**이라 불리는 과정에 의해 형성될 수 있다. 만약 실험적 검증이 가설과 일치했다면, 그 이론은 지지되지만 입증된 것은 아니다. 만약 가설이 일치하지 않았다면, 규칙에 따라 거짓인 결과로서 연역적으로 이론이 기각된다. 그러나 가설을 기각하는(disconformed)하는 데에는 통계적 검증을 사용하기 때문에 그 이론의 반증으로는 확실하지 않다.

기술적 이론은 사건에 명칭을 부여하며, 명칭이 추상적이지만 정의 가능한 사건의 범주와 연결될 때 가장 유용하다. **유추이론**은 심리적 관계와 물리적 모형간에 유추를 함으로써 관계가 어떻게 작용하는지를 설명한다. **수량적 이론**은 수학적 용어로 관계를 명시한다. 심리학은 아직 어떻게 변인을 설명하고 어떻게 정확한 측정 척도를 개발해야 하는가를 배우는 중이기 때문에 수량적 이론은 거의 없다. 좋은 이론은 대부분의 자료를 설명하고, 검증 가능하고, 너무 제한적이지 않으면서, 미래의 연구 결과를 예언할 수 있어야 한다. 그리고 가장 좋은 이론은 단순한 **근접적 질문**(무엇)보다는 **궁극적 질문**(왜)을 답하는 데 기여해야 한다.

Skinner는 이론이 관찰 가능한 사건을 설명하는 데 도움이 되지 못하고, 미완성 연구를 완료된 것처럼 믿게 하고, 이론이 포기되면 연구를 쓸모없게 하므로 실제적으로 소용이 없다고 생각한다. 대부분의 실험자는 이에 동의하지 않는다. 그러나 좋은 연구에 있어 이론이 항상 필요한 것은 아니다. 특히 연구의 초기단계나 과학의 지식체계에 공헌하는 **기초연구**와는 반대인, 실제적인 문제해결을 위한 **응용연구**에서는 더욱 그렇다.

4

참가자를 올바르게 대하는 법

남에게 대접을 받고자 하는 대로 너희도 남을 대접하라.

– 마태복음, 7장 12절

우리가 얻은 자료에 따르면 경쟁과 보상이라는 사회적 구조가 인간피험자를 사용하는 실험에서 어떤 제약도 필요 없이 무엇이든 할 수 있다는 생각을 갖게 하는 데 일조했음을 보여 준다. 상대적으로 성공하지 못한 과학자, 인정을 받기 위해 안간힘 쓰는 그런 사람이 이런 생각을 할 가능성이 가장 많다.

– B. Barber (1976)

남을 속이는 순간부터 우리는 스스로를 올가미에 넣게 된다

– Sir Walter Scott

살아있는 동물들에 대한 관찰과 실험 없이는 유기적인 세상을 이해할 수 없다.

– Ivan P. Pavlov

도덕적인 관점에서 보자면 우리는 두 발로 서 있건, 네 발로 서 있건 또는 아예 발이 없다 하더라도 결국은 같은 발판 위에 서 있는 것이다.

– P. Singer (1985)

자 이제 여러분은 실험에 대한 아이디어가 있으며 실험을 보다 구체적으로 계획할 준비가 되어 있다. 그러나 무엇보다도 먼저 고려해야 할 것이 있는데, 그것은 바로 윤리문제이다. 실험자로서 우리는 최소한 두 가지 방식으로 비윤리적일 수 있다. 우리는 우리가 측정하고자 하는 행동을 하는 사람(혹은 동물)을 잘못 다룰 수 있다. 또한 우리가 확립하려는 지식체계를 잘못 다룰 수도 있다. 즉, 우리의 과학을 올바르지 않게 다룰 수 있다. 이 장에서는 참가자를 올바르게 대하는 것에 대해 논의할 것이며, 다음 장에서는 과학을 올바르게 다루는 것에 대해 논의할 것이다.

사회 전체, 특히 과학 단체는 연구가 따라야 할 일련의 법칙에 대해 합의해 왔다. 그 중 예의의 기본법칙과 같은 몇몇 법칙은 불문율이다. 이러한 법칙은 너무 명백해서 모든 사람들이 그것을 이해하고 있다고 여겨진다. 그 밖의 다른 법칙들은 미국 심리학회에서 2002년에 발행한 『심리학자의 윤리원칙과 행동규준(Ethical Principles of Psychologists and Code of Conduct)』이나 Sales와 Folkman이 『2000년에 쓴 인간 참가자를 사용하는 연구 윤리(Ethics in Research with Human Participants)』 등에 명문화 되어 있다. 이러한 법칙들은 실험의 역할에 대한 사회의 관념과 개인의 권리가 변화함에 따라 끊임없이 개정되어 왔다.

이 장의 첫 부분에서 우리는 우선 실험을 행하는 사람과 실험에 참여하는 사람 간의 기본적 예절을 포함한 관계를 살펴볼 것이다. 그러고 나서 이 관계가 실험결과에 어떠한 영향을 미칠 수 있는지를 논의할 것이다. 또한 대안적인 실험자-참가자 관계를 제시할 것이다. 마지막으로 동물을 올바르게 다루는 윤리적인 기준들을 살펴볼 것이다.

인간 참가자를 올바르게 대하는 법

심리학에서 실험을 행하는 목적이 인간행동을 이해하는 것이기 때문에 우리는 대개 인간(혹은 동물)과 상호작용을 할 것이다. 전통적으로 심리학자들은 행동을 제

45kg의 참가자 슈퍼 실험자

공하는 사람을 피험자(subject)라고 불렀다. 초기 심리학의 선조들은 이 용어가 과학적으로 들렸고 연구의 대상이 사람들이었기 때문에 '피험자'라는 용어를 좋아한 것 같다. 그러나 유감스럽게도 이 용어는, 사람들이 실험자의 의도에 따르고, 더 나아가 그것에 종속되었다는 의미를 함축한다. 1930년대에 피험자라는 용어 대신에 피실험자(experimentee)라는 용어를 쓰자는 것이 제안되었지만, 그 제안은 받아들여지지 않았다(Rosenzweig, 1970).

이런 논의가 여러분에게는 꽤 하찮은 것으로 보일지도 모르겠다. 단어 하나에 뭐가 있다고 그러지? 이 경우 피험자라는 단어는 피험자라는 개인과 실험자 간 관계의 본질이 무엇인지를 반영하는 동시에 윤리적으로 고려해야 될 점들이 있음을 암시하고 있다. 피험자는 수동적이며, 실험실에서 화학물질이 결합할 때 수동적으로 반응하는 것처럼 실험조건에 수동적으로 반응하는 존재이다. 이러한 이유로 이제껏 사용되어 온 용어인 피험자(subject) 대신 **참가자**(participants)라는 용어를 보통 사용하고 있다. 참가자라는 용어는 우리의 연구에 그들이 참여하면서 주는 도움에 대해 고마움을 잘 표현하는 동시에 그들에게 실험자와 동등한 지위를 제공해 준다. 제13장에서 살펴보겠지만 연구보고서를 쓸 때는 참가자가 누구였는지, 즉 학생인지, 어린이들인지, 여자였는지를 밝혀야 하지만 이들을 통칭하는 적절한 용어는 '참가자'이다.

피험자 대신 참가자라는 용어를 쓰는 것이 보편적으로 통용되는 것은 아니다. 한 예로 Psychonomic Society는 저자들이 이러한 규칙을 따르지 않는 것을 용인하고 있다. 미국 심리학 학회(American Psychological Society)의 전 회장이었던 Roddy Roediger는 참가자라는 용어의 사용을 격렬히 반대했다. 그는 자신이 미국 심리학회 교열 편집자에게 보낸 편지에 묘사한 미묘한 상황 때문에 그가 미국 심리학회 학술잡지들에 투고한 글이 특별 배포되어야 한다고 주장했다. 그가 보낸 편지의 일부를 아래에 인용했다.

> 나는 내가 참가자 공포증 피해자 모임(Sufferers of Participant Phobia, SPP)의 회원(사실은 창립자다)이라는 것을 밝혀야겠다. 나는 많은 미국 심리학회 학술지들이 사용하는 참가자란 단어를 견뎌내야 했기 때문에… 또한 나는 참가자 공포증후군 생존자 모임(Participants Phobia Syndrome Survivors, PPSS)의 회원이다. 우리의 학술지들에서 참가자라는 단어를 사용하는 것은 내게 정신적 고통을 주고 심한 스트레스를 초래하며 나로 하여금 이 편지를 써서 후원그룹(언어를 바꾸는 것을 혐오스럽다고 생각하는 다른 실험 심리학자들)의 도움을 구하게끔 만들었다(Roediger, 2004).

분명 이 편지는 약간 장난조로 사안을 과장하고 있다. 하지만 이 편지는 과학보다는 정치적인 압력에 심리학이 과도하게 예민해지는 것에 대해 일부 연구자들이 느끼는 적절한 우려를 보여 주고 있다.

실험심리학의 초창기에는 실험자와 참가자가 동일했기 때문에 실험 대상이 된 사람을 어떻게 부를 것인가에 대해 아무도 신경을 쓰지 않았다. 그 당시 대부분의 심리학자들은 자신들의 실험에서 종속변인으로 자기 자신의 내적 경험을 보고했다. 실험자들은 시간이 지나고 훈련만 되면 이런 내적 경험을 알 수 있게 될 것이라고 믿었기 때문에 자기 자신을 최고의 참가자라고 생각했다.

그 후 많은 실험자들은 내적 사건에 대한 언어적 보고가 과학적 심리학의 자료로는 부적절하다고 느끼게 되었다. 실험자들은 객관적이면서 동시에 주관적이기는 불가능하다는 논쟁과 함께 심리학에서의 개혁을 시작했다. 어떤 심리학자들은 이런 개혁에 과잉반응을 하면서 동물만이 심리학 실험에 적합하다는 결론을 내리기도 했다. 만일 여러분이 참가자의 언어적 보고가 적절한 것이 아니라고 생각되면, 말하지 못하는 자를 선택하라![1] 이 시기 동안 쥐가 실험의 주된 참가자가 되었다. 다른 연구자들은 실험자는 실험의 대상이 되기엔 너무 경험이 많고, 그렇다고 쥐를 사용하는 것은 쥐가 인간과 너무 달라서 곤란하다는 생각을 했다. 요컨대, 실험에 참가한 적이 없는 인간이 필요했다. 그렇게 선택된 인간이 대학생 집단이었다. 대학 심리학과에서 수행된 연구의 약 90%(Jung, 1969)가 그리고 정기 간행물로 출판된 연구의 70~85%(Schultz, 1969; Smart, 1966)가 대학생이 참가자인 연구이다.

이러한 최근의 관점에서 볼 때, 참가자는 과거 경험에 오염되지 않은 방식으로 실험적 조작에 반응하는 순수하고 잘 동기화된 관찰자여야 한다고 생각된다. 그러나 우리가 곧 살펴보겠지만, 참가자는 오염되지 않은 관찰자가 아니다. 그들은 대개 그들이 참가하는 실험에 대해 명확한 생각을 갖고 있으며, 종종 실험자의 목적과는 다른 특별한 목적을 성취하려고 한다.

인간은 (대학생조차도) 확실한 법적 · 도덕적 권리 역시 가지고 있다. 어떤 물리학자는 경사진 판을 이용한 실험에서 사용되는 나무벽돌을 가지고 그것을 떨어뜨리거나, 망치로 치거나, 거기에 대고 욕을 하거나, 입을 맞추거나 그밖에 온갖 짓을 다 할 수 있다. 그의 동료들은 실험자가 약간 맛이 갔다고 생각할 수도 있지만, 그를 경찰에 신고하거나 직장을 그만두게 할 수는 없다. 그러나 심리학자는 반드시 그리고 항상 참가자의 권리를 보호해야만 한다.

실험자-참가자 관계는 실험자가 대부분의 실권을 갖고 있는 것이 보통이기 때문에 관계의 특성상 참가자들이 약점을 지닐 수밖에 없다. 예를 들면 많은 사람들이 심리학 수업의 요구사항을 만족시키기 위해 실험에 참가한다. 이런 상황 하에서 학생들은 자신이 실험자가 요구하는 대로 하지 못하면 학점에 영향이 있을 것이라고 생각할 수 있다. 또한 실험에 참가하고 돈을 받는 경우라도, 참가자들은 비협조적 행동을 하면 돈을 조금밖에 받지 못할 것이라고 느낄 수 있다. 마지막으로 심리학이라는 과학의 진보에 공헌하고자 자원하여 실험에 참여하는 사람의 경

1) 그렇다. 나는 여기서 역사를 다소 왜곡하고 있다. 이 장의 뒷부분에는 동물들을 연구에 사용하는 제대로 된 이유들을 다룰 것이다.

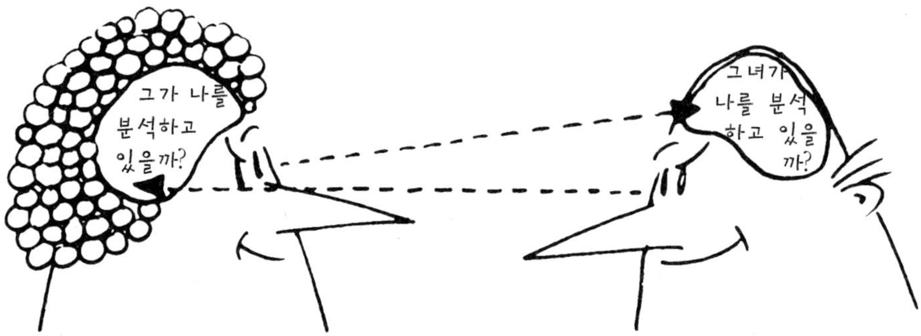

우라도 자신이 협조를 잘 해야 이 사회가 이익을 얻게 될 것이라고 생각할는지 모른다. 어떤 경우에서든, 참가자들은 실험자가 그들의 행동을 평가하거나 혹은 조작하는 막강한 힘을 지니고 있다고 생각한다.

실험자에게 협력하려는 이러한 학구적 · 금전적 · 이타적인 동기와 더불어 참가자들은 일반적으로 심리학자가 누가 협조하는지를 판단하기 위한 신비로운 갖가지 방법들을 알고 있을 것이라는 일반적인 생각을 가지고 있다. 심리학자와 문외한이 만나서 처음 나누는 다음의 말들은 이러한 믿음을 보여 준다. "어떤 직업을 가지셨습니까?", "저는 심리학자입니다.", "오, 그럼 저를 분석하고 계십니까?" 몇몇 이유로 해서 많은 사람들은 심리학자가 X-ray 같은 투시력을 갖고 있어서 그들의 마음을 들여다 볼 수 있으며 그들이 무슨 생각을 하고 있는지를 알아낼 수 있다고 생각한다. 그들은 스스로 협조해야만 하며, 그렇지 않으면 실험자가 자신들을 곤경에 빠트릴 것이라고 믿는다. 이러한 믿음은 비록 터무니없는 단순한 생각이라 할지라도 실험자-참가자 관계가 실험자에게 유리하도록 만든다.

예의의 규칙

이 관계를 조금이라도 덜 기울게 하기 위해 실험심리학자는 참가자를 존경심과 존엄성으로 대하는 행동의 규칙을 따라야 한다. 초보 실험자로서 여러분은 실험실에 "참가자 역시 인간이다!"라는 표어를 걸어 두어야 한다(이 표어를 보이지 않게 하는 것이 물론 좋다). 여러분의 연구를 도와 주는 사람들에게 예의를 지키는 것처럼 참가자에게도 그와 같은 예의를 지켜야 한다. 지켜야 할 몇 가지 예의들은 다음과 같다.

1. 참석하라. 종종 실험자들은 참가자에게 참가신청을 하도록 했다는 것을 잊어버리거나 실험장비가 파손되었거나 몇몇 이유로 실험이 연기되거나 취소되었을 경우에 참가자에게 알려 주는 것을 잊어버린다. 일단 참가자가 실험 참가를 위해 서명하면, 여러분은 실험에 참석해야 하는 의무를 이행하기 위한 모든 노력을 기울여야 한다.
2. 시간을 엄수하라. 참가자의 시간 역시 중요하다. 낭비시키지 말라.
3. 준비하라. 참가자를 만나기 전에 실험의 모든 단계를 미리 연습해야 한다. 그렇게 하지 않는 것은 예의에 어긋나는 일이며, 만일 지시문을 더듬으면서 말한다거나 장비를 만지는 데 어설프고 실험 내내 서투르게 행동한다면 참가자들은 매우 당황하거나 짜증나게 되어 수행을 잘 못하게 될 수도 있다.
4. 정중하라. 실험이 이끌어내는 것이 아니라면, 당신의 참가자에게 그것을 해 줄 것을 부탁하라. 그들에게 명령하지 말고 "죄송하지만…"이나 "감사합니다." "천만에요."라는 말을 자주 사용하라.
5. 사생활을 보장하라. 참가자가 실험상황에서 준 모든 정보는 비밀로 하라. 참가자가 말한 것뿐만 아니라 실험과제를 어떻게 수행했는지에 관해서도 신중하라. 정부의 연구비 지원 지침을 보면 참가자로부터 어떤 정보를 얻을 수 있는가, 그 정보를 어떻게 사용할 수 있는가, 그것을 어떻게 부호화 하고 저장할 것인가 등에 관해 상세하게 명시하고 있다. 가능하면 자료용지에서 참가자의 이름을 지우고 다른 사람들이 참가자가 누구였는지를 알 수 없도록 하는 방법을 사용하라.
6. 전문가가 되라. 너무 냉정하거나 경직되어 참가자를 불편하게 해서도 안 되겠지만, 그렇다고 너무 격의 없이 대하거나 덤벙대서는 안 된다. 그러면

> 참가자들은 당신이 이 실험을 별 것 아닌 것으로 생각한다고 느끼게 될 것이고, 그들 역시 실험에 신경을 안 쓸 것이다! 실험은 데이트 상대를 만들거나 골프 파트너를 만나거나 보험을 파는 장소가 아니며, 오로지 연구만을 위해 실험자-참가자 관계를 사용하는 곳이다.

이러한 규칙들은 단순하게 보이지만, 인간 참가자에 관련된 모든 윤리적 문제가 다 그렇게 간단한 것은 아니다. “어떤 내용이 실험 참가 동의서에 들어가야 하는가?” “정신적 스트레스를 주는 실험이 허용되어야 하나?”와 같은 논쟁의 여지가 있는 문제들은 미국심리학회(American Psychological Association, APA)에서 2002년에 발행한 『인간 참가자를 사용하는 연구 수행에서의 윤리 원칙(Ethical Principles in the Conduct of Research with Human Participants)』에 상세히 논의되어 있다. 그러나 어떤 출판물도 모든 가능한 윤리적 문제를 다 다룰 수는 없으며 많은 실험연구들이 그때 그때 공정한 판단을 요하는 급한 상황들을 만나게 된다. 이런 이유로 대부분의 연구를 주로 하는 기관들은 **기관생명윤리심의위원회**(institutional review board)[2]를 두고 있다(줄여서 IRB라고 부른다). 이 위원회는 경험 많은 연구자들과 때로는 의사 그리고 기술적 전문가들로 구성되어 있다. 인간 참가자를 사용하는 모든 연구들은 이러한 위원회의 심사를 거쳐야만 한다.[3] 일반적으로 연구자들은 “참가자들에게 동의서를 받을 예정입니까?”, “자료의 보안

2) 미국 국립보건원(NIH)에서는 이들이 지원하는 모든 연구들에 대해 기관생명윤리심의위원회를 반드시 거치도록 요구하고 있다. 국립보건원에서는 『인간 연구 피험자들을 보호하기: 심사위원회 지침(NIH Guide, vol. 22, number 29, August 13, 1993)』을 발간하고 있으며 이는 심사위원회의 위원들, 연구자들, 관리 책임자들이 책임을 다하도록 유용한 내용으로 구성되어 있다.

3) 여러분이 쥐고 있는 이런 책을 사용하는 몇몇 수업의 경우, 교사는 강의에서 이루어지는 실험들에 대해 윤리적인 이유로 심사위원회가 개입될 수 있다는 사실을 알고 있을 것이다. 만약 이러한 개입이 이루어지게 된다면 어떤 실험이 허용될 수 있을까 하는 문제에 대해서 교사는 매우 보수적이 될 수밖에 없다. 강의에서 이루어지는 실험들은 때때로 출판될 정도로 큰 성과를 얻기도 하지만, 이러한 실험들의 목적은 대부분 학생들이 연구하는 것을 훈련시키는 것이다. 대부분의 경우 위험이 작은 실험들도 위험이 큰 실험들과 마찬가지로 학생들을 훈련시키는 데 유용하다. 만약 여러분이 강의에서 참가자들이 한 움큼의 약을 먹고 청중을 향해 근친에 대한 성적 환상을 폭로하는 실험을 계획하고 있다면, 꿈도 꾸지 마라!

이 확실합니까?"와 같은 수많은 질문들이 있는 양식에 답을 해야 한다. 이런 양식들은 또한 연구자들이 계획 중인 연구를 간단하게 설명할 것을 요구한다. 이 위원회의 구성원들은 참가자들에 대한 잠재적인 물리적/정신적 피해가 가지 않도록 각별한 주의를 기울이고 있다. 어떤 연구라도 참가자가 피해를 입을 가능성을 완전히 제거하는 것은 불가능하다. 참가자가 카펫에 발이 걸려 다리에 골절을 입을 수도 있다. 그렇지만 위원회가 하는 일은 피해의 가능성을 가능한 한 최소화 하는 것이며, 어떤 위협요소들이 실험에 필수적인 것을 알게 되었을 때 위원회는 그 연구로부터 얻어질 수 있는 이익들이 그러한 위협요소들을 감수할 만큼 가치가 있는 것인지를 결정해야 한다.

이러한 심사위원회는 비윤리적일 가능성이 있는 많은 연구들을 개선하고 제거하는 데 확실히 도움을 준다. 그러나 그 위원회에 봉사하는 사람들 중 무시 못할 소수가 인간연구에 따르는 위험과 득의 균형을 맞추는 데 서툰 것으로 판명되었기 때문에 생의학 분야의 심사위원회들은 설문조사를 하였다(B. Barber, 1976). 설문조사 결과 대부분의 회원은 연구 윤리에 관한 공식적 훈련을 전혀 받지 않은 것으로 나타났다.

일부 심리학자들은 인간 참가자에 대한 위험을 줄이는 데 기관생명윤리심의위원회가 도움이 된다는 증거가 적다고 주장한다(Mueller & Furedy, 2001). 어떤 이들은 기관생명윤리심의위원회가 너무 까다로워져서 사회과학의 학술적 연구의 영역까지 침범하려 한다고 느낀다. 기관생명윤리심의위원회를 감독하는 연방 정부의 관리직으로 있던 Tom Puglisi(2001) 같은 이들은 기관생명윤리심의위원회가 반드시 필요하긴 하지만, 그 규정을 잘 읽어보면 많은 사회과학과 행동과학 연구들이 그 규정으로부터 자유로울 수 있다고 조언한다. 즉, 연구 계획서를 심사위원회에 제출할 때 대부분의 심리학자들은 자신의 연구를 정당화 하는 것보다 왜 연구가 규정으로부터 면제되어야 하는지를 진술하는 것이 필요하다. 기관생명윤리심의위원회의 유용성에 대해 여러분이 어떤 의견을 가지고 있건 간에 윤리적인 연구를 해야 하는 최종적 책임은 바로 실험자 자신에게 있다는 것을 명심해야 한다.

동의

기관생명윤리심의위원회(IRB)와 여러분에게 중요한 문제 중의 하나는 **동의**(informed consent)에 관한 것이다. 실험자들은 참가자들이 실험에 참가할 것인가를 결정하기 전에 그러한 결정에 영향을 줄 수 있는 요인들에 대해 미리 알려 주어야 한다. 참가자들에게 알리고 나서 연구자는 그들이 동의한 내용을 문서로 남겨 두어야 한다. 이렇게 참가자들에게 실험에 대해 알려 주고 동의를 얻는 것은 간단한 것처럼 보이지만 실상은 그렇지 않다. 가령 보다 종속적인 입장에 있는 참가자들이 압력에 의해서 참가하게 된 것은 아닌지, 참가자들에게 주어진 정보들이 적절한지, 특정 피험자들의 경우 그들이 동의와 같은 결정을 내릴 능력이 있는지와 같은 문제들이 동의에 관한 문제를 모호하게 만든다. 『심리학자의 윤리적 원칙과 행동 규준(Ethical Principles of Psychologists and Code of Conduct, APA, 2002)』은 이 문제에 대하여 몇 가지 세부 지침들을 제공해 준다.

8.02 연구에 대한 동의

(a) 3.10항에 요구되는 것처럼 연구에 대한 동의를 얻을 때 심리학자는 참가자에게 다음과 같은 사항을 알려야 한다.

(1) 연구의 목적, 예상 소요시간, 절차

(2) 실험 참가를 거부할 수 있는 권리, 실험이 시작된 후 참가를 취소할 수 있는 권리

(3) 참가를 거부하거나 취소했을 때 예상되는 결과

(4) 잠재적 위험이나 불편 혹은 좋지 않은 효과 등 참가 의사에 영향을 줄 수 있다고 합리적으로 예상되는 요소들

(5) 예상되는 연구의 혜택

(6) 비밀 보장의 한계

(7) 참가로 인한 보상

(8) 참가자의 권리와 연구에 대한 질문에 답해 줄 수 있는 사람. 이들은 잠재적 참가자들의 질문할 기회를 제공하고 답을 준다.

또한 『심리학자의 윤리적 원칙과 행동규준』에서는 연구에 대한 동의가 면제되는 상황도 언급하고 있다. 하지만 그러한 상황에 해당하는지 확인하기 위해 기관생명윤리심의위원회의 승인을 받아야 한다.[4)]

8.05 연구에 대한 동의 면제

심리학자는 다음 경우에 한하여 참가자의 동의를 받는 것을 생략할 수 있다.

(1) 연구가 고통이나 손해를 초래하지 않을 것이라고 보이며 다음과 같은 상황일 경우

(a) 일반 교육 실습이나 교과 과정, 교실 관리방법 등에 대한 연구가 교육 현장에서 수행될 때

(b) 익명 설문, 자연 관찰 혹은 문헌조사처럼 공개가 되어도 참가자들이 범죄의 위험이나 민사 책임, 직업, 명성에 손해를 끼치지 않으며, 비밀 보장이되는 경우

(c) 직업이나 조직의 효율성에 영향을 미치는 연구가 조직 현장에서 진행되고 참가자의 직업에 위험을 끼치지 않으며 비밀이 보장되는 경우

(2) 그 외 법, 연방, 기관 규정이 허락하는 경우

일단 여러분이 참가자들의 동의를 얻을 수 있는 조건들을 충족시켰다면 이제 여러분은 여러분의 실험에서 나타날 수 있는 실험자-참가자 간의 관계가 어떤 것인지를 살펴보아야 한다. 실험자-참가자 관계의 특성은 참가자의 권리에 영향을 줄 뿐만 아니라 실험 결과에도 영향을 미치기 때문에 매우 중요하다. 실험심리학자는 실험에 참가하는 참가자가 오염이 안 되고 통제된 상황에서 반응하는 중립적인 존재라고 가정하고 싶어하지만, 대부분이 실제는 그렇지 않다는 것을 알고 있다. 다음 단원에서는 실험상황이 실험의 결과에 어떻게 영향을 줄 수 있는지 좀 더 자세히 알아볼 것이다.

4) 기관생명윤리심의위원회는 특히 1b가 사실일 때, 즉 아무런 위험도 예상되지 않고 익명 설문지를 사용할 때, 참가자의 동의를 받지 않아도 된다는 것을 잘 믿지 못하는 것 같다. 나는 위원회에서 다른 어떤 것보다도 이 문제에 대해 많은 논쟁이 있음을 보아왔다.

요구특성

실험을 하기 위해 나타났을 때에 참가자는 자신에게 무엇을 요구할 것인지에 관해 알지 못한다. 그러나 그들은 대개 실험에 관심이 있으며, 실험이 무엇에 관한 것인지를 정확히 알고자 한다. 반대로 실험자는 종종 자신의 의도를 비밀로 하는데, 이것이 참가자로 하여금 실험자가 주는 단서로부터 실험이 실제로 무엇에 관한 것인지를 알려고 노력하게 한다. 그때부터 참가자에게 실험은 문제해결 게임이 된다.

실험상황에서 참가자에게 영향을 미치는 이러한 단서들은 **요구특성**(demand characteristics)이라고 불리는데, 그것은 이것들이 참가자들로부터 어떤 반응을 요구하기 때문이다(Orne, 1962). 실험자가 이와 같은 단서들을 많이 제공하는 한편, 참가자 역시 요구특성을 가지고 실험에 참여하러 온다. 심리학 강의를 들었거나 심리학 실험에 관해 읽었거나 친구들에게 실험에 관해 들은 이야기를 근거로 하여 참가자는 다음과 같은 기대를 갖는다. 실험자가 나를 놀라게 할 것이다. 실험자는 내가 얼마나 똑똑한지 알아내려 할 것이다. 실험자가 나를 속여서 나 자신의 나쁜 속성을 드러내고 말도록 할 것이다.

때때로 이러한 생각은 너무 강력해서 참가자로 하여금 그것들로부터 빠져나올 수 없게 만든다. 내 실험에서 이어폰으로부터 제시되는 일련의 단어들을 기억하도록 요구 받은 참가자가 있었다. 실험이 시작되고 잠시 후에 이어폰을 떼어내면서 참가자는, "여기서 전기쇼크가 와요!" 하고 소리쳤다. 나는 이어폰에 전류가 통하는지를 조심스럽게 살펴보았지만 이어폰에는 이상이 없었다. 실험을 계속하려 했으나 참가자는 여전히 전기쇼크를 받고 있다고 소리쳤다. 그는 내가 그에게 전기쇼크를 줄 것이라고 믿고 있었으므로 다른 것은 믿지 않았다. 그 결과 그의 자료는 폐기되었다.

다른 요구특성들은 실험 중에 참가자가 얻는 미묘한 단서들로부터 온다. 이러한 단서를 최소화 하기 위해 실험자는 모든 실험절차를 표준화 하려 한다. 예를 들어 실험자는 대개 종이에 쓰인 지시문을 읽어 주어서 최소한 모든 참가자가 동일한 언어적 요구특성을 갖도록 한다. 그러나 어떤 실험에서는 실험자가 지시문을 읽어 주는 방식조차도 참가자의 수행에 영향을 미친다. 한 실험에서 정반대로 편파된 실험 결과를 기대하는 실험자들에 의해서 두 가지 종류의 녹음된 지시문이 만들어졌다(Adair & Epstein, 1968). 실험자들은 서로 다른 테이프를 들은 참가자들의 수행 사이에 유의미한 차이가 있음을 발견했다. 실험자들이 동일한 지시문을 읽었지만 목소리의 미묘한 차이가 명백히 그들의 편파와 일치하는 결과를 산출하였다.

동물 참가자조차 실험자에 의해 주어진 미묘한 단서들에 의해 영향을 받는 것 같다. 실험자 편파에 관한 유명한 실험들 중의 하나로 학생 실험자가 쥐들에게 미로달리기 훈련을 시킨 것이 있다(Rosenthal & Fode, 1973). 몇몇 실험자는 그 쥐들이 특별히 똑똑하고 빠르게 배우도록 키워졌다고 들었으며 다른 실험자는 그 쥐들이 둔하고 느리게 배운다고 들었다. 똑똑하다고 추정된 쥐는 둔하다고 추정된 쥐와 사실상 한배에서 태어났지만 똑똑하다고 추정된 쥐가 더 적은 시행의 연습으로 미로달리기를 배웠다. 이런 결과에 대한 일반적인 이유는 학생실험자들이 쥐들을 다르게 취급했기 때문이다. 즉, 그들은 '똑똑한 쥐들'과 더 많이 놀았으며, '똑똑한 쥐들'을 더 많이 다루어 그 쥐들이 조작되는 데 대해 덜 두려워하게 만들었을 것이다. 그러나 그 결과가 학생 실험자들이 그들의 자료를 속였기 때문이라고 주장한 연구자들도 있다(Barber & Silver, 1968). 이유야 어쨌든 실험자의 편견이 실험결과에 반영된 것이다.

요구특성의 개념을 안 좋게 들리도록 설명했지만, 그것은 내가 여기서 시사한 것처럼 크게 문제가 되지는 않는다. 몇몇 연구자들(Weber & Cook, 1972)은 참가자들이 실험 중의 단서로부터 이끌어낸 가설을 확증하려 한다는 증거가 거의 없다고 보고했다. 대신에 참가자들이 잘 보이려고, 즉 능력 있고 정상적이며 호감이 가도록 보이기 위해 노력할 것이라고 주장한다. 자신들이 어떻게 판단될 것이냐에 대한 참가자들의 관심은 실험자의 기대를 충족시키거나 가설을 확증하는 것에 대한 관심보다 훨씬 더 중요하다.

Barber(1976)는 인간연구시 범하기 쉬운 오류를 다룬 책에서, 요구특성을 증명하려는 많은 실험들은 그 자체가 실험방안상의 다른 결함에 의해 심각하게 손상되었다고 보고했다. 그는 그 개념을 지지하는 대부분의 연구가 서툴게 실행되었다고 믿고 있다. 그러나 이 연구에 결함이 있다는 이유만으로 요구특성이 실험에서 무시되어도 좋다고 결론지을 수는 없다. 실험을 개선하기 위해서는 요구특성의 잠재적인 영향을 최소화 할 수 있는 것이 있다면 어떤 일이라도 해야 한다.

요구특성에 대한 참가자들의 반응

만일 참가자가 실험에서 요구특성을 탐지한다면, 그들은 어떻게 반응하겠는가?

협조적 참가자들. 실험의 요구특성이 무엇인지를 마음속으로 결정한 후에 인간 참가자는 실험에 대한 자신의 태도에 따라 반응한다(Adair, 1973). 대부분의 참가자들은 **협조적**(cooperative)이며 실험자의 요구라고 생각되는 것을 충족시키려고 한다. 어떤 참가자들은 놀랄 정도로 협조적이다. 협조성을 검사하는 한 실험에서, 실험자는 참가자에게 2,000장의 종이를 주고, 각 장마다 224개의 더하기 문제를 계산하도록 했다. 이 일은 분명히 불가능했지만, 참가자는 5시간 반 동안 더하기를 계속했고, 이 시간에 이르자 실험자는 포기했다. 두 번째 실험에서, 실험자는 참가자에게 덧셈이 끝난 후 종이 쪽지를 최소한 32 조각으로 찢으라고 지시했다. 또다시 참가자들은 아무런 적개심도 보이지 않으면서 몇 시간 동안 그 일을 계속했다.

협조에 대한 열망이 어떻게 요구특성에 대한 참가자의 반응을 조장하는지를 알아보기 위하여 집단압력에 대한 다음 실험을 살펴보자. 참가자를 여섯 사람이 있는 방에 데리고 가서 두 개의 선분 중에서 어느 것이 더 긴 지를 판단하도록 요구한다. 처음 몇 문제들은 쉽고, 모두가 동의한다. 그 후 두 개의 선분이 제시되고 참가자는 위의 것이 길다고 확신하지만, 다른 사람들은 모두 아래쪽 것이 길다고 말한다. 결국 참가자는 아래쪽 선이 길다고 동의한다. 이 실험에서 무엇이 일어났는가?

실험자는 집단압력이 개인에게 명백히 틀린 반응을 하도록 할 수 있는지를 알아보기 위한 실험을 고안했다. 방 안에 있는 다른 "참가자"들은 적절한 시행에서 거짓말을 하도록 실험자로부터 훈련 받은 실험협조자였다. 진짜 참가자가 집단 압력에 굴복했기 때문에, 실험자는 가설이 확증되었다고 본다. 그러나 참가자의 마음을 읽고[5] 실제로 무엇이 일어났는지를 살펴보자. "자, 여기에 또 다른 한 쌍의 선이 있다. 위쪽의 선이 분명히 더 길다. 이것은 얼마나 멍청한 실험인가! 왜 이렇게 명백히 쉬운 과제를 수행하는 데 시간을 소비해야 하나? 그리고 우리는 왜 집단으로 그것을 하고 있을까? 실험자는 우리가 서로 영향을 끼칠 것인지를 알아보려 하는 것임에 틀림없다. 확실히 다른 모든 사람은 아래 선분이 더 길다고 말하고 있다. 그들이 실제로 그렇게 생각할 수는 없을 것이다. 자, 나는 이 집단에 따르든지 내 생각을 밀고 나가든지 할 수 있다. 내가 잘해야 여기서 나갈 수 있을 것이다. 게다가 나는 집단이 한 사람의 마음을 변화시킬 수 있다고 믿기 때문에 동의하는 것이 좋을 것이다. 게다가 실험자는 좋은 사람인 것 같아 보이고, 실험을 망치게 하고 싶지는 않다."

우리의 독심술이 정확하다면 실험자의 결론은 틀린 것이다. 단지 협조적이려고만 하는 참가자는 잘못된 결론으로 우리를 유도하는 데 협조할 수 있다. 사실 1970년대에 이르러 위와 같은 복종 연구에서의 참가자들의 반응이 꽤 의심스러운 것이었다는 사실이 명백하게 드러났으며, 그것은 의심스러움의 척도에서 50%에서 90%를 차지하는 정도였다(Glinski, Glinski, & Slatin, 1970). 그러나 이러한 의심스러운 태도가 행동에 미치는 영향은 무시해도 된다. 다시 말하자면 이렇게 미심쩍은 행동을 보이는 참가자들과 순진한 참가자들에게서 별다른 차이점이 없었으며 있었다 하더라도 참가자들은 실험자에 대하여 부정적으로 반응하기보다는 좋게 보이려는 쪽으로 행동하였다.

방어적 참가자들. 어떤 참가자들은 실험자들을 좋게 보이도록 하는 데에 힘쓰기보다는 자신들을 좋게 보이도록 하는 데 관심을 가지고 있다. 그들을 방어적(defensive) 참가자라고 부른다. 이런 참가자들은 협조적 참가자들과 같은 방식으로 요구특성을 찾지만, 그것을 달리 사용한다. 실험에서 가능한 한 잘 수행하려

5) 보라. 심리학자들은 신비로운 능력을 가졌다.

노력하는 참가자들은 실험에 득이 된다. 그러나 몇몇 실험에서, 특히 태도–평가 실험에서 이런 참가자들은 문제를 일으킨다.

스페인인과 영국인이 어린이의 성역할 행동을 보는 관점의 차이를 연구한다고 해 보자. 우리는 성이 스페인어이고 모국어가 스페인어인 자원자를 찾는 한 설문지와 이런 기준에 해당하지 않는 영국인 자원자를 찾는 두 번째 설문지를 편지로 부쳤다. 그러고 나서 각 참가자에게 전통적 성역할(여자아이가 인형을 갖고 노는 것)과 비전통적 성역할(남자아이가 인형을 갖고 노는 것)을 하는 어린이에 대한 그림을 보여 주었다. 그러고 나서 참가자에게 각 행동을 얼마나 수용할 수 있는지에 대한 정도를 평가하도록 요구했다. 더 많은 스페인 사람들이 비전통적인 행동을 받아들인다고 보고했다고 가정해 보자. 우리는 스페인인이 영국인보다 더 진보적이라고 결론지을 수 있을 것이다. 그러나 다른 해석이 가능하다. 각 집단의 참가자들은 그들이 인종적 근거에 의해 선발되었다는 것을 알고 있다. 그리고 스페인인이 영국인보다 그들 민족의 자존심을 지키는 데 더 많은 관심을 가지고 있다고 가정하자. 이 경우 그들은 사회적으로 받아들여질 수 없는 남성 우월주의자로 보이지 않으려고 할 것이다. 다시 말해서 그들은 실험의 요구특성을 알아차리고 그들의 민족집단을 방어하려고 했다.

요구특성에 대한 방어적 참가자의 반응을 증명하는 실제 실험에서, 실험자는 참가자에게 오른손과 왼손의 집게손가락으로 문자판을 치도록 했다(Rosenberg, 1969). 타자를 치는 속도는 대개의 경우 우세 손이 더 빠르지만, 한 집단의 참가자에게는 Yale과 Michigan 대학의 대학원생들은 두 손의 속도가 거의 비슷하다고 이야기해 주었고 두 번째 집단에는 이런 정보를 주지 않았다. 두 손가락의 타자를 치는 속도의 차이는 첫 집단에서 유의미하게 작았다. 참가자들은 별로 미묘하지 않은 요구특성을 알아차리고 스스로를 가능한 한 좋게 보이려고 노력했다.

비협조적 참가자들. 어떤 참가자들은 협조적이지도 방어적이지도 않고 순전히 비협조적(noncooperative)이다! 이런 행동의 결과를 보다 쉬운 말로, "골탕먹이는 효과(screw-you-effect)"라고 불러 왔다(Masling, 1966). 비협조적 참가자들은 실험의 요구특성을 발견하려고 하며, 그런 후에 실험자의 가설과 반대되는 방식으로 행동한다. 이런 참가자들은 다양한 동기에 의해 행동한다. 그들은 강의에서 요구하기 때문에 참가하고 있으며, 강요된 것에 화가 났을지도 모른다. 또는 인간의 행동을 과학적으로 연구한다는 생각 자체에 대해 반대하고 있을지도 모른다. 아니면 아마도 단순히 실험자에 흥미가 없어서 일지도 모른다. 이유야 어쨌든 간에, 이런 참가자들은 실험에서 성가신 존재들이다. 비협조적 참가자들을 제거하는 한 방법은 수행에 대한 최소한의 기준을 정해 놓고 그 기준에 못미치는 참가자의 자료를 제외시키는 것이다. 이런 기준은 실험 전에 미리 결정해야 하며 실험을 보고할 때 명시해야 한다. 그러나 이런 절차로 비협조적 참가자의 자료를 완전히 제거할 수는 없다. 때때로 해볼 수 있는 최선의 일은 실험에 대해 긍정적인 인상을 주고 그들이 협조적이기를 바라는 것이다.

어떻게 요구특성을 최소로 할 것인가?

실험에서 요구특성을 완전히 제거하지는 못한다 하더라도 우리는 독립변인의 수준에 따라 차별적으로 영향을 주는 오염변인이 될 수 있는 요구특성을 최소화 하기 위해 모든 것을 시도해 보아야 한다. 참가자 행동의 변화가 실험자의 독립변인 조작에 기인하는 것인지 참가자가 요구특성을 알아차린 데 기인하는 것인지를 아는 것은 중요하다. 요구특성에 의해 발생된 오염은 여러 방식에 의해 최소화 될 수 있다.

자동화. 요구특성은 가능한 한 실험의 많은 부분을 자동화(automating)함으로써 통제할 수 있다. 우리는 앞서 자동화의 한 형태로 녹음된 지시문에 대해 이야기했었다. 실험자들은 특히 20번이나 120번을 큰 소리로 읽은 후에, 지시문을 읽는 데 다소 곤란을 느낀다. 음조변화에 의한 실험자의 편파를 최소화 하기를 원한다면 실험에서 기대되는 결과가 무엇인지를 알지 못하는 사람에게 지시문을 읽어 달라고 부탁할 수 있다.

나는 몇몇 실험에서 비디오 테이프에 녹화된 지시문이나 컴퓨터를 사용한 소리와 영상이 담긴 지시문을 제시하기도 했다. 실험의 시행들이 일련의 복잡한 사건들로 구성되어 있다면, 참가자가 따라올 수 있을 정도로 천천히 예비시행을 제시할 수 있고, 그럼으로써 실험자가 다시 돌아가서 지시문의 처음 부분을 설명할 필요가 없도록 해 준다.

어떤 실험실에서는, 실험에서 실험자 역할의 전부 혹은 일부를 컴퓨터가 행한다. 몇몇 연구자들은 컴퓨터 프로그램을 짜서 참가자가 인간 실험자를 볼 수 없도록 한다. 참가자는 약속한 시간에 나타난다. 어떤 표시가 참가자에게 컴퓨터 터미널 앞에 앉아서 버튼을 누르도록 지시한다. 그 후 컴퓨터는 지시문을 제시하고 참가자가 지시문을 이해했다는 것을 나타내면 실험이 시작된다. 이러한 접근법 이면에 있는 일반적인 생각은 우리가 한때 생각했던 것과는 달리 참가자가 수동적이고 기계적으로 반응하는 자동 인간이 아니라면, 대신 실험자를 그러한 자동 인간처럼 만들어 버리면 되지 않겠느냐는 것이다. 그러나 몇몇 연구자들은 이러한 인공적이고 부자연스러운 상황이 참가자들에게 비인간적임을 느끼게 하고 결과의 일반화 가능성을 감소시킨다는 이유로 이런 절차를 반대한다. 이런 절차는 또한 참가자들이 지시문을 읽고 이해할 수 있어야 한다는 것을 요구하며, 어린이나 쥐와 같은 어떤 참가자들에게는(그리고 대학 2년생에게도?) 부적절하다.

은폐 및 이중은폐. 실험자에 의해 전달될 수 있는 요구특성을 최소화 하는 두 번째 방법은 실험자가 제시되는 독립변인의 수준을 모르도록 하는 것이다. 대개 참가자들은 그들에게 제시되는 수준을 모르고 있으며 이런 이유로 이러한 실험을 대개 **은폐**(blind) **실험**이라고 부른다. 그러나 때때로 실험자와 참가자 모두 실험에서의 조작에 대해 몰라야 한다는 것이 중요하다. 가령 나는 한때 손가락으로 색깔을 '느끼는' 것이 가능한지를 알아보기 위한 실험을 했다. 참가자에게 눈가리개를 씌운 후, 두 장의 빨간색 카드와 한 장의 푸른색 카드, 모두 세 장의 카드를 주었다. 매 시행에서 참가자들은 색깔이 같은 두 개의 카드를 한쪽에, 다른 하나를 다른 쪽에 두어야 했다. 나는 참가자들이 카드를 올바로 배열했을 때 내가 호흡률을 변화시키거나 기침을 하거나 끙끙거리면서 비의도적으로 참가자에게 신호를

보내지 않을까 하는 것에 관심을 갖고 있었다. 초능력(ESP)을 믿는 내 친구들은 참가자가 정확히 반응했을 때 내가 그에게 ESP 메시지를 보낼 수도 있다고 말했다. 이러한 신호를 피하기 위해서 나는 참가자를 볼 수 없도록 스크린 뒤에 앉았다. 그래서 나는 참가자가 느끼는 색깔에 대해 은폐되었다. 사실 이러한 절차는 참가자와 실험자 모두 참가자에게 노출된 독립변인의 수준을 모르기 때문에 **이중은폐**(double blind)라고도 불린다.[6)]

약이 행동에 미치는 영향을 연구하는 심리약학자들은 종종 이러한 이중은폐 방안을 사용한다. 가령 한 연구자가 Crowzac이라는 새로 개발된 약이 까마귀를 볼 때마다 우울해지는 사람들을 치료하는 데 효과가 있는지 알아보려고 한다고 가정해 보자. 그 연구자는 한 집단의 사람들에게 그 약을 주고 그들의 우울증이 나아지는지를 보고 결정내리는 방식은 잘못되었다는 것을 알 것이다. 단지 환자들이 그 약이 유용할 것이라고 믿기 때문에 우울증이 나아질 수도 있다. 또한 만약 실험자가 환자들의 우울증 정도를 평가한다면 그가 가지고 있는 약에 대한 기대 때문에 실제로는 그대로인 우울증 증상을 나아진다고 잘못 평가할 수도 있다. 환자나 실험자의 기대로 인한 영향을 막기 위해서 실험자는 어떠한 약도 처치하지 않는 두 번째의 통제집단을 사용할 수 있다. 실험자는 통제집단에게는 약을 처치하

6) 내 연구를 검토한 어떤 사람은 이러한 절차가 나를 이중색맹(double color blind)으로 만들었다고 말했다.

지 않는다는 사실 외에는 통제집단과 처치집단을 똑같이 취급하여야 한다. 아마도 실험자는 통제집단에게 약 대신 **위약**(placebo, 가짜 약)을 줄 수 있다. 위약을 제공하는 것은 효력이 있는 약을 처방하는 것과 똑같은 방식으로 효력이 없는 위약을 처방한다는 것을 포함한다. 만약 약이 알약 형태라면 위약은 단지 설탕 알약일 수 있으며 주사약을 처방한다면 위약은 소금물일 수 있다. 심지어 마리화나에 관한 실험을 한다면 위약은 마리화나처럼 생기고 마리화나 같은 맛이 나지만 실제 성분은 들어 있지 않은 것이 될 것이다. 위약의 목적은 이중은폐 실험을 가능하게 하는 것으로 실험자와 참가자 모두가 각 개인이 약을 처치 받고 있는지 위약을 처치 받고 있는지에 대해서 은폐된다는 것이다.

때로는 참가자가 어떤 독립변인 수준에 노출되어 있는지를 실험자와 참가자 모두로부터 은폐한다는 것이 어렵거나 불가능하기도 하다. 여러분이 조립 공장에서 조명수준이 노동자의 생산성에 어떻게 영향을 주는지를 알아보려는 연구자라고 가정해 보자. 여러분은 아마 한 집단의 노동자는 이전의 조명수준에 그대로 두고 두 번째 집단의 노동자만 증가한 조명 조건에 할당할 수 있을 것이다. 이제 노동자들은 방에 들어선 순간 확실히 조명수준에 대해 알아차리게 되고 여러분이 그것을 막기 위해 할 수 있는 일은 없다고 해 보자. 내가 이러한 예를 든 이유는 이 실험이 **호손효과**(Hawthorne effect)라는 용어가 나오게 된 1920년대에 행해진 첫 실험이기 때문이다. 호손은 이 실험이 행해진 서부 전기회사 공장의 이름이었다. 보고된 결과에 따르면 조명 조건에 무관하게 두 집단 모두 생산성이 비슷한 정도로 증가했다고 한다. 호손효과는 독립변인의 영향보다는 실험자가 참가자들에게 주의를 기울인 것만으로 나타나는 행동의 변화를 일컫는다. 이 연구에서 얻은 결과는 5년이 넘는 기간 동안 조명이나 휴식시간의 길이, 작업시간의 길이 등 여러 근로 조건에 변화를 주었지만 노동자들이 어떤 조건하에 있었는가에 무관하게 생산성은 계속 올라갔다는 것이다(Roethlisberger, 1977).

이 결과의 원래 해석은 매번 근로 조건이 바뀌면서 관심이 계속되자 노동자들의 사기가 올라갔다는 것이었다. 그러나 Mac Parsons(1974)는 원래의 연구를 재검토 하는 과정에서 실험기간 동안 노동자들이 생산성에 대해 증가된 피드백을 받았음을 밝혀냈다. 이러한 피드백은 노동자들에게 임금이 지불된 방식의 변화와 함께 생산성의 증가를 가져왔다. 즉, Mac Parsons은 노동자들의 생산성이 증가된 것은 단지 강화(reinforcement)가 증가했기 때문이라고 주장했다. 따라서 흔히 호손효과의 원인으로 해석되는 실험자의 주의 개입이 호손공장에서의 실험 결과를 설명하는 진짜 원인이 아닐 수도 있다. 그럼에도 불구하고 실제 조작이 어떤 것인지와 관계 없이 실험조작을 하는 것만으로 행동을 변화시킬 수 있다는 것은 확실하다. 따라서 실험자는 이러한 효과와 참가자가 자신이 노출된 독립변인의 수준에 대해 아는 것을 최소화 해야 한다. 이러한 효과가 완벽하게 제거될 수 없다면 최소한 이러한 영향이 야기할 수 있는 가능한 오염들에 대해 주지하고 있어야 한다.

복수 실험자. 실험자에 의한 요구특성을 다루는 세 번째 방법은 복수 실험자(multiple experimenters)를 사용하는 것이다. 이 경우, 실험자 변인을 통제하는 것이 아니라 사용 가능한 실험자들을 다양한 독립변인의 수준들에 무선적으로 할당함으로써 실험자 변인을 허용한다. 이런 절차는 실험 결과의 일반화 가능성을 증가시키고, 심하게 편파적인 한 명의 실험자가 결과에 영향을 줄 수 있는 기회를 줄여 준다.

여러분의 실험에서 요구특성이 문제인가?

요구특성을 최소화 하려 했음에도 불구하고 그것은 여러분의 실험으로 몰래 들어올 수 있다. 여기 요구특성을 탐지하는 몇 가지 절차들이 있다.

실험 후 질문법. 주관적인 언어적 보고에 반대하는 혁명이 있은 지 수년 동안 실험자는 참가자에게 실험 후에 그들이 느낀 인상에 대해 거의 묻지 않았다. 다행히 오늘날에는 많은 실험자들이 일상적으로 이런 정보를 찾는다. 이러한 정보는 요구특성을 알아내는 데뿐만 아니라 나중에 공식적인 실험을 통해 검증할 수 있는 새로운 가설을 제시하는 데도 유용할 수 있다.

실험 후 질문법(post-experiment questioning)은 실험자가 즉석에서 물어보는 것에서 구조화 된 필답식 질문지에 이르기까지 여러 형태로 실시할 수 있다. 요구특성을 확실히 발견하기를 원한다면, 질문들이 사전에 계획되어야 한다.

질문들을 계획할 때는, 질문들이 요구특성을 내포하지 않도록 해야 한다. 예를 들어, 앞서 논의한 집단-압력 실험에서, "여러분은 다른 참가자가 실제 참가자가 아니라는 것을 몰랐지요?" 하고 묻는 것은 편파된 질문이다. 그 질문 자체가 참가자로 하여금 몰랐다고 대답할 것을 요구한다. 참가자들이 알았다고 대답한다면, 그들은 그들이 동의한 것처럼 순수한 협조적 참가자가 아니었다는 것을 인정하는 것이다. 또한 그것은 그들의 자료가 소용없게 되기 때문에 실험이 시간낭비였다는 것을 그들이 실험자에게 말해 주는 것이 된다.

일반적이고 개방적인 질문에서부터 구체적이고 탐사적인 질문까지가 포함되도록 질문을 계획해야 한다. 예컨대, 인간이 의식하지 않은 채 조건화 될 수 있는지를 알아보기 위한 실험에서 참가자에게 그들이 이야기하고 싶어하는 주제에 관해 멈추라는 지시가 있을 때까지 이야기하도록 한다(Krasner, 1958). 실험자는 참가자가 복수명사를 이야기할 때마다 고개를 끄덕이고, "좋아." "음."이라고 하면서 강화시킨다. 참가자는 이야기를 계속할수록 복수명사를 더 자주 사용했다. 참가자들이 그러한 조건화에 대해 알고 있지 않았다는 증거로 실험자는 "여러분이 이야기하는 동안에 실험자가 무슨 독특한 일을 하고 있었다는 것을 알았습니까?"라는 실험 후 질문을 할 것이고 대부분은 그렇지 않다고 대답할 것이다. 이 실험을 확신할 수 없었던 다른 연구자들은 유사한 실험을 수행한 후에 원래의 질문에 이어서 "실험자가 여러분이 어떤 특정 낱말을 말할 때 반응했다는 것을 알았습니까?"와 같은 보다 구체적인 질문을 했다. 비록 참가자들은 정확하게 말로 표현하는 것에 어려움을 느끼긴 했지만, 그들 중 대부분은 "실험자는 내가 자동차 부품 같은 어떤 사물들에 대해 말하면 더 좋아했다."고 대답했으며 그러한 사실을 알고 있었다. 이렇게 알아차린 참가자들은 조건화의 효과를 보여 준 바로 그 사람들이다. 따라서 참가자가 요구특성에 영향 받았는지를 결정하기 위해 우리는 일반적인 질문뿐만 아니라 특정 요구특성에 관련된 질문도 해야 한다.

비실험. 요구특성이 실험 결과에 영향을 주었을지를 결정하는 또 다른 방법은 실험집단과 **비실험 통제집단**(nonexperiments control group)을 비교하는 것이다(Adair, 1973). 비실험 통제집단은 독립변인의 조작에 전혀 노출되지 않는다. 그들은 단지 실험에 관한 이야기와 지시문을 듣고 장치들을 본 후, 그 상황에 들어가면 어떻게 수행할 것인가를 대답한다. 그들의 예측이 실험집단의 결과와 유사할 경우 그들은 요구특성을 탐지해낸 것이며 독립변인보다는 요구특성이 실험 결과를 야기했을 수 있다. 만약 그들의 예측이 실험 결과와 다르다면, 요구특성은 아마도 관찰된 행동을 일으키지 않았을 것이다.

예를 들어, Mitchell과 Richman(1980)은 심적 심상의 "준-회화적(quasipictorial)" 기억표상을 지지하는 발견에 대해 의심을 가졌다. 전형적인 실험에서 참가자는 시각적 자극을 기억해야 하며 그것으로 심적 심상을 생성한 다음, 심적 심상의 한 지점에서 다른 지점으로 "주사(scan)"해야 했다. 일반적으로 주사시간과 자극의 물리적 거리 사이에 완전한 선형적 관계가 있다는 것이 발견되었다. Mitchell과 Richman은 이 절차에서 요구특성이 존재할 수 있다고 생각하여, 참가자에게 주사시간을 예측만 하도록 한 비실험을 행했다. 이 참가자들은 앞서의 실험 결과에서 발견된 것과 차이가 없는 산포도를 산출했다. 이런 이유로 연구자들은 원래의 결과가 요구특성에 의해 일어났을 가능성을 배제할 수 없었다.

모의실험 통제집단. 실제 실험에 참가하지 않은 이들에게 만약 실험에 참가하였다면 어떤 식으로 행동할 것인지를 물어보는 것이 요구특성을 어느 정도 알아내는 데에 도움을 줄 수는 있지만, 그것만으로는 실제 그들이 어떻게 행동할 것인지를 알려주지는 못하며 오히려 잘못된 정보를 줄 가능성도 있다. 가령, '최면에 걸린 사람들은 반사회적인 행동을 하거나 자해할 수 있는가?'라는 문제가 오랫동안 호기심의 대상이었던 적이 있었다. 1939년, Rowland는 최면에 걸린 사람들에게 등에 마름모꼴 무늬가 있는 방울뱀이 밧줄이며 그것을 집어들라고 지시한 실험을 보고하였다. 두 명의 참가자 중 한 명은 즉시 그 지시대로 하려고 했으며 그 독뱀과 참가자를 분리하고 있는 보이지 않는 유리에 손을 부딪쳤다. 그러나 최면에 걸리지 않은 42명의 참가자 중 41명은 그러한 똑같은 지시를 받았을 때 이를 수행하기를 거부했다. 이러한 원래의 발견은 1952년 Young에 의해서 반복되었다(1995년, Kihlstrom에 의해 인용되었듯이). 이 실험에서 최면에 걸린 8명의 참가자 중 7명이 뱀을 집어들려고 하였으며 유리 너머에 있는 연구보조자에게 질산이 든 컵을 던지려 하였다. 과연 이런 결과들은 최면에 걸린 사람이 반사회적이며 위험한 행동을 기꺼이 한다는 것을 의미하는가?

1965년, Orne과 Evans는 이 주제를 연구하기 위해 모의실험 통제집단이라는 새로운 절차를 고안하였다. **모의실험 통제집단**(simulation control group)은 실험 상황에 노출되나, 독립변인의 조작을 받지 않는다. 이 경우 최면에 매우 잘 걸리는 참가자들로 이뤄진 실험집단이 최면을 받았으며, Australian two-step이라 불리는(이 뱀에 물리면 두 걸음 이상 갈 수 없다는 것에서 유래된 이름) 뱀을 집도록 지시 받았다. 모든 참가자들이 이러한 지시에 따랐으며 또한 질산이 든 비커에서 동전을 꺼내려 하였고 유리로 보호된 실험자의 한 사람에게 이 질산을 던지려고까지 하였다. 그러나 최면에 잘 걸리지 않으나 최면에 걸린 것처럼 가장하도록 요구받은 집단과 최면을 받지 않은 참가자 집단 모두 예외 없이 지시에 따랐다. 이 사람들은 그들 자신과 실험자들을 해치려 할 정도로 둔감한 사람들인가? 물론 아닐 것이다. 실험 후의 면담에 따르면 그들은 그들이 실험에서 완전히 안전하다고 느꼈다고 말하였다. 그들은 실험자가 자신들이 해를 입지 않도록 보호할 것임을 알고 있었다. 즉, 안전은 이 실험의 요구특성 중의 하나였으며 참가자들은 이를 알고 있었던 것이다. 이 경우의 모의실험 통제집단은 최면이 아닌 요구특성이 어떻게 행동을 이끄는지를 이해하는 데 도움이 된다.

대안적인 실험자-참가자 관계

이 장의 처음 부분에는 순수한 참가자가 있었고 그러한 순수한 참가자가 있다는 것은 실험자의 입장에서는 기쁜 일이다. 그러나 순수한 참가자라고 다 좋은 것은 아니며 대부분은 사실 순수하지도 않다. 지금까지 우리는 참가자를 가능한 한 순수하게 유지시키는 방법이나 적어도 참가자가 순수하다고 간주될 수 없는 경우를 발견하는 방법을 살펴보았다. 그러나 또 다른 대안이 있다. 즉, 참가자들은 순수하지 않으며, 자신들의 문제해결 능력을 이용한다는 사실을 인정하고 들어갈 수 있다.

속임수와 역할놀이

이러한 문제해결능력을 사용하는 한 가지 방법은 참가자에게 잘못된 단서를 주어서 요구특성에 대한 그들의 해석이 틀리도록 하는 것이다. 실험의 원래 목적을 숨기거나 위장하는 **속임수**(deception) 절차는 도덕적, 실질적인 측면에서 심리학의 논란이 되는 주제이다.

속임수는 심리학에서 널리 사용되며, 특히 사회심리학의 몇몇 분야에서 특히 그러하다. 사실상 사회심리학의 몇 분야들은 속임수 없이는 실험적으로 연구될 수 없다. 가령 여러분이 어떤 조건이 구경꾼으로 하여금 곤경에 빠진 다른 이를 돕도록 할 것인지에 대한 문제에 관심이 있다고 해 보자. 만약 어떤 이가 실제로 곤경에 빠질 때까지 거리 한 모퉁이에 서서 기다린다는 것은 대단히 비효율적인 일이다. 대신 여러분은 곤경에 빠진 척하는 실험 협조자[7]가 있는 상황을 고안하고 구경꾼들의 행동을 관찰할 것이다. 이런 경우 여러분은 분명 구경꾼을 속이는 것이지만, 이것 말고 다른 방법이 있는가? 속임수 문제는 참가자들이 다른 참가자들에게 위험하며 어쩌면 치명적일 수 있는 전기충격을 가하고 있다고 믿도록 속인 1963년의 Stanley Milgram의 유명하고 악명 높은 실험에서부터, 인지심리학에서의 완전히 무해한 실험에 이르기까지 전반적으로 사용된다. 가령 우연학습(incidental learning)에 대한 실험에서 참가자들은 일련의 단어들을 본 후 그 단어들을 정서성과 같은 차원에서 평가하도록 지시 받는다. 그러고 나서 실험이 끝날 무렵 참가자들은 기억검사를 받으며 그들이 보았던 단어목록을 회상하기를 지시 받는다. 어떤 점에서는 참가자들은 그 단어들을 외워야 한다는 사실을 알지 못했으므로 실험자는 그들을 속인 것이다. 하지만 만약 참가자들에게 모든 사실을 미

7) 실험 협조자란 실험을 하는 동안 미리 정해진 방식대로 행동해서 실험자를 돕도록 훈련 받은 사람을 일컫는다.

리 알려 준다면 학습은 우연적인 것이 아닌, 의도적인 것이 되므로 우연학습에 대한 연구는 불가능할 수밖에 없다.

속임수 사용이 증가하는가, 감소하는가는 아직 논쟁 중이다. 여러 조사 결과, 속임수 사용은 1970년대에서 1980년대에 이르기까지 확실히 증가하였다(Gross & Flemming, 1982). 그러나 보다 최근의 조사들은 속임수 사용이 이전 수준을 유지하거나 혹은 감소하고 있음을 보여 준다(Nicks, Korn, & Mainieri, 1997). 이는 뻔뻔스럽게 참가자들을 속이는 실험은 현재 거의 행해지지 않고 있으며 관련된 정보들을 알려 주는 것을 유보하는 식의 속임수들은 더 사용되고 있다는 점에서 사용되는 속임수의 종류가 변화했다는 사실을 보여 준다.

속임수를 사용하는 것에 대해 찬성하는 입장의 주장은 다음과 같다. 만약 거짓말을 하는 것이 일반적으로 잘못된 것일지라도, 우리는 과학의 발전에 기여하기 때문에 일시적으로 참가자들을 오도하는 것은 정당화된다. 그리고 이미 우리가 살펴보았듯이, 어떤 심리학 분야에서는 속임수를 사용하지 않고는 중요한 주제들을 연구할 수 없다. 게다가 우리는 항상 실험이 끝난 뒤 참가자에게 사실을 이야기하고 이 시점에서는 정말로 진실하게 행동함으로써 속임수가 줄 수 있는 대부분의 영향들을 제거한다.

속임수를 사용하는 것에 반대하는 입장의 주장은 다음과 같다. 원한다면 '오도함(misleading)'이라는 용어를 사용할 수 있겠지만, 그것은 '거짓말(lying)'이라는 것을 단지 좀 멋있게 말한 것일 뿐이다. 세상에는 과학이라는 권위에 의해서 부정직한 것으로 여겨지지 않는 부정직이 충분히 많다. 얼마나 많은 이러한 "과학적으로 정당한" 실험이 과학의 커다란 도약을 가져왔는가? 별로 없다! 우리는, 예를 들어 참가자에게 역할놀이를 하도록 하는 것과 같은 대안적인 실험방법들을 고안할 수 있다. 실험의 끝에서 참가자에게 사실을 알리는 것이 속임수에서 오는 모든 영향을 지울 수 있다고 하는 것은 순진한 생각이다. 이러한 문제 외에도 두 가지의 실질적인 문제들이 있다. 속임수는 미래의 참가자들의 의심을 증가시키고, 심리학자들에 대한 신뢰를 떨어뜨린다. 심리학에서의 속임수는 그 대가만큼의 가치가 없으며 따라서 제거되어야 한다(Ortmann & Hertwig, 1997).

이러한 두 가지 지적에 대한 연구들이 이루어졌으며(Kimmel, 1996) 이러한 연구들의 결과를 보면 참가자의 의혹이 연구수행에 미치는 영향은 무시해도 될 정도이다. 또한 이 연구는 속임수의 대상이 된 참가자들이 실험자가 그들을 속였다는 사실에 대해 분개하지 않았으며 속임수는 심리학에 대한 그들의 인식이나 전반적인 과학에 대한 태도에 부정적인 영향을 주지 않았음을 보였다. 가령 Christensen(1988)은 속임수를 사용한 실험에 대한 참가자들의 반응을 평가하는 연구를 재검토하여, 속임수 실험에 참가한 참가자들이 그들이 속임을 당했다는 사실에 개의치 않으며 오히려 속임수를 사용하지 않는 실험보다 더 재미있었고, 더 교육적인 이익을 얻었으며 그들의 사생활이 침해당했다고 느끼지 않았다고 보고하였음을 밝혔다. 또한 전반적인 모집단의 대개의 개인들은 연구에서 사용되는 속임수에 대해 심각하게 반대하지 않는다는 것이 조사를 통해 지속적으로 보여지고 있다.

역할놀이는 속임수에 대한 대안적인 절차로써 제시되고 있다. 그것이 속임수만큼 효과적인가? 몇몇 실험자들은 똑같은 조건에서 속임수와 역할놀이를 모두 사용하려 하였으며, 그 결과들을 비교하였다. 역할놀이(role playing)에서 실험자는 참가자들에게 어떤 특별한 상황에 놓여 있다고 상상하게 하여 그들이 유사한 실제 상황에 있다고 생각하면서 반응하도록 한다. 여러분이 교섭행동에 관심이 있다면, 한 참가자에게는 자신을 노동지도자로 생각하도록 하고, 다른 참가자에게는 회사의 사장 같이 행동하도록 하며, 세 번째 참가자에게는 중재자처럼 행동하게 한다. 그런 후 그들의 행동이 어느 정도는 이와 동일한 실제상황에서 사람들이 보이는 행동과 유사하다는 가정하에 실험을 실행한다.

불행히도 어떤 실험에서는 속임수와 역할놀이로부터 동등한 결과가 보고되는 반면(Greenberg, 1967), 많은 다른 실험에서는 그렇지 않다(Orne, 1970). 두 방법을 사용해서 유사한 결과를 얻어내도록 할 수 있는 조건들을 구체화 하기도 어렵다. 많은 점에서 역할놀이 실험은 앞부분에서 언급한 모의실험 통제집단을 사용하는 것과 많이 유사하다. 아마도 역할놀이는 실제상황에서 어떤 행동이 일어날지를 예측하게 하기보다는 실험의 요구특성을 반영하는 것 같다.

미국 심리학회(American Psychological Association)에서는 『심리학자의 윤

리적 원칙과 행동 규준(APA, 2002)』에서 속임수에 대해 다음과 같이 말하고 있다.

8.07 연구에서의 속임수

(a) 심리학자들은 속임수 사용이 연구가 가져올 수 있는 과학적, 교육적, 응용적 가치들에 의해 정당화 될 수 있고, 속임수를 사용하지 않으면서 똑같이 효율적인 대안적 절차들은 가능하지 않다고 판단되는 경우 이외에는 속임수를 포함한 연구를 수행하지 않는다.

(b) 심리학자는 연구에서 예상되는 고통이나 심하게 불쾌한 정서적 경험을 실험에 참가할 참가자들에게 속이지 않는다.

(c) 심리학자는 실험설계와 수행에 필수적인 모든 속임수를 가능한 빨리 참가자에게 설명해 주어야 한다. 되도록 실험 참가가 끝나는 시점에 설명해 주는 것이 좋지만, 최소한 자료 수집을 끝마치기 전에는 참가자에게 설명을 해서 참가자들이 자료를 취소할 수 있게 해야 한다.

초보 심리학자로서 여러분은 이러한 규칙들을 진지하게 고려해야 하며 만약 여러분이 여러분의 실험에서 속임수를 사용할 것인가를 생각하고 있다면 반드시 속임수 사용의 득과 실에 대해서 주의 깊게 살펴보아야 한다.

자연적 관찰법

나는 표준적인 실험자-참가자 관계에 대한 마지막 대안으로서 자연적 관찰법을 제1장에서 이미 언급했다. **자연적 관찰법**(naturalistic observation)의 관건은 실험자가 어느 정도까지 개입하는 일 없이 관찰할 수 있느냐에 달려 있다. 예를 들어 참가자에게 교섭역할을 하는 것처럼 행동하게 하기보다는 실험자가 실제 교섭현장에 가서 행동을 관찰하는 것이다. 우리는 이 방법과 관련된 문제점을 이미 논의했다. 실험자는 그 상황에서 변인들을 거의 통제할 수 없다. 실험자는 변인들이 자연적으로 일어나도록 기다려야 하며, 그리고 난 후에도 잠재적 오염변인들을 통제할 수 없으며 상관적 자료로부터 인과적 결론을 이끌어낼 수 없다.

이 단원에서는 참가자를 순수하고 오염되지 않은 관찰자로 취급하는 데에서 오는 문제점에 관해 논의하였다. 최소한 우리는 참가자가 근본적으로 문제해결을 하려는 특성이 있음을 알아야 하며, 이러한 참가자의 문제해결 시도의 영향을 평가할 수 있도록 실험을 설계해야 한다. 가능하면 이러한 노력들이 우리에게 불리하기보다는 유리한 방향으로 작용하도록 해야 할 것이다.

나는 미국 심리학회에 인간 참가자를 다루는 데 대한 연구자의 책임에 대하여 마지막 충고를 주겠다. 여기 연구자가 따라야 할 원칙들이 있다(APA, 2002).

1. 실험의 윤리적 수용성을 평가하라.
2. 참가자가 위험한지를 알아보아라.
3. 윤리적 절차에 대해 책임을 져라.
4. 참가자에게 위험을 알리고 동의를 얻어라.
5. 속임수가 정당하고 필요한지를 결정하라.
6. 참가자들의 참가를 거부할 자유를 존중하라.
7. 불편함과 손해와 위험으로부터 참가자를 보호하라.
8. 실험이 끝난 후 사실을 알려 주어라.
9. 실험참여로 인한 바람직하지 못한 결과들을 제거하라.
10. 연구로부터 얻은 개인 정보에 대해 비밀을 보장하라.

이런 기본적 원칙을 따른다면, 그리고 의문이 생길 때 경험 있는 연구자의 조언을 구한다면 여러분은 인간 참가자의 윤리에 대해 아무 문제도 없을 것이다. 아마 최선의 조언은 여러분의 태도에 관한 것이다. 참가자는 우리에게 호의를 베풀고 있다. 그들의 참여의지가 없다면 인간행동의 과학은 당장 중단되고 말 것이다. 그들의 진가를 제대로 인정하면서 인간 참가자를 대하라.

동물을 올바르게 다루는 법

내가 심리학입문을 듣는 학생들에게 실험심리학자의 모습을 그려보라고 하였을 때 대부분의 학생들은 미로 속의 쥐들을 키우는, 하얀 실험복을 입은, 연구밖에 모르는 바보 같은 남자의 모습을 떠올렸다. 이 그림은 다소 기만적인데 왜냐하면 모든 실험심리학자가 연구밖에 모르거나, 바보 같거나, 남자인 것은 아니기 때문이기도 하지만 또한 심리학 연구의 7~8%만이 동물을 사용하기 때문이다. 동물을 사용하는 실험의 90%는 쥐, 새를 사용하며 그 외에 개, 고양이, 인간 이외의 영장류를 사용하는 연구는 지극히 적다. 최근 조사에 따르면 학부 심리학 과정에서 62%의 실험자가 교육적 목적을 위해 동물을 사용한다(Cunningham, 개인적 의사교환, 2001년 8월 24일). 가장 흔하게 사용되는 살아 있는 동물은 쥐(Rats, 81%), 새(27%), 생쥐(Mice, 19%) 그리고 물고기(13%)이다.

왜 심리학자들은 동물에 대한 연구를 하는가?

비록 심리학 연구에서 동물이 사용되는 경우는 매우 적지만, 도대체 왜 그것이 행해져야 하는가? 왜 항상 인간을 이용하지 않는 것인가?

행동의 연속성

과학자로서 우리는 진화적인 관점을 택하여, 동물계에서 생물학적인 연속성뿐만 아니라 행동에서의 연속성 역시 가정할 수 있다. 영장류는 인간과 똑같이 행동하지 않으며, 쥐는 더더욱 그렇지 않지만 우리의 신경계는 똑같은 재료로 이루어졌으며 공통점들이 있다. 특정한 행동적 능력들은 진화의 역사 초기에 발생했기 때문에, 인간의 가장 기초적인 행동 형태들은 하등동물에서도 존재한다. 따라서 동물 연구는 하등동물을 사용하여 보편전인 기초행동을 연구할 수 있다는 가정에 근거하고 있다. 우리는 동물들이 진화를 하면서 기초적 행동들을 간직해 왔지만, 그러한 기초적 행동 형태를 압도할 수 있는 보다 복잡한 행동들 역시 획득했다는 것을 알고 있다. 따라서 단순한 학습이나 동기화와 같은 기초적인 행동을 연구하는 데 관심이 있다면 고등동물에 의해 나타나는 보다 정교한 행동형태에 의해 오염되지 않은 기초행동을 보여 주는 동물을 사용하는 것은 가능한 일일 뿐 아니라 선호할 만하다. 그러나 하등동물의 행동을 인간에게 일반화 시킬 때는 주의해야 한다. 인간은 분명히 쥐들보다 더 복잡하며, 어떤 명성 있는 실험자도 쥐의 행동이 인간행동과 완전히 동일하다고 제안하지 않는다. 몇몇 명망 없는 동물 연구 해석자가 무지나 어리석음의 소치로 발견들을 과도하게 일반화 시킨 것으로 알려지긴 했지만, 이와 같이 가끔씩 일어나는 동물실험 자료의 오용이 동물 사용에 대한 원래의 전제를 무효로 만들지는 않는다.

통제

연구에서 동물을 사용하는 데는 이론적 이유와 더불어 수많은 실제적인 이유들이 있다. 우선, 동물은 거의 언제나 사용할 수 있다. 어떤 이유로 해서 대학생들은 주말이나 휴일에는 쉴 것을 고집하지만 동물은 장시간에 걸친 실험에도 사용될 수 있다. 동물이 생존하는 상황을 **통제**(control)하는 것은 실험 내외적으로 가능하며 합법적이다. 그래서 동물 실험자들은 과도한 밀집이나 감각박탈, 수면-각성 주기, 환경적 스트레스의 요인과 같은 흥미있는 변인들을 연구할 수 있다.

우리는 동물의 환경과 유전 모두를 통제할 수 있으며 이는 하등동물에게 공통적인 빠른 재생산과 많은 출생에 의해 용이해진다. 인간연구에 있어서 유전은 거의 통제하거나 제한할 수 없는 변인이지만 동물 연구에 있어서 그것은 종종 통제할 수 있고, 제한할 수 있는 변인이다. 그러나 동물을 가지고 어떤 것이라도 할 수 있다는 것은 아니다. 우리는 동물의 윤리에 관해 짧게 논의할 것이다.

독특성

어떤 동물은 특정 유형의 연구에 더욱 부합되는 **독특한 특성**(unique characteristics)을 가지고 있다. 예를 들어, 초파리는 번식 속도가 빠를 뿐만 아니라 크고 단순한 염색체를 갖고 있다. 오징어는 인간보다 훨씬 큰 신경세포를 갖고 있어서 신경계의 구조를 연구할 수 있게 해 준다. 마찬가지로 많은 동물들은 인간보다 더 많은 중추신경 부위를 후각이나 평형감각에 할애하고 있다. 이런 경우 인간 대신 동물을 이용하는 이유는 단지 연구에 가장 적합한 참가자가 인간이 아니기 때문이다.

돌이킬 수 없는 결과

마지막으로 연구가 동물의 신체나 기능상에 돌이킬 수 없는 결과(irreversible effects)를 초래할 수 있을 때, 하등동물들이 종종 사용된다. 수술 등에 의한 절제 연구는 신경계의 일부를 고의적으로 파괴한 뒤 그것이 미치는 행동적인 결과를 관찰하는 것이므로 동물에게만 행할 수 있다. 마찬가지로 전극을 중추신경계에 꽂아야 하는 실험에는 인간 참가자를 사용할 수 없다. 이런 유형의 연구에서는 특정한 구조의 변화가 일어난 곳을 알아내기 위해 동물을 죽여서 해부하고 조직 검사[8]를 하는 것이 필요한 경우도 많이 있다.

동물들을 사회적으로 고립되게 하는 것과 같은 조작 역시 영구적인 손상을 일으킬 수 있다. 이러한 절차의 유명한 예는 출생 직후 어린 원숭이를 어미로부터 고립시킨 후 어미를 결정하는 중요한 차원이 무엇인지를 결정하기 위해 다양한 인공어미를 제시한 연구였다(Harlow, 1958). 사람들은 이런 실험에 어린아이들을

8) 미시 해부학 혹은 조직학(histology)은 신경계의 조직을 검사해서 무엇이 파괴되었는지 혹은 어느 곳에 전극이 꽂혔는지를 알아낸다. 뇌는 현미경검사를 위해 염색된 후 매우 얇은 조각으로 잘려진다.

사용하는 것에 반대할 것이며, 어떤 사람은 동물 새끼를 사용하는 것에도 마찬가지일 것이다.

동물 윤리

인간과 동물의 관계는 역사상 여러 문화에서 여러 방식으로 정의되어 왔다. 기독교 전통에서는 인간을 동물보다 우세한 것으로 보며 동물은 인간이 필요로 하기에 지구상에 나타난 것으로 본다. 서구 세계에서 이러한 관계가 진화의 아버지라 불리는 Charles Darwin의 시대까지 이어져 왔다. 동물계에는 연속성이 있다는 다윈의 생각은 마치 양날을 가진 검과 같았다. 한편으로 이러한 연속성 때문에 동물은 과학계에서 중요한 연구 주제가 되었다. 다른 한편으로 이러한 연속성 개념은 인간이 모든 다른 동물보다 우월하다는, 인간만의 유일한 입지를 무너뜨렸다. 그리하여 1800년대 말 즈음인 이 시기에 최초의 동물-권리 단체인 반 생체해부자들이 특히 영국에서 여론에 강력한 영향을 미치기 시작했다는 것은 놀랄 만한 일이 아니다(Dewsbury, 1990 참조). 세기가 바뀌고 수십 년 동안 이러한 반생체해부자들은 유럽뿐 아니라 미국에서도 활동적이었다. 그들은 William James, Ivan Pavlov, Walter Cannon, John Watson과 같은 저명한 심리학자들과 많은 싸움(그 당시는 전적으로 언쟁이었다)을 했다.

그리고 나서 동물들의 권리를 주장하는 운동들은 수그러들다가 시민권 운동과 Peter Singer(1976)가 쓴 『Animal Liberation』이라는 책이 출판됨으로 다시 고무되었다. 아마 여러분들도 최근의 동물의 권리를 주장하는 운동들에 대해 알고 있을 것이다. 현재 미국에만 대략 7000여 개의 동물-보호 단체가 있다(Justice Department, 1993). 이러한 조직들 중 최대인 것은 동물의 윤리적 대우를 위한 사람들의 모임(People for the Ethical Treatment of Animals, PETA)으로 이는 대략 35만 명의 회원들을 가지고 있으며 70명의 직원과 7백만 달러의 예산을 가지고 있다(Meyers, 1990a). 최근 이러한 운동이 보여 주는 새로운 양상 중의 하나는 테러행위인데, 이는 과거 반생체해부자들에게는 볼 수 없었던 것이다. 가장 호전적인 단체는 동물 해방 전선(Animal Liberation Front, ALF)이라는 지하 조직으로 연구 실험실과 연구자들에 대한 폭력행위의 60% 정도가 이 단체에 의한 것으로 여겨지고 있으며 FBI도 이 단체를 테러단체로 간주하고 있다. PETA는 ALF와 어떠한 공식적 관련도 없다고 주장하지만, 시설에 침입하는 것이 동물에 대한 학대를 밝혀내는 방법의 하나라고 보기 때문에 ALF의 행동들을 선전하는 것에는 동조를 해 왔다.

동물의 권리에 대한 대중적 관심이 이미 최고조에 달했다고 보는 이들이 있다(Herzog, 1995). 이 주제에 대해서 정기간행물에서 다루어지는 논설의 수는 1990년에 약 60개로 최고치였으며 1994년까지 대략 25개로 감소하였다. 그러나 테러행위는 계속되고 있다. 수상경력이 있는, 미국 유명 대학의 한 약물남용 연구자는 1997년에 한 학생 조직에 의해 그리고 후에는 이 조직 출신의 7, 8명의 사람들에 의해 계속 감시를 당했으며, ALF의 일원으로 자신을 밝힌 검은 복면을 한 사람이 연구자의 집에 나타나 그녀와 그 가족을 괴롭히고 집을 불태우겠다고 협박하였다(APA, 1997). 동물-권리 단체에 의한 폭력 행위는 대략 313건 정도가 있었으며 이는 1987년과 1988년에 최고조에 달한 이래 다소 감소하고 있음이 보고되었다(Burd, 1993). 이러한 사건들과 협박들은 연구기관들이 수백만 달러의 경비를 추가로 지출할 수밖에 없도록 했고, 또한 이런 사건들은 연구자들의 생명을 위협하는 쪽으로 가고 있다(Mangan, 1990). 도대체 왜 이런 일이 일어나는가? 이 논쟁의 근원은 무엇인가?

부분적으로 이 문제는 극단적인 행동론자들이 동물의 권리는 인간의 권리와 동일하며 모든 동물을 사용하는 연구는 금지되어야 한다고 믿고 있다는 데 있다. 가령, 한 옹호자는 "오늘날 동물은 공동체에서 가장 억압 받는 일부이다. 그들에 대한 착취는 지난 세기 초의 흑인노예제도나 어린이 노동, 여성의 천시와 마찬가지로 사악한 것이다. 그것은 우리시대의 큰 도덕적 맹점이다."라고 말하고 있다(Ryder, 1979, p. 14). 이러한 동물 연구 폐지론자들은 동물 우리 안에 동물이 존재하지 않을 그날을 위해 투쟁한다고 밝힌 PETA의 공동창립자도 포함한다(Havemann, 1989). 이것이 일반적인 대중과 심리학자, 심리학 전공 학생들이 생각하는 것인가?

불행히도 심리학에서의 동물 사용에 대한 일반 대중들의 태도에 대한 조사는 없었다. 의학 분야에서는 공적인 지지가 감소하였다는 증거가 있다. "만약 인간의 건강문제에 대한 새로운 정보를 제공해 줄 수 있다면 개나 침팬지와 같은 동물들에게 고통이나 해를 입히는 연구들이 허용되어야만 한다."와 같은 진술을 지지하는 응답자는 1985년 63%에서 1993년 53%로 감소하였다(Pifer, Shimizu, & Pifer, 1994, 1996a의 Plous에 인용). 영국에서는 부정적인 의견이 더 강력하다. 그러나 긍정적인 측면에서 본다면 의학 실험에서의 개의 사용에 대한 찬성은 55%인데 반하여 쥐의 사용에 대한 찬성은 88%에 달하고 있다는 투표 결과가 있다(Associated Press, 1985). 또한 여러 투표 결과들은 4분의 3 이상의 대중들이 의학의 발전을 위해서 의학 연구에서의 동물 사용을 지지하고 있음을 보여 준다(American Medical Association, 1989, 1996a의 Plous에 인용).

심리학자들과 심리학 전공 학생들이 심리학 실험에서의 동물 사용에 대해 어떻게 생각하는지를 알아보기 위하여 Pious(1996a, 1996b)는 3982명의 심리학자들과 1188명의 심리학 전공학생들을 대상으로 한 각각의 조사를 훌륭하게 수행하였다. 놀랍게도 같은 비율의 심리학자들과 심리학 전공 학생들이 대부분의 문제들에 대해 동의하였다. 심리학 연구에서의 동물 사용에 대한 지지 정도를 묻는 질문에서 80%의 심리학자들과 72%의 심리학 전공 학생들이 강력히 지지하거나 지지한다는 답변을 하였다. 또한 의견을 묻는 질문에서 84%의 심리학자들과 81%의 심리학 전공 학생들이 심리학 연구에서 동물 사용이 심리학의 발전을 위해 필요하다고 믿고 있음이 나타났다. 그러나 놀랍게도 44%의 심리학자들과 47%의 심리학 전공 학생들은 심리학 연구에서 사용되는 동물들이 인간적으로 다루어지고 있는지에 대해서는 확신할 수 없다고 밝혔다. 그렇다면 동물들을 어떻게 취급해야 하는가?

수년간 미국 농무부는 연방정부 수준에서의 쥐, 새를 제외한 연구동물의 취급에 대한 규제를 감시해 왔다. 동물-권리 단체들의 압력으로 동물 복지법(Animal Welfare Act)이라는 법률안 개정으로 이루어졌고 이는 개, 고양이, 영장류를 다루는 것을 규제하는 것을 법률로 제정한 것이었다. 여러 번의 의견 수렴으로 여러 규칙들이 1991년에 통과되었으며 여기에 쓰인 비용은 대략 53억 7천만 달러로 추정된다(Jaschik, 1991). 이러한 규칙들은 개들이 뛰어다니며 운동할 수 있도록 하는 문제나 기관 동물-연구 위원회의 설립, 어린 동물에 대한 특별한 배려와 관계된 문제들을 다루고 있다. 특히 영장류는 물리적인 복지 외에도 정신적인 복지를 배려하도록 규정되어 있다.[9)]

실험실에서 설치류와 새를 사용하는 것이 미 농림부에 의해 규제되어야 하는지에 대한 긴 논란은 2002년 미국 의회에서 통과된 농업법(The 2002 Farm Bill)으로 인해 규제 받을 필요 없다고 결론이 났다. 의회는 국립보건원(National Institutes of Health), 실험실 동물관리 승인 및 평가 협회(The Association for Assessment and Accreditation of Laboratory Animal Care), 지역 기관의 동물 관리 및 사용 위원회 등에서 동물 연구의 약 95%를 차지하는 쥐, 생쥐, 새들을 적절히 다루고 있다고 보았다. 연방정부로부터 기금을 받는 동물을 실험에 사용하는 모든 기관들은 수의사와 일반인을 포함한 동물 연구 위원회를 갖도록 되어 있다. 이러한 위원회는 동물을 사용하는 모든 연구계획을 승인하며 연구가 앞에서 제시된 여러 규칙들을 따라서 진행되고 있는지를 감시한다.

나는 심리학자를 포함하여 많은 사람들이 동물-권리라는 문제를 생각할 수 있고, 또 그 문제를 자세히 살펴보게 하기 위해서 이 주제를 상세하게 다루었다. 심리학자들은 연구를 위해 동물을 사용하기 때문에 미국심리학회(APA)는 이 문제를 계속해서 거론해 왔다. 심리학자의 윤리적 원칙과 행동규준은 아래 제시한 것처럼 동물 연구에 대한 내용을 포함하고 있다. 미국 심리학회 웹사이트(http://www.apa.org/science/anguide.html)에는 동물 윤리에 대한 자세한 내용이 나와 있다.

8.09 연구에서의 인간 보호 및 동물의 사용

(a) 심리학자들은 현행 연방법률, 주나 지역의 법률과 규제, 직업적인 기준에 따라서 동물을 구하고, 다루고, 사용하고, 처분해야 한다.

(b) 연구방법과 실험실 동물을 다루는 것에서 훈련되고 숙달된 심리학자들은 동물을

9) 아이러니컬하게도, 동물-권리 급진주의자들이 가장 비방한 Harry Harlow가 이러한 규제의 근간을 형성하는 것에 대부분의 연구를 하였다.

포함한 모든 절차를 감독해야 하며 동물들의 편의, 건강, 인간적인 대우를 살필 책임이 있다.

(c) 심리학자들은 그들의 감독 아래서 동물을 사용하는 모든 이들이 연구방법과 사용되는 종에 대한 대우, 보존, 취급에 있어서 교육을 받았는지를 확인해야 한다.

(d) 심리학자들은 동물 피험자들의 불편, 감염, 질병, 고통을 최소화시키도록 노력해야 한다.

(e) 동물을 고통, 스트레스, 결핍에 처하게 하는 절차들은 단지 대안적인 방법이 가능하지 않을 때, 그 연구의 목적이 미래의 과학적, 교육적, 응용적 가치에 의해 정당화 될 수 있을 때에만 수행될 수 있다.

(f) 외과적인 절차는 적절한 마취 하에서 이루어져야 한다. 수술 기간과 수술 이후에는 감염을 막고 고통을 최소화 하는 방법이 사용되어야 한다.

(g) 동물의 생명이 종결되어야 할 지점에서는 고통을 최소화 하고 적합한 절차에 의해서 빨리 이루어져야 한다.

왜 심리학자들이 동물에 대한 연구에서 자신들의 권리를 제한하는 것에 관심을 가지고 있는가? 동물 연구를 하는 대부분의 이들이 자신의 권리 제한에 열심이며 자신들을 동물애호가라고 본다는 사실을 논외로 하고라도 그들은 인간의 복지(Miller, 1985)와 동물의 복지에서 그들이 향상시킨 여러 진보들을 언급한다. 분명히 의학 전선에서 동물 연구는 인슐린 치료, 백내장 수술, 어린이의 임파성 백혈병 치료 외에도 변이 척수성 소아마비, 공수병, 콜레라, 디프테리아를 없애는 데 공헌하였다. 심리학에서 동물 연구는 정신병, 고통의 통제, 약의 남용에 대한 치료와 뇌출혈로부터의 회복에서 중요한 공헌을 하였다. 가장 성공적인 행동치료는 대개 50년 전의 동물 연구에 근거한 것이다. 때때로 기초 연구와 관련해서 미래의 이득을 정확히 기대하는 것은 어려운 일이다. 그러나 대부분의 연구자들은 동물들이 당할 수 있는 고통의 대가는 그 잠재적인 이득에 의해 충분히 상쇄될 수 있다고 본다.

대부분의 동물옹호자들은 이 두 가지 견해에서 중간적 입장을 취하고 있으며 이 문제를 합리적이고 정통한 관점에서 접근하려 한다. 대부분은 연구자들에게 폭력을 가하는 극단주의자들을 비난한다. 만약 여러분이 이 주제에 대해 더 많은 것을 읽고 싶다면 미국 심리학회가 출판한 『동물의 사용과 보호를 위한 윤리 지침(Guidelines for Ethical Conduct in the Care and Use of Animals, 1986)』을 읽어 보면 된다. Boyce(1989)는 『Journal of the American Veterinary Medical Association』에서 이 두 입장 간의 균형 있는 대처방법을 피력하고 있으며 Segal(1982)은 과학의 필요성과 생명의 필요성을 잘 비교 검토해 놓았다. Carroll과 Overmier(2001)는 이러한 문제들을 심도 있게 다룬 『동물 연구와 인간건강: 행동과학을 통한 인간복지 증진(Animal Research and Human Health: Advancing Human Welfare Through Behavioral Science)』을 발행했다. 마지막으로 뉴멕시코 대학의 심리학자이면서 하반신 마비를 앓고 있는 Dennis Feeney는 『Americana Psychologist(1987)』의 한 논문에서 동물 연구가 필요한 경우들을 말하고 있다. 그는 인간의 권리 대 동물의 권리에 대한 논의는 과학, 농업, 동물-복지 단체에서 계속되어 왔지만, 이러한 논의에서 장애를 지닌 개인에 대한 논의는 사실상 배제되어 왔음을 주장하였다. 그는 생체 자기 제어나 뇌일혈의 회복에 대한 기초적인 행동 연구들이 예상치 못한 치료상의 발전을 가져왔다는 점을 지적하고 있는데, 다음 단락은 그의 입장의 요지를 잘 밝히고 있다.

> 치유 불가능한 병이나 영원히 절름거려야 하는 상해를 입은 우리들에게 희망은 오직 연구를 통한 치료의 발견에 있다. 이런 실험적 연구들은 대개 동물을 사용하는 것이 필요하며 우리는 인간의 권리와 동물의 복지 사이에서 타협해야 한다. 인간의 고통을 감소시키는 것과 동물의 복지를 침해하는 것, 때때로 이것이 동물들에 대한 고통과 불편을 초래하더라도 나는 망설임 없이 인간의 고통을 감소시키는 것을 선택한다(p.593).

마지막으로 연구에서 동물을 사용하는 윤리적 문제에 대해 여러분 스스로 결정할 필요가 있다. 결정을 내리면서 여러분은 인간과 동물의 관계에 대한 여러분의 믿음의 근간을 되돌아보아야 한다. 만약 여러분이 대부분의 사람들과 같다면 여러분은 완전히 일관된 입장에 도달하는 것이 어렵다는 것을 알게 될 것이다. 여러분은 햄버거를 먹는가? 여러분은 여러분의 개나 애완동물들을 의학적인 실험에서 사용하도록 동의하겠는가? 여러분은 여러분 아이의 목숨을 구하기 위해 100마리의 개를 희생시키는 것을 묵과하겠는가? 여러분은 개미와 바퀴벌레를 죽이는 약을 사는가? 여러분은 지역의 동물 보관소에 있는 모든 고양이들을 데려다 키우겠는가? 이러한 질문들에 대한 여러분의 대답에서, 여러분은 어떠한 지점에서 여러분이 일관된 철학을 유지하고 있다고 결정할 수 있는가?

이 문제는 분명한 것이 아니다. 우리 대부분처럼 여러분은 아마도 매 경우를 따져 보아야 하며 이득이 대가를 초과하는지를 결정하도록 노력할 것이다. 어떤 심리학 실험은 그 특성상, 동물들에게 스트레스와 고통을 준다. 이런 상황에서 여러분은 연구를 시작하기 전에 잠재적인 과학적 이득이 그러한 대가를 치를 만한 가치가 있다고 확신해야 하며, 여러분의 결정을 방어할 수 있어야 한다. 비록 많은 연구 기관에서 동물 연구를 감독하는 전문가로 구성된 위원회를 갖고 있지만, 이 위원회는 단지 최소한의 기준만을 부과하는 것으로 생각해야 한다. 여러분은 윤리적 기준에 대한 보다 엄격한 기준을 만족시켜야 하며, 그것은 여러분 자신의 기준이어야 할 것이다.

요약

이 장에서는 인간과 **동물 참가자**를 정당히 다루는 윤리적, 방법론적 문제를 논의했다. 실험자-참가자 관계에서 권력의 대부분을 실험자가 갖고 있기 때문에 실험자가 기본적인 예의의 법칙을 따라야 한다는 것은 중요하다. 실험자는 참석해야 하고, 시간을 엄수해야 하고, 준비해야 하고, 정중해야 하고, 사적인 비밀을 지켜야 하며, 전문적이어야 한다. **기관생명윤리심의위원회**는 연구 계획안을 검토하고 실험자들이 인간과 동물 참가자들을 다루는 데 있어서의 윤리적인 결정을 내리는 것을 돕는다. 이 위원회에서 다루는 문제 중 하나는 인간 참가자들이 참가 이전에 **동의**를 했는가라는 문제이다.

과거에는 참가자가 실험에서 순수하고 수동적이라고 생각했었지만, 실제에 있어서 참가자는 실험 상황의 요구특성과 숨겨진 단서에 민감한 문제 해결자이다. 참가자들이 요구특성에 어떻게 반응할 것인가는 그들이 **협조적이냐**, **방어적이냐**, **비협조적이냐**에 달려 있다. 우리는 실험의 많은 부분을 자동화 하고, **은폐**나 **이중 은폐방안**을 사용하여 참가자가 반응하는 특정한 조건을 참가자가 모르게 하거나, 참가자와 실험자 모두가 모르게 할 수도 있으며, **복수 실험자**를 사용함으로써 요구특성을 최소화 할 수 있다. 약에 대한 연구에서 이중은폐 방안의 한 형태는 효력이 없는 위약을 통제조건에서 사용하는 것이다. 참가자들을 실험적 조작으로부터 은폐시키는 것이 불가능하다면 실험자는 호손효과가 일어날 수도 있다는 것을 알아야 한다. 즉, 행동상의 어떤 변화는 단지 참가자에게 관심을 주었기 때문일 수 있다. 만약 원치 않는 요구특성이 실험에 끼어들게 된다면, 우리는 참가자에게 실험 후 질문법을 사용하거나 **비실험**이나 **모의실험 통제집단**을 사용하여 그것을 탐지할 수 있다. 참가자가 순수하다는 가정에 대한 하나의 대안은, 그들의 문제-해결 특성을 이용하거나 잘못된 요구특성을 주어서 실험의 실제 목적을 속이는 것이다. 속임수에 대한 대안은 참가자에게 역할놀이를 요구하거나 자연적 상황에서 그들을 관찰하는 것이다.

심리학자들은 인간과 동일한 기초적 행동 형태를 더 복잡한 행동에 의해 오염되지 않은 형태로 나타내기 때문에(연속성) 실험에서 동물을 사용한다. 또한 동물들은 더 많은 환경적, 유전적 통제를 가능하게 해 준다. 어떤 동물은 특정형태의 연구에 적합한 독특한 특성을 갖고 있다. 전 세계적으로 동물의 권리에 대한 운동에는 긴 역사가 있다. 과거 수십 년간 이 운동은 극단적 입장과 폭력을 옹호하는 일부의 옹호자들을 가지고 있었다. 심리학자나 심리학 전공 학생들과 같이 일반인들은 동물 연구에 대해 더 우호적이다. 최근에 동물 실험을 연방정부, 주, 기관의 수준에서 다루는 규칙, 규제들이 갱신되고 있으며 동물을 함부로 사용할 가능성은 최소화 되고 있다. 동물 연구를 하는 대부분의 연구자들은 이득이 대가를 초과한다고 생각하며 심리학에서 동물 연구가 가져오는 인간의 복지에서의 향상을 지적한다. 그리고 이것에는 정신병의 치료, 약의 오남용 치료, 고통의 통제, 뇌출혈로부터의 회복과 같은 문제들이 포함되어 있다.

5

과학을 올바르게 대하는 법

과학은 사실이 자신이 원하는 것과 다를 경우라고 하더라도, 사실을 기꺼이 받아들이려는 마음자세이다.

– B. F. Skinner

어떤 특정한 결과를 얻기 위해서는 그와 같은 결과를 얻고 싶어야만 한다. 특정한 결과가 나오기를 원하면 그런 결과를 얻게 될 것이다.

– T. D. Lysenko, I. M. Lerner (1968)

과학에서의 사기는 통 속에 든 썩은 사과에 관한 문제가 아니다. 그것은 사과를 담고 있는 통 그 자체와 관련된 문제이다.

– Nicholas Wade, K. Mcdonald (1983)

연구는 조직 활동이며 그 활동은 함께 참여하는 사람들이 서로를 전적으로 신뢰하는 것이 필수적이다.

– Arnold S. Relman, Mcdonald (1983)

부정직은 아주 이상한 문화를 제외한 대부분의 문화에서 인간의 주된 악으로 인식되어 왔다. 우리에게 이러한 인식이 있다는 것은 거짓이 조금이라도 있는 내용에 대해 뭔가 머뭇거리는 행동 그리고 거짓말하는 것이 실제로 정당화 되는 수많은 상황이 있을 수 있다는 것을 내심 잘 믿으려 하지 않는 우리의 모습을 보면 알 수 있다.

– Tony Coady (Austrailian Philosopher)

윤리적으로 산다는 것은 비윤리적으로 살지 않는다는 것 이상을 의미한다.

– Martin E. P. Seligman (APA 회장, 1998)

이 장에서도 윤리적인 문제를 계속해서 다루려고 하는데, 다만 제4장과는 달리 과학을 올바르게 대하는 법을 다룰 것이다. 어떤 면에서 보면 과학은 연구 참가자들보다도 자신을 방어할 수 있는 기제가 거의 없다. 동물을 학대하면 동물은 몸부림을 치고 소리지르고 때때로 죽기도 하며 동물-권리 단체들도 같이 고함을 친다. 인간 참가자도 제대로 대하지 않으면 몸을 움직이고, 고함치고, 고소를 한다. 과학은 몸부림치지도, 고함을 치지도 못한다. 하지만 당신이 과학을 오랜 기간 올바르지 않게 대한다면 결국은 당신의 동료 과학자들이 가만히 있지 않을 것이다.

여러분은 과학이 살아 있는 생명체도 아닌데 그것을 부당하게 대한다는 것이 도대체 가능이나 한 일인지 의아해 할 수도 있다. 하지만 어떤 면에서, 과학은 움직이고, 변화하고, 성장할 수 있는 지식의 조직체라는 점에서 살아 있는 것으로 간주할 수 있다. 새로운 연구는 계속해서 이전의 발견과 이론들을 대체해 주거나 혹은 그 바탕 위에서 계속 진행되고 있다. 따라서 과학이 확장되는 것을 막거나 혹은 잘못된 방향으로 확장시키는 일이면 무엇이든 과학적으로 비윤리적인 것으로 간주될 수 있다.

과학은 지식의 조직체가 적절한 방향으로 계속 확장할 수 있게 스스로를 지키는 안전장치를 가지고 있다. 예를 들어 어떤 실험 결과가 과학 논문지에 실리기 위해서는 연구업적에 의해 선발된 일군의 과학자들에 의해 심사(review)를 받아야 한다. 이러한 심사를 통해 그 연구가 이 책에서 다루고 있는 실험 원칙들을 잘 지켰는지의 여부가 확인된다. 더욱이 심사자들은 당신의 연구가 학술잡지의 한정된 페이지를 사용하도록 할 만큼 충분히 중요한 것인지를 결정하려 한다. 이러한 방식으로 학술잡지의 심사자와 편집자는 연구를 선별하여 훌륭하고 적절한[1] 발견들만 지식체계에 보태지도록 한다. 이런 심사과정이 완전하지는 못하다 해도, 대부

1) 여기에서 적절한(relevant)이라는 말은 주로 사람들이 사용하는 의미, 즉 '어떤 문제와 관련된'이라는 뜻으로 쓴 말이 아니다. 다시 말해 때마다 달라질 수 있는 '연구 주제와 관련된'이라는 뜻이 아니고, '과학에 적절한'이라는 뜻으로 쓴 말이다. 때때로 그때 그때 변화하는 관련된 연구 주제들이 과학에 가장 덜 적절한 경우도 있다.

분의 심리학자는 그것이 중요한 선별기능을 어느 정도 훌륭히 해낸다고 느낀다.

논문 심사 제도는 조잡하게 행해졌거나 과학의 발전에 충분한 공헌을 하지 못하는 연구를 배제하기 위해 고안된 것일 뿐, 훌륭한 연구를 할 수 있는 연구자가 자신의 연구에 관해 거짓말을 했는지의 여부를 가리기 위해 만들어진 것은 아니다. 규칙을 알고 있으며, 이를 따르지 않았으면서도 따랐다고 말하는 사람들이 과학을 속이고 있는 것이다. 그러한 행동은 대개 모종의 개인적 이득을 얻기 위한 것들인데, 가령, "승진하기 위해서 다섯 편의 논문이 필요했다.", "우리 결과가 멋있게 보이도록 만들고 싶었다.", "학점을 따기 위해서는 실험에서 긍정적인 결과가 나오도록 해야만 했다." 등이다.

비윤리적인 행동들은 과학에 매우 해로우며, 그것들을 탐지하기 위해 과학에 내장된 안전장치는 거의 없기 때문에 과학에서의 비윤리적인 행동은 결코 용납되지 않는다. 그래서 그러한 비윤리적인 행동이 발견되는 즉시 연구자는 과학을 다루는 특권을 상실하게 된다. 나는 이러한 비윤리적이고 용납될 수 없는 행동들을 **비열한 책략**(dirty tricks)이라는 이름으로 이 장의 첫 부분에서 설명할 것이다. 그 다음 부분에서는 해서는 안 될 행동으로 과학자들이 난색을 표하지만 연구자가 과학적 특권을 잃게 될 만큼 지독하지는 않은 몇몇 행동들에 대해 설명할 것인데, 이러한 행동들을 **문제가 되는 책략**(questionable tricks)이라고 부르겠다. 마지막으로 과학에서는 연구자들이 진실을 얘기할 때 모든 진실을 일일이 다 얘기하지는 않는 경우가 있으며, 과학은 이러한 행동으로부터 손해를 보기보다는 오히려 이득을 얻는다. 이런 행동은 과학을 보다 효율적인 것으로 그리고 쉽게 이해할 수 있는 것으로 만들기 때문에 용인될 수 있을 뿐 아니라 오히려 필요한 행동으로 여겨진다. 이것들을 **멋진 책략**(neat tricks)이라 부르겠다.

비열한 책략

위조하기

비열한 책략의 한 형태는 **결과를 위조하는**(fabricating results) 것이다. 몇몇 "실험자들"은 실험을 가장 쉽게 행하는 방법은 실험을 하지 않는 것이라는 것을 안다. 그들은 장비를 사거나, 참가자를 모으거나, 통계학을 공부하는 것과 같은 세속적인 일에 시달릴 필요가 없다. 그들이 해야 할 일은 실험을 글로 쓰는 것이 전부이다(위조하는 이들은 제13장으로 넘어가라). 그들은 오랫동안 심리학자 노릇을 하지는 못할 것이기 때문에, 역시 다른 일을 배워야만 한다.

학생으로서 여러분은, 숙제 마감 날짜가 다가왔고 아직 그것을 완성하지 않았기 때문에 위조하고픈 유혹을 받을 수도 있다. 그러나 그러지 말라! 늦은 숙제는 학점을 낮추지만, 발명한 결과들은 그 교과목에서 쫓겨나거나 나쁜 추천서를 받게 하는 원인이 된다. 전문적인 과학자는 이런 행동을 결코 용서하지 않는다.

때때로 미국심리학회는 심리학자들이 일을 하는 데 있어 윤리적 기준을 명확히 하기 위해 『심리학자의 윤리적 원칙과 행동규준(Ethical Principles of Psychologists and Code of Conduct)』이라는 문서를 발간한다. 가장 최근 판은 2002

년에 나왔으며 이 중 일부가 심리학의 과학적 측면을 다루고 있다. 8.10항에는 다음과 같이 나와 있다. "(a) 모든 심리학자는 자료를 위조해선 안 된다. (b) 만약 심리학자가 이미 출간한 자료에서 중요한 오류를 발견하였을 경우, 수정, 철회, 정오표 또는 적절한 출판 수단의 사용을 통해 그러한 오류를 고치기 위한 적절한 절차를 밟아야 한다."

1900년대 초기에, Kammerer라는 생물학자는 획득 형질이 유전된다는 것을 증명하려 했는데(Ley, 1955), 이는 Darwin의 진화론과는 반대되는 입장이다. 그는 여러 세대의 도롱뇽을 검은 흙에서 길렀다고 주장했다. 그는 정상적으로 노란 반점이 있는 검은 도롱뇽이 세대를 거듭하면서 점점 더 작은 점을 나타냈다는 것뿐만 아니라 그러한 감소가 유전을 통해 전달된다고 보고했다. 이러한 주장을 의심한 다른 연구자는 Kammerer가 보고한 세대의 수를 산출하기에 필요한 시간을 합산해보니 총 시간이 Kammerer가 연구했던 시간보다 훨씬 더 길어야 한다는 것을 발견했다. 다른 과학자들도 설명을 요구하기 시작하였으며 이것은 7년 후 두 명의 지도적 과학자들이 표본을 검토해 볼 때까지 계속되었다. 그들은 인디아 잉크가 주입되었음을 발견했다. Kammerer는 그의 결과가 "단지 사후에 인디아 잉크를 써서 보기 좋게 만들어진 것"이라고 시인했다. 그러고 나서 즉시 그는 자살했다.

과학에서 가장 비열한 행동은 지식체계에 잡음을 넣는 것이다. 여러분이 나쁜 연구를 했다면, 사람들은 그것을 무시할 수 있고 무시할 것이다. 그러나 좋은 연구를 하지 않고서 좋은 연구를 한 것처럼 하면 여러분은 지식체계의 확장을 방해하는 것이 된다. 다른 사람들은 여러분의 연구를 따라하고 여러분의 연구 위에 그들의 연구를 세우려고 시도한 뒤 명백히 무엇인가가 잘못되었다는 것을 발견할 것이다. 그러고 나서 그들은 기초를 고치고, 아마도 전체적인 구조를 모두 다시 세우는 데 많은 시간을 소비할 것이다. 이런 속임수가 발견되지 않은 채 오랜 시간이 흐를수록 궁극적인 과학적 자원의 소모는 더 커지게 된다.

만약 그것이 발견되지 않으면 과학에 대한 속임수는 결국 사회에 대한 속임수로 발전된다. 예로서 1930년대 후반에 Lysenko라는 러시아인이 획득 형질이 유전된다는 생각을 지지했다(Lemer, 1968). 그는 이 이론을 완강히 고집하여 수많은 자료들을 못쓰게 만들었다. Lysenko를 지지하는 사람들은 (조작된 사진을 증거로 내세워서) 밀을 호밀, 보리, 귀리, 심지어는 선옹초로, 사탕무를 양배추로, 소나무를 전나무로, 서나무 군집을 호두나무 숲으로 그리고 심지어는 휘파람새들이 낳은 알에서 뻐꾸기를 깔 수 있는 놀랄 만한 결과를 이루었다고 주장했다(Lerner, 1968).

Lysenko의 너무도 심각한 비윤리적 행동은 과학뿐만 아니라 사회에도 해를 끼쳤다. 그는 개인적으로 수많은 러시아 유전학자들이 면직, 추방, 처형된 데에 대한 책임을 져야 한다. 그는 Stalin과 나중에는 Khrushchev에게, 그의 이론이 옳으며 그것들을 농업정책에 광범위하게 적용하여야 한다고 확신시켰다(Medvedev, 1969). 결국 농업에서 참담한 실패가 오게 되었고 그 실패가 부분적으로 Lysenko의 방법 탓으로 돌려졌을 때, Lysenko는 실각하고, Khrushchev도 실각하고(꼭 이 이유 때문만은 아니다) 러시아 사회는 고통 받았다.

내가 이 책의 초판에서 이 부분을 쓸 때는 과학의 사기에 대한 예를 찾기 위해 역사를 보아야 했다. 유감스럽게도 오늘날에는 사기의 예를 찾는 것이 훨씬 더 쉬워졌다. 몇몇 전문적인 신문들과 지역 신문들에서 다음과 같은 머리말들을 찾아낼 수 있었다. "과학적인 원고의 표절에 대한 변명은 '지적인 절도죄'에 대한 관심을 일으킨다.", "노벨상 수상자가 부정한 행위에 대한 고소 문제에 직면하게 되었다.", "미국은 과학자와 기관들을 사기죄로 고발하는 소송에 들어갔다."

비열한 책략은 새로운 현상인가? 아니면 단순히 오늘날에 와서 그런 책략을 밝혀내는 것에 관심을 갖게 될 것인가? 분명 옛날의 과학자도 결백하지는 않았다. 19세기의 유전학자인 Mendel은 다소 정직하지 않다고 비난받았다(Fisher, 1936). 심지어는 Isaac Newton도 그의 측정능력을 훨씬 초과하는 정확도까지 상관관계를 보고했다(Westfall, 1973).

더욱 최근에, 심리학과 근접하여 한 저명한 ESP 연구자가 그의 실험실 관리자가 자료를 날조하는 것을 발견하였다. 수상함을 느낀 한 연구 보조자는 숨어서 관리자가 초능력을 지지하도록 자료를 바꾸는 것을 목격하였다.

심리학에서 가장 유명한 사례는, George 6세 왕으로부터 기사작위를 받았던 영국의 저명한 심리학자인 Cyril Burt경에 관한 계속되는 논쟁이다. 일란성 쌍생아를 대상으로 한 그의 연구는 IQ가 대체로 유전된다는 이론을 지지하는 주요 기둥 중의 하나였다. 그의 사망 이후, 연구자들은 그가 일란성 쌍생아에 대해 보고한 상관이 여러 해에 걸쳐 더 많은 쌍생아들이 연구에 추가되었음에도 불구하고 소수 셋째 자리까지 동일하게 유지되었다는 것을 발견했다. 이러한 우연의 일치가 일어날 가능성은 매우 희박하다. 사기라고 하는 주장이 런던의 『Sunday Times』지에서 일어났고, 지금도 논란이 계속되고 있다. 한편에서는 Burt의 자료는 거짓으로 꾸며낸 것이고 아마도 조작된 것일 것이라고 하며(McAskie, 1978), 다른 편에서는 사기를 했다는 증거는 매우 미약하며 오히려 부주의했다고 하는 편이 더 그럴듯한 설명이라고 주장한다(Jensen, 1978). 덧붙여 말하자면 이러한 격렬한 논쟁은 유감스럽게도 엘리트주의와 평등주의 간의 정치적 대립에 의해 가열되었다.

연구자들에 의한 사기의 가능성으로부터 우리는 과학을 어떻게 지켜낼 수 있을까? 지적인 자유를 제한하거나 막는 것은 과학적인 모험심을 파괴할 수 있으므로 이런 식의 단순한 제도로는 과학을 지킬 수 없다. 대신 여러 안전장치들이 존재한다. 미국 공중 보건국 산하의 국립보건원(NIH)에서는 이미 각 대학들이 그러한 잘못된 일들을 방지하기 위한 일련의 지침들을 갖고 있도록 지시한 바 있다(Cordes, 1990). 미국 대학 연합회는 각 기관들이 기준에 관한 구체적인 정책을 수립해서 이런 정책을 수행할 수 있는 행정직원을 두도록 권고하고 있다("AAU Statement", 1983). 연구자가 연방정부로부터 연구지원금을 받는 경우에는, 1800년대부터 있었던 이른바 '밀고' 법률이 적용되는데, 이 법에서는 시민들이 연구자와 대학을 상대로 소송을 제기하여 이들이 정부로부터 받은 돈의 상당부분을 회수할 수 있도록 하고 있다. 최근에는 전직 대학 연구실 기술자가 대학과 연구자를 상대로 그러한 소송을 제기했는데, 그는 법정에서 연구자가 결과를 위조했다고 증언한 바 있다(Cordes, 1990).

사기를 최소화하는 하나의 방법으로 제안된 것은, 연구로부터 얻어진 원자료[2]를 기록 보존하는 것이다(Bryant와 Wortman, 1978). Burt의 연구가 제대로 된

2) 통계 분석을 위해 변형되기 이전의, 종속변인의 개별 측정치가 원자료(raw data)이다. 날고기와는 달리 원자료는 썩지 않는다. 단지 공간만 차지할 뿐이다.

것인지를 밝히려 했던 연구자들이 부딪쳤던 난관 중에는 그의 엉성한 자료 보관으로 인한 것이 분명히 있었을 것이다. 그 쌍생아 연구에서 얻어진 원래의 검사 용지는 여섯 개의 사과 상자 같은 곳에 다른 서류들과 섞여 있다가 후에 폐기되었다! 연구에서 얻어진 자료는 연구자들 개인이 보관하거나, 중앙 관리하는 장소로 보낼 수도 있다. 이러한 식으로 하면 연구 자료는 어떤 사람이든 열람이 가능하게 될 수 있는데, 실제로는 그렇지 못한 경우가 종종 있다. 예를 들면, 한 대학원생이 논문을 발표한 37명의 저자에게 원자료를 요청했지만 불과 24%만이 이에 응했다(Wolins, 1962).

자료를 보존하도록 요구하는 것은 다음과 같은 부가적인 이점을 갖고 있다. 연구자들은 보다 세심하게 최초의 자료분석을 하게 될 것이다. 다른 사람들은 최초에는 제기되지 않았던 주제들을 검토함으로써 지식체계를 늘릴 수 있다. 그리고 수년에 걸친 자료들을 비교하는 종단적 연구도 가능하다.

공인된 중앙관리자료 보관 시스템을 갖추는 데 지불되는 대가는, 이를 관리 운영하는 사무직원과 건물이 필요하고, 자료를 복사하고 표준화된 형식으로 맞추는 데 소용되는 시간과 돈이 필요하다는 것과 그리고 아마도 과학 자체에 대해서는 과학자의 정직성에 대한 신뢰의 손실이라는 대가가 포함될 것이다. 어떤 사람은 이러한 대가에 대해 문제보다 문제를 해결하는 대가가 너무 큰 것이 아닌가 하는, 즉 배보다 배꼽이 더 크다고 생각한다. 그들은 반복실험(replication) 절차를 통한 검토와 조정이 대부분의 사기를 밝혀내는 데 충분하며, 이를 통해 비열한 책략의 문제가 일상적이기보다는 아주 이례적인 일이 될 것이라고 생각한다.

공식적인 요구야 어떻든, 여러분은 최소한 5년 동안 자료를 보관해야 한다. 연구자들은 종종 서로에게 원자료를 요청하며, 컴퓨터를 이용하면 원자료의 보관과 인출이 용이하다. 실제로 미국심리학회의 윤리 규준 8.14항에는 다음과 같이 나와 있다. "(a) 연구 결과가 출판된 뒤 참가자의 비밀이 보장되고 자료에 대한 법적 소유권이 제한하지 않는 한, 심리학자는 재분석을 통해 중요한 주장들에 대해 검증하기 위한 목적으로만 자료를 쓸 다른 경쟁 연구자들을 위해 결론의 근거가 되는 자료를 제공해야 한다." 원자료를 보관하는 습관을 갖고 있다면 여러분은 과학을 보호하는 데 도움을 줄 수 있고, 스스로를 잘못된 비난으로부터 보호할 수 있다.

몇몇 자료들은 과학적인 사기가 비교적 드문 일임을 보여 준다. 가령 1982년부터 1988년까지 5만 명의 과학자들의 연구를 지원하고 있는 미국의 국립보건국(National Institutes of Health)은 15건에서 20건 정도의 잘못된 경우를 다루었다. 반면, 조사에 응한 주요 연구 대학의 과학자들 사이에서는 3분의 1 정도가 그들이 동료를 표절이나 자료를 위조한 것으로 의심해 본 적이 있으며 절반 이하가 그러한 의심을 입증하거나 보고한 것으로 나타났다(Hostetler, 1988). 이런 경우 과학자들이 과학적인 비행을 찾아내고 제거하려는 더욱 공식적인 절차들을 취하려 하지 않는다면 의회는 이러한 절차들을 입법화 시킬 것이다. 이러한 가능성은 과학에 있어서 훈련되고 숙련된 이들에 의한 통제가 아니고서는 바람직하지 않은 결과를 가져올 수 있다고 생각하는 많은 과학자들을 힘들게 할 것이다.

과학에서의 사기를 막기 위하여 최선이자 가장 효율적인 방법은 새로운 연구자들에게 윤리적인 행동의 중요성을 강조하는 것이다. 물론 이것은 당신이 읽고 있는 이 장의 목적이기도 하다. 과학이 어떻게 작용하는지를 이해함으로써만이 윤리적 행동에 대한 동기가 정착될 수 있다. 연구자들은 과학이 신뢰 위에서 이루어진다는 것을 알아야 한다. 우리가 우리 동료의 연구 결과들을 믿지 못한다면 우리는 아마도 과학적인 지식 체계를 세우려는 시도를 그만두는 것이 나을 것이다.

표절

미국 심리학회 윤리 규준 8.11항에서 표절에 대해 다루고 있다. "심리학자는 일부 다른 저작이나 자료가 가끔 제대로 인용되었다 하더라도 다른 이의 저작이나 자료의 일부를 자신의 것으로 제시해선 안 된다." 비록 이 문장이 명확해 보일지라도 최근 들어 표절은 심사숙고할 만한 논쟁적인 문제가 되었다. 확실히 단지 지난 몇 년 사이에도 대학 총장들은 표절된 연설로 인해 자리에서 물러나야 했고 저자들은 그들의 저작의 상당 부분에 대한 표절 의혹을 받아 왔다. 그런 행위들은 우리가 표절이라 부르는 것의 기준이 변했다는 것을 의미하지는 않는다. 단지 사람들이 규정에 대해 무지하거나 규정을 거부하는 것이 늘어나는 것이다.

대부분의 사람들은 출판된 다른 이의 말을 그대로 따오는 것이 표절임을 이해한다. 하지만 확실히 일부 학생들은 인터넷에 있는 자료는 만만하게 보고 자신의 것으로 써도 되는 것이라 생각한다. 인터넷에서 베끼는 것은 전통적인 출판된 자료들로부터 베끼는 것과 마찬가지로 나쁜 것이라는 것을 확실히 해 둘 필요가 있다. 교수들은 학생들이 인터넷에서 표절하는 것을 잡아내기 위해 http://www.turntin.com 같은 곳을 이용하기도 한다는 것에 주의해야 할 것이다.

내가 개인적으로 경험한 것 중 최악의 사기는 120쪽짜리 박사학위 논문의 90쪽을 출판된 2권의 책에서 베낀 어느 상담 심리학자였다. 이 사람은 표절한 두 권의 책을 자신의 논문 참고문헌 부분에 인용했지만 원고에 두 책의 내용을 글자 그대로 옮겼으면서도 단 한 곳도 정식으로 본문에 인용 표시를 하지 않았다. 심지어 이렇게 명백한 경우에도 이 사람은 자신이 한 일이 표절이 아니라 생각한다고 주장했다. 이 사람의 전 지도교수 중 한 명은 심지어 이 학생이 표절을 의도한 것은 아니었기에 표절이 아니라고까지 했다. 다시 한번 여기서 강조해야겠다. 의도는 중요하지 않다. 행동 자체가 표절을 정의하는 것이다. 이 심리학자는 박사 학위와 개업할 수 있는 권한을 잃게 되었다.

표절은 다른 사람의 말을 뺏어 쓰는 것 이상을 말한다. 말을 가져다 쓰는 것만큼이나 생각을 훔치는 것 역시 나쁘다. 제13장에서 논의하겠지만, 심리학자는 때때로 다른 분야의 저자들에 비해 직접 인용을 덜 사용한다. 대신 다른 연구자들의 말을 바꿔 쓴다(paraphrase). 즉, 남의 생각이나 의견을 자신의 말을 사용해서 달리 표현한다는 것이다. 그러나 다른 말로 바꿔 쓰는 것이 적절한 인용을 피할 수 있다는 것은 아니다. 다른 연구자의 생각이나 이론, 심지어 추측에 대해 쓸 때도 반드시 그 연구자와 해당 정보를 얻은 출처를 명시해야 한다.

지금껏 다룬 표절의 몇몇 종류에 대한 예를 들기 위해 다음과 같이 가정해 보자. 당신은 Diener, Lucas, 그리고 Scollon이 2006년 『American Psychologist』에 출간한 글의 한 문단을 읽었다.

> 쾌락의 쳇바퀴 이론(The hedonic treadmill theory)은 심리적 시스템이 현재 적응 수준(adaptation level)에서 벗어나는 것에 반응한다는 자동적 습관화 모델(Automatic habituation model)에 기반하고 있다(Helson, 1948, 1964). 자동적 습관화 과정은 지속되는 자극을 배경으로 사라지게 하기 때문에 적응적이다. 따라서 보통 즉각적 주의를 요하기 마련인 새로운 자극에 반응이 가능하도록 자원이 남아 있게 된다(Fredrick & Lowenstein, 1999).

보고서에 다음과 같이 써도 될까?

> 쾌락의 쳇바퀴 이론(The hedonic treadmill theory)은 심리적 시스템이 현재 적응 수준(adaptation level)에서 벗어나는 것에 반응한다는 자동적 습관화 모델(Automatic habituation model)에 기반하고 있다. 자동적 습관화 과정은 지속되는 자극을 배경으로 사라지게 하기 때문에 적응적이다.

안 된다. 다른 사람의 말을 그대로 동어반복하고 있으면서도 인용 표시를 하지 않았고 문장이 따옴표 안에 들어가 있지 않기 때문이다. 그럼 다음의 경우는 가능할까?

> 자동적 습관화 모델은 쾌락의 쳇바퀴 이론의 기반이 된다. 습관화 된 특정 수준에서의 일탈은 지속적인 자극은 배경 잡음으로 되고 새로운 정보를 처리할 수 있는 자원은 남게 한다.

비록 문단에서 일부 단어를 바꿔 쓰긴 했지만 여전히 다른 이의 생각에 대해 쓰고 있다. 따라서 이 생각들이 어디서부터 나왔는지를 표시해줘야 한다. 이번엔 다음 경우를 보자.

> 자동적 습관화 모델은 쾌락의 쳇바퀴 이론의 기반이 된다(Helson, 1948, 1964). 습관화 된 특정 수준에서의 일탈은 지속적인 자극은 배경 잡음으로 되고 새로운 정보를 처리할 수 있는 자원은 남게 한다(Fredrick & Lowenstein, 1999).

이 문단은 출처를 명기했기 때문에 앞의 문단들 보다는 확실히 낫다. 하지만 이 경우에도 Diener, Lucas, 그리고 Scollon의 글만 읽었다면 위와 같이 인용해선 안 된다. Helson이나 Fredrick과 Loewenstein의 글을 나열하면서 마치 그들의 글을 읽고 그것을 풀어 쓴 것처럼 해석될 수 있기 때문이다. 하지만 이들의 글에 대해 알고 있는 것이 전부 Diener 등의 글에서 본 것이라면 앞의 두 출처는 **이차출처**(secondary sources)이며 이는 원래 읽은 일차출처에서 인용되어야 한다. 예를 들면, "Helson(1948, 1964)은 Diener, Lucus, 그리고 Scollon(2006)이 언급하였듯이 …라고 주장했다."라고 써야 한다. 가능하다면 이렇게 이차출처로 인용하기보다는 원문을 찾아서 읽은 후 일차출처로 인용하라.

이 책에서 상당한 분량으로 표절에 대해 다룬 것은 그만큼 표절이 심각한 윤리 위반이기 때문이다. 작은 위반조차도 나쁜 성적을 받게 할 수 있다. 중요한 위반이라면 명성, 직업을 잃게 할 수 있으며 앞서 예를 든 학위 논문 표절의 경우처럼 표절은 학위도 잃게 한다.

자격 인정물의 위조

만일 여러분이 친구에게 가서 “나를 위해 물구나무를 서 줄 수 있니?” 하고 묻는다면 그 반응은 아마도 “왜?”일 것이다. 그러나 여러분이 다른 친구에게로 가서 “나는 실험을 하고 있는데 나를 위해 물구나무를 서 줄 수 있니?”하고 물으면 “얼마동안?”하고 대답할 것이다. 이런 차이는 우리 사회가 일반인에게는 주어지지 않는 특권을 과학자에게 준다는 사실에서 온다. 우리는 과학자에게, 특히 행동과학자에게 실험의 자유를 허용하는데, 그것은 대개 거기에 드는 비용보다 이익이 크다고 느끼기 때문이다. 우리는 또한 과학자에게 많은 권위를 부여하고, 일반적으로 다소 고분고분하게 반응한다.

과학자에게는 주위에 있는 생물을 승인된 방식에 따라 조작하는 것이 허용될 뿐 아니라 세금을 통해 이러한 노력에 대한 지원이 주어지기도 한다. 그러나 이익이 비용을 초과하지 않는다면 이러한 특권은 빼앗길 수도 있다. 실험자의 전문가 자격인정물을 요구하는 것은 우리가 스스로를 단속하는 한 방법이다. 결과적으로 자질 있는 연구자라는 것을 다른 사람에게 증명하기 위해 여러분은 대개 이력서 형식으로 된 전문적인 기록과 함께 자격인정물을 제시해야 한다. 이력서는 여러분이 전문적으로 누구인가를 보여 주는 서류이다. 거기에는 학업성적, 이력, 발표된 논문들이 기록되어 있다. 여러분은 대학원에 입학하거나, 전문가로 인정받거나, 직업을 얻기 위하여 그것을 사용한다. 아마도 이 문서가 완전히 정확하다고 말할 수는 없을 것이다. 그러나 어쨌든 자격인정물의 위조는 비열한 책략이다.

별로 새삼스러울 것 없이 이 문제에 대한 미국 심리학회 윤리규준은 명백하다. 5.01항에서 다음과 같은 지침을 제공하고 있다.

(b) 심리학자는 다음 사항과 관련하여 거짓되거나 속이거나 위조된 진술을 하지 않는다.

(1) 교육, 경력, 능력

(2) 학위

(3) 자격 증명

(4) 소속 및 협력 기관

(5) 서비스
(6) 서비스의 과학이나 임상적 기반, 결과, 성공의 정도
(7) 요금
(8) 출판물 및 연구 성과

처음 이곳에 발을 들여놓았을 때 나는 위조된 이력서를 이용해서 대학원에 진학하려는 매우 유능한 학생을 보았다. 그는 좋은 성적을 가졌으며 그의 교수로부터 훌륭한 추천서를 받았지만, 이력서에 실제로 있지 않은 논문 몇 개를 기록했다. 하지만 그의 속임수가 교수에게 발각된 후, 그는 좋은 기록이나 추천서를 받을 수 없었으며, 실험심리학자가 되지도 못했다. 과학자와 사회 사이의 동의는 무너지기 쉽기 때문에 이런 종류의 비정직성은 미묘한 균형을 전복시키며, 용인될 수 없는 것이다.

나는 비열한 책략에 대한 이런 논의 자체가 여러분에게 시간낭비이며, 애초부터 여러분은 이런 책략에 대해 꿈도 꾸지 않았기를 바란다. 하지만 나는 이런 주제가 실험자 훈련의 초기에 언급되어야 된다고 믿는다. 심리학 실험을 재미로 할 수도 있지만, 어쨌든 실험을 하는 것의 진정한 목적은 과학을 구축해 가는 것이다. 과학이 제대로 구축되는 데 필요한 규칙들을 따를 의지가 없는 사람들은 과학계의 일원이 될 자격이 없는 것이다.

문제가 되는 책략

대부분의 연구자들이 용납할 수 없는 것으로 생각하는 행동들, 그러나 과학계에서 완전히 추방당해야 한다고 보기보다는 그러한 행동에 눈살을 찌푸리거나 비난하도록 만드는 행동들이 문제가 되는 책략(questionable tricks)으로 간주될 수 있다. 이러한 행동들은 실험을 설계하거나 실험을 행하거나 자료를 분석할 때 또는 실험을 보고할 때 발생할 수 있다.

실험설계

앞 장에서 우리는 요구특성을 통하여 전달되는 실험자 편견에 대해 논의했다. 만약 여러분이 요구특성이 종속변인에 대해 바라는 변화를 일으킬 수도 있도록 실험을 설계하면서, 이 요구특성들을 최소화 하거나 혹은 그것을 발견조차 하려 하지 않는다면 당신은 어떤 의미에서 부정직한 것이다. 실제로는 독립변인과 함께 체계적으로 변화하고 있는 변인을 여러분이 통제하였다고 주장한다면, 이것 역시 실험을 오염시킬 수 있다. 일부 비실험실 실험에서는 이런 오염을 통제하기가 어렵지만, 많은 경우에 있어서 이런 상황은 얼마든지 속임수라고 부를 수 있다.

예를 들어, 제2장에서 언급되었던 실험에 대해 기억해 보라. 그 실험에서 나는 심리학개론의 강의속도가 학생들의 주의집중에 영향을 미치는지를 알고자 하였다. 어떤 날에는 느린 속도로, 또 다른 날에는 중간 속도로, 나머지 날에는 빠른 속도로 강의하려고 하였다. 우리는 배경의 잡음 수준을 기록하여 주의 정도를 측정할 수 있다. 이러한 실험에는 편견이 들어가기 쉽다. 나는 말하는 속도 외에도 말하고 있는 주제와 관련된 생동감의 정도라던가, 요점을 설명하기 위해 사용하는 흥미 있는 사례들의 수를 변화시켰을 수 있다. 강의 속도를 제외한 다른 차원에서의 변화는 내가 의도했든 의도하지 않았든 간에 독립변인을 쉽게 오염시킨다.

속임수가 생길 기회를 최소화 하는 한 가지 방법은 어떤 결과가 나오든 이해

관계가 없는 동료들로 하여금 오염변인의 개입 가능성 측면에서 각 강의를 평가하도록 실험을 설계하는 것이다. 그러고 나서 실험자는 동등한 평가를 받은 강의들에서만 자료를 수집할 수 있다. 물론 첫 번째 설계에서 실험자의 편견이라는 일종의 속임수가 반드시 나타나는 것은 아니지만, 두 번째 설계는 이런 편견이 나타날 가능성이 더 낮기 때문에 더 좋은 설계가 되는 것이다.

자료 수집

자료를 수집할 때, 특히 참가자가 어떤 반응을 했느냐를 결정하기 위해 인간의 판단을 사용해야 할 때 속임수가 일어날 수도 있다. 방금 논의한 실험에서, 실험자는 참가자가 주의를 집중하거나 집중하지 않고 듣는 데 소비한 시간의 비율을 기록하여 참가자의 행동을 주의집중과 주의산만으로 분류하고자 한다. 한 학생이 종이 위에 연필로 무엇인가를 끄적거리고 있다고 가정해 보자. 그는 필기를 하는 것일까, 낙서를 하는 것일까? 다른 학생은 눈을 감고 있다. 그는 집중하고 있는 것인가, 자고 있는 것인가? 우리는 우리의 편견에 따라 그 행동을 다르게 분류할 수 있다. 편견을 갖고 있는 실험자가 분류를 하면 문제가 있을 수 있다는 것은 명백하다.

이런 형태의 속임수를 피하기 위해서 실험자는 주의집중하거나 주의집중하지 않은 행동의 표준 점검 목록을 만들어서 몇 명의 판단자로 하여금 테이프를 관찰하고, 독립적으로 참가자의 행동을 분류하도록 할 수 있다. 또한 판단자를 테

어느 학생이 집중하고 있는 학생인가?

이프에서 사용된 강의 속도로부터 은폐되게 할 수도 있다. 이런 사전 주의는 그것이 의도적이든 비의도적이든 속임수의 가능성을 줄인다.

편견은 반응의 측정이 직접적인 것 같은 실험에서도 때때로 일어난다. 한 실험에서는, 참가자에게 움직이는 목표에 따라 막대를 움직여 표시를 하게 하였다. 매 10초의 간격 뒤에 실험자는 전압계 다이얼 위의 한 점을 빨리 읽고는 다시 고정한다(표시점이 목표로부터 멀수록, 바늘은 다이얼을 가로질러 재빨리 움직인다). 이 작업은 바늘이 눈금 위에 직접 떨어지지 않기 때문에 어렵다. 실험자는 다이얼 위의 한 점의 위치에 대해 편견을 가진 판단을 내리기 쉽다. 이 실험에서 실험자는 다이얼을 15,000번 이상 읽어야 하며 기구를 읽을 때의 작은 불일치는 실험 결과를 편파시킬 가능성이 있다. 따라서 편견을 가진 실험자가 참가자의 반응을 해석하는 판단을 해야 할 때에는 판단이 정확하게 이루어지는 것을 보장할 수 있는 절차를 사용해야 한다.

자료 분석

여러분은 자료를 편파된 방식으로 분석함으로써 빚어질 수 있는 속임수 역시 피해야만 한다. 제12장에서 보게 되겠지만 통계적 검증은 특별한 결과가 실재하는 효과인지 우연히 일어난 것인지를 결정하기 위해 계산된다. 이런 통계적 검증은 어떤 가정들이 어느 정도 만족될 때만 사용될 수 있다. 통계적 검증의 기본 가정이 전체적으로 위반되는 경우에도 그 통계 검증을 사용한다면 이것 역시 문제가 된다.

예를 들어, 가장 빈번히 사용되는 통계적 검증들은 분포가 대략 정상적, 즉 대칭적인 종형일 것을 요구한다. 이런 가정에서 약간 벗어나는 것이 그러한 검증을 완전히 무효화 하지는 않지만, 몇몇 연구자는 그들의 분포가 정상분포와 완전히 다를 때에도 계속해서 이런 검증들을 사용한다. 실험자로서 여러분이 사용하는 통계적 검증이 어떤 가정을 요구하며, 그 가정들 중 하나 이상을 충족시키지 못했을 때 오류를 범할 가능성이 어느 정도인지를 아는 것은 당신에게 달려 있다.

자료를 분석할 때, 당신은 대부분의 참가자가 예견된 실험적 효과를 보임에도 불구하고, 몇몇은 그 효과를 보이지 않는다는 경우를 접하게 될지 모른다. 이때 이 배반자들에 대해 당신은 아무 행동도 취할 수 없다.[3] 기대한 대로의 결과를 보여 주지 못하는 참가자의 자료를 모두 버릴 수 있다면, 예측을 지지하지 못하는 실험이란 결코 없을 것이다. 이런 이유로 해서, 종속변인에 대한 참가자의 수행을 근거로 한 분석으로부터 참가자를 제거하는 데 신중해야 한다. 그리고 독립변인의 수준에 대한 그들의 서로 다른 반응을 근거로 해서 참가자를 제거해서는 안 된다.

자료의 수집 전에 수행수준을 결정하거나, 논리적으로 방어할 수 있거나, 실험보고서에 수행수준을 명시하기만 한다면, 종속변인에 대한 전반적인 수행수준에 도달하지 못하는 참가자를 제거할 수 있다. 예를 들어, 타자치기 과제를 수행하는 참가자의 능력에 미치는 소음의 영향에 관심이 있다고 가정해 보자. 실험을 시작하기 전에 소음이 제시되지 않은 상태에서 분당 10단어 이상을 타자하지 못하는 참가자의 결과를 제외시키기로 결정할 수 있다. 여러분의 논리는 이러한 참가자들은 타자를 너무 못 치기 때문에 소음이 타이핑에 악영향을 미친다 해도 그 효과를 나타낼 수 없다는 것이 될 것이다. 또한 여러분은 숙련된 타이피스트에 대한 소음의 영향에 관심이 있어서 분당 10단어 이내의 속도를 가진 참가자는 숙련

3) 여러분이 개인차를 연구하는 데 특별히 관심이 있지 않는 한.

된 타이피스트가 아님을 나타낸다고 주장할 수도 있다. 그러나 만약 사전에 결정된 종속변인의 수행수준에 기초하여 참가자를 제거한 데 대한 논리적 근거가 없다면, 그렇게 해서는 안 된다.

종속변인의 수행 이외의 기준에 의해 참가자를 제거하는 것이 더욱 안전하다. 이런 기준 역시 실험 전에 만들어져야 하고, 결과를 보고할 때 명시해야 한다. 예를 들어 참가자에게 문자배열을 보고 빨간 잉크로 인쇄된 문자를 대답하도록 했다고 생각해 보자. 이 경우 시력 검사나 색맹검사를 통과하지 못한 사람을 실험 전에 제외할 수 있다.

결과의 보고

이제 실험의 결과를 분석하였고 결과를 보고할 준비가 되어 있다고 가정해 보자. 대체로 여러분은 결과를 그래프로 나타내려 할 것이다(우리는 제12장에서 그래프를 그릴 때 따라야 할 몇 가지 법칙을 논의할 것이다). 그래프를 왜곡함으로써 어떻게 거짓말을 하는가에 대한 책이 있다(Best, 2001; Campbell, 1974; Huff, 1954; Wainer, 2000). 예를 들어 실험자는 작은 효과를 아주 거대한 효과처럼 보이게 하기 위해 한 축을 크게 그릴 수 있으며, 한 축의 척도를 왜곡시켜서 함수가 변형되도록 할 수도 있다. 또 창의적인 사람이라면, 빈약한 결과를 좋게 보이도록 하는 온갖 종류의 방법을 발견할 것이다. 명백히 이런 행동은 과학을 발전시키지도 않으며 따라서 속임수로 간주된다.

문제가 되는 책략의 또 다른 형태는 실험 결과의 **부분적 보고**(piecemeal reporting)이다. 연구는 한 번에 한 실험씩만 진행되어 가지만, 여러분은 연구를 이런 방식으로 보고해서는 안 된다. 몇십 년 전에는 심리학의 학술잡지에는 전형적으로 하나의 실험의 결과가 보고되었다. 그러나 최근에 심리학의 분야는 도약적으로 발전하였고, 문헌의 양이 폭발할 지경에 이르렀다. 매우 많은 사람이 매우 많은 연구를 하고 있어서 실험적 발전의 조류를 따라 가는 것이 거의 불가능하다. 이런 이유로 단일실험은 그 자체만으로 아주 큰 공헌이 되지 않는다면 어떤 잡지도 그

보고서를 실어 주지 않으려 한다.

대체로, 실험 연구 프로그램의 결과를 통합된 실험 시리즈로서 보고해야 한다. 이런 절차로 지식의 성장은 더욱 효율적이며 질서정연하게 되며, 독자들은 연구마다 다시 자신을 재적응시키는 것과 매 실험마다 서론과 결과를 다시 읽는 그리고 조각난 실험을 일관성 있는 구조 속에 통합시키는 수고를 절약하게 된다. "논문이 없으면 도태되는(publish or perish)" 오늘날의 세계에서, 연구자는 출판물 수를 늘리기 위해 부분적 보고를 하려는 유혹을 받을 수 있다. 그러나 결국 이런 행동은 연구자의 명성이나 과학적 지식체계를 발전시키는 데 아무런 도움도 주지 않는다.

멋진 책략

멋진 책략(neat tricks)이라는 용어가 이율배반적으로 들리지만, 연구보고서의 독자들에게 효율적으로 의사를 전달하기 위해서 "거짓말" 하는 것도 때로는 필요하다. 연구하는 과정 중에는 여기 저기 엉성한 부분들이 있는 것이 보통이지만, 당신이 실험보고서를 읽을 때 연구자는 실험을 하는 내내 체계적이고 잘 짜여진 방식으로 진행한 것처럼 보인다.[4] 그것을 믿지 말라! 연구자의 마음은 보고서에 나타난 것처럼 전적으로 논리적인 방식으로 움직이지는 않는다. 실험자는 예감이나 직관에 의거하여 많은 결정을 내린다. 그들은 잘못된 추측을 근거로 잘못된 출발을 하기도 한다. 그들은 잘못된 이유를 근거로 올바른 연구를 하기도 하며, 올바른 이유를 근거로 잘못된 연구를 하기도 한다.

불행히도 대개 실험심리학이 실제로는 흥미 있으며 틀에 박히지 않고 우연이 많이 개입되는 보물찾기이지만, 학생들은 그것이 무미건조하고 흥미 없는 것이라고 생각하기 때문에 실험심리학에 등을 돌리게 된다. 실험을 하나 해 보기 전에는

4) 때때로 아무렇게나 하는 연구 과정에 관해 재미있게 쓴 논문은 B. F. Skinner(1959)의 「A Case History in Scientific Method」이다.

실험에 대해서 거의 알지 못한다.[5)]

실험보고서를 말끔하게 해야 하는 가장 큰 이유는 시간과 공간을 절약하기 위해서이다. 동료들의 실수를 읽는 것은 재미는 있지만, 여러분은 시간이 없으며 학술잡지들은 그런 사치를 허락할 공간이 없다. 실험보고서는 독자를 즐겁게 하기 위해서가 아니라 정보를 효율적으로 전달하기 위해 짜여져 있다.[6)]

제외하기

실험보고서를 말끔히 하는 한 가지 방법은 몇몇 실험과 분석들을 제외시키는 것이다[7)]. 여러분이 일련의 실험 중에 3번째 실험을 계획했을 때 일진이 좋지 않았다고 가정하자. 좋은 생각이 잘 안 떠올랐거나 혹은 잠시 혼동했을 수 있다. 다른 사람은 당신의 생활이나 당신의 뱃속과 머리 상태에 대해서는 별 흥미가 없다. 어쨌든 당신은 실험을 망쳤다. 나는 그 망친 실험에 대해 읽고 싶지 않고, 당신도 그것에 관해 쓰고 싶어하지 않는다. 그러니 하지 말아라. 과학도 잃은 것이 없고, 나도 잃은 것이 없고, 당신은 체면을 잃지 않았다. 그러나 당신의 결과들이 당신이 원하는 가설을 지지하지 않았다는 이유로 제대로 행해진 실험을 제외시키려고 시도해서는 안 된다는 것을 명심해야 한다. 그런 행동은 멋진 책략이 아니다!

실험이 보고서에 아무 것도 첨가해 주지 못한다면 실험 전체를 제외하는 것이 허용될 뿐만 아니라, 때로는 자료분석의 세부사항을 무시하는 것도 허용된다. 아마도 자료를 분석하는 방법은 매우 많으며, 여러분은 그것 모두를 실시했을 수 있다. 아마도 여러분은 그 분석들을 했다는 것을 보고해야 하겠지만 가장 대표적이며 대부분의 정보를 담고 있는 것만 상세히 보고할 필요가 있다.[8)]

5) 이것은 연애와 같다. 이에 관해 읽는 것은 해 보는 것만 못하다.

6) 많은 교과서 저자들도 정말 재미없는 일을 하고 있는 것이다.

7) 그렇지 않으면 그것들을 각주에 넣어라. 아무도 각주를 읽지 않는다.

8) 나는 여러 종류의 검증방법을 실시한 뒤 유의미한 결과를 얻은 검사만을 골라서 보고하는 것을 승인하는 것은 아니다. 이런 경우도 당신은 유의도 수준을 왜곡하는 것이 된다(제12장).

재조직화

여러분이 탐색적으로 이런 연구도 해 보고 저런 연구도 해 보는 경우에는 특히 어떤 실험의 결과가 일련의 실험가운데 첫 번째로 제시하는 것이 적합하지 않다는 것을 발견할 수 있다. 여러분은 다시 되돌아가서, 몇 개의 예비 실험을 하는 것이 바람직하다는 것을 발견할 수도 있다. 이런 경우 "실험자의 예견 부족과 잘못된 판단에 의해 실험의 순서가 틀렸다."라고 독자에게 말할 필요가 없다. 당신은 실험을 행한 순서와는 상관없이 가장 논리적인 순서로 보고할 수 있다. 자료는 자료일 뿐이며, 진실을 왜곡하는 것이 과학을 왜곡하지 않는 한 자료를 가능한 한 효율적으로 보고할 수 있다.

재형식화

마지막으로, 실험보고서에서 멋진 책략은 실험의 기초가 되는 이론을 재형식화(reformulate a theory) 하는 것이다. 때때로 여러분은 실제로 실험을 행하게 한 이유보다 더 나은 이유를 실험을 실행한 후에 발견할 수 있다. 또한 여러분이 행한 실험에 대해 다른 관점을 주는 실험을 다른 사람이 했다는 것을 발견할 수도 있다. 이 경우 여러분은, 지식체계에 대한 여러분의 공헌이 새로운 정보와 어떻게 가장 잘 부합될 것인가를 결정해야 한다. 불행하게도 여러분의 이론이 전혀 부합되지 않아서 처음으로 되돌아가야 할 때가 있을 것이다. 그러나 여러분은 종종 강조점을 변화시키거나 결과를 재해석함으로써 수정된 이론에 실험을 맞출 수 있을 것이다. 결과를 보고하는 데 있어서 쓸모없는 이론으로 독자에게 부담을 주지 말아야 한다. 다시 말하건대, 여러분의 주된 윤리적 주안점은 여러분이 효율적인 방법으로 지식체계에 추가하느냐에 두어져야 한다.

이 장에서, 실험자로서 여러분이 직면하게 될 모든 윤리적 문제가 망라된 것은 결코 아니다. 몇몇 경우에서 여러분은 특정 행동이 과학에 정당한지를 결정하는 것이 어렵다는 것을 발견할 것이다. 문제가 생길 때 여러분은 여러분이 생각하지 못한 점을 지적해 줄 수 있고 대안을 제시할 수 있는 동료와 상의하고자 할 것이다. 그렇지만 최종적인 결정은 여러분이 내린다. 윤리적 행동이 지식체계의 효율적인 성장에 도움을 주는 것이라는 원칙을 적용한다면, 여러분은 결코 비열한 책략을 사용하지 않을 것이며, 문제가 되는 책략도 거의 사용하지 않을 것이다.

요약

과학은 증가하는 지식체계이기 때문에 지식체계의 효율적인 확장을 지체시키는 어떠한 행동도 비윤리적이라고 할 수 있다. 우리는 여러 가지 면에서 과학에 진실하지 않게 될 수 있다. 결과를 위조하거나 우리의 자격인정물을 위조함으로써 비열한 책략에 연루될 수 있다. 우리는 또한 문제가 있는 책략에 연루될 수 있는데, 가령 실험설계 시 오염변인을 통제하지 못하거나 혹은 자료수집 시 반응을 잘못 분류하거나 측정치를 잘못 보고 기록해서 그렇게 될 수 있다. 자료분석 시의 문제가 되는 책략은 검증 가정을 충족시키지 못하거나 적절치 못한 방법으로 참가자를 제거하는 것이며, 실험보고시 그래프를 왜곡하거나 일련의 실험을 부분적인 형태로 보고하는 것도 문제가 되는 책략이다. 효율성을 증진시키기 위해서 실험한 그대로가 아닌 형식으로 실험보고서를 쓰는 것이 허용된다. 예를 들면 어떤 실험이나 분석이 추가적인 정보를 주고 있지 않다면 이들을 보고서에서 제외시킬 수 있으며, 실험보고서의 효율성을 높인다면 실험을 재배열하거나 이론을 재형식화 할 수도 있다.

6

기존 연구를 알아내는 법

Polonius : 주인님, 무엇을 읽으십니까?
Hamlet : 많고 많은 말들(words).

– William Shakespeare

하지만 우리는 왜 지적으로 하찮은 것들을 갖고 말만 무성하게 늘어놓는 학자들의 고집을 참아내야만 하는가?

– S. I. Hayakawa (1978)

사회과학연구라는 집은, 안됐지만, 황폐해졌다. 그 집은 이제 수백 개의 학술잡지라는 돌덩어리들과 그 주위의 수백만 편의 보기 흉한 잡석 같은 학위논문들로 뒤덮였다. 그것을 과학이라는 집으로 만들지는 못하더라도, 집 내부의 어떤 일관성이라도 찾기 위해서는 이들 잡석들을 체로 걸러 추려내야 한다.

– G. V. Glass, B. Mcgaw, & M. L. Smith (1981)

어쩌면 여러분이 실험 아이디어를 얻는 법을 다룬 제3장을 읽는 동안 기막힌 실험 아이디어가 전광석화처럼 떠올랐을지도 모르겠다. 아니면 어떤 아이디어가 가물거리듯 천천히 떠올랐을 수도 있다. 어떤 경우든, 필자는 여러분이 몇 가지 흥미로운 아이디어를 이미 형성하기 시작해서 실험을 해 보고 싶어하기를 바란다. 그러나 실험을 정식으로 계획하기 전에 깨달아야 할 점이 하나 있는데, 그것은 여러분의 기막힌 아이디어가 어쩌면 이미 다른 사람의 기막힌 아이디어였었는지도 모른다는 사실이다.

문헌을 조사하는 이유는?

심리학은 비교적 짧은 역사를 가진 과학이지만 매년 5만편 이상의 심리학 논문들이 출판된다. 이 논문들 중 여러분이 하려고 하는 것과 정확히 같은 연구가 있지는 않겠지만 아주 유사한 연구가 있을 가능성은 있다. 여러분이 어떤 이유로 그 결과가 못 믿을 만하다고 생각하지 않는다면, 기존의 실험을 반복해 보는 것은 비생산적인 일일 것이다.

다른 연구자들이 유사한 문제를 어떻게 다루었는가를 발견하는 것 역시 도움이 된다. 아마도 그들은 여러분이 모르는 어떤 실험기법을 사용했을 것이다. 또한 여러분은 여러분이 다시 발견하자면 많은 시간이 낭비될 수많은 오류를 다른 연구자들이 이미 발견해 놓았다는 것을 알게 될 것이다.

과학은 고립된 작은 실험들을 행하는 과학자들이 임의로 수집해 놓은 사실의 집합체가 아니라 조직화 된 지식체계이다. 따라서 다른 사람들이 무슨 실험을 했는가를 알아야 하는 가장 중요한 이유는 여러분의 발견들이 기존의 과학적 지식체계에 부합되어야 한다는 점 때문이다. 실험을 완성시켰을 때 여러분은 "이것이 결과 산출 방법이다."라는 것뿐만 아니라 "이곳에 결과가 부합된다."라는 것 또한 말할 수 있어야 한다. 여러분의 연구가 어디에 부합되는지를 알기 위해서 여러분은 여러분 실험 이전의 지식체계가 어떠했는지를 알아야 한다. 이 장은 그 지식체계

내에 무엇이 있는지를 **문헌조사**(literature search)[1]를 통해서 발견해 내는 방법에 대해 논의하고 있다.

도서관에서 문헌을 찾을 때에 여러분이 발견한 것을 반드시 적어 두라. 유용할 것 같은 논문이나 서적을 발견할 때마다 요점을 공책에 적고 완전한 참고문헌을 기입하라. 저자명,[2] 논문명, 잡지나 책의 이름, 날짜, 권, 페이지 수, 책인 경우는 출판사명도 적어 놓으라. 나중에 만일 여러분이 실험보고서에서 그 논문을 참조하기로 한다면 이 모든 정보들이 필요할 것이다. 각 참고문헌에 대해서 색인 카드를 작성하는 것도 유용하다. 이후에도 말하겠지만, 자동화 된 탐색의 특징은 여러분이 찾는 참고문헌에 대한 도서목록의 기록을 쉽게 얻어 인쇄할 수 있다는 것이다. 아무튼 참고문헌들을 처음부터 여러분이 일목요연하게 잘 정리해 놓는다면 아무 데나 써 놓고 나중에 이를 찾기 위해 시간을 허비하는 일은 적어질 것이다.

1) 여러분이 대학의 문학(literature) 과목에서 이러한 유형의 문학(literature)을 배우지는 않겠지만, 과학자들은 전통적으로 이러한 과정을 문헌(literature)조사라고 불러 왔다.

2) 심리학의 초심자들은 때때로 실험심리학자들이 주제보다는 저자명을 사용하여 실험에 관해 얘기하는 것을 이상하게 생각한다. 만일 강사들이 "Carothers, Finch와 Finch(1972)의 발견이 Peterson, Bergman과 Brill (1971)의 발견과 일치한다."라고 말한다면 그들은 법률회사가 아니라 실험에 관해 이야기하고 있는 것이다.

아주 잘 쓰여진 논문들을 찾았다면 전체를 복사해서 보관해두는 게 좋다. 여러분이 논문을 쓸 때 그 논문들은 유용할 것이다.

문헌조사가 그리 어려운 작업은 아니지만 일일이 책장을 넘겨가며 해야 하는 일이므로 시간이 많이 소모되고[3] 그렇다고 특별히 영감을 주는 일도 아니다. 하지만 문헌을 아는 것은 절대적으로 필요한 일이다. 여러분이 생애의 역작을 발표하는 자리에서 누군가가 “여러분은 지난 해 같은 실험을 한 Klip과 Klap(2006)의 논문에 대해 물론 잘 알고 계시겠지요?”라는 질문을 받는 것보다 더 당황스러운 일은 없을 것이다.

정보의 출처와 그 적시성

여러분이 책이나 논문과 같은 심리학 문헌의 출처를 잘 모른다면 문헌조사 시 어디서부터 시작해야 할지 알 수 없을 것이다. 우선, 여러분은 어떠한 출처가 사용가능하며 각각의 출처가 얼마나 최근의 것인지에 대해서부터 더듬어 나가야 한다. 그러기 위해서 과학계에 보고된 전형적인 실험을 하나 살펴보자. 그림 6-1은 한 연구과제가 시작된 시간을 0으로 한 시간표에 이 과정을 요약해 놓은 것이다.[4] 연구자가 자료를 모은 후 그는 예비 결과를 지방기관에서 몇몇 친구들에게 발표할 수 있다. 사람들이 그 연구를 웃어넘기지 않는다면 그는 연차 학술대회 같은 전문 모임에 참가하여 연구 요약본을 읽을 수 있다.[5] 그 모임에서의 청중들은 조금 더 적대적이겠지만 그들이 약간의 지지를 해 준다면 그 연구자는 그 연구에 기반을

3) 가장 시간 소모적이고 화나는 일은 찢어지거나 잘려나간 참고문헌을 발견하는 일이다. 이런 일을 당하면 가장 헌신적인 평화주의자들조차도 그 무뢰한을 잡아다가 손가락을 묶어 교수형에 처하고 싶은 충동을 느끼게 된다.

4) 이 그림은 약간 오래된 연구에서 나온 것이다. 최근에는 출판계의 기술적인 발달로 인해 그림에서 나타나는 것과 같은 시간은 사실상 줄어든 것 같다. 이에 대한 최근의 연구는 없지만, 오늘날에도 사건의 순서에는 변함이 없고 도안은 여전히 출판과정을 아는 데 도움을 준다.

5) 여기가 교수들이 수업에 빠지면서 가는 곳이다. 그리고 여러분은 그들이 휴가로 놀러 갔다고 생각했을 것이다.

두어 원고를 작성하고 그것을 학술잡지에 제출하기로 결정할 수도 있다. 만일 그 논문이 받아들여진다면 그것은 9개월 내지 일년 뒤에 그 학술지에 나타나게 될 것이다. 학술잡지에 발표되고 나면 『Psychological Abstracts』는 그 논문의 초록을 출판할 것이다. 만일 그 논문이 중요하다면 그것은 나중에 *Annual Review*에 실릴 것이다. 그리고 아마도 『Psychological Bulletin』 같은 출판물에서 언급될 것이다. 마지막으로 몇년 뒤에는 어떤 교과서 저자가 그 연구를 공인된 지식체계의 일부로서 언급할지도 모른다.

그림 6-1은 과학적 의사전달 과정과 관계된 시간 경과(time lag)를 보여 주고 있다. 만일 여러분이 도서관을 이용한다면, 여러분은 실험 결과를 학술지 논문에서 처음 접하게 된다. 그 연구는 아마도 학술지에 발표되기 3년 전쯤에 시작되었을 것이기 때문에 여러분은 이 시점에서 이미 상당한 시간을 놓쳐버렸다. 이 시점에서 실험을 시작하여 똑같은 과정을 거친다고 한다면 다른 연구자는 여러분의 연구 결과가 학술지에 보고되기까지 3년 이상을 기다려야만 한다(심지어 미국 우편 수송도 이보다는 빠르다!). 그와 같은 지체 때문에 대부분의 연구(일곱 개 연구 중 여섯 개 이상)가 시작되는 계기는 학술 잡지 논문과 같은 공식적인 출처가 아니다 (Garvey & Griffith, 1971). 대부분의 아이디어는 모임에서의 발표, 토론 목록, 웹페이지와 같이 특정 분야에서 과학자들 간의 좀 더 비공식적인 의사전달로부터 비롯된다. 그러나 그와 같은 비공식적 대화를 위한 접촉을 가질 수 없는 새로운 연구자로서 여러분은 당분간 공식적인 출처에 만족해야 할 것이다. 만일 여러분이 특정 연구분야에서 계속해서 일한다면 여러분은 어떤 사람이 여러분의 분야에서 일하고 있는지를 알게 될 것이며 동료 연구자들과도 개인적으로 알게 될 것이다. 그때 여러분은 학술잡지나 앞으로 나올 새로운 연구자들보다도 앞서가게 될 것이다.

다음 절에서 우리는 공식적 출처들을 좀 더 상세히 살펴보고, 각각의 장단점들을 토의할 것이며 적절한 출처를 결정하는 법에 대해 논의할 것이다. 우선 책에서부터 시작해서 점점 더 최신의 출처들로 옮겨 가며 살펴보자.

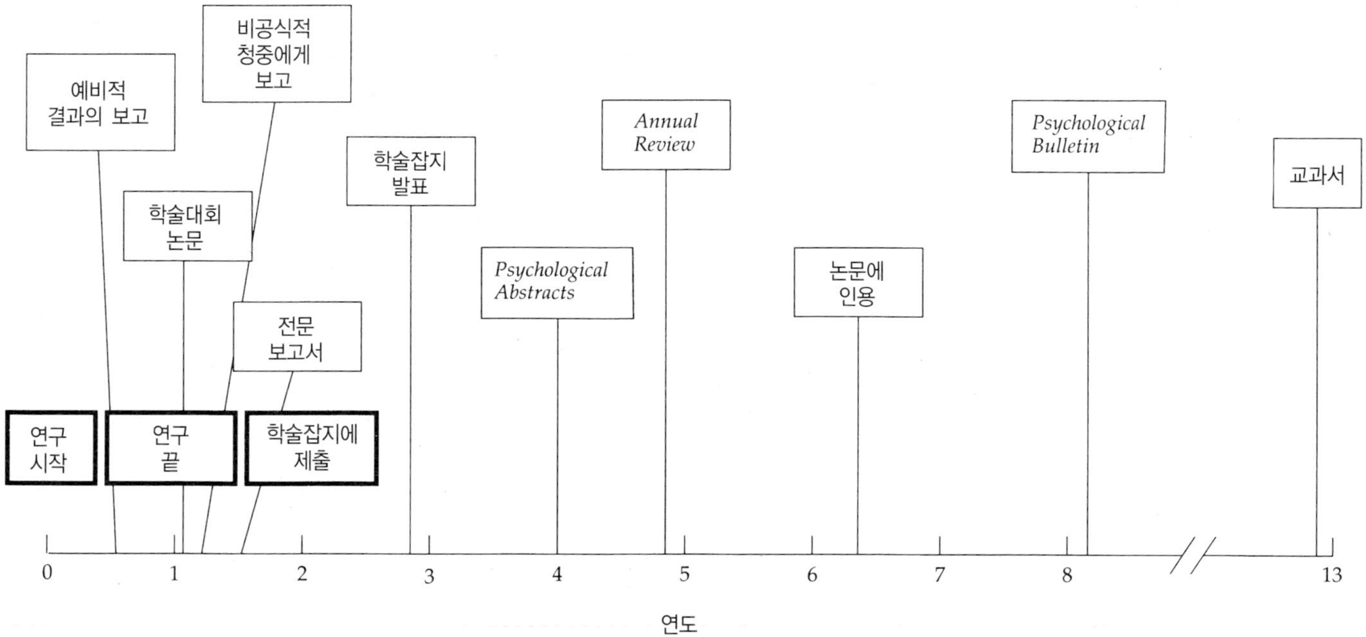

그림 6-1 연구의 착상으로부터 그것이 심리학적 문헌에 나타나기까지의 발표 역사. 굵은 선으로 된 박스는 연구의 시작과 종료 그리고 학술지 제출 시점을 표시한 것이고, 가는 선으로 된 박스와 연결선은 연구 시작 후에 여러 종류의 출처에 나오기까지 평균 연도수를 표시한 것이다. 『Scientific Communication: Its Role in the Conduct of Research and Creation of Knowledge』, W. D. Garvey와 B. C. Griffith의 『American Psychologist』, 1971, 26, 353에서 인용. 미국 심리학회에 의해 1971년에 복사됨. 허가에 의함.

공식적 출처

책

책은 수년 전에 시작된 연구만을 포함하기 때문에 여러분은 책이 얻을 수 있는 출처 중 최악의 것이라고 생각할는지도 모른다. 그러나 이러한 막대한 시간경과로 인해 책은 어떤 면에서 가장 좋은 출처가 된다. 연구가 완성된 시간과 그것이 한 권의 책에 보고되는 시간 사이에는 중요한 과정이 있다. 중요성과 질이라는 기준에서 연구가 선정되어서 그것이 책에 나타날 때쯤이면 그 연구는 다른 연구들과 통합되어 일관된 지식체계를 형성하는 것이다. 따라서 책에 담긴 연구의 가치는 저자가 그 연구를 중요하고 제대로 된 연구로 평가하면서 또한 그것이 계속 발전할 지식체계에 부합된다고 생각한다는 사실에 있다. 그 저자는 여러분의 일을 이미 많이 해 준 것이며 단지 시대에만 약간 뒤떨어졌을 뿐이다.

문헌조사를 시작하기에 좋은 곳은 여러분이 관심을 갖고 있는 일반적인 연구 주제들을 다루는, 최근에 출간된 책이다. 만일 저자가 성실히 썼다면 여러분은 심리학의 시초부터 그 교과서가 출판된 날부터 약 13년 전까지의 가장 중요한 연구를 망라한 출처를 가졌다고 확신할 수 있다. 이제 여러분의 작업은 훨씬 간편해졌다. 최근 13년 정도 사이에 무엇이 일어났는지에 대해서만 알아내면 되는 것이다.

이 접근의 한 가지 문제점은 저자가 선별적이어야 하므로 그 특정한 주제에 대한 모든 연구를 심리학의 처음부터 다룰 수 없었다는 점이다. 각 책의 저자는 어떤 이론적 또는 방법론적 접근으로 치우쳐 있으며 이러한 편견을 가진 채로 연구를 선택한다. 게다가 대부분의 책은 학술잡지 논문과 같이 동료개관(peer review)을 받지 못한다. 동료개관을 받았다는 것은 몇몇 저명한 연구자들이 어떤 글을 읽고 승인을 해 주었다는 것이다. 대부분의 주요 학술잡지에서 논문이 출판되기 위해서는 모든 논문이 동료개관을 받아야 하지만, 책을 출판할 때에는 그렇지 않은 경우가 있다. 따라서 저자의 학식과 편견을 믿을 수 있는지 확인하기 위해 출처가 되는 몇 가지 책들의 공통점을 발견하고 적어도 저자의 특별한 편견을 발견하려고 노력해야 한다.

도서관에서 책을 찾는 방법은 알고 있을 것이다. 만약 모른다면 대학 도서관의 사서들에게 물어보아라. 요즈음에는 대부분의 도서관에서 그 도서관에서 이용 가능한 책의 전자 카탈로그를 가지고 있다. 우선 저자의 이름을 치고, 서명이나 여러분의 관심 주제를 쳐넣어라. 그러면 컴퓨터 화면에 여러분이 원하는 모든 책이 나타날 것이다. 심지어는 다른 도서관에 있는 책을 찾기 위해 인터넷을 사용하는 경우도 있는데, 문제는 그 책들을 어떻게 빌리느냐 하는 것이다. 도서관 상호대출 제도가 도움이 되겠지만, 우선 원하는 출처를 모아 적어두는 것을 잊지 마라. 마지막으로 여러분은 이 장의 마지막에서 다룰 컴퓨터화 된 탐색 데이터베이스를 이용해 책을 찾을 수도 있을 것이다. 그러나 이 경우 찾아낸 책을 손쉽게 구할 수 없을지도 모른다.

도서관에 가기 전에 여러분이 관심을 갖고 있는 주제에 관한 심리학 개론서를 들여다보는 것이 좋다. 대부분의 기초서에는 약간의 읽을거리들이 있다. 여러분은 또한 그 분야에서 연구를 하고 있는 심리학과의 강사에게 이야기할 수도 있다. 그들은 아마도 기꺼이 여러분에게 참고도서들을 제공할 것이다. 마지막으로, 미국 심리학회는 최근에 여러분이 심리학에 필요한 문헌조사 기술을 배우는 데 도움을 줄 『Library Use: A Handbook for Psychology(Reed & Baxter, 2003)』라는 책을 출판하였다.

개관 논문 및 책

몇 가지 다른 출처들은 심리학의 특정 영역 내에서 연구들을 요약하고 정리하려는 시도를 하고 있다. 이러한 출처들은 교과서에 비해 좀 더 최근 것들을 다루며, 따라서 연구들에 대한 조망을 비교적 최근에 한 것들이다. 그러한 출처들 중의 하나가 APA에 의해 출간된 『Psychological Bulletin』이라는 학술 잡지이다. 이 잡지의 속 표지에는 『Psychological Bulletin』은 가치 있고 종합적인 문헌개관 논문들과 과학적 심리학의 본질적이고 방법론적인 주제들에 관한 해석을 싣는다."라고 언급되어 있다. 다음은 다양한 논문 제목들이다.

각성과 전도된 U 가정: Neiss의 각성의 재개념화에 대한 비판
결혼의 특성: 개관과 비판
수학계산에 있어서의 성차: 메타분석
알코올이 인간의 공격성에 미치는 영향: 상호작용 연구 개관
때늦은 지혜: 결과가 알려진 후 과거 사건에 대해 잘못 판단하기
철학과 심리학 간 인과관계에 대한 생각
우울증 치료를 위한 심리치료: 통제된 결과 연구의 개관
우울증 부모의 아이: 통합적인 개관
과학과 도덕: 과학에서 가치의 역할과 도덕현상의 과학연구

이러한 논문들이 다루고 있는 주제들은 일반적으로 교과서의 주제들보다 덜 광범위하다. 『Psychological Bulletin』의 논문은 최근 5~8년 사이의 연구를 다루며 심리학의 초창기부터 시작하기보다는 이전의 요약논문을 출발점으로 삼고 있어서 완전한 개관에는 미흡할 수도 있다. 그럼에도 불구하고 최근의 개관 논문은 많은 연구시간을 절약할 수 있게 해 준다. 그리고 개관 논문은 일반적으로 책보다 더 적시성이 있다.

개관 논문은 여러분이 계획하고 있는 것과 유사한 실험들에 대해 자세한 정보를 주지는 않을 것이다. 이 경우 논문 뒤에 인용된 원 출처들을 보면 어떤 참고문헌들이 중요하며 여러분의 실험이 과거 연구에 어떻게 부합되는지를 알 수 있다.

다른 연구 출처는 Annual Review사에서 출판한 『Annual Review of Psychology』이다. 이 책의 시리즈는 편집위원회의 결정에 따라 주제를 바꿔가면서 해마다 한 권씩 출판된다. 각 장은 해당 분야에서 인정받고 있는 전문가에 의해서 쓰여지는데 그 저자의 임무는 이전 시리즈에 그 주제가 포함된 이후로 행해진 연구들을 요약하고 종합함으로써 그 분야를 최신화 하는 것이다. 그 주제들은 『Psychological Bulletin』의 주제들보다 대체로 더 광범위하다.

성격
발달심리학
공간적 시각

그러나 몇몇 주제들은 좀 더 범위가 좁다.6)

소집단 치료기법
정신병리에 미치는 사회문화적 영향

최근 몇 년간은 편집된 책이 많이 나타났다. 그 중 몇몇 책들은 특정 분야의 심리학에서 가장 최근의 연구를 요약해 준다. 각각의 장은 더 좁은 연구분야에 대한 최근 개관을 제공해 주는 연구자들이 쓴 것이다. 이러한 장들은 개관논문들과 비슷하고, 만약 여러분이 여러분 연구에 적절한 장을 찾았다면 여러분은 책을 찾는 데 걸리는 시간을 줄이는 것이다. 특히 이러한 종류의 책은 좀 더 표준화 된 교과서보다 출판지연시간이 훨씬 짧다. 사실 그런 책들은 컴퓨터 출판으로 조판, 편집 등의 긴 과정이 상당히 줄어들었다. 이러한 경우 보고된 논문들은 단지 일 년이나 이 년이 된 것일 수도 있다. 그러나 이러한 책들도 학술잡지 논문이 받는 동료개관을 받은 것은 아니다.

학술잡지 논문

심리학 학술잡지들은 우리 과학의 뼈대를 형성한다. 학술잡지는 연구를 개관하는 제3의 인물이 아닌 그 연구를 직접 수행한 실험자들이 해석한 기초적 결과들을 제시하기 때문에 **일차적 출처**(primary sources)라고 불린다. 정말로 철저하게 문헌조사를 하기 위해서는 학술잡지 논문들을 이용해야 한다. 그것들은 공식적 정보출처 중 가장 최신의 것으로서, 실제 실험이 있은 지 약 3년 정도가 지난 것이다.

6) 여러분은 흥미로운 관계를 주목했는가? 주제가 광범위할수록 제목은 짧아진다.

이렇게 논문저자들이 그들의 작품을 기존의 지식체계에 통합시키려고 노력하고 있음에도 불구하고, 그들은 동시에 수행된 다른 연구에 관해 알 수 없기 때문에 그들의 노력은 단지 부분적으로만 성공적일 수밖에 없다. 그러므로 여러분은 연구가 질서 있는 지식체계를 형성하도록 하기 위해서 스스로 종합하려는 노력을 기울여야 한다.

우리는 심리학에 연관된 모든 학술잡지들을 여기에 다 나열할 수 없을 것이다. 개별적인 학술잡지들을 후원해 주는 많은 출판사들과 함께 많은 전문가 단체는 그 회원들을 위하여 학술잡지들을 발행한다. 그러나 여러분이 이용할 수 있는 학술잡지의 종류를 알려 주기 위해 다음에 일부 잡지의 제목을 소개한다.

American Journal of Psychology
Animal Learning & Behavior
Audiology
Behavioral and Brain Science
Behavioral Neuroscience
Cognition
Cognitive Psychology
Current Directions in Psychological Science
Developmental Psychology
Journal of Abnormal Psychology
Journal of Applied Psychology
Journal of Cognitive Neuroscience
Journal of Comparative Psychology
Journal of the Experimental Analysis of Behavior
Journal of Experimental Psychology: Animal Behavior Processes
Journal of Experimental Psychology: General
Journal of Experimental Psychology: Human Perception and Performance

Journal of Experimental Psychology: Learning, Memory and Cognition

Journal of Memory & Language

Journal of Personality and Social Psychology

Learning and Motivation

Memory & Cognition

Motivation and Emotion

Perception & Psychophysics

Perceptual and Motor Skills

Psychological Record

Psychological Report

Psychological Review

Psychological Science

Quarterly Journal of Experimental Psychology: Comparative and Physiological Psychology

Quarterly Journal of Experimental Psychology: Human Experimental Psychology

회보

일부 심리학 분야에서는 학회 보고서인 회보(proceedings)가 중요하게 취급된다. 예를 들어 인간요인 및 인간공학학회(Human Factors and Ergonomics Society)는 전자회보와 인쇄된 회보를 같이 발행하는데 여기엔 연차학술대회에서 발표된 논문들이 실려 있다. 회보에 실리는 글은 일반적인 학술잡지 논문보다 짧으며 전문가로 구성된 동료 심사위원들의 심사를 거치며, 해당 연구분야에 있어 중요한 자료로 간주된다. 분량의 제한과 학술잡지에 비해 덜 엄격한 동료 심사로 인해 회보에 실린 글은 학술잡지에 실린 논문보다는 덜 유용하다 여겨지기도 한다. 하지만 회보는 연구 결과를 과학적 문헌으로 적시에 제공할 수 있는 수단이 된다.

전문보고서

전문보고서(technical reports)는 심리학 문헌의 정보출처로서 종종 무시되어 왔지만 어떤 연구분야에서는 유익한 것일 수 있다. 연방정부가 연구를 지원할 때, 특히 방위청 연구에서, 연구자는 대체로 그것을 전문보고서의 형태로 보고해야 한다. 이 보고서는 학술잡지논문과 비슷하지만 절차와 장치에 관해 더욱 더 상세하게 묘사하며, 때로는 자료들까지 게재하기도 한다. 전문보고서는 그 정부기관에 의해 지원 정부기관으로부터 지원 받는 유사한 연구를 수행하는 다른 연구자들에게 자동적으로 배포된다.

열 명 중 한 명의 저자는 이 보고서들을 작성한다. 그리고 이들 보고서들 중의 3분의 1만이 나중에 학술잡지에 출간된다(Garvey & Griffith, 1971). 대부분의 도서관들은 일상적으로 전문 보고서들을 주문하지 않는다. 왜냐하면 그것은 재빨리 서가를 채우며, 도서관에서 그것들을 체계적으로 조직화 하고 분류하기가 어렵기 때문이다. 방위 기금이나 계약으로 일하는 연구원들은 모든 전문보고서의 초록을 실은 월간 발행물을 얻는다. 『Psychological Abstracts』 역시 이 보고서들 중 많은 것들을 싣는다. 유감스럽게도 종종 전문보고서들은 구하기가 어렵다. 그것들을 구입하려면 여러분은 Virginia주 Alexandria에 있는 방위서류 센터에 편지를 보내야 하며, 그 서류번호와 여러분이 원하는 보고서의 가격을 알고 있어야 한다.

어떤 연구분야에서는 전문보고서를 찾아보는 것이 시간낭비이다. 그러나 만일 여러분이 주요 정부기관으로부터 지원 받는 연구분야에서 일하고 있다면, 전문보고서는 정보의 중요한 근원이 된다. 정부지원연구의 몇 가지 예를 들면 자동차 운전자의 안전, 인사훈련 및 선발, 복잡한 기계의 작동자 제어 그리고 인간 의사결정 등이 있다.

전자 출판물

어떤 이는 동의하지 않을 수도 있지만, 나는 **전자 출판물**(electronic publishing)을 공식적인 출처로 분류하고자 한다. 전자 출판물의 범위는 연구자가 개인적으로 논문의 최종 초고를 웹페이지에 올리는 것부터 인쇄된 학술잡지 논문과 질적인 면에서도 떨어지지 않는, 심사과정을 거친 전자 논문을 게재하는 경우까지 다양하다. 그렇기에 때로는 그 질을 가늠하기가 쉽지 않다. 어떤 이들은 전자 출판물이 과학계에 우세해져서 결국에는 종이 출판물을 완전히 없애버릴 것이라고 예측하지만, 그러한 일은 아직 일어나지 않았다. 전자 출판물의 이익은 분명하다. 연구를 마치고 그 연구를 출판해내는 사이의 시간이 줄어들 수 있다. 사람들은 때때로 즉시 인터넷에서 논문을 얻어 그것을 출력하는 값만 치르고 복사본을 얻을 수 있다. 연구자는 논문에 연속되는 원고를 첨부할 수 있고 독자들로부터 그에 대한 의견을 받아 논문을 정정할 수 있다.

그러나 역시 문제가 있다. 누가 논문의 질을 보장할 것인가? 학술논문을 출판하는 교수 협회는 신중하게 편집자들을 선정하고, 그 편집자들은 제출된 연구 원고를 저명한 동료 평론가들에게 보낸다. 몇몇 경우에는 제출된 원고의 10에서 20퍼센트 정도만이 교정, 수정을 거쳐 출판된다. 그러나 인터넷에서는 누구나 홈페이지를 만들어 연구 논문을 게재할 수 있다. 두 번째 문제는 게재된 하나의 논문에 각각 다른 원고들이 있을 때이다. 어떠한 것이 마지막 판인가? 출판물, 특히 학술논문 저널은 과학의 구성단위가 되는데, 어떤 특별한 논문은 과학이라는 구조에 첨가되는 단독적인 단위가 되기도 한다는 것을 알아야 한다. 마지막으로 금전상의 문제가 있다. 교수 사회는 일반적으로 과학을 지키는 사람들이었다. 그들은 과학적 사업이 확대되는 데 필요한 하부구조를 제공해 왔으며, 이러한 하부구조에는 비용이 드는데 이 비용은 주로 도서관이나 개개 과학자가 지불하는 구독료로 마련되는 것이다. 만약 인터넷상의 논문들이 아무 비용 없이 출판된다면 과학적 하부구조를 제공하기 위한 돈은 어디서 마련될 것인가?

이것들은 단지 해결되어야 할 몇몇 문제들에 불과한 것이다. 그러한 이유로 다수의 저명한 학술잡지를 출판하는 미국 심리학회(APA)는 현재 인터넷에 공공연하게 게재된 원고들을 출판물로 인정하지 않겠다는 정책을 세운 바 있다. 만약 원고가 게재되면 그것은 벌써 출판된 것이다. 그렇기 때문에 다른 사람들에게 여러분 원고에 대한 의견을 묻기 위해 여러분 원고를 전자우편으로 보낼 수 없다는

문헌조사

것은 아니다. 그러나 만약 여러분이 표준화 된 과학 학술논문에 여러분의 연구를 출판하고 싶다면 이 정책을 명심해 두어야 한다.

여러분은 문헌조사를 할 때에도 이를 명심해 두어야 한다. 인터넷에서 중요한 논문을 찾을 때, 특히 유명한 연구자의 홈페이지에 게재된 논문이라면 읽고 여러분의 논문에 인용할 가치가 있을 것이다. 그러나 인터넷상에는 쓰레기 논문들도 많다. 따라서 비과학적 검색 엔진을 사용해서 논문을 찾았다면 일단 회의해 보아야 한다. 인터넷에서는 내용의 질을 의무적으로 통제하지 않기 때문에 여러분 스스로가 질을 통제해야 한다. 인터넷에서 찾은 정보를 인용할 때에는 반드시 누가 저자인지를 확인하고 인용되는 정보에 대해서 그 분야에 경험이 있는 사람들의 의견을 구해라.

공식적 문헌 찾기

이 시점에서 여러분은 이렇게 방대한 양의 책과 학술논문들 중에 무언가를 찾는 게 불가능한 것이 아닐까 하여 망설일지도 모른다. 여러분을 탓하지는 않겠다. 여러분은 남은 생애를 도서관에 앉아 출판물이 나올 때마다 찾아볼 수도 있지만 여전히 뒤떨어져 있을 것이다. 다행히도 미국 심리학협회가 여러분을 구해줄 수 있다. 미국 심리학협회의 분과인 *PsycINFO*는 연구자들이 필요로 하는 문헌의 소재를 밝혀주는 상품을 만드는 곳이다. 1927년부터 미국심리학회는 참고문헌과 논문의 초록을 담고 있는 『Psychological Abstracts』를 출판했다. 최근까지도 문헌조사를 하려는 학생들은 도서관에 가서 *Psychological Abstracts*를 여러 권 쌓아 놓고 핵심용어나 저자 이름을 이용하여 자신의 주제와 관련된 논문을 찾아내곤 했는데 그것은 지루하지만 필요한 업무였다.

오늘날에는 전자통신의 사용으로 이러한 업무들이 상당히 단순화되었다. APA는 *Abstracts*뿐만 아니라 *PsycINFO*라는 전자 데이터베이스와 CD-ROM에 저장된 *PsycLIT*라는 유사한 데이터베이스를 만들어냈다. 많은 대형 도서관에서는 *PsycINFO*에 대한 사이트 임대계약서를 구입해서 도서관 단말기나 외부 단말기로도 *PsycINFO*를 이용 가능하게 한다. 예를 들어 내가 다니는 대학에서는 학생들과 교수들은 기숙사 방이나 사무실에서 개인 컴퓨터로 문헌조사를 할 수 있다. 그 데이터베이스는 1887년부터 지금까지 심리학 문헌에 대한 참고도서를 150만 개 이상 보유하고 있는데, 매달 5,500개의 새로운 참고문헌들이 거기에 더해진다. 학위논문과 논문, 보고서, 책의 장 그리고 학구적인 문서들도 포함된다.

그림 6-2는 데이터베이스에서 나온 한 등록물(entry)의 예를 보여 준다. 세 가지 기본 요소는 도서분류 인용표, 요약, 표준화 된 주제 색인이다. 도서분류 인용표에는 제목, 저자, 출처가 들어가야 한다. 만약 여러분이 쓰는 논문에 다른 논문의 내용을 참고로 했다면 이 정보들을 참고문헌에 기입해야 한다. 요약은 주로 초록에 해당하며, 학술잡지논문에서는 저자가 쓰는 부분이다. 요약은 연구를 평가하는 것이 아니라 단지 기술하는 것이다. 표준화 된 주제 색인은 핵심어구나 핵심단어를 사용해 이루어진다. 이러한 등록물을 통해 얻을 수 있는 것은 그 연구에 대한 간략한 서술 내용뿐이다. 즉, 등록물을 통해 어떤 논문이 자신의 관심분야인지 아닌지에 대해서는 알 수 있지만 그것이 원래의 문헌을 읽는 것을 대체해 주지는 않는다. 원 문헌을 읽기 위해서는 도서관에서 논문이나 책 혹은 책의 장을 찾아야 한다. 대부분의 큰 도서관은 표준화 된 학위논문 모음을 가지고 있다. 요즈음에는

접근번호: 1997-05223-007

문서유형: 학술잡지논문

제목: 가용성 발견법: 명성과 성이 남성과 여성 이름의 빈도 추정에 미치는 영향

저자: McKelvie,-Stuart-J.

출처: Journal-of-Social-Psychology. 1997 Feb; Vol 137(1): 63-78

ISSN: 0022-4545

출판년도: 1997

초록: 두 실험에서, 캐나다인 대학생들은 13명의 남자 이름과 13명의 여자 이름 목록을 들었다. 그 후 그들은 몇 명의 남자와 여자 이름이 있었는지에 대해 추정하였다. 남자 실험 참가자와 여자 실험 참가자는 모두 비슷한 추정을 하였는데, 이는 자신의 성에 대해 더 편견을 가질 것이라는 가설과 반대되는 것이었다. 실험 2에서는 유명한 남자의 이름과 유명하지 않은 여자의 이름 혹은 그 반대의 경우의 목록을 사용하였다. 결과는 A. Tversky와 D. Kahneman(1973)이 밝힌 명성의 가용성 효과를 지지했다.

핵심어구: 이름의 명성과 성, 남성과 여성 이름의 추정된 빈도, 대학생, 캐나다, 명성 가용성 발견법의 검증

주 핵심단어: *추정-; *명성-; *인간-성-차이; *이름-

부 핵심단어: 성인가-

그림 6-2 다양한 자료 영역을 보여 주는 PsycINFO의 전형적인 등록물

인터넷에서 유료로 논문의 전문을 보내주기도 한다. 어떤 도서관은 PsycARTICLES를 구독하기도 한다. 이 서비스를 통해 미국 심리학회에서 발행하는 학술잡지의 전문을 볼 수 있으며 최근에는 미국 심리학회에서 발행하는 24개의 학술잡지 과월호가 1894년 것까지 등록되었다.

여러분의 연구 주제와 관련된 등록물을 어떻게 찾을 것인가? 몇 가지 방법이 있다. 만약 여러분이 관심 있는 연구 주제에 대한 아이디어를 가지고 있다면 핵심어구나 핵심단어를 이용하여 탐색할 수 있다. 그러한 방식으로 그림 6-2에 있는 등록물을 찾았다. 나는 가용성 발견법(availability heuristic)이 핵발전소에 대한 사람들의 지지도에 어떻게 영향을 줄 것인가에 대해 연구를 하려고 하였다. 가용성 발견법이란 우리의 의견이 그 의견과 관련된 사례가 얼마나 마음속에 잘 떠오르는지에 따라 영향을 받을 수 있다는 것이다. 예를 들어 나는 상어의 공격에 대한 기

억을 더 많이 가지고 있으므로 사람들이 벌에 쏘여 죽는 것보다 상어로 인해 더 자주 죽는다는 의견을 가질 수 있다. 사실 벌에 쏘여 죽는 빈도가 더 높다. 우리의 실험에서 우리는 사람들에게 핵발전소의 장점이나 단점을 생각하라고 요구한 후 핵연료에 대한 지지도를 평가하였다. 단지 장점이나 단점을 회상해내는 것만으로도 장점이나 단점을 좀 더 이용 가능하게 해서 지지율을 편향되게 할 것이라고 예측하였다. 이 경우에 나는 가용성 발견법과 관련된 참고문헌을 조사하는 데 관심이 있었으므로, 가용성 발견법으로 탐색을 한 것이다.

다시 돌아가서, 탐색의 결과로 50개의 문서가 발견되었다는 메시지를 본 후, 그림 6-2에 나타난 것과 같은 등록물을 훑어보기 시작했다. 나는 이 등록물의 제목과 초록을 보고 내가 관심 있는 주제와는 거리가 있다고 판단하여 전체 논문을 읽을 필요가 없음을 느꼈다. 탐색으로 이 논문을 찾게 된 것은 이 논문의 제목과 핵심어구 모두에 가용성 발견법이라는 용어가 있었기 때문이다. 그 용어가 등록물의 다른 항목에도 나타날 수 있는데, 그러면 그런 등록물들도 선택되었을 것이다. 탐색 분야를 지정하면 탐색을 할 수 있다. 굵게 쓰여진 각각의 단어는 각각의 탐색 분야를 나타낸다. 따라서, 가령 **핵심어구분야**만 탐색을 할 수도 있다. 11개의 탐색분야가 그림 6-2에 나타나지만, 사실 89개의 가능한 탐색분야가 있다.[7] 이러한 방식으로 여러분은 학술논문이나 영어 참고문헌, 성인 참가자 등에 탐색을 제한할 수 있다. 그럼으로써 그렇게 많은 등록물을 탐색할 필요가 없는 것이다.

탐색을 위한 정확한 절차는 너무 세부적이고 자주 바뀌기 때문에 여기서 모든 것을 다룰 수는 없다. 여러분은 그러한 절차를 도서관 사서, 책자, 심지어 APA(www.apa.org/psycinfo/)의 온라인상으로부터 배울 수 있다. 하지만 여러분이 탐색을 위해 밟아야 할 절차를 일반적으로 기술하면 다음과 같다. 첫째, 탐색 질문에 대해 써보아라. 가령 "사람들은 컴퓨터 이용에 대한 불안감이 있는가"에 대해 알고 싶다면, 그러한 질문으로부터 **컴퓨터**나 **불안감**과 같은 각각의 개념을 파악할 수 있다. 그 다음으로 PsycINFO나 PsycLIT에서 이용가능한 **시소러스**

7) http://www.apa.org/psycinfo/에 가면 이 분야에 대해 좀 더 배울 수 있다. 또한 전자 탐색의 수행에 대한 좀 더 자세한 설명도 볼 수 있다.

(thesaurus)*[1]를 사용해 적절한 핵심단어들을 찾는다. 시소러스를 이용하면 여러분의 목적에 맞추어 탐색을 하기에 필요한 만큼 용어를 확장시키거나 좁힐 수 있을 것이다. 각각의 용어에 그러한 과정을 거쳐야 한다. 가령 불안감은 공포(fear)나 공포증(phobia)을 포함해야 한다. 이제 AND, OR, NOT을 이용해야 하는데, 이 단어들은 매우 특정한 의미를 가지고 있으므로 사용에 주의를 기울여야 한다. AND는 등록물에 모든 개념(예를 들어 컴퓨터와 불안감 둘 다)이 포함되어야 한다는 점에서 제한적인 탐색이고, OR으로는 더 넓은 탐색을 할 수 있으며, NOT은 특정 핵심단어를 가진 등록물을 배제시키려 할 때 사용된다.

탐색이 완료되면 화면에는 얼마나 많은 등록물들이 탐색되었는지 나타날 것이다. 소수의 등록물들만이 있거나 탐색된 등록물이 없다고 해도 그 분야에 대해 연구된 것이 적다고 섣불리 단정하지 말아야 한다. 몇 가지 방법으로 여러분의 탐색방법이 적절했는지 확인할 수 있다. 탐색 결과로 나온 등록물들 중 이용가능한 참고문헌들이 있다면 등록물에 열거된 핵심단어들을 살펴보고, 적절한 단어가 있다면 첨가시켜라. 다양한 방법으로 핵심단어를 연결시켜 본다면 그에 따라 각각 어떠한 등록물을 찾을 수 있는지 알 수 있다. 탐색 결과 나타난 등록물들이 너무 많다면 NOT을 이용하거나 핵심단어들을 다른 방식으로 결합시켜 관심 연구분야가 아닌 등록물들을 제거하여라.

전자 데이터베이스를 탐색하는 또 다른 방법은 핵심단어 대신 저자를 이용하는 것이다. 아마도 여러분은 여러분의 관심분야에서 규칙적으로 출판물을 내는 저자나 저자들을 알거나 탐색 중에 그러한 저자를 알게 될 것이다. 그러한 저자가 출판한 다른 것들을 보기 위해 저자 이름을 데이터베이스의 저자란에 기입할 수 있다. 가령 내가 발견법의 가용성에 대한 탐색을 하는 도중, 그 용어를 처음 사용했던 Daniel Kahneman과 Amos Tversky가 그 주제에 대한 다른 논문, 장, 책들을 출판했다는 것을 알게 되었다. 그래서 나는 그들의 이름을 이용하여 적절한 문헌뿐 아니라 부적절한 문헌들도 찾을 수 있었다. 머릿글자를 사용하거나 사용하지

*[1] (역자 주) 컴퓨터에 저장된 정보의 색인.

않는 모든 이름의 변형을 이용해야 하는데, 왜냐하면 이름이 다양한 방식으로 열거될 수 있기 때문이다.

다양한 탐색으로 적당한 등록물 목록을 찾았다면 가장 적절한 등록물을 선택하고 표시를 해 두어 등록물들을 분류하는 것이 필요하다. 여러분은 자신이 표시해둔 모든 등록물들을 인쇄하거나 다운받거나 전자우편을 통해 그 등록물들을 자신에게 보낼 수 있을 것이다. 이 목록으로 자신이 전문을 읽기 원하는 원래의 논문, 책, 장에 대한 정보를 얻을 수 있으며 이후 자신의 논문에서 참고문헌을 쓸 때 그 목록에서 도서목록의 등록물들을 선택할 수 있을 것이다.

PsycINFO가 심리학 분야에서 가장 널리 쓰이기 때문에 세세하게 다루었다. 하지만 심리학자에게 도움이 되는 과학 문헌 데이터베이스는 그 외에도 많이 있다. 내가 있는 학교의 도서관은 심리학 항목하에 22개의 데이터베이스를 가지고 있다. 예를 들어 임상/의학 측면의 심리학에 특화된 것으로 MEDLINE을 이용하면 좋다. MEDLINE 이용법은 PsycINFO와 유사하다.

심리학자들이 연구하는 흔한 정신질환 중 하나인 양극성 장애(bipolar disorder)에 관심이 있다면 검색(find)이라 쓰인 줄에 양극성(bipolar)이라고 입력한다. 그리고 특정 단어를 제목, 학술잡지 이름, 저자이름 등에 포함하여 검색할 것인지, 얼마나 많은 연도를 포함할지, 어떻게 검색결과를 정렬할지, 서지정보와 초록만을 원하거나 전문을 원하는지를 설정할 수 있다.

내가 양극성(bipolar)이란 단어를 입력하고 1995년부터 2002년 사이의 결과만을 검색했을 때 250개의 결과가 나왔다. 효율적인 검색을 위해 핵심어를 더하여 검색을 더 좁힐 수 있다. 양극성 장애로 진단 받은 사람들의 자살에 관심이 있다면 양극성 & 자살(bipolar & suicide)을 검색창에 입력할 수 있다. 이렇게 검색어를 바꾸니 맨 처음 검색에서 나온 250개의 결과에 비해 좀 더 다루기 수월한 15개의 결과가 나왔다.

도서관에 직접 방문하거나 온라인상으로 직접 이용 가능한 데이터 베이스를 검색해보기를 권한다. PsycINFO 외에도 특히 관심 분야가 맞는다면 검색을 넓혀 줄 데이터베이스를 찾을 수 있을 것이다.

참고문헌에서 가지치며 문헌 거꾸로 찾아가기

PsycINFO를 이용한 만큼 완벽하지는 않은 다른 문헌조사 방법이 있다. 그러나 그것은 여러분이 이전의 조사에서 핵심이 되는 연구를 놓쳤는지를 결정하는 데 훌륭한 방법이다. 나는 이 기법을 참고문헌에서 가지치며 문헌 거꾸로 찾아가기(treeing backward through references)라고 부르기로 하겠다. 첫째로 해야 할 일은 관심이 되는 주제를 다루고 있는 가장 최근의 논문을 발견하는 일이다. 이 논문은 여러분의 연구 나무에서 "기둥"이 된다. 논문의 뒷부분에 있는 참고문헌을 찾아라. 이 참고문헌들 중 많은 것들이 여러분의 주제에도 적합한 것이어야 할 것이다(바라건대, 그것들 중의 대부분이 이미 여러분의 목록에 있기를 바란다). 이 각각의 논문들 역시 여러분이 선택할 수 있는 참고문헌 목록을 똑같은 방식으로 가지고 있을 것이다. 나무에 새로운 가지가 되는 모든 중요한 논문들을 다 찾아낼 때까지 문헌들을 거꾸로 조사해서 각 참고문헌 목록을 찾아라. 이 방법은 도움이 될 수 있다. 그러나 오로지 이 방법에만 매달리지는 말라. 왜냐하면 모든 저자가 중요한 참고문헌들을 찾는 학문적인 작업을 해놓았기를 항상 기대할 수는 없기 때문이다.

참고문헌에서 가지치며 문헌 찾아가기

참고문헌에서 가지치며 문헌 앞으로 찾아가기

완벽한 문헌조사를 위해서 여러분은 거꾸로뿐 아니라 앞으로도 참고문헌을 찾아갈 수 있다. 예를 들어, 여러분이 몇 년 지난 핵심논문을 발견하고서 그 논문을 참고로 한 좀 더 최근의 논문을 찾고 싶다면 여러분은 **사회과학 인용색인**(Social Science Citation Index, SSCI)을 이용할 수 있다. SSCI는 계간으로 발행되며 과학정보기구(Institute of Scientific Information)에 의해 매년 집적된다. 그것은 실제로 모든 사회과학 분야에서 온 거의 1,400개의 잡지들을 포함한다.

스스로를 재활용(recycle)하는 법

SSCI는 현재 전자 형식과 종이형식 둘 다를 갖추고 있다. 두 경우 모두 핵심 논문을 사용할 수 있고, 핵심 논문이 인용된 날짜부터 출판된 모든 논문들을 찾을 수 있다. 만약 종이 형식의 탐색을 한다면, 핵심 논문이 출간된 이래 출판된 모든 계간 호들을 살펴보아야 할 것이다. 각 호들에서 핵심 논문들이 나열된 후 그것을 인용한 다른 논문들이 나열된다. 만약 전자 형식의 탐색을 한다면, 여러분은 동시에 모든 해를 탐색할 수 있고, 다른 전자 데이터베이스를 이용하여 여러분이 관심있는 인용들을 표시하여 인쇄할 수 있다. 전자 데이터베이스는 또한 여러분의 탐색이 논문의 주제나 위치에 근거할 수 있게 한다.

원래의 논문을 인용한 각 논문들을 발견한 뒤 이 새로운 논문들 각각의 참고문헌을 사용하여 다시 거꾸로 찾아 올라가는 식의 순환적 방법을 사용할 수 있다. 새로이 얻어진 이 참고문헌들의 일부를 참고하고, 그들을 핵심논문으로 사용하여 다시 앞으로 나아갈 수 있다. 이 과정은 모든 중요한 논문들을 다 망라했다고 느낄 때까지 계속될 수 있다.

별쇄본 요청

과학자들의 호의로 여러분은 몇몇 학술논문을 무료로 얻을 수 있을 것이다. 저자들이 논문을 출판했을 때 그들은 잡지사측에 그 논문의 별쇄본(reprint)을 대개 100부 정도씩 주문한다. 이 복사물들이 남아 있는 한, 여러분이 상냥하게 요구하기만 한다면 저자는 당신에게도 한 부 보내 줄 것이다. 보통은 "_____잡지에 실린 _____라는 제목을 가진 귀하의 논문 별쇄본을 받게 된다면 대단히 감사하겠습니다."라고 쓴 우편엽서를 한 장 보내는 식으로 한다. 엽서를 보내는 것 말고도 전자우편을 보낼 수 있다. 만약 저자가 어디에서 연구를 수행하고 있는지 안다면 아마 여러분은 그 저자의 전자우편 주소를 알 수 있을 것이다. 저자가 교수기관의 일원이라면 검색엔진으로 대학 목록을 탐색하여 그 교수기관이 소속된 대학의 웹페이지에 가서 심리학과의 웹페이지나 대학 인명부를 보면 찾고자 하는 저자의 전자우편 주소를 찾을 수 있을 것이다. 여러분이 그 연구분야에 대해 전반적인 관심을 가지고 있다면, 여러분이 그 저자와 서신을 교환하고 있는 동안 같은 주제를 다루고 있는 다른 논문들을 요청할 수도 있을 것이다. 여러분의 주소를 써넣는 것을 잊지 말라. 저자는 직업적 예의로써 여러분에게 별쇄본 한 부를 보낼 것이다. 이러한 **별쇄본 요청서신**(reprint requests)을 보내는 것을 거북하게 생각하지 말라. 특정한 분야의 연구를 잘 알고자 하지만 그들 소유의 잡지를 구입할 만한 재원이 없는 많은 신참 연구자들이 별쇄본 요청서신을 보내고, 대부분의 저자들은 이러한 요청을 귀찮게 여기기보다는 예상외로 기분좋게 생각하기도 한다.

현행연구

스미소니언 과학정보교류(Smithsonian Science Information Exchange)는 현행연구 동향을 발견하는 방법을 제공한다. 그들이 현재 가지고 있는 서류철에는 행동과학 전 분야에서 14,000개 이상의 연구계획에 대한 기록이 포함되어 있다. 이 모든 연구계획들은 국립 과학재단과 같은 기금 지원기구에 의해 지원되고 있다. 수행중인 작업은 각각의 목록에 200자 정도로 기술되어 있다. 여러분은 "불면증" 또는 "알코올 중독자의 행동치료" 등과 같은 일반적인 주제를 포함하는 목록의 패키지를 주문할 수 있다. 목록의 수에 따라 주문비가 요구된다. 이 시스템의 단점은 비용이 든다는 점과 기금이 주어진 연구만이 실려 있다는 점이다. 그러나 그것은 진행중인 연구를 찾아내는 몇 안 되는 수단들 가운데 하나이다.

비공식적 출처

전문가 모임

앞에서 언급했듯이, 특정 분야에서 완벽하게 앞서가려면, 의사교환의 비공식적 출처에 친숙해져야 한다. 잡지가 출간되기 15개월 내지 18개월 정도 전에 많은 연구자들은 전문가 모임에서 논문을 읽어줌으로써 그들의 연구를 발표한다. 사실상, 주요 심리학 학술잡지에 발행되는 논문들 중 5분의 1 가량이 미국심리학회(APA) 연차총회에서 이미 발표되었던 자료에 근거한 것이다(Garvey & Griffith, 1971). 미국 심리학회는 하나의 전국회의와 여섯 개의 지역회의를 후원한다. 더욱이 미국 심리학회가 아닌 많은 다른 전문가 집단들, 예를 들어 Psychonomic Society, Psychometric Society, Human Factors Society 등도 회의를 후원하고 있다.

물론 여러분은 여러분 분야의 모든 모임에 일일이 다 참가할 수는 없다. 따라서 그 모임들 중 일부는 회보라고 불리는 제본된 책으로 논문들을 출간하며 그것들은 대부분의 도서관에서 볼 수 있다. 또한 모임 직전에 이들 조직의 회원들은 회의 전에 프로그램을 받게 된다. 이들 조직의 회원이 여러분 학교 심리학과의 교수로 있다면 회의 전에 프로그램을 얻을 수도 있을 것이다. 이들 논문들 중 하나가 여러분의 관심을 끈다면 그 저자에게 별쇄본 요청서신을 보내라. 어쨌든, 듣기만 하는 것보다 읽어보면 그 논문을 더 잘 이해하게 될 것이다.

회의에 참석하는 진짜 이유는 서로 만나 즐거운 가외 시간을 갖는 것을 제외하면,[8] 여러분의 관심분야에서 현재 작업하고 있는 다른 연구자들과 이야기해 보는 데에 있다. 그들이 얼마나 자신의 입장을 방어할 수 있느냐에 따라서 여러분은

8) 즐기기!

가까운 장래에 그들이 무엇을 하려고 계획할 것인지를 알아낼 수조차 있을는지도 모른다. 이러한 방식으로 여러분은 그림 6-1에 있는 "연구시작"과 "회의 발표" 간의 정보의 틈을 메울 수 있을 것이다.

한편, 만일 여러분이 이 논의들 중 하나로부터 무엇인가를 배워서 여러분의 논문에 인용하고 싶다면, 잊지 말고 그것을 기록하고, 그 날짜도 기입해두라. 그리고 그 사람으로부터 그것을 사용해도 좋다는 허가를 얻으라. 그러면 여러분은 그 출처를 논문에 '개인적 의사교환(personal communication)'으로 인용할 수 있다.

연구 모임

일단 여러분의 특정 관심분야에서 연구하는 사람에 대해 알게 된다면 여러분은 아마 그들이 서로 정보를 얻기 위해 비공식적 수단을 사용한다는 것을 알게 될 것이다. 몇몇 경우에는 상호간에 논문의 사전 인쇄본이 나오자마자 혹은 원고 형식일 때 그것을 교환하는 연구모임(research groups)이 있다. 오늘날에는 인터넷이 이러한 모임의 구성원들의 상호작용 방법을 제공한다. 어떤 경우에는 모임의 목적이 논문을 분배하는 것이고, 또 다른 경우에는 모임 구성원들이 대화방을 통해 연구 관련 토론을 하는 것이다. 때때로 그러한 모임에는 관심을 가진 누구나 토론에 참여할 수 있지만, 또 다른 모임은 매우 제한적이어서 참여를 위해서는 초대 받아야 한다. 일단 여러분이 특정 연구분야에 흥미를 가지게 되었다면 그러한 모임을 주시해라. 그 모임들은 최근 연구정보를 갖출 수 있는 가치 있는 방법을 제공한다.

교수

문헌조사를 할 때 여러분 주위의 심리학과 교수들(faculty members)이 주는 비공식적 도움을 간과하지 말라. 학생들은 종종 교수님들이 도와주기에는 너무 바쁘다거나 교수님에게 도움을 요청하는 것이 부정행위라는 생각 때문에 교수님들과의 접촉을 꺼린다. 그러나 대부분의 교수님들은 질문받는 것을 중요하게 생각한다. 이

러한 종류의 도움은 강의실에서의 강의와 마찬가지의 가르침이다. 그리고 실제 연구자들은 과학 연구 수행에 도움이 되는 어떤 출처라도 사용한다. 과학은 전체 구성원들이 이룬 노력의 결과로 그 목적은 지식의 몸체를 창조하는 것이지 연구자들 간, 혹은 교수와 학생간의 분쟁이 아니다. 그러니 한번 시도해 보라! 여러분은 교수님들이 얼마나 이런 일을 기꺼이 도와주고 싶어하는지 그리고 그들이 얼마나 많이 알고 있는지에 대해 놀랄지도 모른다.

명문화 된 과학의 기록은 공식적 출처에 담겨 있지만 비공식적 출처 역시 과학을 위한 활력소를 제공한다. 그것은 어리숙하지만 독창적인 것들을 이야기하는 공개토론장이 된다. 비공식적인 입장에 있는 여러분의 동료들은 조용히 웃으면서 어디가 틀렸는지를 여러분에게 이야기해 준다. 그러나 공식적 입장의 동료들은 큰 소리로 깔깔대면서 세상에 대고 여러분이 틀린 점을 떠들어댄다. 공식적 출처들만으로는 우리 중 거의 아무도 과학을 급속하게 도약시키려는 용기를 낼 수 없었을 것이다. 그리고 우리는 보수적인 조그마한 진전만을 고수했을 것이다. 비공식적 접촉에서 얻는 격려나 우정어린 비판은 공식적 문헌에 적합한 형태로 우리의 생각을 정리하는 데 중요하다.

나는 문헌조사에 관한 이 논의를 가능한 한 완벽하게 만들려고 노력했다. 그러한 과정에서 나는 내가 그 과정이 실제로 그런 것보다 더 복잡하게 들리도록 하지는 않았기를 바란다. 많은 신참 연구자들은 문헌조사가 어떤 신비한 힘이나 다년 간의 경험을 요구하는 것이라고 믿고 있다. 그러나 만일 여러분이 이 장에서 대충 설명된 간단한 단계를 따른다면, 문헌조사를 하는 것이 간단하면서도 만족스러운 일이라는 것을 알게 될 것이다.

요약

문헌조사(literature search)는 여러분의 실험 아이디어가 이미 연구되었는지를 발견하기 위해, 유사한 실험들이 이루어졌는지를 결정하기 위해 그리고 여러분의 실험이 현재의 지식체계에 들어맞는지를 알아보기 위해 필요하다. 이러한 탐색을 효율적으로 하기 위해 여러분은 과학계 내에서의 의사교환 과정과 다양한 정보의 근원들과 연관되어 있는 시간적 지체를 이해해야 한다. 여러분의 관심분야에 적절한 책을 찾는 것으로부터 탐색을 시작하는 것이 대체로 가장 효율적이다. 책은 심리학의 초창기부터 현행연구로부터 약 13년 전까지의 연구를 기술하고 있다. 그러고 나서 여러분은 현행연구로부터 5~8년 이내로 가기 위해 개관 논문을 사용할 수 있다. 학술잡지 논문은 문헌조사의 뼈대가 된다. 학회회보와 전문보고서들은 특히 응용분야에서 중요한 정보의 근원이 된다. 여러분은 *PsycINFO*로부터 얻은 주제색인과 저자색인을 통해서 적절한 논문들을 추적해 나갈 수 있다. 여러분은 최초의 잡지논문의 참고문헌에서 가지치며 문헌을 거꾸로 찾아가기에 의해 두 번 검토할 수 있다. *Social Science Citation Index*(SSCI)는 어떤 논문들이 이전의 특정 논문을 인용했는가를 결정함으로써 여러분으로 하여금 참고문헌에서 가지치며 문헌을 앞으로 찾아나가게 해 준다. 이러한 공식적 탐색들 중 많은 것들이 컴퓨터 제어 자동체계를 사용하여 수행될 수 있다. 전문가 모임에서 읽힌 논문, 개인적 의사교환, 사전 인쇄본들 그리고 심지어는 교수님과 같은 비공식적 출처들은 현재 및 미래의 연구에 관해 배우는 귀중한 방법이다.

7

조작하고 측정할 변인을 결정하는 법

어떤 개념이 기반으로 하고 있는 조작의 범위를 넘어서면 그 개념은 아무런 의미가 없다고 우리는 믿는다.

— *W. R. Gamer, H. W. Hake, & C. W. Eriksen (1956)*

우리는 제1장에서 연구의 여러 유형에 대해서 배웠고, 제2장에서는 일반적인 실험 모형에 대해 논의했고, 제3장에서는 어떻게 실험에 관한 아이디어를 얻는가에 관해 논의했으며, 제4장과 제5장에서는 윤리적인 문제들을 고려해 보았다. 제6장에서 여러분들은 문헌조사에 대해 알고 싶은 것보다 더 많은 것들에 관해 배웠을 것이다. 드디어 실험심리학자들이라면 당연히 하게 될 실험에 관해 알아볼 시간이다.

이 장에서 우리는 가장 간단한 실험에서 가장 복잡한 실험에 이르기까지 어떠한 심리학 실험을 하더라도 계획해야 되는 두 가지 사항, 즉 독립변인과 종속변인의 선정에 관해 알아볼 것이다.

독립변인의 선택

제2장에서 독립변인은 실험자가 조작하는 것이라고 하였다. 어떤 실험이든 실험의 목적은 독립변인이 참가자의 행동에 영향을 미치는지를 알아보는 것이므로 독립변인을 선택하는 것이 연구자가 내려야 할 가장 중요한 결정이다. 언뜻 보기에 독립변인을 결정하는 것은 직접적(straightforward)인 것처럼 보이며, 또 어떤 실험에서는 실제 그렇다. 예를 들어 만일 경고 신호로 소리가 주어졌을 때 사람들이 불빛에 더 빨리 반응하여 단추를 누르는지를 알고자 한다면 이 실험의 독립변인은 비교적 분명한 편이다. 즉, 소리의 있고 없음이 독립변인이 된다. 그러나 만일 폭력 또는 비폭력적인 텔레비전 프로그램 중 어느 것에 노출된 아동들이 더 공격적이 되는가를 알아내고 싶다면 그 독립변인(폭력성)은 정의하기가 다소 곤란할 것이다. 무엇이 텔레비전의 폭력성을 구성하는가? '일요일 밤의 축구경기 중계 방송'은 폭력적인가? 로드러너 만화영화는 폭력적인가? 랩 비디오는 폭력적인가? 폭력적인 텔레비전 프로그램에 대한 특정 정의에 대해 모든 사람들이 다 동의하지는 않을 것이다.

독립변인의 정의

여기서 제기되는 문제는 한 용어를 정의하는 데 있어서 일반인들이 받아들이는 정의와 실험심리학자들이 받아들이는 정의 사이에는 정밀성에 있어서 차이가 있다는 점이다. 실험심리학자들은 독립변인과 종속변인에 대한 **조작적 정의**(operational definition)를 필요로 한다. 이 말은 어떤 사람이라도 실험자가 조작한 것과 동일한 방식으로 독립변인을 조작할 수 있도록 해야 한다는 것을 의미한다. 따라서 조작적 정의는 절차와 재료가 케익이 아니라 변인들을 만들어낸다는 점을 제외하면 요리법과도 같다.

(제2장에서 논의했던) 텔레비전 폭력성에 관한 실험을 한다면 조작적 정의는 어떤 프로그램이 폭력적인지를 결정하는 데 필요한 구체적인 단계들을 명시하고 있다. 예를 들어 여러분은 한 프로그램을 폭력적이라고 조작적으로 정의하기 전에 무선적으로 선출된 100명에게 각 프로그램을 보여 주고 그들 중 75%가 폭력적이라고 반응한 경우에 그 프로그램을 폭력적인 것이라고 결정함으로써 폭력적 프로그램에 대한 개념을 조작할 수 있다. 다른 방법은 "다른 사람을 해치는 육체적 접촉이 있는가?", "불법적인 행동이 발생했는가?", "어떤 사람이 다른 사람에게 열등감을 느끼도록 한 행동이 있었는가?"와 같은 문제들로 항목을 만드는 것이다. 이

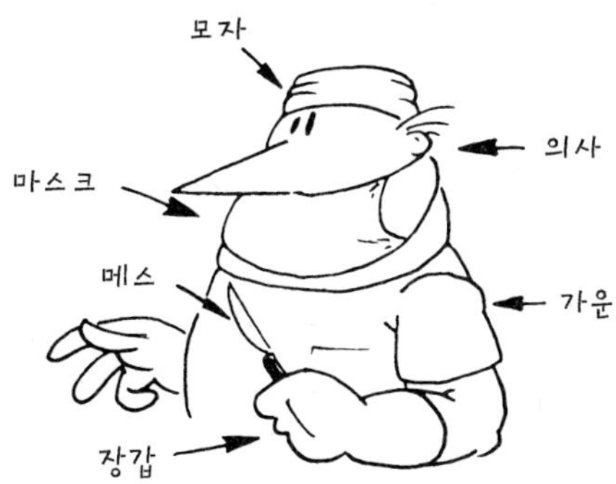

조작적 정의*

* (역자 주) 위의 그림은 영어의 operation이 조작과 수술이라는 의미를 모두 갖고 있기 때문에 그려진 삽화이다.

와 같은 항목 열 개 중 두 개 이상에서 "예"라고 표시될 때 특정 프로그램을 폭력적인 것으로 결정할 수 있다. 다시 말하면, 이러한 절차를 통해 어떤 사람이라도 위에서 설정된 조작적 정의에 맞는 정의를 하기 위해서는 어떤 조작을 해야 하는지가 명시될 수 있다.

조작적 정의[1]에 대해 동의하는 데 있어 심리학 연구자들은 물리학자들보다 더 많은 어려움을 안고 있다. Galileo는 상이한 질량을 가진 물체가 진공 속에서 똑같은 속도로 떨어지는지를 결정하기 전에 질량의 정의에 관해 숙고해야 할 필요가 없었다. 그러나 다음과 같이 대부분의 중요한 심리학적 질문들은 복잡한 조작적 정의를 요구한다. 예를 들어 애정이 풍부한 엄마를 가진 사람들은 보다 더 원만한 결혼생활을 할 수 있는 배우자가 될 수 있는가? 학생들은 인기 있는 교수에게서 더 많은 것을 배우게 되는가? 근로자의 사기는 일의 성과에 영향을 미치는가? 불안은 우울증을 유발하는가? 이러한 질문들에 대답을 찾기 위한 실험을 시작하기 전에 여러분은 애정이 **풍부한**, **인기 있는**, **사기** 그리고 **불안**이라는 용어에 대한 조작적 정의를 필요로 한다. 이 용어들에 관한 조작적 정의를 내려본다면 여러분은 곧 심리학 연구자들이 어떻게 심리학적 문제에 도전하는지를 알게 될 것이다.

문헌조사를 통해 유사한 개념을 정의해야 했던 다른 연구자들의 논문에서 여러분들이 조작적으로 정의 내리기를 원하는 개념들에 대한 조작적 정의를 발견할 수 있다. 다른 연구자들이 훌륭한 정의를 내려놓았다면 그들이 많은 일을 해 놓은 것이므로 이는 다행스러운 일이다. 이와 반대로 그들의 정의에 동의할 수 없다면 여러분은 다른 사람들이 받아들일 수 있는 정의를 만들어내는 데 시간을 투자해야 한다. 과학적 지식체계는 바벨탑과 유사점이 많다. 일단 한 개념이 조작적으로 정의되고 그 정의가 어떤 지위를 갖게 되면 새로운 정의가 필요하다는 것을 다른 연구자에게 확신시키는 것은 무척 어렵다. 실험을 위하여 용어를 조작적으로 정의하려 한다면, 문헌조사를 통해 다른 연구자들은 여러분이 연구하려는 개념들을 어

1) 조작적 정의라는 말을 최초로 사용한 사람은 어떤 물리학자였다. 그러나 자연과학에서 조작적 정의는 너무도 널리 받아들여지기 때문에 자연과학자는 행동과학자(behavioral scientist)들보다 이 문제에 대해 덜 고민한다.

떻게 정의했는지를 알아야 한다.

독립변인의 범위 선택

독립변인을 결정했으면 그 변인의 **범위**(range)를 선택해야 한다. 범위란 선택한 변인의 최고와 최저 수준 간의 차이이다. 예를 들어 우리가 각 프로그램이 폭력적인지 비폭력적인지를 구분하기 위하여 100명의 사람들을 통하여 폭력적인 텔레비전 프로그램을 정의하기로 결정하였다고 가정해 보자. 우리는 실험에서 모든(100%) 사람들이 폭력적이라고 분류한 프로그램과 아무도 폭력적이라고 분류하지 않은 프로그램으로 된 두 가지의 폭력성 수준을 사용할 수 있다. 이 두 수준의 독립변인은 있을 수 있는 최대의 범위를 제공한다.

반면에, 우리는 50% 이상의 사람들이 폭력적이라고 정의한 프로그램을 폭력적인 것으로, 50% 미만의 사람들이 비폭력적이라고 정의한 프로그램들을 비폭력적인 것으로 선택했을 수도 있다. 이 수준들은 분명히 그 범위가 훨씬 작다.

범위가 얼마가 되어야 할지를 어떻게 결정할 것인가? 유감스럽게도 나는 이러한 결정을 내리기 위한 확고한 규칙을 제공해 줄 수 없다. 왜냐하면 그것은 과학이라기보다는 기술이기 때문이다. 그러나 다음과 같은 몇 가지 유용한 지침들이 있다.

현실적일 것

먼저 여러분이 일반화 시키려는 상황에서 발견할 수 있는 수준과 유사한 범위, 즉 현실적인(realistic) 범위를 선택해야 한다. 독립변인의 수준을 행동의 차이가 나타날 것으로 생각되는 극단값으로 정하는 데에서 오는 "꽝 때림(sledgehammer) 효과"를 피해야 한다. 마리화나에 관한 초기의 몇몇 의학적 연구들은 꽝 때림 효과에 의해 방해를 받아 왔다. 어떤 경우에는 실험자들이 인간으로 치면 트럭 한 대분에 해당하는 마리화나를 생쥐에게 하루에 주었다! 실험자들은 인상적이긴 하지만 실용적이지 못한 결과를 얻었다.

효과를 보이는 범위를 선택할 것

독립변인의 효과가 존재한다면, 현실적이어야 한다는 제한 내에서 종속변인에 미치는 효과를 보여 주기에 충분할 만큼 큰 범위를 선택해야 한다. 예를 들면 만일 여러분이 실내온도가 분류 작업을 하는 데 수작업의 정교성에 영향을 주는지에 관심이 있어 23℃와 25℃[2]의 온도를 선택했다면 실내온도는 수작업 정교성에 아무런 영향도 주지 않았다는 잘못된 결론을 내릴 가능성이 있다.

실제 세계[3]의 실험 상황에서는 실험자가 언제나 독립변인의 수준들을 완전히 통제할 수 없으므로 충분히 큰 범위를 선택하도록 각별한 주의를 기울여야 한다. 대략적인 수준을 선택할 수 있지만, 실험에서 제시되는 실제 수준은 시행마다

2) 섭씨로 변환되어 있는 것을 다시 화씨로 변환시키는 것을 귀찮아하는 사람들을 위해서. … 각 온도는 73°F와 77°F에 해당된다.

3) 내가 실제 세계(real world)라는 용어를 사용한 것은 대학에 있는 대부분의 사람들이 비현실적이라는 것을 의미하기 위해서가 아니라 응용 문제에 대한 해답을 얻기 위해 고안된 실험실 밖에서 하는 실험을 지칭하기 위해서였다.

조금씩 달라질 수 있다. 예를 들어 강의속도 실험에서 나는 느리게, 중간으로 혹은 빠르게 말함으로써 강의속도를 변화시키려 했다. 내가 달성하고자 한 수준은 일분에 100, 125 및 150 음절이었다. 나는 특정 연설 속도로 고정한 채 말할 수 있는 기계가 아니므로 마음먹은 속도 수준의 부근에서 약간의 변산성을 산출할 수밖에 없었다. 실제 강의속도를 결정하기 위해서 강의들을 녹음하였고 초당 음절 수를 세었다. 다행히 느린 속도 수준에서 가장 빨리 말한 강의도 중간 속도 수준에서 가장 느리게 말한 강의보다 더 느렸다. 따라서 수준들 간의 중첩은 없었다. 그러나 만일 내가 선정한 범위들이 더 작았다면 독립변인들의 각 수준들 간에서 이러한 신뢰성 있는 차이를 산출할 기회는 더욱 적어졌을 것이다. 그러므로 실험실에서 이루어지지 않는 일부 실험에서, 독립변인의 수준들 사이의 차이가 그 변인의 통제 불가능한 변산성에 의해 가려지지 않을 정도로 큰 범위를 선택할 것을 명심해야 한다.

예비실험을 실시할 것

한 실험을 위한 최적의 범위를 결정하는 것은 어느 정도는 추측에 의해 이루어진다. 문헌조사에서 여러분이 계획하고 있는 것과 동일한 독립변인을 사용한 실험을 발견한 경우, 그 연구로부터 변인의 적절한 범위에 관한 아이디어를 얻을 수 있다. 그러나 실험이 독창적이고 어느 누구도 여러분이 계획하고 있는 것과 유사한 독립변인을 사용하지 않았다면 **예비실험**(pilot experiment)[4]을 할 수 있다. 예비 실험은 여러분이 계획하고 있는 실험의 소규모 실험으로서, 발생 가능성이 있는 문제들을 실험 전에 없애기 위해 이루어진다. 이 실험의 결과에 대해서는 보고해야 할 필요가 없기 때문에 여러분은 일부 실험 규칙을 위반할 수도 있다. 예를 들면, 친구들을 유혹해서 참가자가 되게 할 수 있으며, 여러분이 스스로 참가자가 될 수도 있을 것이다. 또한 한 시행을 하는 도중에 여러분이 진행해 나가면서 배운 바에 따라

4) 나는 이 경우 'pilot'이라는 용어는 "미지의 세계로 안내" 한다는 의미로 사용되었다고 생각한다. 마치 배의 조타수(pilot)가 잘 모르는 물길로 배를 운전해 나가는 것처럼, 예비실험은 지도가 없는 물길로 나아가는 것과 같이 실험자들에게 나중에 행해질 실험의 안내자 역할을 할 것이다.

예비(파일럿)실험의 참가자

독립변인의 수준을 바꾸거나 실험을 중단시키거나 실험의 일부만을 실시할 수 있다.

예비실험을 하면서 여러분은 때때로 연구 문제를 작성했을 때 훌륭해 보였던 것이 제대로 된 것이 아님을 알게 될 것이다. 예를 들어, 나는 실험을 설계할 때는 간단한 것이라고 생각했지만, 예비실험을 하는 동안 실험장치를 작동시키기 위해서는 적어도 세 명의 실험자가 필요하다는 것을 발견한 일이 있다. 예비실험은 독립변인의 수준들이 여러분이 예상했던 것과 같은 지를 살펴보는 데도 도움이 될 수 있다. 실험의 계획단계에서는 현실적인 것처럼 보이던 수준들이 실제 실험을 하려고 할 때 비현실적인 것으로 나타날 수도 있다. 수많은 시간과 노력을 실험에 투자하기 전에 한 시행을 해봄으로써 독립변인의 범위가 적절하지 못한 것을 발견하고 그 범위를 바꿀 수 있다. 예비실험은 미지의 영역에서 실험자를 이끌어 주는 후속 실험의 길잡이가 된다.

문헌조사나 예비실험을 실시해 봄으로써 어떤 독립변인의 수준이 적절한 것인지에 대해 어느 정도 알 수 있지만, 결국 여러분 스스로가 최선의 범위를 추측해 내야 한다. 만일 옳은 것으로 판명되면 여러분은 훌륭한 판단을 했다고 주장할 수 있을 것이다. 만일 틀렸다면 여러분은 운수가 나빴다고 주장할 것이다.

종속변인의 선택

제2장에서 종속변인은 행동에 대한 어떤 측정치라는 것을 알았다. 우리는 측정할 수 있는 무한한 수의 행동들을 선택할 수 있음을 보았다. 종속변인을 선택하는 데 있어서 우리는 무엇을 측정할 것인지를 결정해야 한다.

다시 조작적 정의로

"폭력적인 텔레비전 프로그램은 어린이의 공격성을 변화시킬까?"라는 질문으로 되돌아가 보자. 이 실험에서 우리는 분명히 공격성을 측정하기를 원한다. 그러나 어린이의 행동이 폭력적인 텔레비전 프로그램을 보고 나서 변화되었는지를 결정하기 위해서는 공격성에 대한 조작적 정의를 내려야 한다.

이 예에서 조작적 정의를 내리기 위한 한 가지 방법은 한 집단의 심사위원들에게 자유롭게 놀고 있는 각 어린이에 대한 영화를 보여 주고, 그 어린이의 공격성을 7점 척도상에 평정하게 하는 것이다. 또는 각 어린이에게 좌절 상황에 있는 다른 어린이들에 관한 몇 가지 이야기들을 들려주고 자신이라면 각 상황에서 어떻게 하겠는지를 묻는다. 그러고 나서 우리는 "직접 공격"에 해당하는 반응의 수를 공격성의 측정치로 사용할 수 있다. 다른 대안은 우리가 미리 공격적이라고 분류한 총, 탱크, 칼과 같은 장난감이나 비공격적이라고 분류한 트럭, 연장, 인형과 같은 여러 장난감을 주고 어린이들의 행동을 관찰하는 것이다. 그런 후에 그 어린이가 각 유형의 장난감을 가지고 논 시간의 백분율을 측정할 수 있다. 여러분은 당연히 어린이의 공격성에 대한 지표가 되는 많은 다른 행동들을 생각할 수 있다.

비공격적 장난감?

때로는 종속변인이 매우 직접적인(straightforward) 것처럼 보일 때조차도 그것을 조작적으로 정의하는 데 문제가 있는 경우도 있다. 예를 들어 두 연구자들이 진화 심리학이론에 의해 예견되는 것들이 살인사건의 수(homicide figure)(Daly & Wilson, 1988)에 의해서 지지받는지를 알고 싶어한다. 이 이론에 따르면 사람들은 그들과 함께 살고 있는 사람들 중에서 혈육보다 혈육이 아닌 사람들을 살해할 가능성이 높다고 한다. 이제, 특별한 표본들에서 살해된 사람들의 숫자만 세면 되는 단순한 일처럼 보인다. 그러나 어떤 사람을 정확히 살인자라 할 것인가? 여러 나라에서 살인자라 하면 모사자(murders), 살인미수자(attempted murders), 과실치사자(manslaughters) 모두를 통칭하는 것이다. 살인미수와 과실치사도 이 연구에서 세어야 할 것인가? 자동차 사고와 같은 대부분의 과실치사는 살해할 의도가 없었다. 의도가 중요한 요인인가? 그게 중요하다면 아마도 의도적 살해자는 살해자로 취급되어야 한다. 유죄 판결을 받은 사람만 포함할 것인가? 무죄인 사람은 포함되지 않아야 하기 때문에 얼핏 보기에 이 방법이 적절해 보인다. 그러나 유죄 판결을 받은 사람만을 포함시킨다면 크게 잘못된 결론을 내릴 수 있다. 한해 동안 디트로이트에서 살해된 표본에서 20명의 남자가 자기 아내를 살해한 것으로, 9명의 여자가 자기 남편을 살해한 것으로 유죄 판결을 받았다. 이것으로부터 남자가 자기 아내를 살해하는 경우가 더 많다고 결론내릴 수 있다. 그러나 실제로는 아내가 자기 남편을 살해하는 경우가 더 많다. 살해한 아내의 경우 약 75%가 재판 없이 소가 기각된 반면, 살해한 남편의 경우 20%만이 그러했다. 연구자들의 지적대로 단지 유죄 판결자만을 포함시키는 것은 검사의 행동을 반영하는 것이지 살해자의 행동을 반영하는 것은 아니다. 이 예에서 알 수 있듯이 불행히도 종속변인을 조작적으로 정의하는 것이 독립변인을 조작적으로 정의하는 것보다 결코 쉽지 않다.

종속변인을 다룰 때 조작적 정의를 어떻게 내릴 것인지에 대해 관심을 가져야 할 뿐만 아니라 그 측정치가 신뢰할 만하며(reliable) 타당한(valid) 가도 알아야 한다.

신뢰도와 타당도

만일 우리가 측정을 여러 번 반복할 때에 정확히 똑같은 결과를 얻는다면 그 측정도구는 완전히 신뢰할 수 있다. 결과가 가변적일수록 그 측정도구는 신뢰롭지 못한 것이다. 예를 들어, 고무로 된 자는 신뢰도가 매우 낮다. 그것은 어떤 식탁의 윗면을 한 번은 18인치로 다음에는 31인치로 측정할 수도 있다. 그 자가 얼마나 신뢰성이 있는지를 발견하기 위해서 우리는 수많은 물체들을 적어도 두 번은 측정해야 하며, 측정치들 간에 어떤 상관이 있는지를 살펴보아야 한다(제1장 참조). 만일 첫 번째 측정의 결과가 두 번째 것과 비슷하다면 상관은 높으며 그 측정도구가 신뢰할 수 있다고 가정할 수 있다. 만일 상관이 낮다면 그 도구가 그다지 신뢰할 만하지 못하다는 것을 알게 될 것이다.

폭력적 텔레비전 프로그램의 예를 들면, 각 어린이들의 행동에 관한 일련의 동일한 영화를 또 다른 심사위원들에게 보여 주고 두 심사위원회의 공격성 평정치를 비교할 수 있다. 만일 두 위원회의 평정치들이 유사하다면 우리는 심사위원들로부터 얻은 평정치들이 신뢰성이 있다는 것에 대해 보다 더 확신할 수 있다.

종속변인이 성취, 태도 혹은 성격 특질들을 측정하는 검사도구의 점수들일 때 **신뢰도**를 공식적으로 결정하는 것은 특히 중요하다. 표준화 된 검사는 그 검사의 신뢰도가 이미 측정되어 있으며 신뢰도를 나타내는 통계치를 검사 지침서에서 찾을 수 있다. 그러나 직접 제작한 검사나 질문지를 사용했다면 그 검사의 신뢰도를 살펴보아야 한다. 신뢰도를 알아보기 위한 여러 가지 방법들이 있다. 가장 명백한 방법은 동일한 검사를 나중에 동일한 집단에게 다시 한 번 검사하는 **검사-재검사 신뢰도**이다. 이 신뢰도는 검사를 받은 사람들의 두 검사 점수의 상관 계수를 계산하여 결정된다(부록 A를 볼 것). 그러나 동일한 사람에게 검사가 두 번 실시되었기 때문에 두 번째 검사 점수는 첫 검사 점수에 의해 오염될 수 있다. 그리고 두 검사 사이에 발생된 사건들이 검사 결과에 영향을 줄 수 있다. 이런 이유들 때문에 신뢰도를 결정하기 위해 두 번째의 방법인 **동형 검사**(alternative-form) 법이 사용된다. 이 방법에서는 첫 번째 검사와 유사한 항목들로 구성된 두 번째 검사가

표 7-1 검사 신뢰도를 결정할 수 있는 세 방법의 장점과 단점

신뢰도 측정법	장 점	단 점
검사-재검사	•동일한 문항을 사용한다. •실시하기가 간단하다.	•첫 검사가 둘째 검사를 오염시킬 수 있다. •시간이 지나면서 응답자들이 변화될 수 있다.
동형	•동일 문항의 반복에서 오는 오염효과를 최소화 할 수 있다. •재검사 할 때까지 시간이 덜 걸린다. •검사-재검사 방안에 사용하기 유용하다.	•다른 문항을 사용하는 것이 신뢰도를 저하시킨다.
반분	•동일 문항의 반복에서 오는 오염효과를 최소화할 수 있다. •재검사 때까지 시간이 경과될 필요가 없다. •한 번에 끝난다.	•다른 문항을 사용하는 것이 신뢰도를 저하시킨다. •검사의 길이가 길어진다.

동일한 사람에게 실시된다. 이 방법에서도 각 개인들의 두 점수들 간의 상관을 구한다. 세 번째 방법은 **반분법**(split-half technique)인데, 이 방법에서는 동일한 검사를 통계적으로 두 부분으로 나누고(예를 들어 문항의 짝수번과 홀수번) 두 부분 간의 상관을 구한다. 신뢰도를 구하기 위한 각 방법의 장단점이 표 7-1에 열거되어 있다. 종속변인이 검사의 점수가 아니면 그 점수의 신뢰도를 공식적으로 결정할 필요는 없다. 그럼에도 여러분들은 신뢰할 수 있는 측정을 할 필요가 있다는 것을 명심해야 한다.

타당도[5]는 우리가 측정하고자 하는 것을 측정하고 있는가를 말한다. 길이가 12인치라고 표시되어 있지만 그 자의 일 인치는 실제로는 이 인치에 해당하기 때문에 실제로는 24인치인 나무자를 가지고 있다고 가정해 보자. 이 경우 탁자의 윗

5) 타당도 유형에 관한 더 자세한 논의를 위해서는 제2장을 보라.

면을 여러 번 잴 수 있으며 그 자는 매번 11인치를 나타낼 것이다. 이 측정도구는 신뢰성이 있다. 그러나 그 측정은 역시 틀렸다. 왜냐하면 우리는 실제로 인치 단위로 측정하지 않았으면서도 인치로 측정하고 있다고 주장하기 때문이다. 따라서 우리의 측정도구가 타당한가, 즉 그것들이 타당하다고 알려진 표준 측정도구와 동일한 단위로 측정하고 있는가를 알아야 한다.

예를 들어 공격성에 대한 조작적 정의를 내리는 데 있어서 각 어린이들이 공격적이거나 혹은 비공격적인 장난감을 가지고 노는 데 소비하는 시간의 백분율을 측정하기로 정했다고 가정하자. 우리가 가진 스톱워치가 올바로 작동한다면 그 측정치는 아마도 신뢰성이 있을 것이다. 왜냐하면 그 행동에 대한 시간을 두 번째로 측정했을 때 아마도 우리는 거의 같은 기록을 얻게 될 것이기 때문이다. 그러나 사람들은 우리의 측정치가 공격성의 타당한 측정치가 아니라고 주장할 수 있다. 단지 어린이들이 사용법을 알고 있는 장난감들을 가지고 놀려는 경향이 있다고 주장할 수 있다. 폭력적 텔레비전 프로그램에서 사용된 총과 탱크와 칼들을 보았기 때문에 어린이들이 방금 본 장난감들을 가지고 놀았을 가능성이 있다고 주장할 수도 있다. 혹은 어린이들이 트럭과 연장과 인형들을 가지고 비공격적인 방식으로 놀 수 있을 뿐만 아니라 공격적인 방식으로 놀 수도 있다고 주장할 수 있다. 측정이 타당한 것임을 다른 사람에게 확신시키기 위해서는 양측 모두가 공격성의 타당한 측정치라고 동의하는 어떤 표준과 비교해야 한다. 만일 여러분의 측정도구가 표준과 일치한다면 그것을 타당한 측정치라고 부를 수 있다.

검사 결과가 종속변인으로 사용된다면 검사의 타당도 역시 신뢰도와 마찬가지로 보다 공식적으로 설정되어야 할 필요가 종종 있다. 가장 약한 형태의 타당도는 **안면 타당도**(face validity)인데, 이것은 검사가 실제 무엇을 측정하려는 것인지를 검사의 내용을 보면 알 수 있다는 것을 의미한다. 명백히 안면 타당도는 너무 주관적이어서 과학적으로는 많이 사용되지 않는다. 모든 연구자는 그들의 검사지의 안면 타당도가 높다고 생각할 것이다. 보다 공식적이면서 방어할 수 있는 타당화 절차는 **내용 타당도**(content validity)를 밝히는 것이다. 검사가 다루고 있는 주제를 그 검사의 내용의 측면에서 상세히 분할한다. 밝혀진 각 내용 영역에서 대표적인 질문들을 뽑아 검사를 만든다. 예를 들어 여러분이 이 장을 독자들이 이해했는지를 알아볼 수 있는 검사를 만든다면 내용 타당도와 같이 이 장에서 소개된 주된 개념들을 포함하는 항목들이 포함되어야 한다. 세 번째 절차는 **예언 타당도**(predictive validity)를 설정하는 것으로 이는 검사가 특정한 기준에 대해 성공적으로 예측할 수 있는가 하는 것이다. 예를 들어 고등학생들이 대학 입학을 위해서 치르는 시험의 가치는 그 검사가 학생들의 대학 학점을 부분적으로 예측해 준다는 데 있다. 검사 결과와 학점 사이에 높은 상관관계가 있다면 이는 타당도가 높음을 나타낸다. **동시 타당도**(concurrent validity) 역시 특정 기준과 검사 결과를 비교함으로써 설정되지만, 이 경우 두 측정이 동시에 이루어진다. 예를 들어 아동 공격성 측정치로 삼기 위해서 텔레비전을 보는 아동의 부모들에게 실시할 질문지를 만들려고 한다면 우리는 각 아동들의 질문지 점수와 해당 아동의 공격성에 대한 선생님들의 평가치들 간의 상관을 냄으로써 동시 타당도를 결정할 수 있다. 여러분이 본 바와 같이 종속변인의 타당도를 측정하는 것은 신뢰도를 측정하는 것보다 훨씬 어렵다. 우리가 할 수 있는 최선의 방법은 논리적인 측면에서 그 측정치가 타당하다고 주장하는 것일 때가 종종 있다.

직접 관찰이 가능한 종속변인

관심 있는 행동을 보다 직접적으로 관찰하면 할수록 측정치에 대한 논란은 더욱 줄어든다. 그러나 만일 관심이 인간의 마음의 작용을 알아보는 데 있다면 모든 종속변인이 어떤 의미에서는 간접적이다. 예를 들어 여러분이 기억에 관심을 가지고 있고 기억될 자료를 제시하는 방법 두 가지를 비교하고자 한다고 가정하자. 여러분은 일주일 뒤에 참가자들의 기억량을 측정하고 싶어한다. 무엇을 측정해야 할 것인가?

그것은 간단하다. 참가자들에게 무엇을 기억하는지를 물어보기만 하면 된다. 그러나 그 사람들이 두 조건 모두에서 어떤 자료도 회상하지 못했다고 가정해 보자. 그러면 그들이 아무것도 기억하지 못한다고 결론지을 수 있겠는가? 대신에 재인검사를 실시하고 그들이 새로운 자료와 이전에 제시되었던 자료를 얼마나 정확하게 구별할 수 있는지를 알아볼 수 있다.

또는 그들에게 그 자료를 다시 학습하게 한 후 이전 학습에 의해 절약된 시간의 백분율을 측정할 수 있을 것이다. 이 방법들 각각은 "사람들은 얼마나 많이 기억할 수 있는가?" 하는 여러분의 질문에 대하여 서로 다른 해답들을 줄 것이다. 나는 이 예에서 여러분들이 처음에는 직접 관찰이 가능한 것처럼 보이던 종속변인이 실제로는 여러분이 관심을 가지는 행동과 단지 간접적으로만 연결되어 있다는 것을 알 수 있기를 바란다.

단일 종속변인

참가자에게 불빛이 제시될 때마다 반응하도록 했을 때 희미한 불빛보다 밝은 빛에 더 빨리 반응하는지를 알고자 한다고 가정하자. 불빛이 나타날 때 시계를 눌러 작동시키고 단추가 눌러졌을 때 시계를 멈추어서 측정할 수 있다. 이 방법은 가능한 반응들 중 한 특성만이 측정된다는 것을 알아야 한다. 예를 들면 참가자들이 단추를 누르는 방법과 같은 다른 반응 특징들을 얼마든지 선택할 수도 있다. 어떤 참가자가 한 시행에서는 손가락을 단추의 옆으로부터 그리고 다음 시행에서는 단추 바로 위로부터 움직이는가? 한 시행에서 참가자는 반응을 하려는 첫 시도에서 반응을 하지 못했는가? 다른 시행에서 그는 처음에는 버튼을 가볍게 눌렀다가 그

다음에는 버튼을 힘껏 내리치는가? 이렇게 다양한 반응들 중에서 불빛 제시에서 버튼을 누를 때까지의 시간이라는 단 한 가지 특성만을 측정하기로 했다. 다른 말로, **단일 종속변인**(single dependent variable)을 선택한 것이다.

선택한 단일 종속변인이 측정하기에 적합한 것일 수도 혹은 부적합한 것일 수도 있다. 예를 들어 한 참가자에게 거울로 별 모양을 바라보면서 연필로 그 별의 경계를 따라 그리라고 요청할 수 있다. 거울 때문에 모든 것이 반대가 되므로 대부분의 참가자들은 처음 몇 시행 때까지는 이 과제가 매우 어렵다는 것을 알게 될 것이다. 우리가 이 과제에서 시행 1부터 시행 10까지의 참가자의 수행이 어느 정도 향상되는지를 측정하고자 한다고 가정하자. 어떤 종속변인이 향상된 정도를

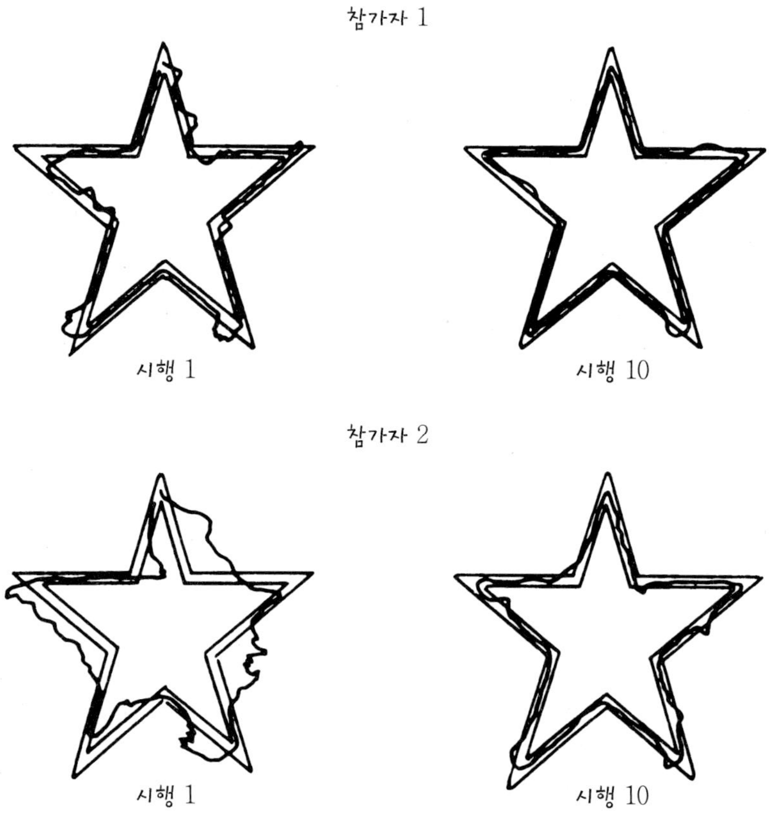

그림 7-1 시행 1과 시행 10에서의 두 피험자의 별 추적 수행

가장 잘 반영하겠는가?

이 실험에서 사용된 표준 종속변인은 참가자가 별 모양을 따라 그리면서 경계선을 벗어난 횟수이다. 그림 7-1은 참가자 1과 참가자 2의 가상적인 두 명의 추적 결과를 보여 준다. 참가자 1은 첫 번째 시행에서 경계선을 20회 벗어난 반면 시행 10에서는 6회 벗어났다. 이 참가자의 결과에서 종속변인은 예상된 바와 같이 수행의 향상을 잘 반영한다. 그러나 참가자 2의 결과를 보라. 이 참가자는 두 시행에서 경계선을 각각 14회 침범하였다. 종속변인은 참가자 2가 거울추적 시행에서 향상을 보이지 않았다는 것을 나타낸다. 여러분은 그 결론을 믿는가?

기본적인 문제는 경계선 침범과 같이 직접적으로 관찰이 가능한 종속변인이 사용될 때조차도 우리는 타당도에 관심을 두어야 한다는 것이다. 경계선을 넘어서는 것은 거울-추적과제를 측정할 수 있는 가능한 측정치 중 하나에 불과하다. 그것은 타당한 측정치인가? 다른 종속변인들이 전반적인 거울-추적 수행을 더욱 잘 반영할지도 모른다. 대안으로서 우리는 추적의 전체 길이를 측정하여 몇 퍼센트가 별의 경계선 내에 떨어졌는지를 결정할 수도 있을 것이다. 그렇지 않으면 매 시행마다 경계선과 추적선 사이의 면적을 측정할 수도 있다. 또는 참가자들이 10회 시행에 가서는 그 별을 좀 더 빨리 추적해 가는지를 알아내기 위해 시간을 잴 수도 있을 것이다.

중다 종속변인

타당한 종속변인을 사용할 가능성을 높이기 위한 한 가지 방법은 **중다 종속변인**(multiple dependent variable)을 사용하는 것이다. 사실상 실험심리학의 일부 분야에서는 하나의 종속변인만을 보고하는 것이 꽤 부적절한 것으로 간주되고 있다. 예를 들어 많은 유형의 연구에서 **선택 반응시간**(choice reaction time)을 종속 측정치로 사용하고 있다. 선택 반응시간은 여러 자극들[6](stimuli) 중 하나가 제시되

6) 지금까지 자극들(stimuli)이라는 말을 사용하지 않았으므로 나는 stimulus가 단수이고 stimuli는 복수임을 지적해야 한다. 이제부터 여러분은 "This stimulus is, this datum is; these stimuli are, these data are."라고 써야 한다.

었을 때 참가자가 몇 개의 반응들 중 하나를 하는 데 걸리는 시간이다. 만일 참가자가 가능한 한 오류를 적게 범하고자 한다면 그들은 약간 느리게 반응할 것이다. 만일 그들이 정확하게 반응하는 것에 중점을 두지 않는다면 더 빨리 반응할 수 있다. 이러한 속도-정확성 교환현상이 있으므로 속도와 정확성은 둘 다 보고되어야 할 필요가 있다. 만일 우리의 관심이 참가자의 전반적 수행수준에 있다면 어느 하나의 측정치만으로는 의미가 없다. 이러한 이유로 좋은 학술잡지들은 선택 반응시간의 속도 또는 정확성만을 보고하는 논문을 받아들이지 않는다.

복합 종속변인

일반적으로 참가자 행동의 여러 측면을 가능한 한 많이 보고하는 것이 좋겠지만, 그렇게 하면 결과의 해석이 다소 어려워질 수 있다. 우리가 네 개의 종속변인을 가졌다고 가정해 보자. 하나의 측정치는 조건들 간에 커다란 증가를 보이고, 두 개는 그대로이고, 하나는 약간 감소하고 있다. 행동의 전반적인 변화에 관해 이야기하기 위해서 몇 개의 단일 종속변인을 결합하여 전반적 수행에 관한 지표를 제공해 줄 **복합 종속변인**(composite dependent variable)으로 만들 수 있는 방법이 필요하다.

실험심리학의 수많은 연구 분야들에서는 지능검사와 같이 복합 종속변인들을 사용한다. 그 중의 한 분야가 지능검사이다. Wechsler 성인 지능검사는 복합 종속변인의 한 예이다. IQ(지능지수)는 언어성 척도와 동작성 척도라는 두 개의 하위척도의 복합물이다. 이들 각각의 점수 또한 하위검사들로 구성되어 있다. 예를 들어 언어성 점수는 일반 정보, 숫자범위, 어휘력, 수리 능력, 이해력 그리고 유사성 판단 등의 하위검사의 점수로 만들어 진다. 지능검사에 깔려 있는 생각은 일반적으로 지능을 나타낼 수 있는 단일 측정치를 제공하는 것이 유용하다는 것이다. 물론 모든 심리학자들이 이 생각에 동의하는 것은 아니지만 심리검사에서는 전통적으로 복합 종속변인을 사용하여 왔다[7].

복합 종속변인의 두 번째 유형은 단일 측정치의 몇 가지 예들을 결합하는 것이다. 이 예들은 상이한 시간이나 상이한 조건하에서 수집된다. **절약률**(percent savings)은 기억연구에서 사용되는 이와 같은 종속변인들 중의 한 예이다. 예를 들어 한 집단의 참가자들이 어릴 적에 자전거 타기를 배웠고 그러고 나서 그들이 40세가 될 때까지 다시는 자전거를 타지 않았다고 가정하자. 그 사람들이 땅에 발을 딛지 않고 일 분간 머무를 수 있을 때까지 여러 시행을 통해 연습시킴으로써 자전거 타기를 재학습시킬 수 있다. 이 기준을 통과하는 데 걸린 시행의 평균이 7회였다고 하자. 이 숫자를, 자전거 타기를 해본 적이 없는 40세로 구성된 두 번째 집단이 자전거 위에서 일 분간 머무르기까지의 시행 수와 비교할 수 있다. 이 집단은 평균 14시행이 걸렸다고 하자. 그러면 우리는 이전에 자전거 타기를 배웠기 때문에 절약되는 시행 수의 백분율을 계산할 수 있다.

$$\text{절약률}(\%) = \frac{\text{학습에 필요한 시행수} - \text{재학습에 필요한 시행수}}{\text{학습에 필요한 시행수}} \times 100$$

위의 예에서 절약률은 다음과 같다.

$$\text{절약률}(\%) = \frac{14-7}{14} \times 100 = 50\%$$

이러한 유형의 복합 종속변인을 통해서 여러분은 독립변인(과거에 자전거를 탄 경험)에 의해 야기된 변화율을 보여 주기 위해서 단일숫자를 사용할 수 있다.

아직도 여러분에게는 어떻게 복합 종속변인들이 유도되었으며, 왜 그것들이 적절한 측정치인지가 분명하지 않을 수 있다. 심리학을 연구한다면 많은 다른 복합 종속 측정치에 익숙하게 될 것이다. 그리고 언젠가는 아마도 스스로 새로운 복합 종속변인들을 만들 수도 있을 것이다.

7) Stephen Jay Gould(1981)은 『인간에 대한 잘못된 측정(The Mismeasure of Man)』이라는 그의 책에서 인간의 가치를 IQ와 같은 단일숫자를 사용하여 나타내는 것이 이 세기에서 과학이 잘못 사용된 대표적인 예라는 급진적인 입장을 보였다. 그는 이 복합 종속 측정치가 사회적 계급과 우월함을 유지하기 위해 광범위하게 사용되어 왔다고 믿는다.

간접 종속변인

여러분이 관심을 가지고 있는 행동을 직접 관찰하는 것이 때로는 불가능할 수도 있다. 그러나 반복 가능하고 관찰 가능하여 검증 가능한(ROT) 과학적 검사가 되려면 연구 대상이 되는 행동이 객관적으로 관찰 가능해야 한다는 것을 알고 있다. 그렇다면 정서, 학습 또는 지능과 같은 분야에서 어떻게 과학적 연구를 할 수 있을까? 그러기 위해서는 우리가 관심을 가지고 있는 내적 행동과 함께 변화하는 간접적 변인이 필요하다.

생리 측정치

아마도 간접 종속변인의 가장 흔한 예는 **생리 측정치**(physiological measure)인데, 이는 행동이 정서와 같은 사적 사건이라면 신체의 생리는 사적 사건과 함께 변화할 것이라는 생각에 바탕을 두고 있다. 현대의 과학기술 발달로 인해 신체의 생리적 변화를 측정할 수 있으므로 실험자들은 어떤 사적 사건이 발생했는지를 추론하기 위하여 생리 측정치들을 사용한다.

내적 상태를 추론하기 위하여 생리 측정치를 사용할 때 우리는 특정한 생리적 패턴이 내적 상태를 정확히 반영한다는 것을 가정한다. 예를 들면 거짓말 탐지기는 발한율, 심장 박동률, 혈압 그리고 전기 피부반응[8](GSR)의 네 가지 생리적 과정들을 측정한다. 탐지기 기사는 혐의자가 진실을 말하는지를 결정하기 위해 이 측정치들을 사용한다. 어떤 사람들은 거짓말 탐지기의 측정치를 사용하는 데 대한 가정이 합당한지에 의문을 갖는다. 이러한 이유 때문에 대부분의 법정에서 거짓말 탐지기의 검사 결과는 원고와 피고 양측이 그것의 사용에 동의하는 경우에만 받아들여진다. 그리고 최근에 와서 연방 법률은 직원 선발과정에서 거짓말 탐지기를

8) 전기피부반응(galvanic skin response)이라는 용어에 익숙하지 않을 것이다. 이 용어는 쓰레기 깡통들을 만져서 생긴 두드러기 같은 피부반응을 말하는 것이 아니다. 그것은 피부가 작은 전류를 얼마나 잘 전도하느냐를 나타내는 측정치이다. 비록 전문적으로 정확한 것은 아니지만 그 추론은 다음과 같다. 젖은 피부가 마른 피부보다 더 잘 전도하므로, "진땀을 흘리고 있는" 사람은 "침착하고 조용한" 사람과 다른 전기 피부반응을 나타낸다.

측정한 뇌파를 발생시키는 자극

사용하는 것에 대해 매우 엄격하게 제한하고 있다.

어떤 생리 측정치들은 연구자들에 의해서 그것들이 특정 정서 상태를 나타내는 지표라고 주장되면서 널리 사용되었다. 그러나 다른 연구자들에 의해서 다른 내적 상태에서도 그것과 동일한 생리적 변화가 발생될 수 있다는 것이 발견되어 인기를 잃게 되었다. 예컨대, Hess라는 이름을 가진 한 연구자는 동공 직경은 사람들이 즐거운 생각을 할 때에 커지고 기분 나쁜 생각을 할 때에 작아진다고 주장하였다. 얼마 동안 Madison 가(街)의 광고주들은 매우 감명을 받아서 잡지 광고들을 선택하기 위해 동공 반응을 사용하였다. 그 후 다른 연구자들에 의해서 동공의 직경은 개인이 느끼는 정서보다는 개인이 처리하는 정보의 양에 대한 지표가 될 수 있다는 것을 발견하였다(Johnson, 1971). 동공 측정가들은 Madison 가에서 더 이상 환영 받지 못했다.

최근에 어떤 연구자들은 사람의 목소리의 특징이 "심리적 스트레스 평가"에 사용될 수 있다는 것을 주장하였다. 이 연구자들은 목소리를 녹음하여 그것을 느리게 한 다음 목소리 주파수의 특성을 측정함으로써 사람들이 거짓말 할 때와 같이 높은 스트레스 상황에 있는지를 구별해낼 수 있다고 믿었다. 이러한 주장들은 아직도 증명되지 않고 있다. 이러한 주장들은 다른 연구들에 의해서 지지받지 못하고 있으며, 많은 연구자들은 이 측정치가 쓸모없는 것이라고 생각한다.

지난 수십 년간 심리학에서 가장 빠르게 성장한 분야는 여러 과제를 수행하는 동안의 뇌 활성화 정도를 측정하는 뇌 영상 분야이다. 초기의 연구들은 일반적인 뇌파를 EEG(Electroencephalogram, 뇌전도) 형태로 측정하였다. 그러나 이 일반적인 활동 패턴은 개인의 전반적인 각성 수준을 결정할 수 있는 것 이외에는 유용한 것이 아니었다. 보다 최근에 연구자들은 특정 자극을 반복적으로 제시한 후 자극이 제시된 시점이나 혹은 반응을 한 시점에서 뇌파 활동의 평균을 구할 수 있다. 사건 관련전위(ERPs)를 통해 제시된 자극이나 과제 수행에 필요한 인지적 과정이 변화됨에 따라 뇌에서 어떤 일이 발생하는지를 알아보기 위해서 EEG 패턴의 특징적인 정점과 저점의 작은 변화들이 분석될 수 있다.

더욱 최근에는 특정 과제가 수행될 때 활성화되는 뇌의 여러 부위들의 지도를 그릴 수 있는 생리학적 방법들이 사용된다. 가장 널리 사용되는 기법은 기능적 자기공명영상(functional magnetic resonance imaging, fMRI)이다. 연구자들은 뇌의 여러 영역에서 혈액의 흐름을 측정하기 위해 fMRI를 사용한다. fMRI는 뇌의 특정 영역이 정보를 처리한다면 이러한 정신적 활동이 해당 영역에 있는 신경세포의 활성화를 증가시킬 것이라는 생각에 기초하고 있다. 신경세포가 활성화 될수록 보다 많은 혈액이 공급되어야 한다. 그래서 만약 연구자들이 참가자들에게 특정한 과제를 수행하도록 한 다음 뇌의 특정 영역에서 혈액 흐름이 증가된 것을 발견했다면 뇌의 해당 영역이 주어진 과제를 수행하고 있다고 추론할 수 있다.

예를 들어, 여러분이 특정 단어를 보고 있을 때 fMRI를 이용하여 혈액 흐름을 측정했다고 가정해 보자. 여러분에게 한 조건에서는 단순히 단어를 읽도록 했고, 다른 조건에서는 그 단어의 의미를 판단하도록 요구했다고 가정하자. 뇌의 여러 부위의 혈액의 흐름을 보여주는 그림을 각 조건에서 얻을 수 있을 것이다. 두 번째 그림에서 첫 번째 그림을 빼는 과정을 통해 단어의 의미를 처리하는 데 사용되는 뇌 영역이 어디인지를 추론할 수 있다. 연구자들은 이러한 목적을 위해서 fMRI만 사용하는 것이 아니라 컴퓨터 체축 단층 촬영법(computerized axial tomography, CAT scan)이나 양전자 단층 촬영법(positron emission tomography, PET scan) 그리고 다중 위치 EEG법도 사용한다. 이러한 방법을 사용하여 인간의 뇌 기능을 이해하는 데 괄목할 만한 진전을 이룩했다.[9] 이러한 측정법들로부터 무엇을 알 수 있을지에 대해 많이 알게 될수록 생리학적 측정치를 더 많이 사용할 것이라는 것은 의심의 여지가 없다.

행동 측정치

어떤 **행동 측정치들**(behavioral measures) 역시 간접 종속변인으로 사용될 수 있다. 생리 측정치들과 마찬가지로, 한 개인이 행동과제를 수행하는 방법의 변화가 그 사람의 내적 상태를 반영할 수 있다.

간접 행동 측정치는 특히 인지심리학의 몇몇 영역에서 중요하다. 인지심리학자들은 독서나 문제해결과 같은 인지적 과제를 수행하는 동안 인간 마음이라는 "블랙 박스"에서 어떤 일이 발생하는지를 알아내는 데 관심을 갖고 있다. 이들이 다룰 수 있는 것은 박스의 입력(자극)과 출력(반응)들이기 때문에 그 상자에서 어떤 일이 발생하고 있는지를 추론할 수 있는 현명한 방법을 고안해야 된다. 예를 들어 특정 과제를 완성하는 데 얼마나 많은 정보가 처리되는지를 알고 싶다고 가정해 보자. 인지적인 정보들을 처리하는 데 제한된 자원만을 사용할 수 있다면, 얼마나 많은 정보가 처리되었는지를 알 수 있는 한 가지 방법은 반응을 하는 데 얼마나 많은 시간이 걸렸는지를 측정하면 된다. 보다 많은 정보가 처리될수록 반응시간은 더 길어지게 될 것이다. 그러나 반응시간은 전 과제에 대해 단일한 측정치만을 제공하며 부호화나 반응 선택과 같은 하위제의 수행에 대해서는 알려 주는 것이 거의 없다.

이중 과제 방법(dual-task methodology)은 과제를 수행하는 동안 그 과제의 처리에 어떤 것들이 필요한지를 간접적으로 결정할 수 있다. 이 경우 일차적으로 관심이 있는 과제가 수행될 때 두 번째 과제가 제시된다. 참가자는 일차적 과제에 대해 가능한 한 잘 반응하고 남아 있는 자원을 이용하여 두 번째 과제를 하도록 지시를 받는다. 그런 다음 두 번째 과제의 수행을 측정하여 첫 번째 과제에서 어떤 처리가 필요했는지를 추정할 수 있다. 두 번째 과제의 수행이 좋을수록 첫 번째 과제를 처리하는 데 훨씬 작은 자원이 필요했음을 알 수 있다. 예를 들어 일차

9) 그러나 뇌 영상법이 뇌를 이해하는 왕도라는 것에 대해 아무런 의심없이 받아들이지 말도록 주의를 주는 연구자들도 많다(Van Orden & Paap, 1997).

적 과제가 문장을 읽는 것이었다. 문장을 읽는 동안 소리를 제시했고 참가자들은 소리를 들을 때마다 버튼을 누르도록 지시를 받았다. 우리는 소리에 대한 반응이 느릴수록 소리가 제시되었을 그 시점에서 보다 많은 처리가 필요했다는 것을 추론할 수 있다. 여러 번의 시행을 통해 문장이 읽혀지고 있는 각기 다른 시간에서 음에 대한 반응시간을 그래프로 나타낼 수 있을 것이며, 그 문장을 읽는 데 요구되는 처리 자원의 형태(profile)를 얻을 수 있을 것이다(Martin & Kelly, 1974).

다른 모든 간접 행동 측정치와 마찬가지로, 이 측정치도 그것의 근거가 되는 가정이 타당할 경우에만 타당한 것이다. 이중 과제 방법의 기본적 가정은 하나의 처리 자원의 집합(pool)이 모든 인지적 과제에 주어진다는 것이다. 어떤 연구자들은 이런 가정에 의문을 제기한다(Navon & Gopheer, 1979; Wickens, 1984). 게다가 처리 자원의 집합이 여러 개이며 어떤 유형의 집합이 사용될 것인지는 과제가 시각적인지 청각적인지, 공간적인지 언어적인지 등등에 따라 달라진다는 증거들이 있다(Wickens, 1984). 비록 이중 과제 방법의 몇몇 가정들이 어겨진다고 해도 이 방법은 널리 사용되며 여러 경우에 처리 자원에 대한 좋은 추정치를 제공하는 것 같다.

다른 간접적인 측정치들은 이중 과제 방법과 동일한 가정을 할 필요는 없다. 그러나 일반적으로 측정치가 간접적일수록 기저에 깔려 있는 보다 정교한 가정이 필요하며 추론의 확실성이 떨어진다. 간접적 측정치의 장점은 그들이 직접 측정치가 없는 상황에서 실험적 질문들을 연구할 수 있는 방법을 제공한다는 것이다. 간접 측정치를 사용할 때 우리가 만든 가정들을 잘 인식하고 있는 한, 다른 방법으로는 관찰할 수 없는 것에 대한 정보를 제공해 준다는 데서 유용한 도구가 된다.

요약

실험을 위한 독립변인을 선정하는 데 있어서 여러분은 우선 변인에 대한 **조작적 정의**를 구체화 하여, 다른 실험자들이 유사한 실험을 수행할 때 동일한 조작을 해 나갈 수 있도록 하여야 한다. 또한 독립변인 수준의 **범위**가 실험의 효과를 충분히 나타낼 수 있을 만큼 크면서도 현실적인 것을 충분히 반영할 수 있을 만큼 작게 하는 것 역시 중요하다. **예비실험**은 여러분이 이러한 것들을 결정하는 데 도움을 줄 것이다.

종속변인 역시 조작적으로 정의되어야 한다. 더 나아가 우리는 종속변인이 **신뢰성** 있고 **타당**하다는 것을 보여 줄 수 있어야 한다. 측정이 이루어질 때마다 똑같은 결과가 얻어진다면 그 종속변인은 신뢰롭다. 검사지의 점수를 종속변인으로 사용한다면 그 검사의 신뢰도는 여러 방법을 통해 결정될 수 있다. **검사-재검사**, **동형 검사** 그리고 **반분 검사**. 종속변인이 보편적으로 인정되는 표준에 맞는다면 그것은 타당하다. 검사의 타당도를 설정하는 여러 방법들이 있다. **안면 타당도**, **내용 타당도**, **예언 타당도** 그리고 **동시 타당도**. 직접 관찰이 가능한 종속변인은 비교적 쉽게 측정할 수 있다. 그러나 어떤 **단일 종속변인**을 사용할 것인가를 결정하는 것은 때때로 곤란하다. 어떤 연구분야에서는 **중다 종속변인**으로 보고되거나 혹은 각 종속변인들이 결합된 **복합 종속변인**으로 보고된다.

간접 종속변인들은 관심을 가지는 행동이 공식적으로 관찰될 수 없을 때 사용된다. **생리 측정치**들은 참가자의 내적 상태에 관한 지표가 될 수 있지만 그것들은 해석에 어려움을 초래한다. **이중 과제 수행**과 같은 **행동 측정치**들도 참가자들의 내적 상태를 결정하기 위한 가능성을 제공해 준다.

8

피험자 간 대 피험자 내 설계를 결정하는 법

세상에는 두 부류의 사람들이 있다. 항상 사람들을 두 부류로 나누려는 사람과 그렇지 않은 사람.

— Robert Benchley

이제 여러분은 조작해야 할 독립변인을 선택했고 측정해야 할 종속변인들을 결정했다. 만약 모든 사람이 똑같다면 한 사람만 선택하여 그 사람에 대해서만 실험을 할 수 있다. 재미있는 세상을 위해서는 다행인 일이지만 실험을 위해서는 불행하게도 우리 모두는 결코 똑같지 않다. 우리들 각각은 모두 다르기 때문에 한 표본의 참가자를 이용하여 실험을 해야 하며 평균을 취하는 것과 같은 통계적인 방법들을 사용하여 변산성을 최소화 하려 한다. 그러나 독립변인의 각 수준에 참가자들을 할당하는 방법에 따라 그들의 차이에 의해서 발생하는 변산을 처리할 수 있는 몇 가지 요소들이 있다.

참가자를 할당하는 데에는 두 가지 기본적인 방법이 있다. 각 참가자들을 독립변인의 한 수준에만 노출시키거나 모든 수준에 노출시킬 수 있다. 첫 번째 방법은 변인이 최소한 두 명의 참가자들 간에 조작되므로 **피험자 간 설계**(between-subjects design)라고 불린다.[1] 두 번째는 단일 참가자 내에서 독립변인이 조작되므로 **피험자 내 설계**(within-subjects design)라 불린다.[2] 표 8-1은 두 수준의 독립변인이 있는 실험에서 두 설계에 대한 참가자 할당방법의 예시이다. 위쪽 칸에는 각기 다른 열 명의 참가자들이 두 수준에 할당되었으나 아래의 칸에는 열 명의 참가자 각각이 두 수준 모두에 할당되었다.

휴식을 하면 학습 증진이 일어나는지를 알아보기 위한 실험을 계획하고 있다고 가정하자. 한 조건에서는 학생들이 어떤 학습 자료를 두 시간 동안 연속적으로 공부하도록 하고, 다른 조건에서는 매 30분마다 5분간의 휴식을 취하면서 총 두 시간 동안 공부하도록 하게 할 수 있다. 각 조건마다 학습이 끝난 시점에서 학생

1) 지금까지 APA의 최근 논문 작성 양식의 변화에 따라 실험에 참가하는 사람들을 피험자가 아니라 참가자라고 불렀다. 그러나 실험설계와 통계적 검증방법에 대해 일반적으로 사용되는 용어는 아직 APA의 출판 편람(publication manual)에서 제시하는 것과 같이 변화되지 않았으므로 참가자 간 실험이라는 용어는 어색하다. 따라서 실험설계나 통계적 검증을 말할 때는 여전히 받아들여지고 있는 용어(예를 들어, 피험자간 설계)를 사용할 것이지만, 실험에 참가하는 사람은 계속해서 참가자라고 부를 것이다. 가까운 시일 내에 이런 용어들이 통일되기를 바란다.

2) 다른 사람들은 피험자내 설계를 처치×참가자 설계 또는 동일 참가자에 대한 반복측정 설계라고 불러 왔다. 피험자간 설계는 때때로 분리 집단 혹은 독립 집단 설계라고 불린다.

표 8-1 피험자 내 및 피험자 간 실험에서의 참가자 할당

피험자 간	독립변인	
	수준 1	수준 2
	참가자 1	참가자 11
	참가자 2	참가자 12
	.	.
	.	.
	.	.
	참가자 10	참가자 20
피험자 내	**독립변인**	
	수준 1	수준 2
	참가자 1	참가자 1
	참가자 2	참가자 2
	.	.
	.	.
	.	.
	참가자 10	참가자 10

들은 시험을 볼 것이다. 이제 피험자 간 설계를 사용하여 무선적으로 선정된 각기 다른 학생들을 각 조건에 할당하거나 혹은 피험자 내 설계를 사용하여 동일한 학생들이 각 학습조건에서 다른 학습 자료를 이용하여 공부를 하도록 할 수 있다. 우리가 각 집단에 다른 사람들을 할당한다면 집단 내에서 개인들의 차이가 발생할 뿐만 아니라 각 집단 간에서도 차이가 있을 수 있다. 이와 달리, 동일한 학생들을 이용한다면 학습능력에 있어서 학생들 개개인의 차이는 분명 존재할 것이지만 집단 간에는—실제 그들은 동일한 사람이다—학습능력에서 차이가 없을 것이다. 그러나 우리는 두 조건에서 다른 학습자료를 사용해야 하기 때문에 학습자료의 난이도에서 차이가 있을 수 있다. 서로 다른 두 실험설계의 장단점에 대해 보다 상세하게 살펴보자.

피험자 간 설계 : 각 참가자는 단지 한 수준에만 노출된다.

피험자 간 실험

장점

피험자 간 설계의 가장 큰 이점은 독립변인의 한 수준에 노출된 것이 다른 수준에 노출된 참가자들의 행동에 영향을 주지 않는다는 점이다. 각 참가자는 단지 한 수준에 노출되므로 그 참가자에 대해서는 다른 수준을 생각할 필요가 없다.

이 책의 앞부분에서 나는 내 수업을 듣는 학생들과 내가 했던 실험을 기술했었다. 그 실험에서 우리는 참가자들에게 핵 발전에 대한 세 가지 장점, 세 가지 단점 그리고 세 가지 장점과 단점의 예를 들도록 하여 가용성에 대한 발견법(heuristic)을 검증해 보았다. 세 가지 예를 든 후에 참가자들은 핵을 얼마나 좋아하는지에 대해 점수를 매기도록 하였다. 이 실험에서는 피험자 간 설계를 사용하였으므로 각 참가자는 세 가지 장점만 열거하거나 혹은 세 가지 단점만 열거하거나 혹은 세 가지 장단점 모두를 열거하는 한 조건에 할당되었다. 피험자 내 실험을 했다면 어떻게 되었겠는가? 이 경우에 각 참가자들은 세 가지 장점을 열거한 후 선호도 평정을 하고, 세 가지 단점을 열거하고 선호도 평정을 하고, 세 가지 장점과 단점을 열거한 후 선호도 평정을 할 것이다. 이러한 실험설계로 우리가 원하는 것을 달성할 수 있겠는가? 장점이나 단점을 열거함으로써 선호도 평정이 영향 받을 것이라고 생각하는 이유는 장단점을 열거하는 것 자체가 그 정보를 사용할 수 있도록 해 줄 것이라고 생각했기 때문이라는 것을 기억하라. 즉, 이 참가자들의 마음속에서 그 정보를 접근하기가 용이해질 것이라고 생각했기 때문이다. 그러나 일단 장점에 대한 정보에 접근하기가 용이하다면 이 정보에 접근하기 어려워질 때까지 얼마나 오랜 시간이 걸리는가? 게다가 피험자 내 설계를 사용한 이 경우에서 첫 두 조건, 즉 장점 세 가지를 열거하는 조건과 단점 세 가지를 열거하는 조건에 노출되는 것은 장단점 모두를 열거하도록 하는 조건에 이미 노출된 것이다.

앞의 예와 같이 여러 실험들은 독립변인의 다른 수준에 노출된 효과를 되돌릴 수 없기 때문에 이러한 경우에 피험자 내 설계를 사용하는 것은 논리적으로 불가능하다. 이 장에서 나중에 논의하겠지만, 논리적으로는 다른 수준에 노출된 효과를 되돌릴 수 있지만 그 설계가 매우 복잡해질 수 있는 경우도 있다. 마지막으로 아주 정교한 설계들에서도 종종 사전 노출의 효과가 완전히 제거되었다고 확신할 수 없다. 피험자 간 설계는 이런 문제가 없기 때문에 종종 선호된다.

이 이외에도 피험자 간 실험의 실용적인 장점들이 있다. 피험자 간 설계에서 각 참가자는 독립변인의 단지 한 수준에서 실험을 수행하기 때문에 한 실험 회기 동안 한 수준에서 보다 많은 자료를 수집할 수 있다. 참가자들은 실험에 대해 쉽게 흥미를 잃거나 피곤해 하기 때문에 이 설계를 사용하면 각 참가자의 총 실험시간을 줄일 수 있어서 좋다. 총 실험시간이 줄어듦으로써 여러 회기(session)에 걸쳐서 실험을 할 필요가 없다. 회기가 추가될 때마다 실제로 실험을 완료하는 참가자 수가 현저히 줄어드는 경향이 있다는 것을 고려해 볼 때, 여러 번의 실험 회기가 필요없어 참가자들을 다시 부르지 않아도 된다는 것은 장점이 된다.

단점

피험자 간 설계의 가장 큰 단점은 독립변인의 각 수준에 할당되는 집단이 다른 수준에 할당되는 집단과 몇몇 차원에서 동등하지 않을 가능성이 있으며, 이러한 차원이 측정하려는 행동을 편향시킬 수 있다는 점이다. 각기 다른 사람들로 집단이 구성되면 각 집단은 상당히 다를 가능성이 있다. 예를 들어 폭력적인 텔레비전 시청이 아동의 공격성을 발생시키는지를 알아보는 실험에서 폭력적 텔레비전 집단에 속한 모든 아동들은 아동 학대가 있었던 가정에서 자라난 아이들이며, 비폭력 텔레비전 집단에 속한 모든 아동은 아주 건전한 가정에서 자라난 아이들일 가능성이 있다. 그러나 아동들이 무선적으로 집단에 할당되었다면 이러한 일이 발생할 가능성이 거의 없다.

피험자 간 설계가 사용될 때, 참가자들은 대개 무선적으로 집단에 할당된다. 무선적 할당은 모자 속에 넣어 놓은 종이 쪽지를 뽑거나, 동전을 던지거나, 부록 C에 있는 난수표에서 선정하는 등 여러 방법을 통해 할 수 있다. 심리학 실험이나 통계학을 잘 모르는 사람들은 무선화 과정에 대해 확신을 하지 못하는 것 같다. 이런 사람들은 무선화 과정이 종종 위험스럽게 혹은 마구잡이로 이루어지는 것이라고 생각하거나 혹은 대규모 집단을 대상으로 무선화를 한 경우에도 각 집단 간에 차이가 날 것이라고 생각한다. 통계적 표집과정에 대한 이해와 경험이 많아지면 관찰자의 무선적 할당에 대해 보다 신뢰를 하게 된다. 무선이란 것은 가장 질서가 없는 상태이지만 최소한 편파되지 않는다. 따라서 참가자들의 변산을 각 집단에 편파되지 않는 방식으로 할당할 수 있다. 특히 대규모 집단의 경우에는 어떠한 속성에서도 집단들 간에 차이가 날 가능성은 작다. 이러한 가능성이 있는 경우에도 자료를 분석하는 데 사용되는 통계적 검증은 무선적 할당에 따른 잠재적인 차이를 고려한다. 피험자 간 실험에서 참가자들의 무선적 할당은 집단 간에 있을 수 있는 잠재적인 편파들을 제거하는 데 아주 효과적이다.

피험자 내 실험

피험자 내 설계가 모든 실험 중 최선의 것일 수는 없지만, 많은 장점들을 갖고 있다.

실용적 장점

피험자 내 실험이 가진 실용적 장점의 하나는 표 8-1을 보면 바로 알 수 있듯이 참가자 수가 적다는 것이다. 만일 피험자 내 실험에서 적절한 수의 자료 점들(data points)을 얻기 위해 N명의 참가자[3])가 필요하다면 두 수준의 피험자 간 실험을 위해서는 N×2명, 세 수준의 피험자 간 실험을 위해서는 N×3명과 같은 방식으로 참가자가 필요하다.

많은 경우에 있어서 참가자 수를 늘리면 실제 실험에 필요한 전체 시간이 늘어난다. 예를 들어 만일 참가자들을 실험 조작에 노출시키기 전에 실험에 필요한 기본적인 과제를 수행할 수 있도록 예비 훈련을 시켜야 한다면, 두 수준의 피험자 간 실험에서는 피험자 내 실험보다 두 배 많은 참가자들을 예비 훈련시켜야 한다.

몇 개의 단어를 기억하도록 하는 것이 학습하는 데 몇 시간이 소요되는 복잡한 추적과제를 수행하는 데 방해가 되는지를 알고 싶다고 하자. 독립변인(기억을 위해 제시된 단어수) 수준의 수를 늘이려고 할 때 피험자 내 실험에서는 예비 훈련 시간을 더 이상 추가시킬 필요가 없다. 그러나 피험자 간 실험에서는 참가자의 수를 증가시켜야 하고 따라서 예비 훈련 시간이 증가된다. 실험이 시작되기 전에 약간의 연습시행을 수행하는 것이 보통인데 참가자 수가 많아질수록 그 연습 또한 실험에 소요되는 시간을 증가시킨다. 이 연습시행들은 실험에 익숙해짐에 따라 최초 몇 시행 동안 아주 빠른 향상을 보이는 준비효과(warm-up effects)를 최소화하기 위해 실시된다.

피험자 간 설계를 사용하는 경우 많은 수의 참가자가 필요하다는 것이 불편하다는 것 이외에도 특히 특별한 요건을 갖춘 참가자를 사용하여야 할 때에는 구할 수 있는 참가자의 수에 한계가 있다.

예를 들어 어떤 실험을 위해 비행기 조종사, 자동차 경주자, 발레 무용가를 필요로 할지도 모른다. 그렇지 않으면 정신병, 색맹 또는 왼손잡이와 같은 비정상인[4])을 참가자로 원할는지도 모른다. 그런 경우에 여러분은 피험자 간 설계에 사

3) N은 10명, 20명과 같이 특정 실험에 필요한 참가자의 수를 나타낸다.

용할 이러한 요건을 갖춘 참가자들을 충분히 구할 수 없을 수도 있으며, 따라서 피험자 내 실험을 해야 할 필요가 있을 것이다.

통계적 장점

피험자 내 실험은 매우 효율적이라는 것 이외에도 통계적 이유들 때문에 선호될 수 있다. 제12장에서 통계에 대해 간단히 살펴보겠지만 여기에서 몇 가지 개념을 언급하고자 한다.

추론통계검증에서 실험자들은 독립변인의 여러 수준으로부터 수집된 자료 표본들에서 발견된 차이가 모집단(population)의 행동에서 차이가 실제로 있기 때문에 나타난 것인지 우연에 의한 것인지를 추론하려 시도한다. 이 추론을 하기 위해서 대부분의 검증들은 두 수준에서 나타난 평균 수행들 간의 차이를 각 수준 내의 수행의 변산성 추정치와 비교한다. 통계적 검증에서 수준 간의 차이가 크거나 수준들 내에서 추정된 변산성이 작으면 실험자가 수준 간 차이를 실제 차이라고 말할 가능성은 더욱 높아진다. 이 원리가 얼마나 논리적인지를 다음의 예가 보여줄 것이다.

한 육상용 운동화 제조업자가 100야드[5] 남자 달리기 선수들에게 7mm 스파이크와 13mm 스파이크[6]가 달린 운동화 중 어느 것을 팔아야 할지를 알고자 한다고 하자. 이 운동화들을 시험하기 위해서 제조업자는 한 대학에서 10명의 대학생을 임의로 선발하여 한 유형의 운동화를 신게 하고, 같은 대학에서 다른 10명에게는 나머지 유형의 운동화를 신게 할 수 있다. 두 집단의 남학생들은—300파운드의 38세인 전직 바텐더로부터 125파운드의 19세 축구선수에 이르기까지—달리는 시간에 있어서 아마도 차이가 날 것이다. 그들의 점수는 표 8-2에 있는 것과 비슷할 것이다. 만일 두 집단의 평균[7]을 계산한다면, 여러분은 7mm 스파이크를 신은 사

4) 농담입니다. 왼손잡이 여러분.

5) 91.4m

6) 0.276인치와 0.512인치

표 8-2 임의로 선택된 두 남학생 집단의 개인별 100야드 달리기 기록

7mm 스파이크를 신은 남자들	시간 (초)	13mm 스파이크를 신은 남자들	시간 (초)
Mike	11.7	Don	15.7
Bob	18.2	Hector	13.4
Homer	12.2	Ron	18.0
George	15.4	Tom	12.8
Harry	15.8	Steve	13.6
Gordon	13.2	Dale	19.0
John	13.7	Pete	16.2
Bill	19.1	Juan	11.9
Randy	12.9	Dan	14.6
Tim	16.0	Paul	18.0

7mm 조건의 평균 = 14.82초　　13mm 조건의 평균 = 15.32초
평균 차이 = 0.5초

람들이 13mm 스파이크를 신은 사람들보다 평균 0.5초 빠르다는 것을 발견할 것이다. 두 집단의 시간 차이는 짧은 스파이크가 100야드 달리기에 좋다고 확신하게 하는가?

이제 그 제조업자가 육상선수들을 참가자로 사용하여 두 번째 실험을 하기로 결정하고 그들을 7mm와 13mm 집단에 할당한다고 가정하자. 그들의 점수는 표 8-3에 있는 것과 같이 나타났다. 다시 짧은 스파이크를 신은 육상선수들이 0.5초 앞선다. 이 자료들을 통해 여러분은 짧은 스파이크가 더 좋다는 확신을 가지게 될 것인가?

틀림없이 여러분은 두 번째 실험에서 발견된 차이를 실제 차이로서 받아들이기 쉽다. 두 번째 실험에서의 점수의 변산성이 적기 때문에 여러분은 아마도 거기에서 발견되는 차이를 전적으로 우연적 변산에 의한 차이로만 느끼기는 어려울 것이다.

7) 제12장과 부록 A에서 보다 상세히 논의하겠지만 평균은 각 개인들의 점수의 합을 개인의 수로 나눈 것이다.

표 8-3 임의로 선택된 두 육상선수 집단의 개인별 100야드 달리기 기록

7mm 스파이크를 신은 남자들	시간 (초)	13mm 스파이크를 신은 남자들	시간 (초)
Art	10.6	Rob	10.8
Simon	10.3	Frank	11.0
Nick	10.3	Walt	10.8
Daryl	10.2	Gary	10.6
Ralph	10.4	Ken	10.8
Will	10.0	Bryan	10.7
Reuben	10.2	Dick	10.6
Ed	10.1	Stan	10.7
Fred	10.3	Rich	10.7
Wayne	10.4	Mark	11.1

7mm 조건의 평균 = 10.28초 13mm 조건의 평균 = 10.78초
평균 차이 = 0.5초

첫 번째 실험 점수들의 변산성의 대부분은 분명히 신발과는 상관없이 참가자들의 100야드 달리기 능력에서 개인차가 컸기 때문에 나타난 것이었다. 두 번째 실험에서 참가자의 개인적 차이에 기인하는 대부분의 변산성은 좀 더 비슷한 참가자를 선택함으로써 제거되었다.

어떻게 두 집단의 참가자를 좀 더 비슷하게 할 수 있을까? 똑같은 참가자를 사용하면 된다. 여러분은 왜 한 집단의 참가자만이 있는 피험자 내 실험이 통계적 장점을 갖는지를 알 수 있을 것이다. 그것은 참가자들 간의 개인차를 최소화 하는 최선의 방법인 것이다. 피험자 내 설계를 사용함으로써 여러분들은 독립변인의 수준들 사이에 나타난 수행의 차이들을 실제 차이라고 확신하게 될 가능성이 높으며, 통계적 검증에서도 그렇다.[8)]

8) 통계적 엄정성에 찬성하는 경향을 지닌 사람들은 내가 직관적으로 기분 좋게 추론통계의 논리를 만들어내려고 하는 것에 대해 경악할지도 모른다. 나는 제9장에서 좀 더 엄정해질 것이다. 그러나 약간만.

단점

피험자 내 설계를 사용하는 것이 이처럼 많은 실용적 및 통계적 장점을 가진다면 우리는 왜 피험자 간 설계를 사용해야만 하는가? 불행히도 피험자 내 설계는 약간 심각한 결점을 가지고 있다. 어떤 사람들은 이런 결점들 때문에 피험자 내 설계가 거의 무용하다고까지 말할 수 있다. "명성이 있는 심리학자라면 누구나 특별한 경우를 제외하고는 분리 집단(피험자 간) 설계와 피험자 내 설계를 결합하지 않고서는 피험자 내 설계를 쓰지 않게 되는 날이 올 것이다."라고 말하였다(Poulton, 1973).

피험자 간 설계의 장점에 대해 논의했던 것처럼 근본적인 문제는 일단 참가자들이 한 수준의 독립변인에 노출되면 그들을 노출 전의 상태로 되돌려 놓을 길이 없다는 것이다. 노출은 돌이킬 수 없다. 따라서 더 이상 참가자를 깨끗하고, 오염되지 않은, 순수한 사람들로서 다룰 수 없다. 몇몇 연구자들은 사전 노출이 참가자에게 영향을 미치는 것을 이월효과(carry-over effect)라고 부른다. 참가자들이 어떤 방식으로 바뀔지는 독립변인의 각 수준에 노출된 순서에 따라 달라지므로 이러한 차이를 순서효과라 부른다. 피험자 내 설계에서 **순서효과**(order effect)는 독립변인의 한 수준에서 발생하는 행동이 그 수준이 제시되었던 순서에 따라 달라질 때 발생한다.

순서가 행동에 영향을 줄 수 있는 한 가지 방법은 학습이다. 즉, 참가자들이 먼저 제시된 독립변인의 수준에 노출되는 동안 학습한 것이 나중의 행동에 영향을 줄 수 있다. 예를 들어 표준적인 QWERTY[9] 자판과 새롭게 디자인 된 자판 중 어느 자판이 타이핑 하는 데 시간이 더 걸리는지를 알고 싶다고 가정하자. 타이핑 능력에 커다란 개인차가 있을 수 있으므로 우리는 피험자 내 설계를 사용하기로 결정한다. 우리는 열 명의 참가자를 선정하여 그들이 수동타자기로 분당 30단어를 치기 위해 얼마나 많은 연습시간이 걸리는지를 알아낸다. 그러고 나서 새로운 자

9) QWERTY 자판은 표준 자판의 왼쪽 위 열의 첫 여섯 글자로부터 이름지어졌다. 타이핑을 약간 더 빠르게 할 수 있는 보다 적합한 자판 배열이 있음이 여러 연구에서 밝혀졌다. 그러나 이미 QWERTY 자판을 알고 있는 모든 사람들을 재훈련 시키는 데 엄청난 노력이 필요하기 때문에 어떠한 새로운 문자판도 널리 채택될 것 같지 않다.

판으로 바꾸어 분당 30단어를 치려면 몇 시간이나 연습해야 하는지를 알아낸다. QWERTY 자판으로는 평균 45시간이 걸렸지만 새 자판으로는 고작 2시간이 소요되었다는 것을 발견했다. 우리는 새 자판이 배우기에 훨씬 용이하다는 결론을 내릴 수 있을까? 분명히 그렇지는 않다.

실험의 첫 부분 동안 QWERTY 자판을 사용하는 데 필요한 특정 기술을 배운 것 이외에 참가자들은 일반적인 타이핑 기술 역시 배웠다. 일반적인 기술이 특정 기술과 혼입되어 있다. 새 자판에 타이핑을 하는 시점에서 그들의 일반적인 타이핑 기술은 의심의 여지 없이 실험에 처음 참가했을 때보다 훨씬 높은 수준에 있다. QWERTY 자판은 항상 실험의 첫 부분에서 실시되었기 때문에 일반적인 기술과 특정 기술을 배우는 데 더 많은 시간이 걸렸다. 새 자판은 항상 두 번째로 실시되었고 따라서 일반적인 기술은 이미 배웠으므로 시간이 덜 걸렸다. 학습은 순서효과가 나타나는 가장 일반적인 것들 중 하나이다. 여기에 피로와 발달에 따른 성숙과 같은 다른 순서효과도 있다. 어떤 효과가 실험을 하는 동안 체계적으로 변할 때 우리는 순서효과들이 발생할 가능성이 있다는 것을 인식하고 독립변인이 순서에 의해 오염되지 않도록 해야 한다.

피험자 내 설계의 이러한 단점 때문에 심리학의 특정 분야에서는 자주 사용되지 않는다. 예를 들어 학습이나 기억 그리고 태도 형성과 같은 사회 심리학 분야의 연구자들은 실험의 본질상 참가자들의 행동 변화가 오래 지속될 것을 기대한다. 여러분은 참가자들에게 "좋아. 이제는 열 시행에서 기억하도록 한 단어 목록을 잊어 버려라." 혹은 "여러분의 태도를 설득적인 선전문을 읽기 전의 상태로 되돌리시오."라고 말할 수 없으며, 그들이 그렇게 할 수 있을 것이라고 기대할 수도 없다. 이와 같은 연구 분야에서 참가자들은 대개 독립변인의 한 수준에 노출되면 처음 상태로 되돌릴 수 없도록 오염된다. 그러나 사전 노출이 영향을 주지 않는 분야들도 있다. 예를 들어, 두 음의 강도를 구별하는 사람들의 능력에 대해 연구한다면 한 특정 자극 강도 차이에 노출되었다는 것이 두 번째 차이를 구별하는 능력에 영향을 주었을 것이라고 가정할 수 없다. 이 경우나 감각과 지각 같은 분야의 많은 실험들에서 피험자 내 설계는 적절하며 자주 사용되기도 한다.

역균형법

학습과 같은 순서효과를 최소화 하는 방법은 **역균형법**(counterbalancing)이다. 역균형화 하고자 할 때 여러분은 잠정적인 오염변인인 순서효과가 존재한다는 것을 반드시 인정해야만 한다. 또한 그것을 통제하거나 무선화 하여 없앨 수 없다는 것을 인정하여야 한다. 따라서 동일한 양의 오염효과를 독립변인의 각 수준에 분배해야 한다. 이러한 방법으로 여러분은 그 효과가 역균형되어 독립변인에 기인한 어떠한 효과도 편중시키지 않기를 바랄 수 있다.

역균형의 개념을 예시하기 위하여 나는 그림 8-1에 나타난 것과 같은 저울을 사용하겠다. 잠시 우리가 전능하여 독립변인과 오염변인에 기인한 효과의 실제 크기를 알고 있다고 가정하자. 만일 독립변인의 두 수준인 A와 B를 제시하는 완벽한 실험을 수행했다면 우리는 아마도 그림 8-1의 1면에 있는 그래프에 예시된 결과를 발견할 수 있을 것이다. 우리는 독립변인 이외에는 어떠한 변인들도 결과에 영향을 주지 않았을 것이라고 가정한다. 종속변인에 미치는 효과의 크기는 A수준에서 1단위이고 B수준에서 3단위이다. 이것들을 저울 위에 올려놓을 것이므로 그

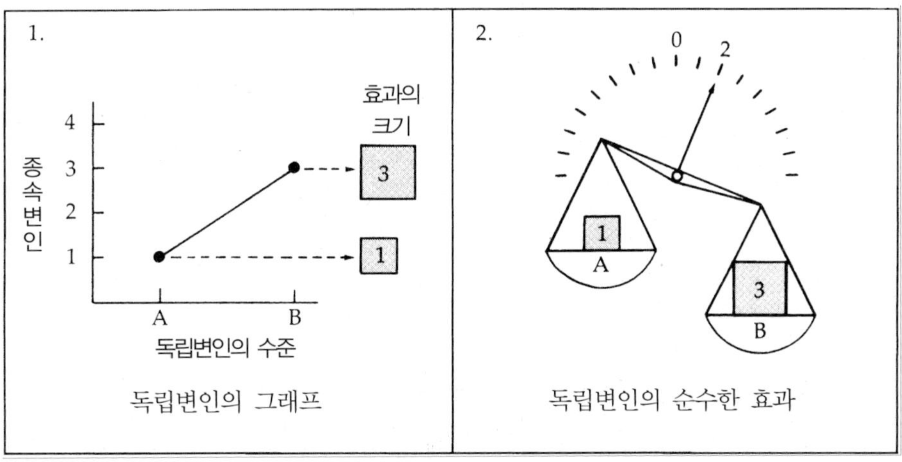

그림 8-1 1면에 있는 그래프는 A와 B 두 수준의 독립변인이 종속변인에 미치는 효과를 보여준다. 2면에 있는 저울은 순수하고 오염되지 않은 독립변인의 효과가 2단위임을 나타낸다.

것들을 추로 바꾸어 표시해 보겠다. 2면에서 그 추들을 저울에 올려놓음으로써 순수하고 오염되지 않은 독립변인의 효과가 2인 것을 알 수 있다.

지금 피험자 내 설계를 사용하고 있기 때문에 독립변인의 두 수준 모두를 동시에 제시할 수는 없으므로 할 수 없이 몇 번의 시행을 수행해야만 한다. 학습과 같은 어떤 오염효과가 그림 8-2의 1면에 제시된 것과 같이 각 시행에서 증가한다고 가정하자. 시행 1에서 볼 수 있는 것처럼 종속변인에 대한 오염변인의 효과는 1단위이며 시행 4에 이르러서는 4단위이다. 다시 효과의 크기를 추로 바꾸어 생각해 보자. 우리가 바라는 것은 이 추들이 양쪽으로 고루 배분되어 저울이 역균형을 취하도록 하는 것이다. 이러한 방법으로 저울은 독립변인이 추가되어도 어느 쪽으로든 편중되지 않을 것이다.

보다 자주 사용되는 역균형 체제는 **ABBA 역균형법**(ABBA counterbalancing)이다. 앞의 예에서 수준 A와 B는 독립변인의 두 수준을 대표한다. 그리고 문자의 순서는 어떤 수준이 어떤 시행에 할당되는 지를 나타낸다. 즉, A수준은 시행 1에, B수준은 시행 2에, B수준은 시행 3에, 그리고 A수준은 시행 4에 제시될 것이다. 각 참가자들은 모든 시행을 다 실시하게 된다.

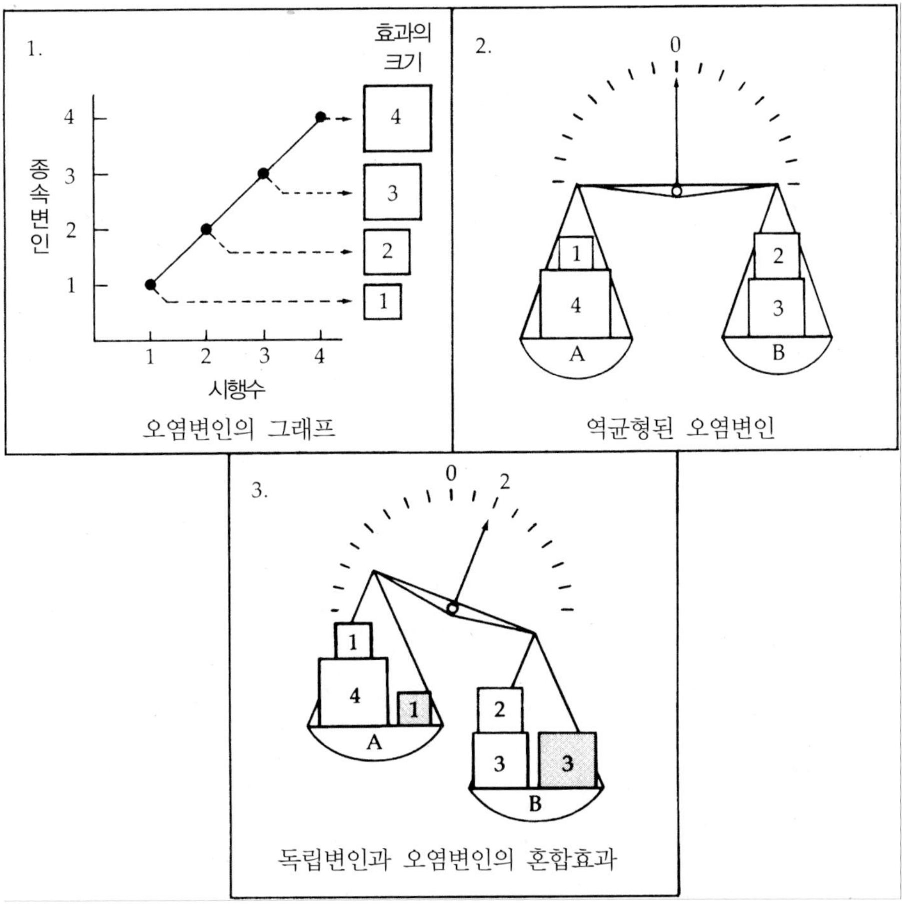

그림 8-2 1면의 그래프는 종속변인에 미치는 오염변인의 효과가 선형적임을 보여 준다. 2면의 저울은 ABBA의 순서로 배열된 독립변인이 오염변인을 성공적으로 역균형화 한 것을 표시한다. 독립변인의 효과를 대표하는 추가 3면에서 더해졌을 때 2단위의 정확한 순수효과가 발견되었다.

그림 8-2의 2면은, 시행 1과 4의 추들이 A쪽에 그리고 시행 2와 3의 추들이 B쪽에 놓여졌을 때 어떤 일이 일어나는지를 보여 준다. 저울은 역균형을 취하였다. 독립변인의 효과를 나타내는 추들을 추가했을 때에도 오염과 독립변인이 혼합된 효과는 2로서, 원래의 독립변인의 순수한 효과에 해당된다. 기본적으로 편중되

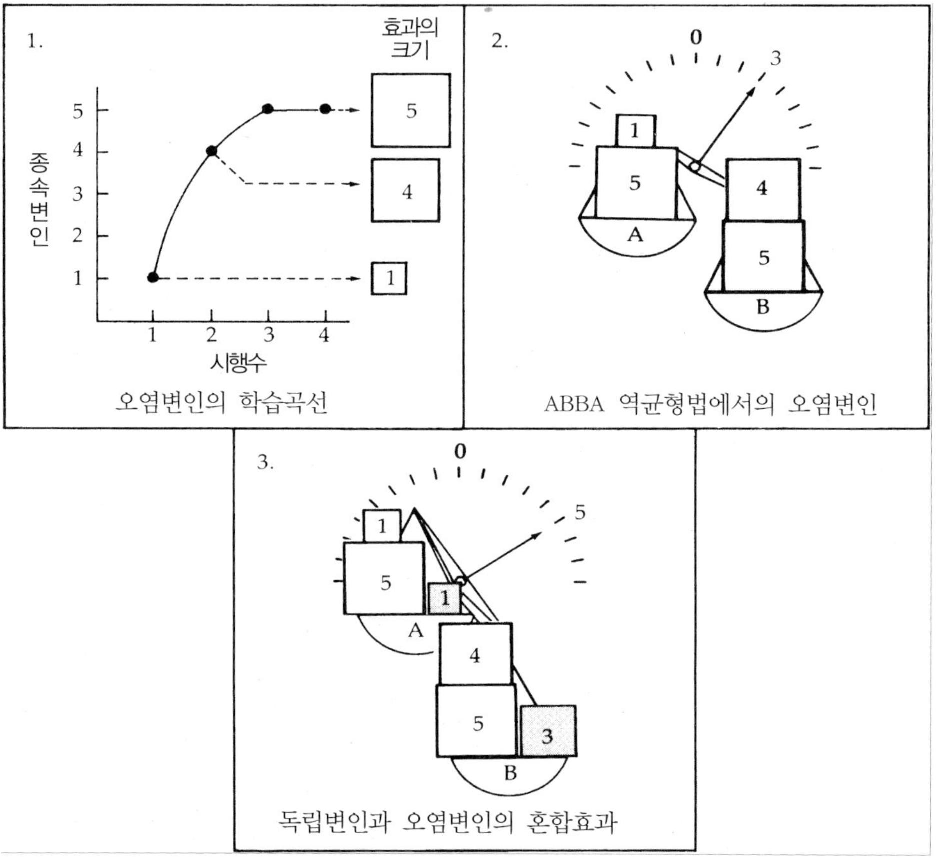

그림 8-3 1면의 그래프는 학습 곡선 형태의 오염변인 효과가 종속변인에 미치는 효과를 보여 준다. 2면의 저울은 ABBA 역균형이 오염변인을 역균형 하지 못했음을 보여 준다. 저울은 B쪽으로 3단위 편향되어 있다. 독립변인의 효과를 나타내는 추들이 3면에서 추가되었을 때 5단위로 나타난 효과는 독립변인의 효과를 3단위 과대평가하고 있다.

지 않은 이러한 결과는 모든 역균형체계를 통해 달성하고자 하는 것이다.

여러분이 역균형법의 아름다움에 너무 도취하기 전에 역균형체제가 어떤 가정에 기초하고 있으며, 이러한 가정이 무너지면 그 아름다움이 야수로 돌변할 수 있다는 것을 말하고자 한다.

ABBA 역균형법의 한 가정은 오염효과가 선형적이어서 직선의 형태로 나타

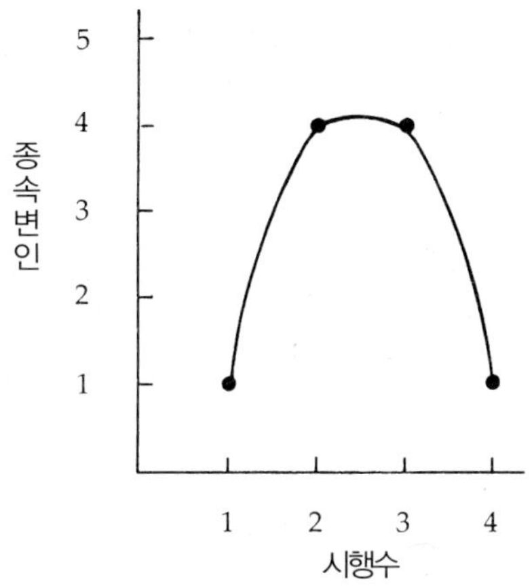

복잡한 오염변인의 그래프

그림 8-4 종속변인에 미치는 복잡한 오염변인의 효과를 나타내는 그래프. 이와 같은 함수는 학습과 피로에 의해 야기될 수 있다.

난다는 것이다. 그렇지 않을 때 어떤 일이 일어날 수 있는지를 살펴보기 위해서 추의 예로 돌아가자. 오염효과가 그림 8-3의 1면에서 나타난 것과 같다고 가정하자. 사실 학습은 오염의 가장 유력한 후보이며 대부분의 학습곡선은 이것과 매우 유사하다. 즉, 수행의 처음에는 커다란 증가를 보이다가 증가하는 정도가 점점 작아진다. 추로 전환을 하고 ABBA 설계에 따라 그 추들을 쌓아가면서, 2면에서 저울이 역균형화 되지 않았다는 것을 볼 수 있다. 저울은 B쪽으로 3단위만큼 기울었다. 3면에서 볼 수 있듯이 독립변인을 나타내는 추가 첨가되면 독립변인의 효과인 2단위가 아니라 5단위인 것으로 나타난다.

어떤 조건에서는 ABBA 역균형이 순서 변인을 교정해 주지 못할 뿐 아니라 오염변인 문제를 복잡하게 만들 수도 있다. 이것의 한 가지 예가 그림 8-4에 나타나 있다. 이 그림에서 오염효과는 처음에는 수행을 향상시키다가 다음에는 저하시킨다. 학습효과와 피로효과를 결합하면 그와 같은 함수가 만들어질 수 있을 것이다. 균형잡히지 않은 오염변인에 의해 야기되는 편중의 크기를 계산해 보라.

만일 오염효과가 선형적이기만 하다면 ABBA 역균형법이 피험자 내 실험에서 오염변인의 효과를 제거할 수 있다는 것을 보았다. 만일 그 효과가 비선형적이라면 우리는 다른 역균형법을 선택하거나 또는 피험자 간 실험으로 설계하여야 한다.

ABBA 역균형법은 순전히 피험자 내에서의 순서효과를 역균형화하기 위해 시도된다. 즉, 동일한 참가자가 AB 순서와 BA 순서 모두를 제시 받는다. 이와 다른 역균형법에서는 참가자들 사이에 엇갈리는 역균형적 순서를 취함으로써 순서를 피험자 간 변인으로 할 수 있다. 가장 단순한 두 수준의 예를 들면 한 집단의 참가자는 AB로 제시 받고 두 번째 집단은 BA로 제시 받을 수 있다. 두 집단에서 구한 "A" 자료들의 평균이 취해질 것이며, 두 집단에서 구한 "B" 자료도 평균이 취해질 것이다. 만일 이 방법을 사용한다면 오염효과는 직선적이어야 할 필요가 없다. 그러나 아직도 A 뒤에 B가 오게 하는 효과는 B 뒤에 A가 오게 하는 효과의 역이 되어야 한다는 가정이 성립해야만 한다(Poulton과 Freeman, 1966). 이 가정은 때때로 **대칭적 전이**(symmetrical transfer)[10]라고 불린다. 이 가정에 위배되어 비대칭적 전이가 발생한다면, 이런 유형의 역균형법은 효과적이지 못하다.

비대칭적 전이가 발견되는 실험을 생각해 보자. 연구자는 복잡한 수행에 미치는 소음의 효과에 흥미를 가지고 있었다(Aldridge, 1978; Poulton, 1979). 처음에 참가자들에게는 기억해야 할 자음-모음-자음의 비단어(예를 들면 DOF)를 16초 동안 제시해 주었다. 이 기억과제를 하는 동안 1초에 한 번씩 "B" 음이 계속적으로 나오다가 가끔씩 "P" 음이 제시되었는데 참가자들은 "P" 음이 제시될 때 이를 탐지해야 했다. 소음조건에서는 계속해서 크게 "쉿" 하는 소음이 함께 제시되었다. 순서효과를 역균형화 하기 위해 한 집단의 참가자들은 조용한 시행들 뒤에 소음 시행들이 이어지는 구획을 제시 받았고(AB), 두 번째 집단은 역으로 된 것을 제시 받았다(BA).

실험의 결과가 그림 8-5에 나타나 있다. 조용한 시행에 먼저 노출되었던 집단

10) 때때로 비차별적 전이라고 불린다.

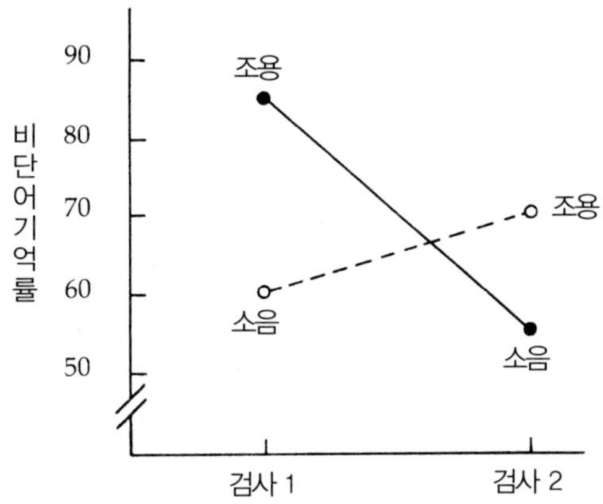

그림 8-5 단어쌍의 기억에 미치는 소음의 효과. 그 효과는 비대칭적 전이를 보여 주고 있다(J. W. Aldridge[1978]. 『Journal of Experimental Psychology: Human Perception and Performance』, 4, 167~177의 "Levels of Processing in Speech Perception"에서 인용).

은 비단어들을 잘 기억했다. 그러나 소음조건으로 바뀌었을 때 그들의 수행은 현저하게 떨어졌다. 나머지 집단은 기대된 바와 같이 소음 조건에서 수행이 낮았다. 그러나 조용한 조건으로 바뀌었을 때 그들의 수행이 아주 조금밖에 향상하지 않았다는 것을 주목하라. 효과의 크기는 조용한 조건이 먼저였던 집단은 31%였고, 소음이 먼저였던 집단은 10%였다. 만일 대칭적 전이가 일어났다면 우리는 효과의 크기가 똑같이 나타날 것이라고 기대할 것이다. 비대칭적 전이가 발견되는 이유는 무엇인가?

분명히 두 집단은 서로 다른 방식으로 과제를 수행하는 것을 학습하였다. 조용한 조건을 처음 실시한 집단은 비단어들을 파지하기 위하여 아마도 청각적 저장(echoic store)을 사용하도록 학습했을 것이다. 청각적 저장은 청각 자극이 사라졌을 때 잠시동안 자동적으로 반향되는 머릿속의 메아리 같은 것이다.[11] 그러나 나중에 메아리보다 큰 청각적 자극이 제시되면 이것을 덮어버릴 수 있다.

11) 청각적 저장은 남편이 신문을 읽고 있는데 아내가 "여보, 내가 방금 뭐라고 했는지 알아요?"라고 말할 때 남편이 기억해 내려고 하면서 사용하는 바로 그것이다.

조용할 때는 이 전략이 잘 맞지만, 소음이 들려오게 되면 조용한 것을 먼저 제시 받았던 집단은 아마도 새로운 방법인 발성적 저장(articulatory store)[12]을 사용했어야 했다. 이 경우 비단어들을 반복해서 말하거나 혹은 최소한 발성하는 데 필요한 근육을 움직이게 하는 기제를 활성화 시켰을 것이다. 이렇게 기억하는 방법을 바꿈으로써 그들의 수행은 떨어졌다. 소음이 먼저였던 집단은 발성적 전략을 사용하여 과제를 학습하였다. 조용한 조건으로 바뀌었을 때 그들은 아마도 이처럼 효율적이지 못한 전략을 고수했을 것이며, 따라서 소음이 없을 때 그들의 수행은 약간 향상되었다. 이와 같은 설명은 다소 추론적인 것이기는 하지만, 이 추론을 지지하기 위해 부가적인 자료들도 있다. 그러나 여러분들을 골치 아프게 하고 싶지 않기 때문에 그것에 대해서는 언급하지 않겠다.

비대칭적 전이를 이해하는 데 도움을 줄 수 있는 또 다른 예를 들어보자. 비디오 게임의 경기용 차를 운전하는 것과 같은 복잡한 운동 수행에 음주가 어떤 영향을 미치는지에 관심이 있다고 가정하자. 각 참가자들은 한 세션에 한 시간 동안 경기용 차를 운전하도록 하였다. 한 집단의 참가자에게는 첫 세 세션에서 술을 세 잔씩 마시도록 하고, 그 다음 세 세션 동안은 술 먹지 않은 조건에서 차를 운전하도록 했다고 가정하자. 순서에 의한 효과를 통제하기 위해서 다른 집단은 이 순서를 거꾸로 해서 술 먹지 않은 조건에서 먼저 운전하고 나중에 술 먹은 조건에서 운전하도록 했다. 여러분은 두 집단 모두 술을 먹은 조건에서 점수가 떨어질 것을 예상할 수 있다. 술을 먼저 먹은 집단의 경우 술을 먹지 않은 조건으로 바뀌어진 후 처음에는 수행이 오히려 떨어지며, 두 번째 집단과는 달리 알코올에 의해 수행이 크게 떨어지지 않는 것에 대해 놀랄 수도 있다. 이와 같은 결과는 상태-의존적 학습에 의한 비대칭적 전이의 한 예이다. 특정 상태에서 어떤 기술을 학습을 하면, 그 상태에서 수행이 최고가 되는 경향이 있다. 몇 잔의 술을 마신 후 포켓볼을 더 잘치는 사람이 여러분 주위에 있을지 모르겠다. 이것은 상태-의존적 학습의 한 예이다. 우리의 실험에서도 상태-의존적 학습이 비대칭적 전이의 효과를 일으켰

12) 여러분 스스로 중얼거리는 것.

표 8-4 2, 3, 4 수준의 독립변인을 위한 완전 역균형화 설계

두 수준의 독립변인		세 수준의 독립변인	
수	수준의 순서	수	수준의 순서
		1	ABC
		2	ACB
1	AB*	3	BCA
2	BA	4	BAC
		5	CAB
		6	CBA

네 수준의 독립변인			
수	수준의 순서	수	수준의 순서
1	ABCD	13	CABD
2	ABDC	14	CADB
3	ACBD	15	CBAD
4	ACDB	16	CBDA
5	ADCB	17	CDAB
6	ADBC	18	CDBA
7	BACD	19	DABC
8	BADC	20	DACB
9	BCAD	21	DBAC
10	BCDA	22	DBCA
11	BDAC	23	DCAB
12	BDCA	24	DCBA

*A, B, C, D는 수준들을 나타낸다.

을 수 있다. 피험자 내 설계에서 그와 같은 비대칭적 전이효과를 가지게 될 때 어떤 형태의 역균형법을 사용해서도 구제될 수 없다.

독립변인에 더 많은 수준을 첨가할수록 완전 역균형화 절차는 더욱 복잡해진다. 완전 역균형화 설계에서 각 수준들은 동일한 횟수로 제시되어야 하며, 각 수준들의 각 순서에서도 동일한 횟수로 제시되어야 한다. 표 8-4는 수준이 각각 2, 3, 4인 실험의 완전 역균형 설계를 보여 준다. 표에서 볼 수 있는 바와 같이 완전 역

	제시순서 1	2	3	4
참가자 1	Chicago	Courier	Geneva	Times
참가자 2	Courier	Times	Chicago	Geneva
참가자 3	Times	Geneva	Courier	Chicago
참가자 4	Geneva	Chicago	Times	Courier

그림 8-6 최소 네 명에게 제시할 네 개의 다른 글꼴의 제시순서에 대한 균형잡힌 라틴 방형 설계

균형법(complete counterbalancing)은 독립변인의 수가 많거나 독립변인의 수준 수가 많을 때 정말 대단한 작업이다. 큰 실험설계에서는 각 수준을 무선적으로 할당할 수 있지만 구획 내 무선화 방법도 사용할 수 있음을 제2장에서 보았다. 또한 각 수준들이 각 위치에 동일한 횟수만큼 나타나도록 하면서 몇몇 순서들만을 임의로 선택하는 **부분 역균형법**(partial counterbalancing)을 사용할 수 있다.

독립변인이 두 수준 이상일 때 자주 사용되는 부분 역균형법은 **라틴 방형**(Latin square) 설계이다. 라틴 방형 설계에서는 각 수준들이 제시순서의 각 위치에 동일한 수만큼 제시된다. 독립변인 수준의 수가 정해져도 여러 개의 라틴 방형 설계가 가능하다. 아마도 가장 유용한 것은 균형잡힌 라틴 방형 설계이다. 이 방법에서는 각 수준이 각 제시 위치에서 동일 빈도로 나타날 뿐만 아니라 각 수준의 앞과 뒤에 제시되는 다른 수준도 동일 빈도로 제시된다. 컴퓨터 화면에 Chicago, Courier, Geneva와 Time체의 각기 다른 글꼴(font)로 제시된 문단을 사람들이 얼마나 빨리 읽는지를 알고 싶다고 가정하자. 그림 8-6은 이 실험의 균형잡힌 라틴 방형 설계를 보여 준다. 네 가지 글꼴 각각은 네 명의 참가자를 통해 각 위치에서 한 번만 제시되는 것을 주의 깊게 보아라. 그리고 Courier의 경우 각 열을 따라

내려가면 Chicago 다음, 제일 먼저, Geneva 다음 그리고 Time 다음으로 제시되고, Geneva 앞에, Time 앞에, Chicago 앞에 그리고 제일 나중에 제시됨을 보여준다. 라틴 방형을 사용하기 위해서는 최소한 독립변인의 수준 수만큼, 보다 일반적으로는 독립변인 수준의 배수만큼 참가자를 모아야 한다. 이러한 유형의 부분 역균형은 순서나 비대칭적 전이에 의해서 발생되는 대부분의 오염효과들을 다룰 수 있지만, 순서와 비대칭적 전이들 사이의 가능한 상호작용에 의한 미세한 오염의 효과는 여전히 남게 된다. 완전 역균형법이 가장 최선의 방법이지만 참가자 수가 작다면 라틴 방형도 꽤 좋은 방법이다.

여러분은 역균형법이 종종 일부 피험자 내 실험에서 발견되는 순서에 의한 오염효과를 감소시키는 데에 필요하다는 것을 보았다. 이제 여러분은 여러분이 사용하는 기법에 깔려 있는 가정들을 알아야 하고, 가정들을 만족시킬 수 있는 역균형법을 사용하도록 노력해야 한다. 그러나 비대칭 전이를 갖는 일부 실험에서는 그 가정들을 만족시키는 것이 불가능할 수도 있다. 이때는 피험자 간 설계를 사용할 수밖에 없다. 역균형법에 의해서도 오염의 효과가 교정될 수 없는 피험자 내 설계의 또 다른 단점은 **범위효과**(range effects)이다.

범위효과

만일 여러분이 기계 공장의 구입상이며, 부품 조립을 위한 새로운 작업대 한 세트를 주문하려 한다고 가정하자. 여러분은 작업대의 높이를 선택하여야 하며 그 작업대가 생산을 최대화 하기에 적합한 높이인지 확인하고 싶을 것이다. 여러분은 올바른 높이를 결정하기 위하여 실험을 하기로 결정한다. 한 집단의 근로자들을 (집단 A) 높이가 서로 다른 작업대에 앉히고, 그들이 3분 동안에 얼마나 많은 벽돌을 뒤집을 수 있는가를 세어볼 수 있다. 선택된 작업대의 높이들은 팔꿈치 높이로부터 −10, −6, −2, +2, +6, +10인치이다. 이 책을 읽으면서 여러분은 계열적 순서효과 때문에 문제가 생길 수 있다는 것을 알고 있기 때문에 작업대 높이의 제시 순서를 주의 깊게 역균형했다.

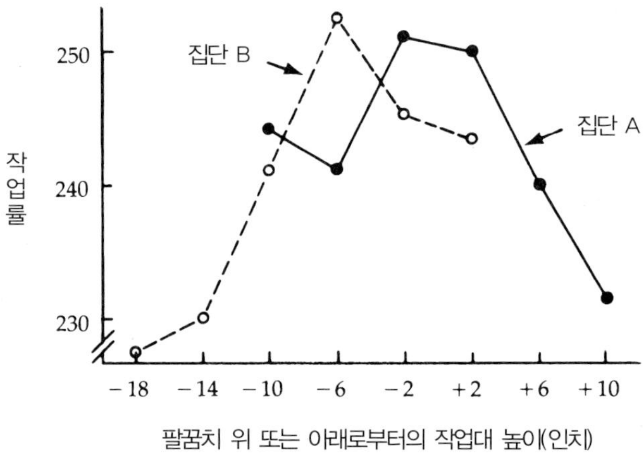

그림 8-7 3분 간의 시행동안 뒤집은 벽돌 수에 미친 작업대 높이의 범위효과. 피험자 내 설계에 귀인한 범위효과는 두 집단 모두 제시된 높이들의 중간 높이에서 가장 높은 수행을 보이는 것으로 나타나 있다.

실험을 마친 후에 여러분의 상관은 좀 더 낮은 높이의 작업대로 검사한 것을 보고 싶다고 말한다. 이번에는 B집단에게 팔꿈치로부터 −18, −14, −10, −6, −2 그리고 +2인치 높이의 작업대를 사용하게 하는 것만 제외하고는 처음 것과 똑같은 다른 실험을 고안한다.

그림 8-7은 이 실험의 실제 결과를 보여 주고 있다. 결과에서 놀라운 사실은 두 집단에서 가장 적합한 작업대 높이가 다르게 나타난다는 것이다. A집단은 팔꿈치 높이에서 가장 잘 수행했고, B집단은 팔꿈치 아래 6인치 높이에서 가장 잘 수행했다. 왜 그런가? 주어진 높이의 작업대에서 벽돌을 뒤집는 것과 같은 과제를 학습할 때, 참가자들은 다른 높이의 작업대 위에서 벽돌을 뒤집는 것과 같은 다른 과제에도 적용될 수 있는 기술을 함께 습득한다. 두 작업대의 높이가 비슷할수록 참가자들은 한 높이에서 얻어진 기술을 다른 높이에 더 잘 전이할 수 있다. 이것은 기본적인 학습 원리이다. 따라서 만일 벽돌 뒤집기 실험을 학습 실험으로 간주한다면, 실험에서 사용된 모든 나머지 작업대 높이들과 가장 유사한 작업대 높이에서 참가자들이 가장 잘 수행할 것이라고 기대할 수 있다. 표 8-5는 각 집단에

표 8-5 각 작업대 높이와 제시된 나머지 다섯 가지 높이들 간의 평균 높이 차

	작업대 높이							
	−18	−14	−10	−6	−2	+2	+6	+10
A 집단			12	8.5	7.2	7.2	8.5	12
B 집단	12	8.5	7.2	7.2	8.5	12		

제시된 작업대의 높이와 나머지 다섯 가지 높이들 간의 평균 높이 차를 인치로 나타낸 것이다. 만일 각 실험에 제시된 다른 조건들과 가장 유사한 과제에서 가장 높은 작업률이 나올 것을 기대한다면 우리는 표 8-5로부터 그림 8-7을 꽤 잘 예측해낼 수 있을 것이다. 이제 왜 이것을 범위효과라고 부르는지를 알 수 있을 것이다. 학습의 전이가 범위의 중간에서 최고이기 때문에 참가자들은 제시된 수준들의 범위의 중간에서 최고 수준의 수행을 갖는 경향이 있다. 범위효과는 자극이나 반응이 일정한 순서로 배치될 수 있을 때마다 피험자 내 실험의 결과로 나타날 수 있다. Poulton(1973)은 실험심리학의 대부분의 분야에서 범위효과의 예들을 지적한 바 있다.

비록 범위효과 때문에 Poulton과 또 다른 사람들이 피험자 내 실험에 대해 경고를 하였지만, 다른 연구자들은 많은 경우에서 피험자 내 설계가 사용되어야 한다고 주장한다. 예를 들어, Greenwald(1976)는 범위효과란 단지 **맥락효과**(context effect)라는 점을 지적했다. 참가자들은 이미 확립되어 있는 맥락효과를 가진 채로 실험에 임하게 된다. 예를 들어 작업대 실험에서 사람들은 이미 특정한 높이의 작업대를 사용한 경험을 갖고 있다. 그는 피험자 간 설계에서 한 참가자에게 단 하나의 독립변인 수준만을 반복적으로 제시하는 것 역시 맥락을 제거하지 못할 것이라고 지적하였다. 독립변인의 한 수준에서 시행들이 반복적으로 제시됨으로써 단일 수준이라는 새로운 맥락이 형성된다. 이러한 이유로 Greenwald는 두 설계 중 어느 하나의 설계로도 맥락효과를 없앨 수 없다고 주장한다. 대신 실험설계를 선택함에 있어서 던져야 하는 더 중요한 질문은 결과를 어떠한 상황에 일반화시킬

것인가 하는 것이라고 그는 제안한다.

예를 들어 폭력적 텔레비전 실험에서, 한 어린이를 한 수준의 폭력성에 반복적으로 노출시키는 것(피험자 간 설계)은 그 어린이를 여러 다른 수준들에 노출시키는 것보다 더 인위적일 수 있다. 우리는 실험 결과를 여러 수준의 폭력성에 노출되는 실제 세계에 일반화 시키고자 하므로 피험자 내 설계를 선택하는 것이 더 적절할 것이다. 즉, 실험에 사용된 범위는 우리가 일반화 시키고자 하는 상황에서 발견되는 범위에 접근해야만 한다. 실험자로서 여러분은 범위효과가 실험 결과를 변화시킬 수 있다는 것을 알고 있어야 하는 동시에 결과를 적절한 상황에 일반화 시킬 수 있도록 해 주는 설계를 선택해야 한다.

Poulton이 주장한 피험자 간 설계와 Greenwald이 주장한 피험자 내 설계와 단일 피험자를 사용한 피험자 내 설계만 사용하는 다른 연구자들의 주장 중 어떤 것이 가장 좋은 것인가? 가장 합리적인 대답은 여러분이 계획하고 있는 실험에 따라 다르다는 것이다. 우리가 본 바와 같이 태도 변화나 기억에 대한 여러 연구 분야에서는 피험자 내 설계를 사용할 수 없다. 또한 비대칭적 전이가 있는 경우 아주 정교한 역균형법조차 순서에 의한 효과를 고칠 수 없는 연구 분야도 있다. 치료법이 아주 효과가 있다는 것이 발견되었을 때 치료의 효과를 원점으로 되돌릴 수 있는 피험자 내 설계의 사용은 비윤리적일 수 있는 경우도 있다. 한편 참가자 자신의 통제에 따르게 한 상태에서 한 사람의 참가자를 사용하는 실험은 작지만 매우 중요한 실험 조작의 효과를 명확하게 볼 수 있는 정도까지 변산성을 줄일 수 있는 강력한 실험방법이 될 수도 있다. 피험자 내 설계에서 발견되는 순서효과와 같은 문제에 덜 영향을 받는 연구 영역도 있다. 예를 들어 기억 연구 분야에서 파지 간격이나 기억 용량(memory load)에 관련된 연구나 착시나 소리 위치 판단과 같은 지각실험 그리고 점화(priming)에 대한 주의 연구들이 그것이다. 이러한 경우 가장 효율적이고 깨끗한 실험은 피험자 내 실험설계이다. 따라서 연구자로서 여러분이 할 수 있는 최선의 방법은 여러분이 연구하는 데 최선의 설계를 선택하는 것이다.

짝짓기

피험자 간 실험의 장점을 지니면서도 참가자들이 가진 커다란 개인차 문제를 부분적으로 회피할 수 있는 한 가지 방법은 **짝진 집단 설계**(matched-groups design)를 사용하는 것이다. 이 방법은 단순히 독립변인의 각 수준에 유사한 참가자들이 할당되도록 하는 것이다. 전형적인 피험자 간 실험에서는 각 수준에 놓여진 참가자들이 꽤 비슷하기를 희망하는데, 무선화를 통해 이를 이룰 수 있다. 참가자의 무선적 할당은 그 집단들이 본질적으로 동등하도록 해 주며 집단이 크면 클수록 동등해질 가능성이 더 높아진다. 그러나 이것은 무선적인 과정이므로, 때때로 각 수준에 할당된 참가자들이 다를 수 있으며, 이 경우 참가자들의 행동에서의 차이를 독립변인에 의한 것으로 잘못 결론 내릴 수 있다. 즉, 이 실험은 참가자 차이에 의해 오염되었다고 말할 수 있다. 참가자 집단을 짝짓기 함으로써 이와 같은 가능성을 최소화 할 수 있다. 어떠한 근거에서 집단들을 짝짓기 해야 하는가?

종속변인과 상관이 매우 높은 변인에 근거하여 집단을 짝지어야 한다. 육상용 운동화의 예에서, 두 집단의 달리기 선수들을 지능지수에 근거하여 짝짓는다면 그것은 시간낭비이다. 재빠른 사고는 재빠른 발과는 관련이 없다. 그러나 우리는 각 참가자에게 먼저 정구용 운동화를 신고 100야드를 달리도록 한 후 가장 빠른 두 사람, 그 다음으로 빠른 두 사람 등으로 참가자들의 쌍을 만들 수 있다. 그러고 나서 우리는 동전을 던져서 각 쌍의 한 명씩을 두 육상용 운동화 조건 각각에 할당할 수 있다. 이러한 방법으로 우리는 독립변인을 도입하기 전에 각 집단들이 달

짝진 집단 설계

리기 속도에 있어서 어느 정도 동등하다는 것을 알 수 있다. 이 실험에서 우리는 정구화를 신고 달리는 시간과 육상화를 신고 달리는 시간 사이에 커다란 상관이 있다고 가정한다. 왜냐하면 짝짓기 변인과 종속변인 간의 상관이 낮을수록 짝짓기에 의해서 얻어지는 것이 더 적어지기 때문이다.

짝짓기 방법을 통해서 우리는 독립변인에 의해 행동에서의 차이가 발생되었다고 말하는 것이 틀릴 확률을 감소시킨다. 짝진 집단이 사용되었을 때 짝짓기는 통계적인 이점도 제공해 준다. 즉, 종속변인에서의 차이가 우연에 의한 것이 아니라 독립변인에 의해 발생했을 가능성이 많아진다. 통계적 검증은 독립변인에 의한 집단 간 차이에 보다 민감하게 된다.

이러한 원리를 예시를 통해 확인해보기 위하여 표 8-6의 왼쪽 줄에는 7mm 스파이크 운동화를 신고 달리도록 무선적으로 선발된 참가자들을 다시 나열해 놓았다(표 8-2와 동일). 참가자들을 짝짓기 위하여 정구화를 신고 달리게 했다고 가정하자. 괄호 안의 점수들은 참가자들이 정구화를 신고 달린 시간이다. 짝진 집단을 만들기 위해서 더 많은 사람들에게 정구화를 신고 뛰게 하여 달리기 시간에서

표 8-6 짝지은 두 집단의 100야드 달리기에 걸린 개인 시간표

7mm 스파이크를 신은 남자들	시간 (초)		13mm 스파이크를 신은 남자들	시간 (초)	
Mike	(12.2)	11.7	Vic	(12.2)	12.2
Homer	(12.8)	12.2	Jack	(12.8)	12.6
Randy	(13.5)	12.9	Barry	(13.5)	13.5
Gordon	(14.0)	13.2	Larry	(14.0)	13.8
John	(14.3)	13.7	Jess	(14.3)	14.2
George	(16.1)	15.4	Stuart	(16.1)	15.8
Harry	(16.7)	15.8	Harvey	(16.7)	16.2
Tim	(17.0)	16.0	Sid	(17.0)	16.6
Bob	(18.7)	18.2	Pat	(18.7)	18.7
Bill	(19.7)	19.1	Joe	(19.7)	19.6

7mm 조건은 평균 = 14.82초　　13mm 조건은 평균 = 15.32초

평균 차이 = 0.5초

원래의 집단과 유사한 사람들을 선정하였다. 새로운 집단의 참가자들이 오른쪽 줄에 나열되어 있으며 역시 정구화를 신고 달린 시간이 괄호 안에 제시되어 있다. 정구화를 신고 달린 시간에서 개인들의 차이를 제거했음을 명심해라. 그 기록은 정확히 같다. 만일 우리가 이 새로운 집단으로 하여금 13mm 스파이크 운동화를 신고 달리게 하고 그 참가자들의 달리기 시간이 0.5초 증가되었다고 가정하자. 여러분이 그 0.5초의 차이를 독립변인에 의한 것이라고 생각하는 것은 원래의 무선화 집단 실험에서가 더 쉬울까 아니면 이와 같은 짝진 집단 실험에서가 더 쉬울까? 통계적 검증들은 여러분이 판단하는 방식과 유사한 방식으로 결정을 내린다.[13)]

짝진 집단 실험의 한 가지 단점은 집단들을 짝짓는 데 시간이 오래 걸린다는 점이다. 때때로 짝짓기 위한 사전검사용으로 하나의 실험이 그리고 실험 자체용으로 또 하나의 실험이 필요할 수 있다. 만일 많은 수의 참가자들을 사용하기로 계획하고 있다면, 무선적 할당에 의해 집단들 간에 큰 차이가 우연히 발생할 가능성은 적기 때문에 애써 짝짓기 한 노력이 쓸모 없는 것이 될 수도 있다.

마지막으로 고려해야 할 것은 짝짓는 과정 자체가 문제를 야기할 수 있다는 점이다. 정구화 사전검사가 스파이크 운동화 검사에 차별적으로 영향을 미치지 않을 것이라고 가정하였다. 그러나 정구화 검사가 참가자들에게 매끄러운 운동화를 신고 달리는 것에 대한 기술을 가르쳐 줌으로써 이 기술이 나중의 검사에 전이될 수 있을 것이라고 가정하자. 우리는 나중의 검사에서 운동화가 상대적으로 매끄러울수록 참가자들이 더 빨리 달릴 수 있을 것이라고 예측할 수 있다. 짧은 스파이크가 매끄러운 운동화와 더욱 유사하므로 그것들은 더 빠른 결과를 낳을 것이다. 이 경우에 사전검사는 두 수준의 독립변인에서 참가자들의 수행에 각기 다르게 영향을 줄 것이다.

짝진 집단 설계는 어떤 조건하에서는 유용할 수 있지만, 그것이 해결하는 문

13) 하지만 짝짓기 방법(matched-group design)을 위한 통계검증은 종속변인을 상관관계가 높은 변인과 짝지었다고 가정하는 것에 주목하라. 이러한 이유로 이 검증은 주어진 차이를 통계적으로 유의하다고 부르는 데 있어서 좀 더 보수적이다. 따라서 만약 이러한 검증을 사용할 때 종속변인을 그것과 별로 상관이 없는 변인과 짝짓는다면, 처음에 짝을 맞추지 않았던 것보다 통계적으로 유의한 효과를 덜 발견하게 될 것이다.

표 8-7 피험자 내 설계와 피험자 간 설계의 장점과 단점

피험자 내 설계	
장 점	**단 점**
•적은 수의 참가자가 필요하다. •실험 시간이 짧다. •집단 간 변산이 작다.	•조건 간 전이가 발생할 수 있다. •ABBA역균형은 선형적 오염 효과를 가정한다. •모든 역균형은 대칭적 전이를 가정한다. •범위효과가 문제가 된다.
피험자 간 설계	
장 점	**단 점**
•조건 간 전이효과가 없다. •역균형이 필요없다. •짝짓기는 집단 간 변산을 줄일 수 있다. •참가자의 무선적 할당으로 편파를 줄일 수 있다.	•집단 간 차이가 있을 수 있다. •보다 많은 수의 참가자가 필요하다. •실험 시간이 많이 길다. •짝짓기에 시간과 노력이 들며, 짝짓기 과정에 의해서는 전이가 없다고 가정한다.

제보다 더 많은 문제점을 일으킬 수도 있다. 여러분은 실험을 위하여 짝진 집단 설계를 사용하는 것의 장단점을 저울질해야 한다.

표 8-7에 이 장에서 논의된 설계의 장점과 단점을 요약해 놓았다. 여러분이 고려하고 있는 어떤 실험하에서도 이러한 장점과 단점을 고려해야 한다. 제9장에서 중다변인 실험을 논의할 때 여러분은 한 실험에서 피험자 내 변인과 피험자 간 변인을 모두 포함한 많은 경우가 있음을 보게 될 것이다. 예를 들어 소리에 대한 반응에 경고 불빛을 제시하는 것이 성에 따라 달라지는지를 알아보고자 한다면 "경고 불빛을 주거나 주지 않는" 조건을 피험자 내 변인으로, "성"[14]은 피험자 간 변인으로 할 수 있다.

14) 변인들을 피험자 내 혹은 피험자 간으로 조작하는 데 있어서 성, 종족, 성격특질, IQ점수와 같은 변인이 해당되는지는 논쟁거리이다.

요약

참가자들을 독립변인의 수준들에 할당하는 두 가지 기본적인 방법이 있다. 서로 다른 참가자들을 각 수준에 할당하거나 똑같은 참가자를 모든 수준들에 할당하는 것이다. 첫 번째 방법을 **피험자 간 실험**, 두 번째 방법을 **피험자 내 실험**이라 부른다. 피험자 간 실험의 장점은 참가자들이 독립변인의 한 수준에만 노출되므로 다른 수준에 의해 영향 받지 않는다는 점이다. 그 이외에 실험 회기가 짧다는 점도 장점이다. 피험자 내 실험의 주된 장점은 개인차에 의한 변산성을 최소화 할 수 있다는 점이다. 피험자 내 실험의 실용적 장점은 좀 더 적은 수의 참가자가 필요하다는 점과 훈련 및 지시시간을 단축할 있다는 것이다. 피험자 내 설계의 단점은 순서효과를 **역균형**시켜야 할 필요성이 있다는 데 있다. ABBA **역균형법**은 한 참가자 내에서 순서효과를 통제할 수 있지만 그 순서효과가 선형적이라는 가정을 할 수 있어야만 한다. 참가자들 간의 순서를 **완전 역균형** 또한 가능하다. 그러나 이것도 조건들 간의 **대칭적 전이**에 대한 가정을 할 수 있어야 한다. 완전한 역균형화가 불가능한 대규모 실험에서는 **부분 역균형**, 무선적 할당 또는 구획 내에서의 무선화 방법을 사용할 수 있다. 역균형화조차 자극이나 반응이 일정하게 배열되는 실험에서의 범위효과를 극복할 수는 없다. 각 수준의 독립변인에 할당된 집단들에서 참가자들 간의 개인차는 **짝진 집단 절차**를 사용함으로써 감소될 수 있다.

9

단일변인, 중다변인, 수렴계열 실험을 계획하는 법

주의 깊게 마음먹고 실행한 설계도 애초에 실험을 이끌어 온 과학적 가설이 무가치하다면 소용이 없다.

— *R. E. Kirk (1968)*

얼핏 보면 복잡한 것 같지만 그것을 정확하게 살펴보았을 때 보다 단순해질 수 있다는 것을 알아야 한다.

— *Paul Anderson*

이 장에서는 지금까지 논의의 예로 사용되었던 한 변인이 둘 혹은 그 이상의 수준에서 조작되는 단일변인 실험에 대해 알아볼 것이다. 그리고 여러 독립변인들이 한 실험에 포함되며 각 독립변인은 둘 혹은 여러 수준에서 조작되는 중다변인 실험에 대해서 논의할 것이다. 심리학 잡지에는 어떤 다른 실험설계보다 중다변인 실험설계를 사용한 실험이 가장 빈번하게 나타난다. 마지막으로 가설이나 이론을 검증하기 위해서 여러 개의 단일변인 혹은 중다변인 실험이 행해지는 수렴계열 설계에 대해서 알아볼 것이다.

단일변인 집단실험

두 수준 실험

가장 단순한 실험은 하나의 독립변인이 두 수준을 가지는 실험이다. 어떤 실험자들은 이 두 수준에 노출된 집단들을 **실험집단**(experimental group)과 **통제집단**(control group)이라고 부르기를 좋아한다. 어떤 경우에는 처치가 가해지지 않은 통제조건을 확실히 알 수 있다. 예를 들어 어떤 행동에 대해 특정 약물의 효과가 있는지에 관심이 있다고 한다면 통제집단은 약물을 복용하지 않은 집단이 될 것이고 실험집단은 약물을 복용한 집단이 될 것이다. 통제집단은 실험에 참가했다는 것 자체가 실험에서 관찰된 효과를 발생시킨 것이 아니라는 것을 보여 주기 때문에 중요하다. 특히 독립변인이 여러 수준인 경우 어떤 수준을 통제수준이라 불러야 하는지가 명확하지 않는 경우도 있다[1]. 이런 이유로 나는 독립변인을 기술하기 위해 수준이라는 용어를 사용할 것이다. 어떤 경우든 실험을 하기 위해서는 최소한 두 수준을 사용하여야 한다. 그렇지 않으면 비교의 대상이 없기 때문에 독립

1) 예를 들어 sex를 독립변인으로 조작하기로 결정했을 때(성경험이 얼마나 많으냐가 아니라 어떤 성에 속하는가), 남자를 통제집단이라 부를 것인가, 여자를 통제집단으로 부를 것인가? 여성주의자와 남성주의자는 이 문제로 며칠 동안 논쟁할 수 있으므로 이러한 문제에 얽매이지 않고 단순히 남자와 여자를 수준 1과 수준 2에 할당하자.

변인에서의 차이가 행동 변화를 일으켰다고 말할 수 없을 것이다.

초기 실험심리학에서 보고된 전형적인 실험은 단일변인, 두 수준 실험이었다. 심리학의 역사가 짧았기 때문에 연구자들은 독립변인의 효과에 대한 정확한 성질을 규명하기보다는 독립변인이 과연 효과를 가지는지를 발견해내는 데 더욱 커다란 관심을 보였다. 그리고 더욱 복잡한 실험설계를 분석하는 데 필요한 통계적 검증들이 개발되지 못한 경우도 있었고, 검증방법은 존재했지만 일반 연구자들에게는 잘 알려지지 않은 경우도 있었다.

요즘 학술지 편집자들은 일반적으로 한 실험에서 두 수준 이상이 조작되기를 기대한다. 특별히 여러 개의 실험이 보고되었을 때, 잘 행해진 두 수준 실험은 때때로 채택되지만, 전형적인 실험에는 일반적으로 여러 수준이 포함된다. 그럼에도 불구하고, 실험을 처음 시작하는 사람들에게는 첫 실험으로서 복잡한 실험에 압도되지 않고 실험을 경험해 볼 수 있는 두 수준 실험이 적절하며, 때로는 두 수준 실험도 중요한 결과를 산출할 수도 있다.

장점

실제로 두 수준 실험은 보다 복잡한 설계에 비해 몇 가지 장점을 가진다. 그것은 독립변인이 연구할 만한 가치가 있는 것인지를 알아내는 수단이 된다. 만일 하나의 독립변인이 개인의 행동에 대하여 효과를 갖고 있지 않다면 효과의 정확한 성질을 알아보기 위하여 보다 복잡한 실험을 실시하는 것은 시간낭비일 것이다.

두 수준 실험의 결과는 해석하고 분석하기 또한 용이하다. 결과는 단순히 "그렇다. 그 변인은 효과를 가지며 행동은 이 방향으로 변화되었다." 또는 "아니다. 그 변인은 효과가 없다."이다. 어떤 효과든 그것이 실재하는 것인지 우연적 변산에 의한 것인지를 결정하기 위해서 대개 통계적 검증을 하여야 하며, 두 수준 실험의 결과는 검증하기가 쉽다. 그것은 아마도, 예컨대 플러스나 마이너스 같은 것을 세는 것에 불과할지 모른다. 일단 어떤 검증을 사용해야 할지 알게 되면 여러분의 자료를 통계적으로 분석하기 위해 손으로 몇 분간만 (혹은 컴퓨터로 몇 초간) 계산하면 된다.

마지막으로, 두 수준 실험에서 알 수 있는 것보다 더 많은 정보가 필요 없는 경우가 있다. 만일 실험의 목적이 두 경쟁적인 이론을 검증하는 것이고, 한 이론은 두 수준에서 차이를 예견하는 반면 다른 이론에서는 차이가 없거나 혹은 반대 방향으로 차이가 날 것을 예견한다면, 두 수준 실험은 어떤 이론이 타당한 것인지를 알아볼 수 있는 적절한 방법이다.

한편 어떤 종류의 응용연구에서는 두 수준 실험으로도 가치 있는 정보를 얻을 수 있는 경우가 종종 있다. 만일 여러분이 두 종류의 산업 설비를 비교하고자 하며 그 작업을 할 수 있는 기계가 단지 두 종류뿐일 때, 두 수준 실험은 여러분이 필요로 하는 모든 정보를 제공해 준다. 만일 두 종류의 치료기술, 두 종류의 교육체제, 두 가지 훈련 프로그램, 두 가지 약, 두 성(여성, 남성) 혹은 어떤 변인이든 단지 두 수준만이 중요하거나 혹은 여러분이 구할 수 있는 수준이 둘뿐이라면 이 원칙은 유효하다.

단점

비록 직선이 두 점 사이의 가장 짧은 거리이기는 하지만, 그 직선이 두 점 사이를 연결할 수 있는 유일한 선은 아니다. 다시 말해서 두 수준 실험은 여러분에게 독립변인과 종속변인 간의 관계의 형태에 대해서 아무것도 말해 주지 못하므로 두 수준 실험설계를 사용하는 것은 불리하다.

여러분이 나의 우회적인 문체와 싸워나가는 데 시간을 가장 적게 소모하도록 하기 위해서 이 책의 활자 크기를 얼마로 해야 하는지를 알아내기 위한 실험을 실시했다고 가정해 보자. 먼저 워드 프로세서를 사용하여 몇 단락을 출력해야 한다. 몇 단락은 12 포인트로 출력하고 다른 단락들은 10 포인트 이하로 출력할 수 있을 것이다. 그 다음 각 글자 크기에 따라 문단을 읽는 시간을 측정할 수 있다. 물론 각 문단들에 대한 이해도를 먼저 측정해 놓아야 하며, 문단의 제시 순서를 역균형 하는 등 이 책에서 배운 모든 좋은 방법을 적용해야 할 것이다.

그림 9-1은 이 실험의 가상적 결과를 나타낸다. 두 자료 점들 간을 잇는 임의의 직선은 활자가 작을수록 독서시간이 길어진다는 것을 나타내 준다. 따라서 이

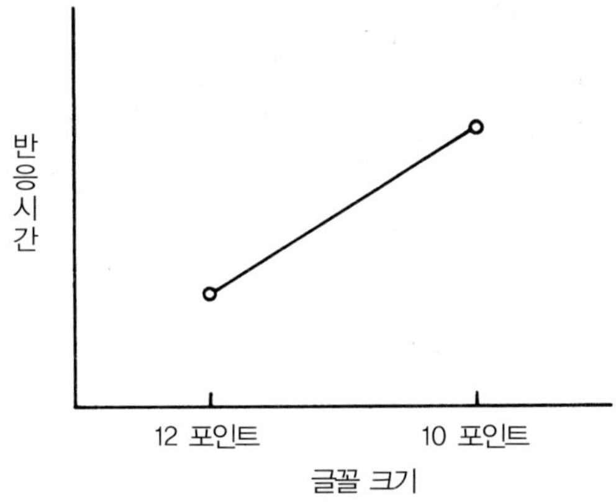

그림 9-1 12 포인트와 10 포인트 크기로 인쇄된 문단을 읽는 데 걸린 시간을 측정하는 실험에서 나올 수 있는 결과

실험은 우리가 제기한 질문에 대해 12 포인트 글자가 독서속도를 향상시킨다고 결론을 내린다. 그러나 만일 모든 크기의 활자들 중 가장 좋은 것이 무엇인지를 정말 알고자 한다면, 그리고 단지 구하기 쉽다는 이유로 12 포인트와 10 포인트 글자 크기를 선택했다면 결정을 내리기 위한 충분한 정보를 얻지 못했다. 이 결과는 활자 크기와 독서시간 사이의 이런 직선적 관계가 12 포인트와 10 포인트 이외의 다른 글자 크기에 대해서도 동일하게 적용될 수 있는지에 대해서는 아무것도 말해 줄 수 없다.

그림 9-2는 실제로 존재할 수 있는 여러 다른 관계들을 보여 주고 있다. 관계의 형태를 모르는 채 보간(interpolation)하는 것이 왜 의심스러운 것인지를 알 수 있다.[2] 우리는 12 포인트와 10 포인트의 중간 글자 크기의 독서속도가 각 글자 크기의 속도의 중간에 해당할 것이라고 결론내릴 수 없다.

두 점으로부터 외연(extrapolation)하는 것은 보간보다 더 위험하다. 대부분 심리학적 함수들에는 **천장효과**(ceiling effect)와 **바닥효과**(floor effect)가 있다. 천장효과는 종속변인이 넘어설 수 없는 수준에 도달했을 때 발생한다. 천장효과의 전

2) 보간은 알려진 범위 내에서 중간 값의 추정치이고, 외연은 알려진 범위를 넘어서는 값의 추정치이다.

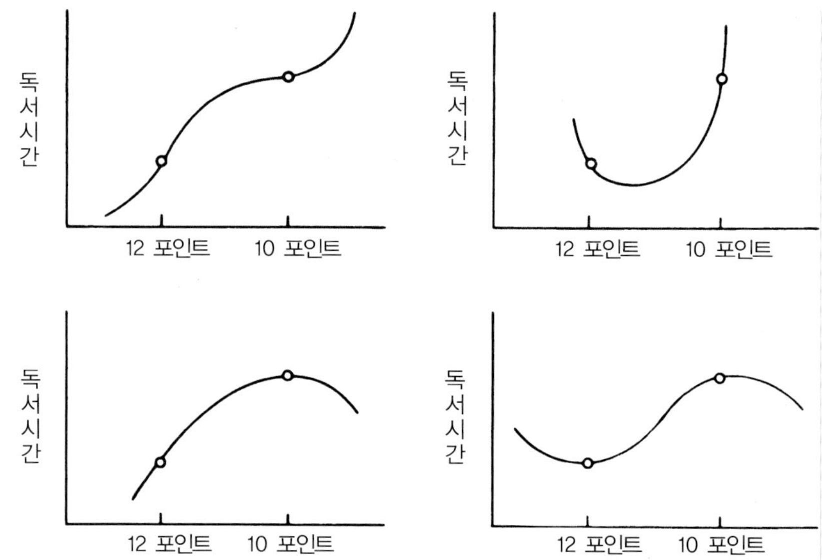

그림 9-2 활자 크기와 독서시간 사이에 나타날 수 있는 관계의 수. 모든 함수는 동일한 두 자료 지점을 통과한다.

형적인 예는 정확반응률 100%와 반응확률 1.0 그리고 반응확신도 100%이다. 각 경우에 참가자가 특정한 값을 넘어서는 반응을 할 수는 없다(다시 말해서, 여러분은 100%보다 더 정확할 수는 없다). 절대적인 천장값이 참가자의 반응을 제한하지 않는 경우에 있어서도 천장효과가 발생할 수 있다. 예를 들어 아무리 연습을 하더라도 단기기억에 담아놓을 수 있는 항목 수에는 천장효과가 있다(약 7개). 이와 유사하게 주어진 시간에 인간이 더할 수 있는 숫자의 수, 한 화면에서 발견할 수 있는 목표자극의 수, 타이핑 할 수 있는 단어 개수 등과 같이 처리할 수 있는 정보의 양은 제한되어 있다. 이 경우 천장효과는 고정된 것은 아니지만 실험자가 극복할 수 없는 문제이다.

바닥효과는 참가자가 그 이하로는 반응할 수 없는 값이다. 예를 들어, 참가자는 0초 이하로 반응하거나 또는 무반응보다 덜 반응할 수 없다. 바닥효과에서도 절대적으로 0이 바닥효과의 한계는 아니다. 예를 들어 자극을 탐지할 수 있는 이론적인 최단 시간은 0이지만 실제로는 약 150ms이다. 만일 자료의 두 지점을 가

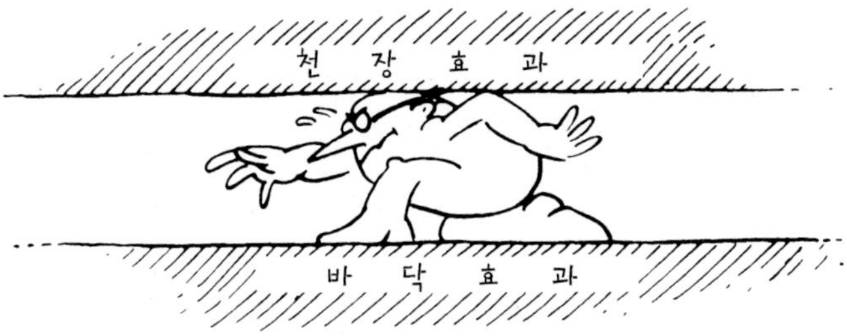

지고 천장 위로나 바닥 밑으로 값들을 외연하다면 천장 위인 다락이나 바닥 밑인 지하실에 있게 되는 것이 아니라 잘못된 값을 얻게 될 것이다. 그리고 때때로 천장이나 바닥 수준이 어디인지가 분명하지 않다. 이러한 문제점들을 피하기 위해서 여러분은 두 수준 실험에서 보간이나 그 실험에서 사용된 수준들을 넘어서는 외연을 하지 않는 것을 원칙으로 삼아야 한다.

두 수준 실험들이 가지는 이론적 가치 역시 제한되어 있다. 우리는 제1~3장에서 과학은 변인들 간의 관계에 의해 형성되며, 과학자들은 실험에서 발견되는

두 점을 보간하는 것은 위험이 따른다.

두 점을 외연하는 것은 정말로 위험하다!

관계들을 설명하기 위해서 이론들을 사용한다는 것에 동의하였다. 각 이론은 다른 이론들을 제거하고 한 이론을 입증하는 하나의 실험이 수행될 때까지 가능한 다른 이론들과 경쟁한다. 하나의 두 수준 실험은 경쟁하는 이론들을 제거하는 데 거의 도움을 주지 못한다. 왜냐하면 많은 이론들은 독립변인에서의 변화가 종속변인에서 특정 방향으로 영향을 줄 것이라고 예측할 수 있지만, 두 수준 실험의 결과로는 종종 경쟁하는 여러 이론들 중 어느 설명이 더 적합한지를 판단하기 힘들다. 경쟁하는 이론들이 서로 반대 방향의 결과를 예측하거나, 한 이론은 변화가 있을 것을 예측하는 데 반해 다른 이론은 변화가 없을 것을 예측하지 않는 한 이론 검증은 대개 보다 복잡한 실험설계를 필요로 한다.

중다수준 실험

중다수준 실험(multilevel experiment)들은 독립변인의 수준이 셋 이상 포함된 단일변인 실험이다. 이 설계는 독립변인과 종속변인의 함수적 관계에 대해 알려 주기 때문에 몇몇 연구자들은 이것을 함수적 실험(functional experiments)이라고 부른다.

장점

중다수준 실험의 주요 장점은 그 결과가 실험적 관계의 성질을 추론할 수 있도록 해 준다는 점이다. 한 실험에 세 수준만 포함되어 있어도 변인들의 관계에 대해 두 수준 실험보다 훨씬 많은 정보들을 제공해 준다.

학생의 불안수준이 시험점수에 어떻게 영향을 미치는지를 알고자 한다고 가정하자. 심리학개론의 두 학급을 대상으로[3] 두 수준, 피험자 간 설계를 사용하기로 결정하였다. 학급 1에서 강사는 매 중요 시험 시작 전에 학교에서의 학점의 중요성에 관해 장황하게 이야기하는 데 5분을 소비하였다. 최고 학점을 받은 학생이

3) 학생들을 무선적으로 각 학급에 할당하는 것이 아니라 기존에 있는 학급을 대상으로 하였기 때문에 이 예는 완전한 실험법이라 할 수 없고 제10장에서 다루게 될 준 실험설계에 속한다. 이 차이를 알기를 바란다.

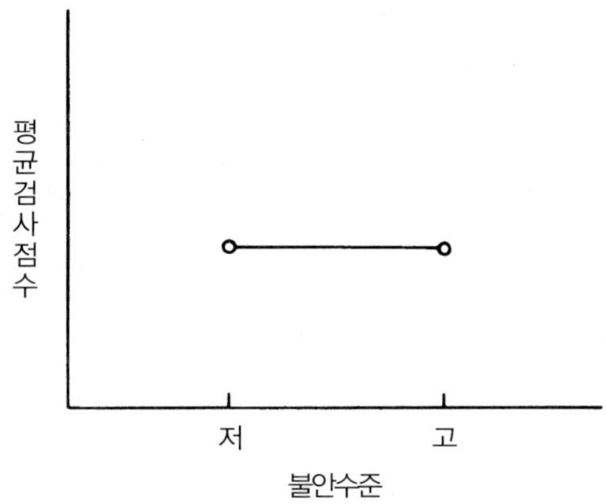

그림 9–3 학생의 불안수준을 변화시키면서 그들의 평균 검사점수를 측정한 두 수준 실험의 가상적인 결과

최고의 직업을 가지며, 대학 졸업장을 가진 학생들이 훨씬 많은 봉급을 받고, 대학은 현재 약간 과도하게 붐비고 있다는 것을 분명히 한다.

학급 2에서 그 강사는 역시 각 시험 전에 5분간 이야기한다. 좋은 성적을 내는 것이 그 내용을 익히는 것만큼 중요하지 않다는 것을 상기시킨다. 학생들에게 지금으로부터 10년 후에는 이 시험에서 어떤 점수를 받았는지를 기억하지도 못할 것이라고 말한다. 성적 수준, 시험 난이도 그리고 수업 개요와 같은 모든 잠재적 오염변인들을 통제하는 데 주의를 기울인다. 따라서 시험 점수의 차이가 강사의 이야기에 의해 산출되는 불안에 의해 발생했다고 결정할 수 있다. 첫 번째 연설이 학생들에게 높은 불안수준을 유발하였고 두 번째 것이 낮은 수준을 유발하였다고 가정하자. 실험 후 그림 9-3에 나타난 것과 같은 결과를 얻을 수 있다.

이 시점에서 이 결과에 대한 가장 좋은 추론은 두 점을 잇는 직선이 평평하기 때문에 불안수준과 평균시험 점수들 간에 아무런 관계도 없다는 것이다. 그러나 중다수준 설계를 택하여, 강사가 학생들에게 5분 동안 몇 가지 절차들에 관해서 상세히 말해 주기만 하는 중립적 수준으로 된 세 번째의 불안수준을 첨가시키기로 결정하였다고 가정하자. 그림 9-4는 이 중다수준 실험의 가상적인 결과를 보여 주

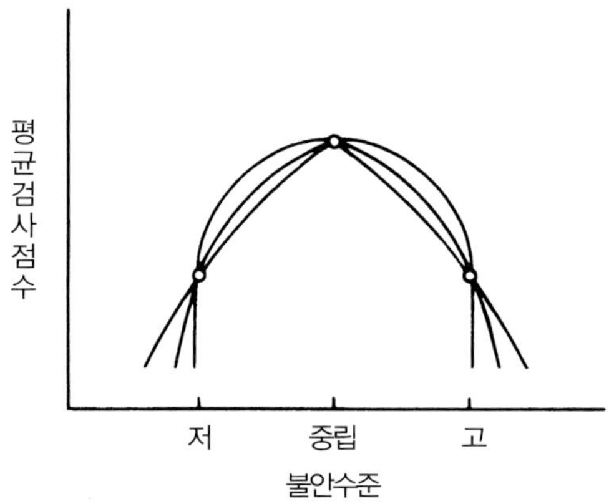

그림 9-4 학생의 불안수준을 변화시키면서 그들의 평균 검사점수를 측정한 세 수준 실험의 가상적인 결과

고 있다.

세 번째 자료 점을 그래프에 나타냈을 때, 비록 그 함수의 정확한 모양에 대해 의문점이 있기는 하지만 우리는 불안수준과 시험점수 간에 중요한 관계가 있다는 것을 알 수 있다[4]. 그림 9-4에 나타난 세 가지 모양 중 어느 하나가 변인들의 관계를 정확히 나타내는 것일 가능성이 있다. 그리고 대부분의 심리학적 함수들은 급격히 변화하거나 갑자기 방향을 바꾸지 않으므로 이 이외의 다른 관계들은 가능하지 않을 것을 알고 있다. 그림에서 볼 수 있듯이 세 번째 자료 점은 우선 변인들 간의 관계가 있음을 알려 줄 뿐만 아니라, 실험변인들 간의 관계가 어떤 것인지를 훨씬 더 잘 알려 준다. 실험에 더 많은 수준들을 첨가시켜 나감에 따라 우리는 독립변인과 종속변인간의 진정한 함수관계에 관해서 훨씬 더 나은 추론을 할 수 있다. 보다 확신을 가지고 자료 점들로부터 보간과 외연을 할 수 있다. 이 예에서 우리가 포함시킨 중립집단에서는 강사가 학생들의 불안에 아무런 영향도 주지 않았으므로 통제집단으로 고려될 수 있다. 강사가 말을 했다는 것 자체가 행동에 영

4) 동기나 주의에 관한 과목을 수강하였다면 각성과 학습의 관계가 거꾸로 된 U자 형태로 나타나는 Yerkes-Dodson 법칙의 함수를 알고 있을 것이다.

향을 미쳤는지를 알아볼 수 있게 강사가 아무런 말도 하지 않은 또 다른 통제집단을 포함시킬 수도 있다. 중다수준 실험들은 이런 것들을 가능하게 해 준다.

이 예는 또한 중다수준 실험의 두 번째 장점을 예시한다. 일반적으로 더 많은 수준들이 첨가될수록 독립변인의 범위는 덜 결정적으로 된다는 것이다. 제7장에서 독립변인의 범위는 현실적이어야 하는 한편, 관계가 존재할 때에 그것을 보여주기에 충분할 만큼의 크기 또한 가지고 있어야 한다고 했었다. 분명히 실험에 독립변인의 수준이 더 많이 포함될수록 이 두 가지 요구조건 모두를 만족시키기 쉬워진다.

단점

실용적 관점에서 볼 때 중다수준 실험의 주된 단점은 두 수준 실험보다 더 많은 시간과 노력이 필요하다는 것이다. 우리가 피험자 간 실험에 한 수준을 첨가시킬 때마다 필요한 참가자 수는 증가한다는 것을 생각해 보라. 피험자 내 실험에서는 수준의 수를 늘려도 참가자 수는 늘어나지 않지만 실험을 하는 데 걸리는 전체 시간은 늘어나며 역균형 계획이 더 복잡해진다.

중다수준 실험들을 분석하는 데 필요한 통계적 검증들도 약간 더 어렵다. 통계적 검증을 하는 데 더 많은 시간이 소요되며 통계적 검증에 비추어 자료를 해석하는 것 또한 좀 더 어렵다.

두 수준 및 중다수준 설계의 장단점을 비교해 본다면, 독립변인에 수준들을 부가시키는 데 드는 약간의 추가적 비용은 대체로 얻어진 정보의 가치에 의해서 상쇄되고도 남는다. 이러한 점은 실험에 최초 몇 개의 부가적 수준들을 첨가시킬 때 특히 유용하다. 물론 어느 수준 이상에서는 수준을 더 첨가시키는 것이 실험적 관계를 알아보는 데 큰 도움이 되지 않는다.

지금까지 모든 실험들이 단지 하나의 독립변인만을 포함하고 있는 것을 가정하고 논의해 왔다. 그러나 이러한 제한을 둔 것은 단지 논의를 위해서였지 실제 실험이 한 변인만을 포함하고 있다는 것은 아니다. 여러분이 계획하고 있는 많은 실험들은 하나 이상의 독립변인이 포함된 실험일 것이다. 여기서 나는 보다 복잡한 실험을 설계하는 데 사용되는 일반적인 방법들 몇 가지에 대해 얘기할 것이다.

실험심리학에서 가장 빈번하게 사용되는 설계는 **요인설계**(factorial design)이다. 심리학 잡지에 출판되는 대부분의 실험 결과들을 이해하기 위해서는 요인설계의 논리를 이해해야 한다.

요인설계

몇 가지 변인들을 조합하는 일반적인 방법은 한 독립변인의 각 수준을 두 번째, 세 번째 독립변인의 각 수준과 짝짓는 요인적 결합이다. 이 설계에서 독립변인은 요인들[5]이라고도 불린다.

요인실험의 예로서, 조장이 있는 집단이 조장이 없는 집단보다 의견일치에 더 빨리 도달하는지를 알고자 한다고 가정하자. 어떤 상황을 통제하고 어떤 상황을 변화시킬 것인지를 결정하여야 한다. 모든 참가자들을 동성으로 할 것인가? 의사전달은 구조화 되어야 하는가 자유로워야 하는가? 그 집단에게 쉬운 문제를 풀게 할 것인가 어려운 문제를 풀게 할 것인가? 이 모든 요인들을 통제하거나 무선화 하는 것이 만족스럽지 않음을 발견하게 될 것이다. 예를 들어 여러분은 집단의 효율성에 관한 조장의 영향이 집단의 크기에 따라 달라질 것이라고 생각할 수 있으며 그런 경우에 지도력과 집단 크기 모두를 요인으로 선택할 수 있다. 지도력이 있고 없는 두 수준과 3, 6, 10, 20명으로 된 네 수준의 집단 크기를 선택했다고 가정하자.

그림 9-5는 이와 같은 요인실험을 표시하는 일반적인 방법을 보여 준다. 각 그림에 나타난 바와 같이 변에 한 요인씩을 두어 한 행렬(matrix)을 구성하였다. 행렬 내의 상자들은 칸(cell)이라고 불린다. 단일변인 실험설계에서와 같이 각 참

5) 어떤 연구자들은 그것들을 처치(treatments)라고도 부르고, 처치 조합이라는 용어를 사용한다. 과학을 만들어감에 있어서 우리는 바벨탑을 쌓는 성경 속의 사람들과 마찬가지로 모든 사람이 동일한 용어를 사용하지 않는다. 그것은 새로운 연구자를 옹알이 하는 바보로 만들기에 충분하다.

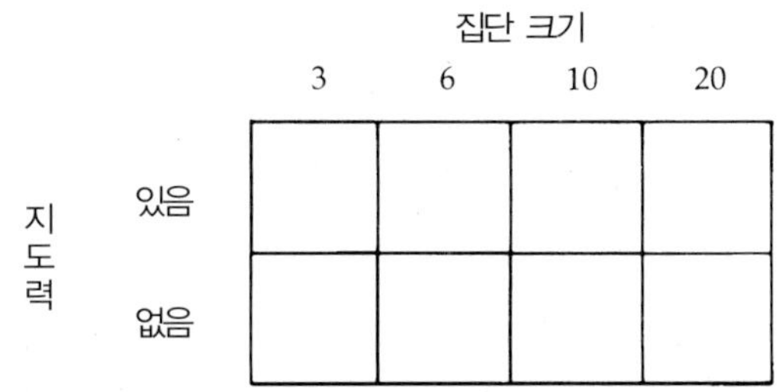

그림 9-5 2×4 요인설계의 도식적 표현. 한 요인인 지도력은 지도력 있음과 없음의 두 수준을 갖는다. 두 번째 요인인 집단 크기는 3, 6, 10 그리고 20명으로 된 네 수준을 갖는다.

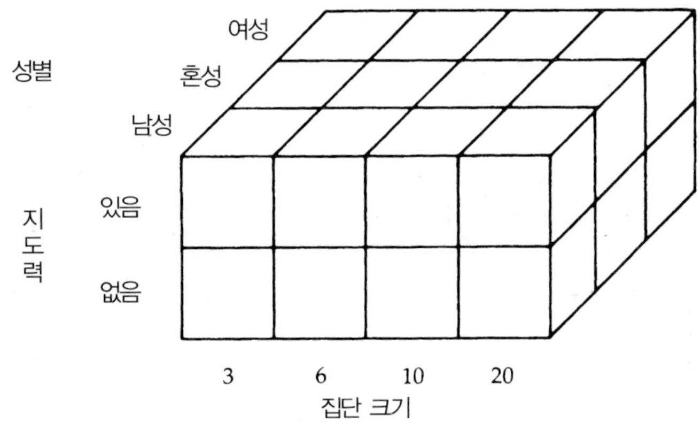

그림 9-6 2×3×4 요인설계의 도식적 표현. 요인들은 지도력(있음, 없음)과 성별(남성, 여성, 중성), 그리고 집단 크기(3, 6, 10, 20명)이다.

가자들은 무선적인 방법으로 각 칸에 할당된다. 이 예에서 왼편 위쪽의 칸에는 조원이 3명이고 조장이 있는 집단에 할당된 개인들이 속할 것이다. 각 단일 열이나 행은 각각 단일변인 실험을 형성한다는 것을 알 수 있다. 우리가 선택한 예는 한 요인은 두 수준을, 다른 요인은 네 수준을 가지고 있기 때문에 2×4 설계[6]라고 불린다.

요인설계에서 표시될 수 있는 요인의 수는 여러분의 상상력과 세계의 인구수

6) 영어로는 ×를 times(곱하기)라 읽지 않고 by라고 읽지만, 우리나라 말로는 2 곱하기 4라고 읽는다.

라는 한계에 의해서만 제한 받는다. 집단 의사결정 시간이 지도력과 집단 크기뿐 아니라 구성원의 성별에 의해서도 달라질 것이라고 생각했다고 가정하자. 성별을 세 수준으로 된 세 번째 변인으로 만들 것이다. 세 수준이라니? 맞다. 남자, 여자, 그리고 혼성(반 정도는 남자이고 반 정도는 여자인 집단)이 그것이다. 그림 9-6은 이 확장된 설계[7]를 도식적으로 나타내 주고 있는데 이 설계는 2×3×4 요인설계라고 부를 수 있다.

제8장에서 피험자 내 실험과 피험자 간 실험에 대해서 살펴보았는데, 이는 단일변인 실험에 대해서만 고려했기 때문이다. 요인설계에서 요인들은 피험자 내 혹은 피험자 간 변인이 될 수 있으며, 두 종류의 요인이 하나의 실험에 모두 포함되는 **혼합 요인설계**(mixed factorial design)도 있다. 예를 들어 지도력 실험에서 각기 다른 집단 성원들을 각 칸에 할당하여 두 요인 모두 피험자 간 변인으로 만들 수 있다. 혹은 각 집단의 동일한 성원을 지도자가 있는 칸과 없는 칸 모두에 할당하여 혼합 설계로 만들 수 있다. 특정 변인을 피험자 간 혹은 피험자 내 변인으로 할 것인지를 결정하는 단계에서 제8장에서 논의된 바와 같이 각 설계의 장단점을 고려해야 한다. 필요하다면 피험자 내 요인들에서 적절한 역균형화도 적용할 수 있다.

장점

요인설계의 주된 장점은 상호작용을 연구할 수 있다는 점이다. **상호작용**(interaction)은 하나의 독립변인과 참가자의 행동 사이의 관계가 두 번째 독립변인의 수준에 따라 달라질 때 일어난다. 예를 들어 세 명으로 된 집단은 조장이 있든 없든 간에 쉽게 의사결정을 내릴 수 있지만 집단의 크기가 커짐에 따라 조장이 없는 집단들이 일치된 의견에 도달하는 데 시간이 점점 더 걸린다는 것을 발견할 것이다. 그러므로 지도력과 의사결정 시간 사이의 관계는 집단의 크기에 따라 달

7) 세 요인 이상을 도식적으로 나타내는 것은 어렵다. 3차원 입체 종이를 구할 수 없기 때문이다. 그러나 실험설계는 3차원에 한정되는 것이 아니며 단지 2차원 종이에 표시하기가 어려울 뿐이다.

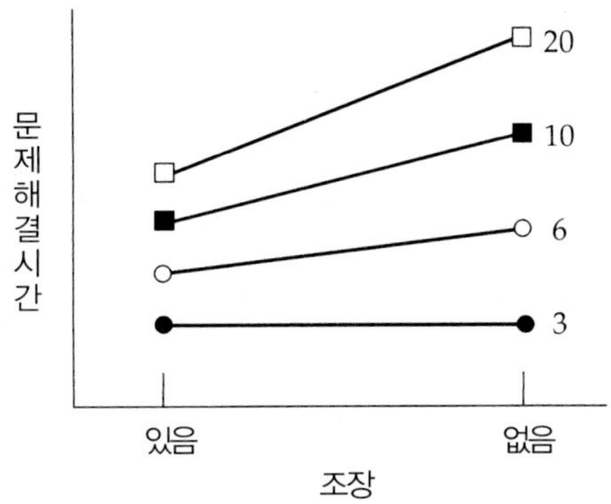

그림 9-7 이 가설적 결과는 지도력과 집단 크기 사이에 발생할 수 있는 상호작용을 보여 준다. 크기가 3인 집단에서는 효과가 없지만, 크기가 20인 집단에서는 조장이 있으면 문제해결 시간이 줄어든다는 점을 주목하라.

라진다. 그림 9-7은 이와 같은 상호작용을 보여 주는 그래프이다. 3명으로 된 집단은 조장이 있든 없든 간에 문제해결에 걸리는 시간은 변하지 않는다는 것을 볼 수 있다. 그러나 집단이 커질수록 해결시간을 최소화 하는 데 조장이 보다 중요하게 된다. 두 개의 단일변인 실험들은 상호작용에 관한 정보를 주지 않는다. 그것들은 단지 지도력이나 집단 크기의 일반적인 효과를 볼 수 있도록 해 줄 뿐이다. 요인 실험만이 상호작용을 연구할 수 있게 해 준다.

제2장에서 행동을 결정할 수 있는 상황이 무한하다는 것에 관해 이야기했던 것을 기억하는가? 실험을 하기 위해 이 상황들 중의 하나를 독립변인으로 선택해야 한다. 나머지 상황들은 통제되거나 무선적으로 변화되도록 해야 한다. 일단 이 상황이 행동에 미치는 영향을 알아보았다면 다른 상황을 선택하여 연구할 수 있다. 이와 같은 접근법의 문제점은 우리가 일단 각 독립변인의 효과를 알기만 하면 단순히 그것들의 합에 의해 행동을 설명할 수 있다는 순진한 가정을 하는 것이다. 이 가정은 상황들 간의 상호작용 효과를 완전히 무시하고 있다. 상호작용이 있을 것이라고 기대할 수 있는 상황에서 그것을 무시하면 잘못된 결론을 내릴 수 있다.

단일변인 실험설계에서 어떤 상황을 통제변인으로 만들 것을 고려할 때나 선택한 독립변인의 수준에 따라 결과가 달라질 수 있음을 예상할 때, 상호작용 효과가 발생할 수 있다는 것에 주의를 기울여야 한다. 아마도 …에 따라 달라질 것이다라는 말은 결과에 대해서 살짝 귀띔을 해 주는 것이다. 조장이 집단문제 해결시간을 촉진시킬 것인가? 아마도 집단의 *크기*에 따라 달라질 것이다. 글자의 *크기*가 읽기속도에 영향을 미칠 것인가? 아마도 독자의 나이에 따라 달라질 것이다. 텔레비전에서 폭력을 보는 것이 아동의 공격성에 영향을 미칠 것인가? 아마도 시청시간의 양에 따라 달라질 것이다. 계획하고 있는 실험 결과가 다른 환경이 주어지면 다르게 나타날 것이라고 생각할 때, 이 상황을 통제변인이나 무선변인으로 정한다면 잘못을 저지를 가능성이 있다. 그림 9-7에 나타난 실험 결과를 예를 들어보자. 우리가 요인실험을 행하는 대신 단일변인 실험이면 충분하다고 결정했다고 가정하자. 집단의 *크기*를 통제변인으로 삼고 단지 집단 *크기*를 3명으로 제한했다면 문제해결 시간은 지도자가 있건 없건 아무런 관련이 없다고 결론내렸을 것이다. 이와 달리 집단 *크기*를 20명으로 결정했다면 지도자가 있는 것은 문제해결에 소요되는 시간에 큰 영향을 준다고 결론내렸을 것이다.

아마도 …에 따라 달라질 것이다라고 생각되는 상황을 무선변인으로 만들어도 더 나아지지 않는다. 집단의 *크기*를 3에서 20명 사이로 무선적으로 선택했다면 잠재적인 지도력의 큰 효과를 과소평가하게 될 것이다. 다른 말로, 무선적으로 선택된 집단 *크기*의 효과를 평균으로 하기 때문에 지도력의 효과가 작게 나타날 것이다. 그림 9-8에서 볼 수 있는 형태의 다른 상호작용 효과가 있다고 가정해 보자. 이 경우에서 집단 *크기*가 무선변인으로 되었고 집단 *크기*에 따른 효과들의 평균을 취한다면 지도력은 문제해결에 걸리는 시간과는 무관하다고 결론지을 것이다. 이 논의들을 통해 여러분은 심리학에서 요인실험들이 왜 일반적으로 사용되고 있는지를 알아야 한다. 요인 실험들만이 변인들 사이의 상호작용을 연구할 수 있도록 하는 유일한 실험설계이다(상호작용을 어떻게 해석하는지에 대한 논의는 제12장에서 하겠다).

제2장에서 어떤 상황이 무선변인이 되면 실험 결과의 일반화 가능성은 증가하지만 정확성은 감소된다는 것을 발견하였다. 반면에 상황을 통제변인으로 만든다면 결과의 정확성은 증가하지만 일반화 가능성은 감소된다. 요인실험은 세 번째

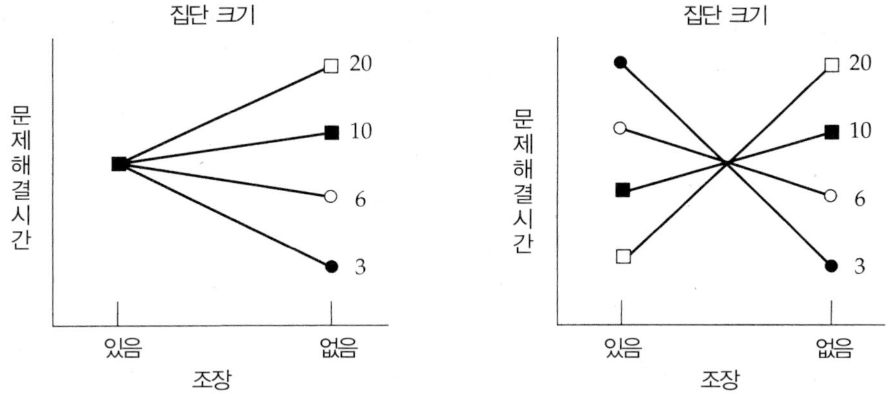

그림 9-8 집단 크기와 지도력 간에 발생할 수 있는 두 종류의 상호작용. 두 경우 모두 집단 크기를 무선변인으로 만들면 지도력의 효과는 사라질 것이다.

대안을 제공해 준다. 즉, 상황을 또 하나의 독립변인으로 만듦으로써 결과에 대한 정확성과 함께 일반화 가능성을 증가시킬 수 있다. 더 많은 상황들이 요인으로 만들어졌고 이 요인들의 각 수준에서 어떤 효과가 나타났는지를 정확히 알고 있으므로, 이 결과를 더 많은 상황에 일반화 할 수 있다. 비록 다른 상황을 요인으로 만들려고 할 때마다 실험이 점점 더 복잡해지기는 하지만, 이렇게 하면 가능한 모든 상황에 대해서 최선의 것을 얻을 수 있다.

요인실험의 세 번째 장점은 통계적 장점이다. 제8장에서 대부분의 추론통계적 검증들은 독립변인의 각 수준들 간의 차이를 자료의 변산성에 비교한다는 것을 살펴보았다. 수준들 간의 차이가 크거나 변산성이 작을 경우 그 차이는 검증에 의해 의미 있는 것으로 선언될 가능성이 높아진다. 요인설계에서 요인으로 되지 않았다면 자료에 더 큰 변산성을 초래했을 한 상황이 요인으로 만들어지면 자료의 추정된 변산성은 감소하게 된다. 그러므로 더 많은 상황들이 요인으로 될수록 변산성의 추정치는 점점 작아진다. 이 추정치가 작아지면 작아질수록 우리가 발견한 차이가 통계적으로 의미 있는 것으로 선언될 가능성은 점점 더 높아진다.

단점

이러한 장점들이 요인설계에 있음에도 불구하고 몇 가지 단점들 또한 있다. 요인실험의 주요 단점은 시간과 비용이 많이 든다는 것이다. 여러분이 공군의 곤두박질 장군을 위해 새 항공기의 조종실을 설계하는 공학자 팀과 함께 일하는 중이라고 가정하자. 여러분이 심리학자이며 인간의 모든 것을 알고 있기 때문에 그들은 여러분이 자신들에게 계기판과 제어장치를 어떻게 설계해야 하며 그것들을 어디에 배치해야 할지에 대해 알려 주리라고 기대한다.

어떤 변인들이 다른 변인들과 상호작용 할 수도 있다는 것을 알고 있으므로 요인설계를 선택한다. 예를 들어, 속도계의 위치가 고도계의 위치에 영향을 줄 수 있다는 것을 안다. 첫 번째 요인은 고도계 바늘의 길이이다. 현재 네 개의 표준 길이가 사용된다는 것을 발견하고 이 요인에 네 개의 수준을 할당한다. 또 고도계를 위치시킬 수 있는 다섯 군데의 자리들 중 한 위치를 선택해야 하므로, 고도계 위치를 두 번째 요인으로 선택하고 그것에 다섯 개의 수준을 할당한다. 세 번째 요인은 세 개의 수준을 가진 속도계의 크기이다. 이 계기는 여섯 군데의 위치에 놓일 수 있으므로, 네 번째 요인이 결정되었다. 다섯 번째 요인은 조이스틱[8] 손잡

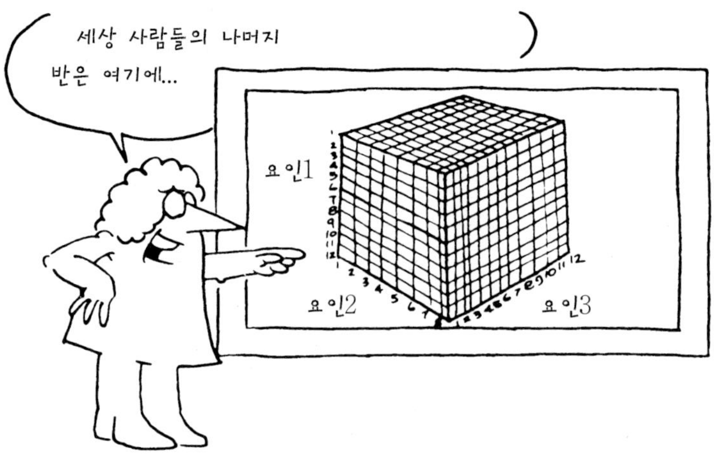

8) 조이스틱(joystick)은 비행기의 조정 레버이다.

이의 크기인데 그것은 네 가지의 지름과 다섯 가지의 길이를 가질 수가 있다. 이제 조종실을 설계하는 데 있어 중요한 변인들을 고려하기 시작한 것에 불과한데 이미 4×5×3×6×4×5 요인실험을 하게 되었다. 이 설계는 7,200개의 칸[9]을 갖게 되었다. 만일 각 칸에 열 명의 참가자를 할당한다면 공군에 있는 조종사의 숫자보다 더 많은 조종사가 필요하게 될 것이다.

또 다른 요인을 요인실험에 첨가시킬 때마다 여러분은 그 요인 내의 수준 수의 배수만큼 그 설계에 있는 칸의 수를 늘려 가게 된다. 이러한 비율로, 요인설계의 크기는 다룰 수 있는 범위를 재빨리 넘어선다. 첨가된 각 칸들은 시간과 노력을 요구하므로 요인의 수나 각 요인 내에서 수준의 수를 현실적으로 선택하도록 주의해야 한다.

만일 대규모의 요인실험을 할 수 있을 만한 자원을 가지고 있지 않다면 어떻게 일반적인 해답을 얻을 수 있는가? 한 가지 방법은 몇 개의 작은 실험을 실시하는 것이다. 예를 들어 앞의 예에서 여러분은 4×5, 3×6 그리고 4×5의 실험을 할 수 있다. 이러한 해결책의 문제점은 별개의 실험에서 나타나는 독립변인들(예컨대, 고도계의 위치와 속도계의 크기)간에는 상호작용하지 않는다고 가정하는 데 있다. 그리나 그 변인들을 모두 한 실험에 몰아넣지 않고서는 이 가정을 입증할 도리가 없다. 그럼에도 불구하고 이 방법은 위와 같은 질문에 대한 답을 찾아내기 위해 실제 대부분의 심리학자들이 행하는 방법이다. 이 장의 마지막에서 일련의 작은 실험들을 수행하는 데 필요한 방법들을 검토해 볼 것이다.

두 번째로 매우 덩치가 큰 요인실험을 다룰 수 있는 정교한 방법은 **반응표면 방법론**(response surface methodology)이다(Clark & Williges, 1973; Myers, 1971). 이 방법은 요인설계의 모든 칸에서 자료 점들을 구하지 않고도 요인설계의 어느 지점—요인들의 어떤 수준들의 조합에서—에서 종속 측정치가 최소값이나 최대값을 갖는지를 결정할 수 있게 한다. 이 방법을 사용하기 위해서는 보다 복잡한 상호작용들이 발생하지 않을 것이라 가정해야 하는데 이 가정은 대개의 경우 옳다.

9) 실험에 필요한 칸의 총 수를 계산하기 위해서 "x" 표시를 곱하기 표시로 생각해도 된다.

반응-표면 방법론을 어떻게 사용하는지에 대한 상세한 내용은 처음 실험을 시작하는 사람들이 알아야 하는 범위를 넘어선다. 나중에 이 방법을 사용할 필요가 있을 때를 위해서 단지 이러한 방법이 있다는 것을 알고 있기만 하면 된다. 이러한 방법을 사용할 필요가 있다면 이 장의 끝에 있는 참고문헌이 좋은 출발점이 될 것이다.

요인실험의 두 번째 단점은 결과 해석의 어려움이다. 대부분의 요인실험과 셋 이상의 요인을 가진 모든 요인실험을 분석하기 위해 사용되는 통계적 절차는 **변량분석**(Analysis of variance)이다. 이 절차는 자료의 변산성 유형에 관해 몇 가지 가정을 요구한다. 그 하나는 변산성이 실제 세계의 분포들에서 많이 나타나는 낯익은 종 모양 곡선인 정상 분포의 형태를 보여야 한다는 것이다. 만일 자료의 변산성이 정상분포에 접근하지 않는다면 변량분석은 부적절하다[10].

안타깝게도 실험을 마칠 때까지 이 가정이 충족되는지를 알지 못하는 수가 많다. 이것은 매우 유감스러운 일인데, 왜냐하면 복잡한 상호작용을 분석하기 위해 현재 사용할 수 있는 다른 통계적 검증들은 부적합하기 때문이다. 그런 경우에 의심스러운 통계검증을 사용하거나 또는 아무런 통계적 분석도 하지 않는 두 가지의 달갑지 않은 대안들밖에 없다. 다행히도 대부분의 요인실험은 정상분포에 근접하는 분포를 만들어내므로 변량분석을 할 수 있도록 해 준다(우리는 부록 A에서 변량분석에 대해 더 상세히 논의할 것이다).

통계적 분석의 가정들을 만족시키는 경우에도 복잡한 요인실험의 결과를 해석하는 것은 때때로 어렵다. 지금까지 언급된 상호작용은 한 요인과 종속변인 간의 관계가 두 번째 요인의 수준에 따라 달라진다는 점에서 2원 상호작용이다. 그러나(제12장에 논의되어 있는 것과 같이) 우리는 2원 상호작용의 유형이나 크기가 세 번째 요인의 수준에 따라 달라지는 3원 상호작용을 갖게 될 수도 있다. 예를 들어 조장의 효과가 단지 남자로 이루어진 집단 내에서만 집단의 크기와 상호작용할 수도 있다. 4원 및 5원 상호작용이 발생할 때 결과를 어떻게 해석해야 할지에

10) Bradley(1968)는 그의 책 분포와 무관한 통계 검증들(Distribution-Free Statistical Tests)에서 이 가정을 만족시키지 못할 때 범할 수 있는 오류들에 대해서 잘 논의하고 있다.

대해 거의 알 수 없게 된다.

요인실험이 단순 단일변인 실험들에 비해 많은 장점을 줄 수 있다는 것을 살펴보았다. 요인실험은 상호작용을 연구할 수 있도록 해 주며, 원하지 않는 변산성을 감소시킴으로써 통계적 이점이 있으며, 정확성을 떨어뜨리지 않으면서 결과의 일반성을 증가시킨다. 그러나 이러한 장점의 대가로 시간과 노력의 소모와 결과 해석의 어려움을 감수해야 한다. 이러한 어려움 없이 중다변인 실험의 몇몇 장점을 누릴 수는 없겠는가? 있다(계속 읽어라).

수렴계열 설계

대부분의 잡지에 실린 논문들은 연속적인 실험의 결과(a series of experiments)를 보고한다. 왜냐하면 많은 실험자들이 **수렴계열**(converging series) 실험방법을 택하기 때문이다. 나는 단번에 해답을 도출하기보다는 점진적으로 문제를 해결해 가는 실험들을 지칭하기 위해서 이 용어를 사용한다. 대부분의 실험 계열들은 단일변인이나 작은 요인실험들로 구성되어 있다.

조종실 설계의 예에서처럼 한 유형의 계열 실험에서 단일 요인실험을 하기에는 너무 큰 응용문제를 가질 수 있다. 이 경우 3원, 4원 또는 더 고차원의 상호작용들에는 관심이 없기 때문에 보다 작은 일련의 요인실험들을 하기로 결정할 수 있다. 한 실험에서 하나의 특정 요인의 적절한 수준을 발견하고 나면, 후속 실험에서 그 요인을 통제변인으로 만든다. 그러고 난 뒤 참가자의 수행에 영향을 줄 수 있다고 기대되는 모든 독립변인들을 성공적으로 조작하게 될 때까지 각 중요한 변인들을 변화시킬 수 있다. 이러한 방법으로 실용적 문제 전반에 대한 적절한 해결에 점진적으로 접근해 나갈 수 있다.

수렴적 조작

실용적인 문제에 사용되는 것보다 더 흥미로운 형태의 수렴계열 설계는 관찰된 행동을 설명할 수 있는 하나의 실험 가설로 수렴시켜 감으로써 심리학적 이론들을 검증한다. 이 유형의 실험법을 **수렴조작**(converging-operation) 접근이라 부른다(Garner, Hake & Eriksen, 1956). 검토되고 있는 행동을 설명할 수 있는 가능한 많은 가설들을 가지고 우리는 계열 실험을 시작한다. 우리가 수행하는 각 실험은 처음에 제기된 여러 가설들 중 하나 혹은 그 이상의 가설을 제거하도록 하여, 결국 계열의 마지막에 가서는 자료를 설명할 수 있는 단 하나의 가설만 남게끔 해 준다.

수렴적 조작기법을 설명하기 위해서 저속하지 않은 단어보다 저속한 단어를 지각하는 것이 더 오래 걸리는지를 연구하는 실험을 예를 들어보자. 매우 짧은 시간 동안 시각 자료를 노출시킬 수 있는 순간노출기(tachistoscope)를 사용하여 정해진 아주 짧은 시간 동안 실험자가 참가자들에게 단어를 제시한다고 가정하자. 실험자는 두 개는 저속하고 두 개는 저속하지 않은 네 개의 단어를 제시한다. 그리고 참가자들에게 그들이 그 단어들을 재인하자마자 큰소리로 말하라고 지시한다. 실험자는 참가자들이 저속한 단어를 보고할 때 더 오랜 노출시간이 필요하다는 것을 발견하고, 이 발견이 사람들이 무의식적으로 저속한 자료를 지각하는 것을 억압한다는 가설을 지지한다고 결론 내린다. 이 지각적 방어가설은 이러한 억압을 극복하기 위하여 더 오랜 노출시간이 필요하다고 주장한다.

뛰어난 실험자로서 여러분은 이러한 발견을 설명할 수 있는 많은 수의 다른 가설들을 생각할 수 있다. 첫째, 선정된 단어의 특성에 의해서 짧은 시간의 노출시간에서도 저속하지 않은 단어를 쉽게 읽었을 가능성이 있다. 둘째, 참가자들은 네 단어 모두를 똑같이 잘 지각했지만 저속한 단어에 대한 반응을 하지 않을 수 없을 때까지 그들의 반응을 비자발적으로 억제했을 수 있다. 셋째, 참가자들은 단어를 지각했고 어떤 반응을 해야 할지도 알았지만 그들이 맞았다는 것을 확신할 때까지 반응을 미루었을 수 있다. 따라서 실험 결과를 설명할 수 있는 적어도 네 개의 가능한 가설들을 가진다. 이 가설들은 그림 9-9에 열거되어 있다. 이제 이 가설들 중 한 가설로 수렴할 일련의 실험들을 수행하고, 나머지는 제외시킬 필요가 있다.

첫 번째 실험은 단어특징 가설과 나머지 세 가설을 구분해 줄 수 있을 것이다. 다른 저속한 단어 두 개와 저속하지 않은 단어 두 개를 사용하여 원래의 실험을 반복할 수 있다. 만일 저속한 단어들이 더 오랜 노출 시간을 필요로 한다는 것이 다시 발견된다면 단어특징 가설[11)]을 제거할 수 있을 것이다. 만일 참가자들이 그 저속한 단어들을 말하는 데 더 오랜 노출시간을 필요로 하지 않는다면 단어특징 가설이 맞을 것이라는 확신은 증가하게 될 것이다.[12)]

단어특징 가설이 제거되었다고 가정하더라도 여전히 남아 있는 세 가지 가설들을 구분해야 한다. 실험 2에서 참가자들이 저속한 단어들을 보고할 수 있는 자극 노출 시간보다 더 짧게 보여줘도 단어들을 지각하는지를 알아보아야 한다. 참가자의 전기피부반응(GSR)은 자극에 대한 그의 감정적 반응의 지표가 될 수 있다는 것을 안다. 그러므로 얼마 동안 자극을 제시해야 참가자들이 단어를 지각할 수 있는지를 알아내기 위해 저속한 단어들이 제시되는 동안 참가자의 GSR을 측정하기로 결정할 수 있다. GSR은 참가자들이 자발적으로 혹은 비자발적으로 그들의 반응을 억제한다 하더라도 그들이 단어를 지각하고 있는지에 대한 지표가 될 수 있다.

만일 참가자들이 저속한 단어들을 보고할 수 있는 노출 시간까지 GSR이 변하지 않는다는 것이 발견된다면 지각적 방어가설은 어느 정도 지지를 받게 된다.

11) 사실상 하나의 실험으로는 하나의 가설을 더 이상 고려하지 않도록 제거할 수 없다. 예를 들어 운이 나빠서 첫 실험과 마찬가지로 저속하지 않은 단어들보다 훨씬 더 읽기가 어려운 두 개의 저속한 단어들을 선택했을 수 있다. 또한 이 가설의 한 하위체계를 고려해 보지 못했을 수도 있다. 즉, 그 효과는 저속한 단어가 저속하지 않은 단어보다 사용빈도가 낮기 때문에 나타난 것일 수 있다. 사용 빈도가 높은 단어들을 더 빨리 재인할 수 있다. 하나의 가설을 결정적으로 제거하기 위해서 수렴적 조작은 다른 어떤 조작들과도 완전히 독립적이어야 한다. 특정한 단어들을 바꿈으로써, 어휘 사용빈도가 단어 저속성과 완전히 독립적이 되도록 하지 못했다. 따라서 이 가설을 완전히 제거할 수 없다.

12) 이 문장은 주의 깊게 쓰였다. 왜냐하면 우리는 단어특징 가설을 지지하는 강력한 증거들을 마련하지 못했기 때문이다. 실험심리학에서는 독립변인의 조작에 의한 종속변인에서의 차이를 보기 위하여 실험을 설계한다. 독립변인이 종속변인에 대해 아무런 변화도 일으키지 못했다는 것을 보여 주는 것은 독립변인이 변화를 유발시킬 수 없다고 하는 명제에 대해 결정적 증거를 제공해 주지 못한다. 참가자들이 행동변화를 나타내지 못하는 이유는 예를 들어, 그들은 지시를 따르지 못했거나 잠이 들었을 수 있다.

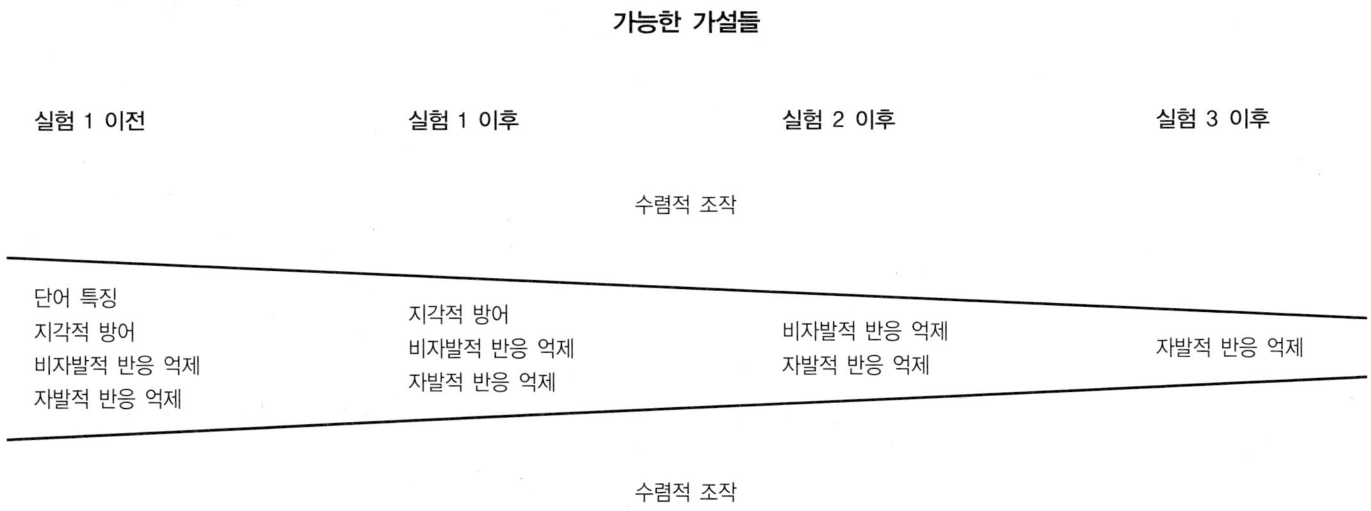

그림 9-9 교과서에서 기술된 세 가지 수렴조작 실험 중 각 시점에서 논쟁이 되고 있는 가설들을 도식적으로 표현한 것

그러나 만일 GSR이 저속한 단어와 저속하지 않은 단어와 동일한 노출시간에 지각된다는 것을 나타낸다면 남아 있는 두 가설 중 하나가 진실임에 틀림이 없다.

자발적 반응 억제와 비자발적 반응 억제를 구분하기 위해서 참가자들에게 자발적인 억제의 양을 변화시킬 수 있는 조작을 찾을 수 있을 것이다. 실험자와 참가자가 이성일 때가 그들이 동성일 때보다 더 자발적으로 억제할 것이라고 기대할 수 있다. 따라서 실험 3에서 저속한 단어와 저속하지 않은 단어들을 탐지하는 데 걸리는 노출시간의 차이가 실험자와 참가자가 동성일 때 더 작은지를 결정하려 한다. 만일 그렇다면 자발적 반응억제 가설은 지지된다. 만일 그렇지 않다면 아마 비자발적 반응억제가 일어났을 것이다.

이 예에서 수렴조작들이 어떻게 단 하나를 제외한 다른 모든 가설들을 제거했는지를 알 수 있다. 하나의 가설에 수렴해 가기 위해서 사용되었던 조작들은 다양하다. 자극조작, 생리적 측정치 그리고 대인관계의 조작이 그것이다. 다른 조작을 선택할 수도 있다. 그러나 조작에 대한 가정이 정확하다면 이 다른 조작들도 동일한 가설로 수렴할 것이다. 새로운 조작이 한 가설로 수렴할 때마다 그 가설에 대해 더 많은 확신할 수 있다.

사실 이 논의는 약간 이상적인 상황이다. 수렴계열 실험을 할 때까지 한자리에 앉아서 모든 가능한 가설들과 그 가설들을 구별할 수 있는 모든 조작들을 구체화 할 수는 없다. 만일 여러분이 대부분의 실험자들과 유사하다면 한 번에 한 가지 실험을 할 것이다. 한 가지 실험의 결과를 본 후에야 올바른 가설에 좀 더 가까이 접근시켜줄 새로운 조작을 하기로 결정할 것이다.

더 많은 계열 실험들을 수행해 감에 따라 가설의 수가 줄어들기보다는 늘어나는 것을 발견하게 될지도 모른다. 비록 이미 제기된 몇 가지 가설들을 제거할 수 있지만 실험문제를 더 잘 이해하게 됨에 따라 또 다른 가설들이 새롭게 제기될 수도 있다. 이 시점에서 여러분은 수렴계열이라기보다는 확산계열 실험을 하고 있는 것처럼 보일지 모른다! 실제로는 여전히 수렴하고 있는 중인데, 단지 잠정적인 가설의 집합이 여러분이 처음에 생각했던 것보다 훨씬 클 뿐이다.

장점

대부분의 수렴계열 접근의 장점들은 앞의 논의로부터 분명히 드러난다. 이 접근은 하나의 대규모 요인실험보다 더 큰 융통성을 가진다. 대규모 요인실험에서는 실험 시작 전에 요인과 요인의 수준을 결정해야 하는데, 그러고 나면 사전에 결정된 설계 속에 꼼짝할 수 없게 된다. 단 한 번의 잘못된 선택이 투자된 엄청난 시간과 돈을 수포로 돌릴 수 있다. 그러나 수렴계열은 여러분에게 많은 선택의 여지를 제공한다. 중간에 새로운 독립변인이나 수준을 선택할 수 있다. 종속변인에 거의 영향을 미치지 않는 요인이나 수준을 연구하는 데 시간을 낭비할 필요도 없으므로 훨씬 더 능률적일 수 있다.

수렴계열 설계에는 반복 실험이 내장되어 있다. 실험 결과가 반복될 수 있는 것임을 보여 줄 때마다 그 자료는 학계에서 권위를 갖게 된다. 만일 여러분이 앞서 예로 든 저속한 단어 실험에서 세 가지 실험 모두를 실시했다면, 여러분은 저속한 단어가 더 오랜 노출 시간을 필요로 한다는 기본적 실험 결과를 세 번 반복 혹은 재검증했을 것이며, 그럼으로써 이 결과의 신뢰도에 대해 확실한 증거를 제시한 셈이 된다.

단점

수렴계열 설계에는 몇 가지 사소한 단점들도 있다. 서로 다른 실험들에 포함된 변

표 9-1 두 수준, 중다 수준, 요인, 수렴계열 실험설계의 장단점의 요약

실험설계	장 점	단 점
두 수준 실험	•변인이 효과가 있는지를 결정하는 데 효율적이다. •결과들의 분석과 해석이 용이하다. •어떤 이론들의 검증에 적합하다. •응용문제의 비교에 유용하다.	•함수의 형태를 유추할 수 없다. •보간과 외연이 위험하다. •복잡한 이론을 검증하기 어렵다.
중다수준 실험	•함수의 형태를 추론할 수 있다. •독립변인의 수준이 덜 결정적이다.	•보다 많은 참가자와 시간이 필요하다. •역균형이 매우 힘들다. •통계가 어렵다
요인실험	•상호작용을 연구할 수 있다. •요인을 추가함으로써 변산을 줄일 수 있기 때문에 통계적 민감도가 증가한다. •정확성의 감소없이 일반화 가능성이 증가한다.	•여러 요인이 추가되면 실험은 굉장히 커지게 된다. •통계가 보다 어려워진다. •고차 상호작용을 해석하기가 종종 힘들다.
수렴계열 실험	•큰 요인실험보다 융통성이 크다. •반복실험이 내재되어 있다.	•상호작용을 평가하기가 어렵다. •실험간 비교는 피험자 간 비교로 이 설계가 가지는 단점을 가진다. •다음 실험을 하기 전에 이전 실험을 분석해야 한다.

인들 간에는 상호작용이 발생하는지를 알기 어려우며 때로는 불가능하다. 어떤 상황하에서는 한 수렴계열의 두 실험을 조합하여 그것들을 하나의 피험자 간 요인실험으로서 분석할 수 있다. 그러나 만일 상호작용 효과에 정말로 관심이 있다면 요인실험을 해야 한다.

두 번째 단점은 한 계열 내의 서로 다른 실험 결과를 비교할 때 항상 피험자

간 비교를 하게 되며, 이때 피험자 간 설계의 모든 단점을 수반하게 된다(제8장 참조).

마지막으로 수렴계열 설계를 사용하면 다음 실험 시작 전에 앞선 실험의 결과를 분석하고 해석해야 한다. 그와 같은 분석을 완성하는 데는 종종 몇 주일이 걸리며 때로는 몇 개월씩 걸리기도 한다. 이러한 이유 때문에 많은 연구자들은 한 번에 하나 이상의 계열에 대해 작업하며, 따라서 연구자들은 한 계열의 실험을 분석하는 동안 다른 계열의 실험을 실시하기도 한다.

수렴계열 설계의 장단점을 살펴보면 왜 이 접근이 최근 몇 년 사이에 그렇게 널리 사용되는지를 쉽게 알 수 있다. 수렴계열 접근은 응용 및 기초 연구문제의 연구 모두에 매우 효율적이고 융통성 있는 방법이다.

이 장에서 살펴본 모든 실험설계들의 장단점을 표 9-1에 요약해 놓았다.

요약

일단 여러분의 연구문제가 연구할 가치가 있다고 결정했다면 실험설계를 선택해야 한다. 선택할 수 있는 가장 간단한 설계는 두 수준이 포함된 단일 독립변인 실험이다. 이 설계는 독립변인이 참가자의 행동에 과연 효과가 있는지를 빨리 결정하도록 해 주며, 그러한 실험들은 해석과 분석이 용이하다. 그리고 어떤 이론적 문제나 응용문제에 있어서는 이 방법은 필요한 모든 정보를 제공해 준다. 그러나 이 단순실험들은 실험 변인들 간의 관계의 모양에 대해 아무것도 말해 줄 수 없으므로 보간과 외연을 하는 것 모두 위험하다. 독립변인의 수준들을 증가시키는 것은 독립변인과 종속변인 사이의 함수적 관계에 대해 더 많은 것을 알게 해 준다. 그것은 또한 선택된 독립변인의 범위가 덜 결정적이게 한다. **중다수준 실험**들의 단점은 더 많은 시간과 노력을 요구한다는 것이다. 그리고 해석하고 분석하기도 약간 더 어렵다.

가장 빈번하게 사용되는 중다변인 실험설계는 **요인설계**이다. 이 설계에서 독립변인은 때때로 요인이라고 불리는데 이들은 모든 변인의 각 수준이 다른 변인들의 모든 수준과 조합되어 나타나도록 설계되었다. 피험자 내 요인이 피험자 간 요인과 조합이 되었다면 **혼합 요인설계**라고 부른다. 요인설계는 상호작용을 연구할 수 있도록 해 준다. 하나의 요인을 첨가시킬 때마다 통계적 변산성은 감소하는 반면 결과의 일반화 가능성과 정확성은 증가한다. 그러나 복잡한 요인실험에는 시간과 비용이 많이 든다. 요인설계가 너무 크면 실험의 효과를 추정하기 위해서 **반응표면 방법**이나 보다 작은 일련의 요인설계가 필요하다. 특히 **변량분석**의 통계적 가정들이 충족될 수 없는 경우에 결과의 해석 또한 문제가 될 수 있다.

복잡한 요인설계 대신에 **수렴계열 설계**를 사용할 수 있다. 이 설계는 남아있는 단 하나의 가설이 주어진 자료를 설명할 수 있을 때까지 가설들을 점진적으로 제외시켜 나갈 수 있는 수렴조작을 발견할 수 있도록 해 준다. 수렴계열 설계는 융통성이 있으며, 반복검증이 내재되어 있다. 그러나 실험마다 서로 다른 요인들 사이의 상호작용을 평가하는 것은 어렵다. 이 요인들을 피험자 간 방식으로 조작해야 하며 다음 실험 시작 전에 한 실험을 분석해야 한다.

10

실험 연구가 아닌 연구를 설계하는 법

준실험법으로부터 얻어진 결과를 해석하려고 하는 사람들이 직면하는 문제는 각 처치집단에 내재하고 있던 차이로부터 발생된 효과에서 처치에 의한 효과를 분리해내는 것이다.

– *T. D. Cook & D. T. Campbell (1979)*

연구자들은 천 마리의 쥐를 한 시간씩 혹은 백 마리의 쥐를 열 시간씩 연구하기보다는 한 마리를 천 시간 동안 연구하려 한다.

– *B. F. Skinner (1966)*

지금까지 우리는 전통적인 실험설계에 대해서 논의했다. 그러나 특정 연구 문제에 대한 해답을 얻기 위해서는 전통적인 실험설계를 사용할 수 없거나 이 방법이 적절하지 않을 경우가 있다. 이 장에서는 전통적인 실험 연구가 아닌 세 개의 연구 방법을 다룰 것이다. 첫째, 우리가 배웠던 실험법을 충실히 따르지만 독립변인의 각 수준에 참가자를 무선적으로 할당하는 것이 가능하지 않을 때 사용하는 **준실험법**(quasi-experiment)인데, 이 설계를 사용할 때는 내적 타당도를 위협할 수 있는 요인들의 효과를 최소화 해야 한다. 둘째, **단일 피험자**와 **소집단 기저선 설계**(single-subject and small-N baseline design)는 참가자의 수가 한정되어 있거나 처치의 효과가 개별 참가자들 모두에서 확실히 나타난다는 것을 보여주어야 할 경우에 사용된다. 이 방법을 사용할 때 통제집단 없이 혹은 피험자 내 역균형 없이도 효과를 알아볼 수 있는 규칙들이 있다. 마지막으로 논의될 **설문조사**(survey)나 **질문지법**(questionnaire)은 실험 연구라기보다는 상관 연구에 해당된다.

준실험법(과 비실험설계들)

제2장에서 배운 내용을 돌이켜보면, 환경 조건을 참가자에게 할당하는 방법들 중 하나는 그 조건을 무선변인으로 만드는 것이었다. 그 장에서 나는 진정한 무선화가 일어나는 것이 얼마나 중요한가를 강조했었다. 만일 진정한 무선화 과정이 사용되었다고 확신할 수 없을 경우 환경 조건은 독립변인의 수준에 따라 체계적으로 변할 수 있다. 이런 경우 오염변인이 영향을 미쳤다고 할 수 있다. 오염의 효과가 발생할 가능성이 있을 때에는 연구자는 제2장에서 논의된 역사, 성숙, 선택, 사망률, 검사, 통계적 회귀와 같이 내적 타당도를 떨어뜨릴 수 있는 모든 요인들에 대해서 잘 알고 있어야 한다. 이런 요인들을 기억하고 있는가? 준실험법의 목적은 참가자들을 각 집단에 무선적으로 할당하지 못하는 상황에서 내적 타당도에 영향을 미치는 요인들의 효과를 최소화 하는 데 있다. 이 방법을 통해 오염변인이 영향을 미치지 못하도록 한다.

매 강의 끝에 "학습 평가지"(학점과 무관한 짧은 퀴즈)를 나누어 주는 것이 그 과목의 시험 성적을 향상시킬 것인가를 알아보고자 한다고 가정하자. 기본적인 실험 모형에 따르면 적어도 한 독립변인에 두 개의 수준—"학습 평가지" 대 "학습 평가지 없음"—을 사용해야 한다. 어떤 상황은 통제변인이 될 것이다. 예를 들면, 학습 평가지의 제공 여부와는 무관하게 각 집단의 학생들에게는 동일한 교재를 이용하여 가르칠 것이다. 그러나 피험자 간 설계를 사용하기 위해서 학생들을 복제할 수 없으며 또한 학습한 내용을 머릿속에서 지워버릴 수도 없기 때문에 피험자 내 설계를 사용할 수도 없다. 따라서 각 참가자들을 두 집단에 무선적으로 배정해야 한다. 이상적으로는 그 수업을 한 번도 수강하지 않은 모든 학생들의 이름을 모자 속에 넣고 100명의 학생을 뽑아 두 학급에 각각 할당할 수 있다. 그러고 나서 한 학급에는 학습 평가지를 제공하고 다른 학급에는 제공하지 않을 것이다.

불행히도 학생들이 특정 과목을 수강하도록 강요할 수가 없다. 즉, 현실적으로 학생들은 자신이 원하는 과목을 선택할 수 있다. 이미 존재하는 두 분반—예를 들어 오전반과 오후반—을 각 수준의 독립변인에 배정할 수 있다. 오전반을 선택한 학생들과 오후반을 선택한 학생들 간에 어떤 차이가 있겠는가? 학습 수행에 영향을 줄 수 있는 요인들 중 두 집단에서 차이를 보일 것 같은 요인들은 어떤 것들인가?

다른 예로, 두 분반 모두 오전반이지만 한 분반의 강의시간이 월, 수, 금요일이고, 다른 분반의 경우 강의시간을 길게 하여 화, 목 이틀이라고 가정하자. 요일이나 강의시간의 길이가 학습 수행에 영향을 줄 것이라고 생각할 수 있는가?

더욱 문제가 될 수 있는 상황은 한 강사가 매 학기나 혹은 매년 특정 과목을 강의할 때 발생한다. 봄 학기와 가을 학기 혹은 올해와 내년에 이 과목을 수강하는 학생들 간에 어떤 변인에서 차이가 있을 것 같은가? 통제나 무선화 과정을 통해서 특정 상황이 오염변인이 될 가능성을 줄일 수 있지만, 참가자들이 각 집단에 할당되는 것을 통제할 수 없다.

대부분의 응용 분야에서는 참가자 할당을 하나의 무선변인으로 만들 수 없다. 참가자를 무선적으로 할당할 수 없는 경우, 종종 준 실험설계를 사용할 수 있다. 준실험설계를 사용할 때, 실험설계의 엄격한 요건들을 어기기 때문에 발생하는 내적 타당도의 위협 요인들을 제거하거나 최소한 그 효과를 측정할 수는 있다. 이제 검토해 볼 설계들 각각은 특정 위협요인들을 다루는 데 있어서 장점들을 갖고 있지만, 어떤 설계를 사용하더라도 모든 오염변인을 제거했다고 확신할 수 없다. 준실험법을 논의함에 있어 이 주제에 대한 고전이라 할 수 있는 Cook과 Campbell(1979)의 표기법을 사용하여 각 설계의 특징을 표시하는 것이 유용하다. "X"는 독립변인(처치수준이라 부르기도 한다)의 특정 수준을 나타낸다. "O"는 종속변인에 대한 측정을, 즉 관찰을 나타낸다. "1"부터 "n"이라고 표시된 아래 첨자는 처치의 제시 순서(X_1 ⋯ X_n)나 관찰의 측정 순서(O1 ⋯ On)를 나타낸다. 실험집단들 사이에 그어진 점선은 각 집단의 참가자들이 무선적으로 선정되지 않았음을 의미한다.

비실험설계들

단일집단 사후검사 설계

독립변인의 한 수준에만 노출된 집단의 행동을 측정하려 한다면, **단일집단 사후검사 설계**(one-group posttest-only design)를 사용한다. 위의 표시법을 사용하면, 이 설계는 다음과 같이 나타낼 수 있다.

X	O

이 설계의 결과 이외의 추가적인 정보를 갖고 있지 않다면, 이 설계로는 처치의 효과를 결정할 수 없다.

예를 들어, 텔레비전에서 유태인 학살(X)에 관한 프로그램을 방영할 때 그 프로가 대중들의 유태인 학살에 대한 인식(O)에 얼마나 영향을 주는가를 알아보려 한다고 가정해 보자. 한 집단의 사람들에게 설문지를 발송하여 알아본 결과 응답자의 76%가 유태인 학살기간 중에 어떤 일이 일어났는지를 알고 있다는 것을 발견했다. 텔레비전 방송의 영향에 대해 무엇을 알 수 있는가? 텔레비전 방송이 사람들로 하여금 그 사건에 대해 잘 알도록 했는가 혹은 오히려 그 사건에 대해서 더 알지 못하도록 했는가? 프로그램이 방송되기 전에 얼마나 많은 사람이 그 사건에 대해 알고 있었는지, 즉 설문지에 응답한 사람과 동등한 집단을 선정해서 그 프로그램을 시청하지 않은 채로 얼마나 많은 사람이 그 사건에 대해 알고 있었는지에 대해서 알지 못한다면 설문지 검사의 결과는 여기서 제기된 문제에 관한 답을 제공해 줄 수 없다.

이 설계는 제1장에서 논의되었던 사례 연구와 유사하다. 그러나 몇 가지 중요한 차이점들 때문에 일반적으로 사례 연구가 더 유용하다. 사례 연구에서 연구자는 보통 행동이 관찰되는 맥락에 대해 아주 많은 것을 알 수 있다. 이 때문에 관찰 전 행동들을 직접 측정하지 않았어도 이것에 대한 추론이 종종 가능하다. 또한 대체로 한 가지 이상의 행동이 관찰되므로 단조로운 실험실 상황에서 하나의 종속변인만을 측정한 경우보다 더 많은 정보들을 제공해 줄 수 있다.

비동등집단이 포함된 사후검사 실시 설계

위에서 언급된 비동등집단에 대한 사후검사를 추가한다면 다음과 같이 나타낼 수 있다.

X O

- - - - - - - - - - - -

O

비동등이란 말은 처치에 노출된 집단의 선정과는 다른 방식으로 비동등집단이 선정되었음을 의미한다.

마이애미에서는 이 지방 축구팀의 중계방송 때문에 유태인 학살 프로그램이 방송되지 않았다고 가정해 보자. 마이애미에 사는 사람을 무작위로 선정하여 이를 비동등집단으로 삼고 그들에게 설문지를 보낼 수 있다. 이제 집단들 간에 차이를 발견한다면 우리는 이 차이를 텔레비전 방송 때문에 발생된 것이라고 할 수 있겠는가? 마이애미에는 유태계 인구가 많다. 유태인이라는 점이 유태인 학살에 대해 알고 있는 것에 영향을 줄 수 있다고 생각하는가?

비동등집단을 포함한 사후검사 실시 설계의 기본적인 문제점은 집단 간의 차이가 처치에 의한 것일 수도 있지만, 선택된 집단이 원래 차이가 나기 때문에 발생된 것일 수도 있다는 점이다. 집단들이 동등할수록 그 차이가 처치에 의해 발생한 것이라고 보다 확신할 수 있다.

공식적인 사전검사를 실시하지 않았을 때, 보다 확신할 수 있는 결론을 얻을 수 있는 방법은 두 집단을 비교할 수 있는 비공식적인 사전검사 정보를 얻는 것이다. 종속변인과 관련이 많은 정보일수록 더 유용하다. 두 표본을 연령, 성별, 사회계층, 인종 그리고 종교에 따라 비교할 수 있다. 이러한 비교를 통해 두 집단이 얼마나 동등한지를 알 수 있다. 그러나 기본적으로 이 설계는 여전히 취약하므로 비동등집단을 포함한 사후검사 설계를 통해 얻은 결과를 해석할 때는 많은 주의가 필요하다.

단일집단 사전-사후검사 설계

기본적인 단일집단 사후검사 설계로 돌아가서, 그 집단에 대해 사전검사도 실시했다면 어떻게 되겠는가? 그 설계가 **단일집단 사전-사후검사 설계**로 다음과 같이 나타낼 수 있다.

O_1	X	O_2

이 설계는 응용분야에서 널리 사용되고 있으며, 동일한 사람을 대상으로 두 번 관찰하기 때문에 선택이라는 측면에서 볼 때 비동등집단이 포함된 설계보다 더 좋다. 피험자 내 설계에서와 같이 동일함 참가자가 두 관찰 모두에서 선정된다. 그러나 피험자 내 설계에서는 제시순서의 역균형화나 두 관찰 사이의 시간적 간격이 짧기 때문에 내적 타당도를 위협하는 요인들을 최소화 할 수 있다. 불행하게도 단일집단 사전-사후 설계는 내적 타당도를 위협할 수 있는 요인들을 최소화 할

수 없다.

다시 한 번 유태인 학살 프로그램의 예를 생각해 보자. 프로그램이 방송되기 전에 유태인 학살 사건을 얼마나 알고 있는지를 미리 알아보는 것이 프로그램 방영 후에 그 사건을 알고 있는지를 알아보는 것에 영향을 줄 것이라고 생각되는가? 이 경우에 '검사'가 문제된다는 것을 알 수 있을 것이다. 사전검사의 문제점을 최소화 하기 위해서 사전검사를 처치가 주어지기 1년 전과 같이 아주 일찍 실시한다면 이 문제는 최소화 되지만, 다른 문제들이 발생될 가능성이 있다. 예를 들어 전쟁 범죄자가 체포된 것과 같이 유태인 학살과 연관된 '역사'들이 발생하여 이 때문에 사람들이 유태인 학살에 대해 더 많이 알 수 있는 가능성이 있다. 혹은 특히 초등학교 어린이들을 대상으로 삼는다면 성숙이 영향을 미칠 수 있다. 집단을 선택하기 위해 사전검사를 사용한다면 통계적 회귀가 문제될 수 있다. 이렇게 사전검사 설계는 선택의 문제를 해결할 수 있는 반면 다른 요인들에 의해서 내적 타당도가 영향 받을 수 있으므로 이 설계에 의한 결과를 해석할 때는 세심한 주의를 기울여야 한다.

준실험설계

앞부분에서 논의된 세 설계들은 내적 타당도에 위협이 되는 요인들을 평가할 방법이 없으므로 **비실험적 설계**(nonexperimental design)라고 불린다. 이 부분에서 논의되는 설계들은 **준실험설계**(quasi-experimental design)라고 불리는데, 이는 비록 기본 실험설계의 엄격한 요구 조건을 충족시키지 못하지만 내적 타당도에 위협이 될 수 있는 대부분의 요인들을 평가할 수 있기 때문이다. 모든 준실험설계를 완전히 다루는 것은 이 책의 범위를 벗어난다. 대신에 두 가지 주요한 설계에 대해서 설명할 것이다. 더 자세한 것은 Cook과 Campbell(1979)이나 Shadish, Cook과 Campbell(2002)의 책을 참조하도록 하라.

비동등 통제집단이 포함된 사전-사후검사 설계

이 설계에서는 처치집단과 처치에 노출되지 않은 비동등 통제집단이 포함된다. 각 집단에 사전검사와 사후검사가 모두 주어지는데 다음과 같이 나타낼 수 있다.

O_1	X	O_2
O_1		O_2

이 설계는 아마도 사회과학 분야의 현장 연구에서 가장 널리 쓰인다. 이것은 내적 타당도에 위협이 되는 단순한 요인들을 평가할 수 있게 해 준다.

특정 위협에 대해 얼마나 염려를 해야 하는가는 실험 결과가 어떻게 나왔느냐에 따라 달라진다. 사전검사 점수에서 집단들 간에 본질적인 차이가 없다면 우리는 그 집단들이 비교적 동등하다는 확신을 가질 수 있으며, 선택이나 회귀가 위협이 될 가능성은 최소화 된다. 만일 통제집단의 사전-사후검사 점수가 동일하다면, 역사나 성숙의 위협이 최소화 된다. 두 집단이 동일한 검사를 받았으므로, 검사가 가지는 영향 또한 최소화 된다. 만일 두 집단에서 사전검사와 사후검사 사이에 중도 탈락한 참가자 수가 다르다면 사망률이 문제가 될 수 있지만, 이 설계에서는 이러한 위협을 평가할 수 있다. 이 설계를 사용할 경우 발생할 수 있는 가장 심각한 문제는 선택과의 상호작용이다. 두 집단의 사전검사 점수가 동등하다면, 선택과의 상호작용의 위협은 감소되지만 여전히 그 가능성은 있다. 예를 들어 A라는 학교가 특정처치를 받고 있는 반면 B라는 학교는 그렇지 않다면, A라는 학교는 교사들에 대해 새로운 기준을 적용하는 새 교장을 고용할 수도 있다. 이러한 역사-선택 상호작용이 여러분의 결론을 위협할 수 있다.

두 집단의 사전검사 점수가 매우 다른 경우 선택과의 상호작용에 대해서 더 관심을 가져야 한다. 예를 들어 조립 라인에서 일하는 근로자들에게 생산한 제품 수에 따라 봉급을 주는 것이 생산성을 증가시킬 것인지를 알아보고자 한다고 가정하자. 근로자들 중 기본 봉급은 낮추되 제품 생산 수에 따라 추가 수당을 받으려는 자원자들을 모집한다.

사전검사에서 자원자들이 더 생산적임이 나타났지만, 사전검사에서 두 집단의 차이의 크기와 사후검사에서 두 집단 간의 차이의 크기를 비교해 봄으로써 처치의 효과를 살펴볼 수 있다. 사후검사의 차이가 확실히 더 크게 나타났다. 즉, 두 집단 모두 생산성이 향상되었으나, 제품 수당을 받는 집단의 생산성 향상이 더 높게 나타났다. 이 방식이 생산성을 높인다고 결론을 내린다. 이 결론은 정확한 것인가?

사전검사에서 생산성의 차이가 있었기 때문에, 처치집단의 자원자들은 그 시점에서 더 잘했을 뿐만 아니라 더 빠른 속도로 계속 성숙(학습하고 더 숙련)하고 있었을 수 있다. 근로자의 생산성은 정체되어 있는 경우는 거의 없다. 또한 여기서는 통제집단에서도 수행이 증진되었기 때문에 수당을 받는 근로자의 생산성도 변화되었을 것이라고 생각할 수 있다. 모든 사람들의 수행이 증가하고 있을 때, 더 뛰어난 근로자들이 더 빨리 발전하는 것을 예상할 수 있다. 이와 같은 기본 설계로는 잠정적인 성숙-선택 상호작용의 크기를 결정할 수 없다. 처치의 효과가 있었는지를 알아보기 위해서 사전검사의 결과를 기준으로 처치집단을 소집단으로 나누어 살펴볼 수 있다. 다시 말해서 처치집단 내의 능력이 모자라는 근로자들은 더 유능한 근로자들에 비해 생산성의 향상이 느려질 것을 예측할 수 있다. 그러나 그런 경우에 우리는 다른 설계를 쓰게 된다. 중요한 점은 사전-사후검사를 실시할 때 비동등 통제집단을 포함하는 경우에도 그 결과들은 여전히 선택과의 상호작용과 같은 위협에 놓일 수 있다는 점이다.

변형된 설계들. 비동등 통제집단을 포함하는 모든 변형된 설계들을 상세하게 기술하기보다는 가능한 몇 가지 변형된 설계들만을 언급할 것이다. 사전검사와 사후검사에 동일한 검사를 사용하는 것이 불가능한 경우 **대리 사전검사**(proxy pretest)가 사용된다. 즉, 사전검사 측정치로 사후검사와 관련이 있는 변인이 사용된다. 예를 들어 새로운 대수학 교수법의 효과를 평가하려 할 때 한 반에는 새로운 방법을, 다른 한 반에는 기존의 방식을 사용하여 강의를 할 수 있다. 아직 대수학을 배우지 않은 학급에는 대수학 성취를 평가하는 사전검사를 실시하기보다는 일반적인 수학적성을 측정하는 대리 사전검사를 실시할 수 있다.

처치가 모집단의 일부에 영향을 주는 예측할 수 없는 역사적 사건들인 경우와 같이 사전검사를 하는 것이 불가능한 경우에 대리 사전검사가 사용될 수 있다. 또한 사전검사를 실시할 수 있는 경우에도 검사가 내적 타당도에 위협을 줄 수 있을 때에는 대리검사를 실시하여 참가자들이 사후검사에 사용될 검사를 받지 않도록 할 수 있다. 다른 경우로, 참가자들의 반응이 처치에 의해 새롭게 만들어지는 것일 때에는 동일한 검사를 사전-사후검사로 사용하는 것은 적합하지 않을 수 있다. 예를 들어 심리학개론 과목을 수강하는 두 학급의 학생들에게 그 과정을 듣기도 전에 학기말 고사를 실시한다는 것은 무의미하다.

검사가 위협이 된다면 **분리된 사전검사와 사후검사 표본**(separate pretest and posttest samples)을 사용할 수 있다. 각 집단에 대해 사전-사후검사를 모두 받을 단일 표본을 추출하는 것보다 두 집단 각각을 둘로 나누어 각 집단 내의 한 표본은 사전검사만 받고 다른 표본은 사후검사만 받도록 할 수 있다. 예를 들어 한 교육 프로그램이 한 반에는 주어지고 다른 한 반에는 주어지지 않는다면, 각 반을 무선적으로 둘로 나눈 후 반은 사전검사를 받고 나머지 반은 나중에 사후검사를 받도록 할 수 있다. 이 설계의 명백한 약점은 이 설계가 사전검사 집단과 사후검사 집단들을 비교할 수 있느냐에 달려 있다. 만일 그 집단들이 처치에 관련된 차원에서 차이를 보인다면 그 설계는 상당히 약화된다.

사전-사후검사의 비동등 통제집단 설계를 강화시키는 다른 방법은 **일 회 이상의 사전검사 관찰**(pretest observations at more than one time interval)을 추가하는 것이다. 하나 이상의 사전검사를 추가하는 것은 가능한 두 가지 위협의 효과를 평가할 수 있게 해 준다. 앞에서 "어떻게 유능한 사람들이 더 유능해지는가?"와 이것이 성숙-선택 상호작용을 어떻게 발생시킬 수 있는지에 대해서 논의했었다. 우리가 더 일찍 사전검사를 했더라면, 그 검사의 점수들이 각 집단의 추세선에 떨어지는지를 결정할 수 있었을 것이다. 만일 그렇게 나타났다면, 처치 효과가 아니라 성숙-선택 상호작용에 의해 사후검사에서 차이가 발생되었다는 강력한 증거를 얻을 것이다. 다시 말해서 두 개의 사전검사로부터 성숙에 의한 추세를 알 수 있

표 10-1 여러 다양한 비동등 통제집단이 포함된 사전-사후검사의 절차들. 집단 1과 2에 속한 참가자들은 무선적으로 할당된 것이 아니므로 비동등한 것으로 고려된다.

	Time 1	Time 2	Time 3	Time 4
비동등 통제집단이 포함된 사전-사후검사 설계	집단 1 검사 집단 2 검사	처치 부과 처치 없음	집단 1 검사 집단 2 검사	
사전 대리검사가 포함된 설계	집단 1 대리검사 집단 2 대리검사	처치 부과 처치 없음	집단 1 검사 집단 2 검사	
분리된 사전-사후 검사 표본	집단 1의 첫 절반만 검사 집단 2의 첫 절반만 검사	처치 부과 처치 없음	집단 1 나머지 절반만 검사 집단 2 나머지 절반만 검사	
일회 이상의 사전검사 관찰	집단 1 검사 집단 2 검사	집단 1 검사 집단 2 검사	처치 부과 처치 없음	집단 1 검사 집단 2 검사

으므로 사후검사의 점수는 이 추세의 연속선상에 발생된 것에 지나지 않는다고 해석될 수 있다. 부가적 사전검사는 통계적 회귀효과를 평가할 수도 있다. 만일 집단들이 첫 번째 사전검사에 근거해서 선발된다면, 회귀효과는 사후검사뿐만 아니라 두 번째 사전검사의 점수에서도 나타날 것이다.

빈번하게 사용되지는 않지만 사전검사, 처치 부과, 사후검사, 처치 제거 또 다른 사후검사가 포함된 변형된 설계도 있다. 이 설계는 처치를 다시 부과하고, 다른 사후검사를 실시하는 등과 같이 위 과정을 반복함으로써 확장될 수 있다. 이러한 설계는 나중에 기술될 기저선 실험과 매우 유사하다. 그러나 준실험법과는 달리, 기저선 실험에서는 전형적으로 적은 피험자가 사용되며 통계분석의 도움 없이 각 피험자의 자료들이 조사된다.

첫 번째 집단에는 종속변인이 특정 방향으로, 두 번째 집단에는 그 반대 방향으로 변화될 것이라고 기대되는 처치를 부과할 수 있다. 예를 들어 부분적으로 시간에 따라 수당을 지급 받거나 부분적으로 생산품 수에 의해 수당을 지급 받는 두 집단을 가정해 보자. 한 집단에는 전적으로 시간에 따라 봉급을 지불하고 두 번째 집단에는 생산품 수에 따라 봉급을 지불하는 것으로 처치를 부과할 수 있다. 만일 우리가 생산품 수에 따라 지불하는 것이 생산성을 높인다고 예언한다면 우리는 첫 번째 집단에서 생산성이 감소하고 두 번째 집단에서는 생산성 향상이 일어날 것을 기대할 수 있다. 이와 같은 예언을 지지하는 결과가 나온다면 이는 앞의 가설을 강력하게 지지해 주는 것이다.

비동등 통제집단이 포함된 기본적인 설계의 변형된 설계들 몇 가지에 대해서 논의했다. 표 10-1에는 변형된 설계들이 나타나 있다. 여기에 제시된 것 이외의 설계도 가능한데, 이것들에 관해서는 이 장의 끝에 열거된 책들을 참조하기 바란다.

틈입 시간계열 설계

준실험의 두 번째 주요 유형은 **틈입 시간계열 설계**(interrupted time-series design)라 불린다. 기본적인 시간계열 설계에서는 한 집단이 처치 이전에 여러 차례, 처치 이후에 여러 차례 관찰된다. 이 설계는 다음과 같이 나타낼 수 있다.

$$O_1 \quad O_2 \quad O_3 \quad O_4 \quad O_5 \quad X \quad O_6 \quad O_7 \quad O_8 \quad O_9 \quad O_{10}$$

이 설계로부터 나타난 결과 중 가장 해석하기 쉬운 것은 처치가 주어지지 않았으면 평평하게 나타날 것을 예상할 수 있지만, 처치가 주어진 후 즉각적이고 영속적인 변화를 보여 주는 것이다. 예를 들어 새로운 급여제도를 선택한 후 즉각적으로 10%의 생산성 증가를 얻었고 이 변화가 연구과정 중 계속 유지된다면, 우리는 새로운 급여제도가 변화를 유발했다고 상당히 확신하게 될 것이다. 그러나 이상적인 결과가 주어졌다 하더라도 여전히 역사나 사망률과 같은 위협에 대해 방심해서는 안 된다. 어떤 역사적인 사건이 처치의 도입과 우연히 일치했을 수도 있다. 또한 가능성이 낮기는 하지만 처치가 도입된 바로 그 순간 어떤 알려지지 않은 사건이 일어나 여러 명의 참가자들을 연구에서 탈락하게 했을 수 있다.

틈입 시간 계열

내적 타당도에 대한 다른 잠재적 위협들을 제거하거나 평가하기 위해 틈입 시간계열 설계를 사용할 수 있다. 예를 들어 선택이나 선택과의 상호작용은 실험 전체에 걸쳐 동일집단이 사용되기 때문에 문제가 되지 않는다. 검사나 통계적 회귀의 효과는 처치가 도입되기 전에 사라질 것이다. 일반적으로 성숙의 효과는 완만한 것이 보통이므로 성숙이 문제가 될 상황을 배재할 수 있다. 즉, 성숙에 의한 효과라면 불연속적인 급격한 변화보다는 추세선이 나타날 것이기 때문이다.

결과가 전반적으로 변화 없는 평평한 선으로 나타나지는 않았지만, 처치 후 변화가 지연되어 나타나거나 일시적으로 나타났다가 사라졌거나 증가나 감소하는 추세로 나타날 때, 그러한 변화를 처치에 의한 효과라고 확신을 가지고 결론 내리기 힘들다. 이러한 경우에 보다 정교화 된 통계적 기술을 이용하면 처치효과를 알아볼 수도 있다.

변형된 설계. 첫 번째 유형의 설계에서와 마찬가지로 단순 시간계열 설계에서도 변형된 설계가 가능하다. 결론에 상당한 힘을 부여할 수 있는 한 가지 변형된 설계는 **처치를 가하지 않은 비동등 통제집단을 시간계열에 추가**(addition of a non-equivalent on-treatment control group time series)하는 설계이다. 다시 말해서 두 번째 집단에 대해서는 처치를 부과하지 않은 채로 각 관찰 간격에서 측정이 이루어진다. 통제집단은 내적 타당도에 위협이 되는 역사의 효과를 평가할 수 있게 해주는데, 이는 두 집단 모두 역사적 사건에 의해 동등하게 영향을 받을 것이기 때문이다. 만일 두 집단이 다른 방식으로 선발된다면, 역사-선택 상호작용이 일어날 수 있다. 이러한 위협은 독특한 역사적 사건이 처치의 제시와 동시에 발생하고 그 사건이 처치집단에만 일어나는 경우에 문제가 될 수 있지만, 이와 같은 경우는 거의 발생하지 않는다.

처치효과가 역전 가능하다면 **처치 제거 틈입 시간계열**(interrupted time series with removed treatment)을 사용할 수 있다. 기본설계가 완료된 후, 처치가 제거되고 다른 관찰계열이 취해진다. 이 설계의 첫 번째 계열에서는 처치의 제시가 처치가 되고 두 번째 계열에서는 처치의 제거가 처치가 되는 두 가지 기본적 시간계열 설계가 조합된 것이다. 이 결과를 반복적으로 알아보기를 원하는 만큼 처치를 첨가하고 제거할 수 있다.[1] 효과를 반복해서 확인한다면 처치효과의 인과성에 대한 확신을 가질 수 있다. 다시 말하건대, 이 설계는 나중에 논의될 기저선 실험과 유사하다.

반복을 포함하는 설계를 만드는 또 다른 방법은 비동등집단을 사용하되 두 집단 관찰계열의 상이한 시점에 처치를 도입하는 것이다. 이러한 설계는 **반복 교환 틈입 시간계열**(interrupted time-series with switching replications)이라고 불린다. 이 설계는 역사나 성숙과 같은 대부분의 내적 타당도에 대한 위협을 상쇄시키거나 평가할 수 있다. 또한 이 설계에는 다른 모집단에서 온 표본을 대상으로 한 반복이 내재되어 있기 때문에 실험적 결론의 외적 타당도가 높아진다. 표 10-2는 여기서 논의된 틈입 시간계열 설계에 대한 요약이 제시되어 있다.

1) 윤리적인 이유로 처치의 효과가 참가자에게 도움이 되는 경우 처치의 효과가 있는 계열에서 끝내야 한다.

표 10-2 여러 틈입 시간계열 설계의 절차들. 집단 1, 2, 3에 포함된 참가자들은 각 처치 조건에 무선적으로 할당된 것이 아니었기 때문에 비동등집단으로 불린다.

Time 1	Time 2	Time 3	Time 4	Time 5	Time 6	Time 7
기본적 틈입 시간 계열 설계						
검사집단 1	검사집단 1	검사집단 1	처치 부과	검사집단 1	검사집단 1	검사집단 1
처치를 가하지 않은 비동등 통제집단을 시간계열에 추가						
검사집단 1	검사집단 1	검사집단 1	처치 부과	검사집단 1	검사집단 1	검사집단 1
검사집단 2	검사집단 2	검사집단 2	처치 없음	검사집단 2	검사집단 2	검사집단 2
처치의 제거가 포함된 설계						
검사집단 1	검사집단 1	처치 부과	검사집단 1	검사집단 1	처치 제거	검사집단 1
반복 교환이 포함된 설계						
검사집단 1	처치 부과	검사집단 1	검사집단 1	검사집단 1	검사집단 1	검사집단 1
검사집단 2	검사집단 2	검사집단 2	처치 부과	검사집단 2	검사집단 2	검사집단 2
검사집단 3	검사집단 3	검사집단 3	검사집단 3	검사집단 3	처치 부과	검사집단 3

준실험의 통계적 분석

지난 몇 년 동안 준실험에서 얻은 자료를 통계적으로 분석할 수 있는 여러 기법들이 급속히 발전해 왔다. 이 책의 범주를 벗어나는 정교한 통계적 검증들은 이 장의 끝에 나열된 책들에서 찾아 볼 수 있다. 여기서 제시된 몇몇 설계들이 나중에 논의될 기저선 설계와 유사하다는 것을 발견했을 것이다. 그러나 기저선 설계와 준실험설계의 중요한 차이점은 기저선 실험에서는 소수의 참가자를 사용하여 통계적 분석이 불가능한데 반해 준실험에서는 완전 무선화 된 실험설계에서 사용되는 것과 동일하게 엄격한 통계적 방법으로 자료를 분석할 수 있다는 점이다. 통계적 분석이 불가능하거나 어렵기 때문에 준실험을 하지 않는 일은 더 이상 없을 것이다.

장점

준실험법의 가장 큰 장점은 이전에는 할 수 없었던 연구를 가능하도록 해 주었다는 것이다. 준실험법은 사회적인 문제, 임상적 평가 그리고 교육 프로그램에 관심이 있고 실세계에서 이러한 문제들을 연구하려고 하는 심리학자들에게는 매우 유용하다. 어떤 요인들이 내적 타당도에 위협이 될 수 있는지를 주의 깊게 살펴보아야 하지만, 최소한 우리는 어떤 요인이 위협이 될 수 있는지 그리고 특정 설계를 사용할 때 어떤 요인들이 문제가 될지를 살펴보아야 하는지를 알고 있다.

단점

준실험법의 장점에 대해서만 말해왔지만 이 설계 역시 단점도 있다. 아무리 최선을 다해도 내적 타당도에 위협이 되는 요인들이 포함되어 있다는 것을 발견할 수 있다. 대부분의 경우 이러한 요인들을 탐지할 수는 있지만, 이러한 요인이 포함되어 있다는 사실은 결과를 타당하지 못한 것으로 만들 수 있다. 예를 들어 기본적인 비동등 통제집단을 포함한 사전-사후검사 설계를 실시하여 통제집단의 사전-사후검사의 점수에서 차이가 있다면, 처치집단의 어떠한 변화도 처치의 효과라고 보기엔 문제가 있다. 이 설계의 두 번째 문제점은 전통적인 실험법보다 확실히 복잡하며 실시하기엔 보다 많은 시간과 노력이 든다는 점이다. 단 한 번이 아니라 여러 번에 걸쳐서 측정을 해야 한다. 준실험법에 대한 통계적 분석은 비록 가능하다 할지라도 다소 어려워서 기초 교과목에서는 다루어지지 않는다.

이러한 단점 이외에 그 방법은 적합했지만 그 주제가 단순하고 중요하지 않은 연구를 했거나 혹은 복잡하고 중요한 문제에 대해 연구를 했지만 그 방법이 적절하지 못했다는 점에서 행동 과학은 종종 비판을 받아 왔다. 준실험법이 가능해짐으로써 복잡하고 중요한 문제에 대해 적합한 연구를 할 수 있게 되었다. 실험법과 비교할 때 준실험 연구를 해석할 때의 제한점에 주의를 기울여야 하지만, 이러한 설계를 통해 실험법만 사용했을 때 가능한 문제의 범위보다 훨씬 넓은 범위의 연구를 수행할 수 있다.

단일 피험자와 소집단 기저선 설계

개인자료 대 집단자료

어떤 연구자들은 대다수의 심리학자들이 행하는 실험법은 기껏해야 결과를 잘못 해석하게 하거나, 최악의 경우에는 아무런 의미가 없는 것이라고 혹평한다. 이 연구자들 중에서 가장 목청이 높았던 사람은 Sidman(1960)으로, 그는 지금까지 배워온 전통적인 실험법들이 개인의 행동에 관해 별로 말해 주는 것이 없다고 주장한다. 실험 결과는 대개 가상적인 평균적 참가자의 행동을 반영한 것이지, 실제 참가한 어떠한 개인의 행동도 반영하는 것이 아니라고 Sidman은 지적한다. 그는 대부분의 실험들이 집단을 사용하며 집단 내 개개인의 행동이 그 집단의 평균적인 행동과 유사한 것으로 생각한다고 주장한다. 그는 어떤 상황에서는 집단 내 개인들의 행동이 집단의 평균적인 행동과는 전혀 무관하다고 주장한다.

이 점을 예시하기 위해서 한 개인이 다른 사례들을 통해 간단한 유추 문제를 얼마나 빨리 배울 수 있는지를 알아보는 실험을 생각해 보자. 첫 번째 문제는 edit is to tide as recap is to ___________이다. 답은 pacer이다. 왜냐하면 pacer는 recap의 철자 순서를 거꾸로 한 것이기 때문이다. 다음 항목은 pets is step as tool is to ___________이다. 정답은 거꾸로 쓰여진 loot이다.

각 참가자에게 다음 문제가 제시되기 전까지 3초의 시간을 주어 해당 문제를 풀게 한다. 우리는 학습이 실무율(all-or-nothing)적으로 일어날 것을 기대할 수 있다. 즉, 우리는 어떤 한 시점에서 피험자가 "아하!" 또는 "알았다!"라고 소리지르며 그 다음 문제부터는 항상 정답을 말할 것이라고 가정할 수 있다.

그림 10-1은 열 명의 개인적 결과를 가상적으로 나타낸 것이다. 그리고 그림 10-2는 평균적인 개인을 나타내는 집단 곡선을 보여 주고 있다. 그림 10-2의 집단 곡선은 그림 10-1에 나타난 어떠한 개인 곡선을 나타내는 것이 아니다. 집단 곡선으로부터 내릴 수 있는 결론은 사람들은 해결책을 점진적으로 학습한다는 것이다. 그러나 실제로 각 참가자들은 특정 시행을 기준으로 어떤 문제도 풀지 못하는 상

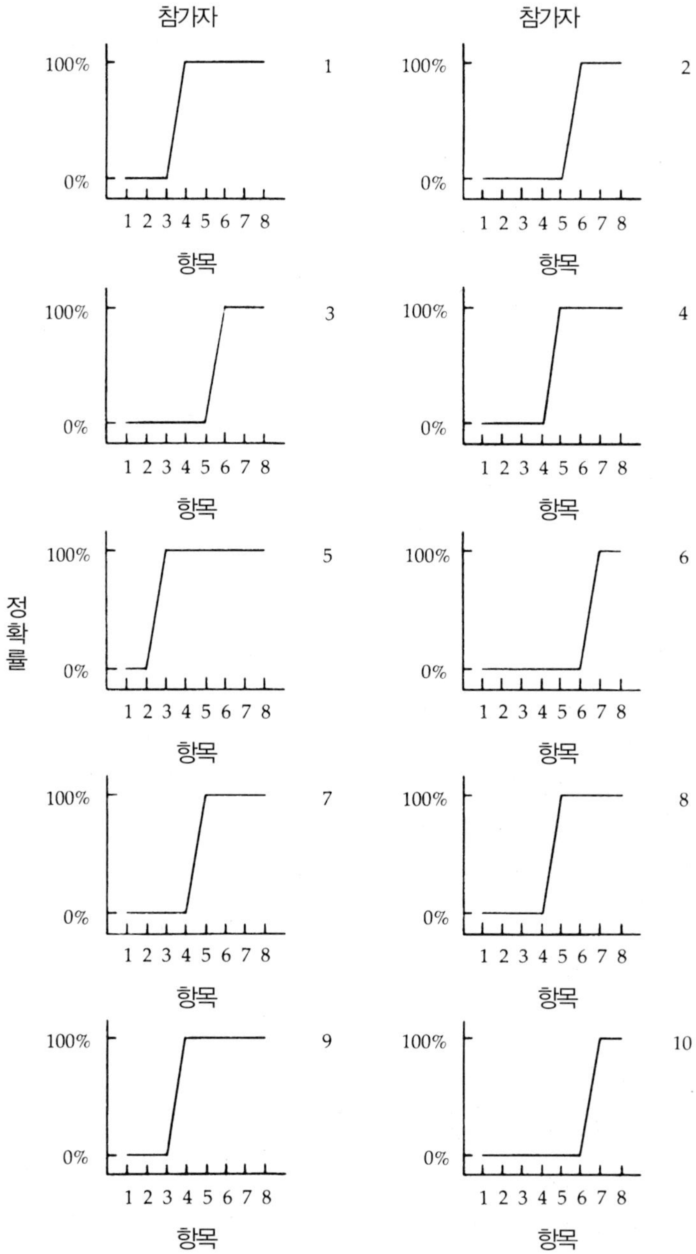

그림 10-1 열 명의 참가자에 대한 유추 실험에서의 가능한 결과들. 참가자들이 일단 이 유형의 문제 해결 규칙을 익히고 나면 그들은 이후의 모든 항목들을 맞추게 된다.

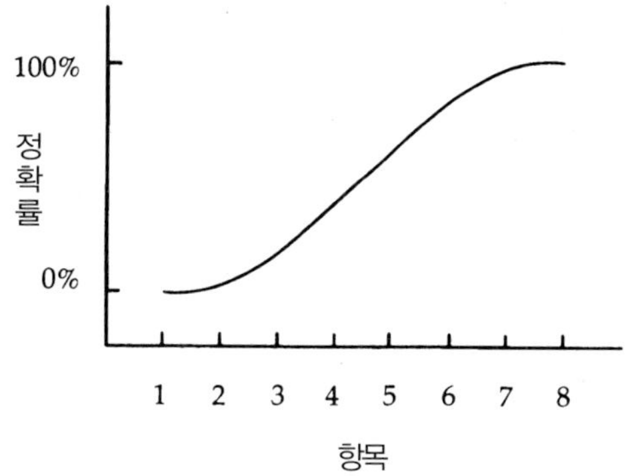

그림 10–2 그림 10–1에 나타난 개인들의 결과로 얻어진 집단 곡선. 집단 곡선이 어떤 개인 자료도 반영하지 못한다는 것을 주목하라.

태에서 모든 문제를 풀 수 있는 상태로 변했다.

집단자료와 개인자료 간의 이런 차이 때문에 Sidman은 집단 수행은 각 개인의 수행에 대해서는 많은 정보를 제공하지 않는다고 생각한다. 이 문제에 대해서 매우 다른 견해를 보였던 Poulton(1973)이 기억나는가?(제8장을 볼 것) 그는 모든 피험자 내 설계는 기본적으로 결점을 갖고 있으며 각기 다른 집단을 사용하는 피험자 간 조작만이 쉽게 해석될 수 있다고 하였다. 심리학자들은 각 참가자의 행동들은 너무 다르지만 한 참가자의 변산은 반대 방향으로 변화하는 다른 참가자들의 변산에 의해 상쇄될 수 있기 때문에 집단을 사용한다. 그러나 Sidman은 변산이 참가자에게 내재되어 있는 것이 아니라 실험자가 참가자에게 영향을 미치는 모든 변인들을 통제하는 데 실패했기 때문에 생기는 것이라고 말한다. 실험자가 일단 참가자의 행동을 적절히 통제하기만 하면 더 이상 많은 수의 참가자 집단을 사용할 필요가 없다. 실험자들이 이러한 것들을 통제했음을 보여 주는 실험법은 기저선 실험이다.

기저선 절차

Sidman식의 **기저선 실험**(baseline experiment)을 예시하기 위하여 처벌을 사용하

첫 단계는 안정된 상태에 도달하는 것…

여 뇌성마비가 있는 사람의 행동을 변화시킬 수 있는지를 알아보기 위한 실험을 가정해 보자. 한 치료자가 타인과의 대면 기술을 향상시키기를 바라는 뇌성마비 환자를 치료하고 있다고 가정해 보자.2) 뇌성마비 환자들은 종종 자신의 머리 운동을 통제하지 못해 다른 사람의 눈을 지속적으로 바라보지 못한다. 성공적인 대면의 한 측면인 시선 접촉의 시간을 늘리기 위해 치료자는 다른 사람의 눈을 응시하지 못할 때마다 환자에게 약한 전기충격을 주는 절차를 고안했다. 환자는 대인관계 기술을 향상시키기 위해서 위의 절차에 동의했다.3)

이러한 유형의 실험의 첫 단계는 기저선(baseline), 즉 반응률의 변화가 거의 없는 안정상태(steady state)를 설정하는 것이다. 기저선 실험에서 성가신 문제점들 중 하나는 "거의 없는"이 어느 정도인지를 결정하는 것이다. 기저선이 안정된 상태에 도달했는지를 결정하는 방법은 "한 회기에서 다음 회기까지의 반응률 변화가 3% 미만"과 같은 통계적 기준을 설정할 수도 있고, 반응의 오르내림이나 추세가 확실하게 나타나는지를 알아보기 위해서 그래프를 눈으로 살펴볼 수도 있다. 일단 기저선이 확립되면 실험자는 실험적 조작을 가한다.

우리의 예에서 치료자는 환자로 하여금 매일 30분의 모의면담 동안 보고하도록 할 것이다. 면담 중에 치료자는 환자가 시선 접촉을 못할 때마다 숨겨 있는 스위치를 누른다. 그 스위치는 시계에 연결되어 있어서 각 30분 회기 동안에 시선

2) 나는 이 특별한 예에 대해 New Mexico의 Las Cruces에 있는 David A. Sachs에게 감사를 표한다. 여기에서 가상적인 실험 결과를 사용했지만, 여기에 기술된 기법은 그가 고안한 것이다.

3) 이때 환자의 동의가 필요하다. 그것이 윤리적 요구사항을 항상 충족시켜 주는 것은 아니지만 말이다.

접촉이 이루어졌던 시간을 알 수 있다. 여러 회기가 끝난 후 치료자가 생각하기에 만족할 만한 안정적인 기저선에 도달했다고 생각할 때(즉, 매 회기마다 일정한 시간의 시선 접촉이 이루어지면), 치료자는 전기충격 절차를 시작한다. 환자가 시선 접촉을 못할 때마다 실험자는 스위치를 눌러 환자의 팔뚝에 짧은 전기충격을 준다. 그런 후에 실험자는 시선 접촉의 정도가 기저선 수준으로부터 변화를 보였는지를 알아본다.

그림 10-3은 이 실험의 가상적인 결과이다. 치료자는 5회기 후에 안정적인 기저선이 얻어졌다고 결정하고 6회기부터 전기충격을 시작하였다. 일단 전기충격이 시작되면 참가자의 시선 접촉은 극적으로 상승하였다. 10회기에는 참가자의 시선 접촉은 안정된 **전이 안정상태**[4]에 도달하였고 실험자는 전기충격을 중단하였다. 12부터 14회기를 거치면서 참가자는 원래의 기저선 행동으로 돌아갔다.

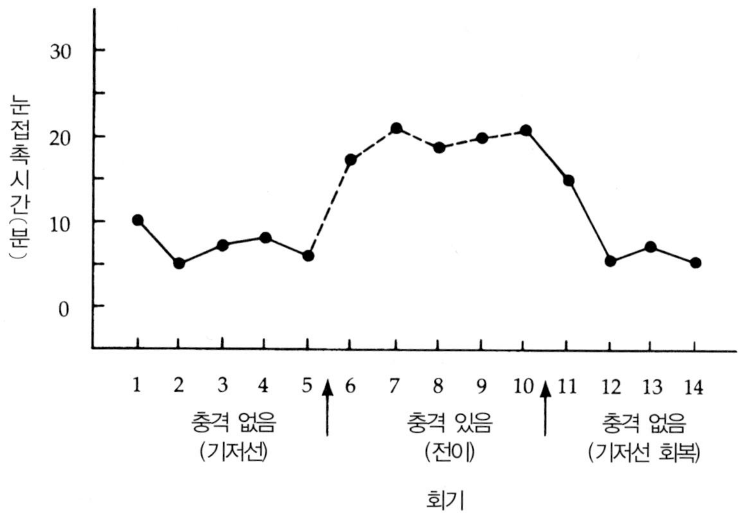

그림 10-3 30분 간의 모의면담 시간 동안 뇌성마비 환자의 시선 접촉시간을 측정한 실험의 가상적 결과. 처음의 5회기 동안 기저선이 설정되었고 전기충격이 6~10회기 동안 제시되었다. 그리고 11~14회기 동안에는 기저선으로의 회복이 일어났다.

4) 전이 안정상태는 임상장면에서 때때로 **처치**(treatment) 또는 **교정상태**(modification state)라고 불린다.

실험자가 진정한 기저선 실험을 하기 위해서는 위에 기술된 각 조작들을 수행하여야 한다. 즉, 안정된 기저선을 확립하고, 실험 조작을 가하고, 안정된 전이 안정상태를 확립하여야 하며, 그리고 나서 실험적 조작이 제거되었을 때 원래의 기저선으로 돌아가는 **가역성**(reversibility)을 보여 주어야 한다.

이 방법의 논리는 일단 기저선이 구해졌다면 통제되지 않은 오염변인이 실험 조작이 가해진 바로 그 시행에서 갑작스럽게 참가자의 행동에 영향을 주지 않으리라는 것이다. 비록 가능성이 희박하지만 그런 사건이 발생했다 하더라도 실험 조작이 중단된 바로 그 시행에서 오염변인의 영향도 없어질 가능성은 더욱 더 희박하다.

보다 더 확신을 가지려면 그 절차를 동일한 사람에게 일 회 이상 반복하는 **피험자 내 반복**(intrasubject replication)을 할 수 있다. 즉, 실험자는 15회기에서 다시 전기충격을 가할 수 있으며, 안정된 전이 안정상태가 달성될 때까지 계속하다가 전기충격을 중단하고 원래의 기저선으로 되돌아가게 한다. 매번 효과가 반복될 수 있다면 행동의 변화가 통제되지 않은 오염변인에 의해서라기보다는 실험적 조작에 의해서 발생했을 것이라고 더욱 더 확신할 수 있다. 이 방법은 단일 피험자를 사용하는 설계이지만 다른 몇 사람들에게 실험을 반복하는 **피험자 간 반복**(intersubject replication)을 실시하여 결과에 대한 확신을 높일 수 있다. 피험자 간 반복을 하더라도 집단자료가 아니라 개인자료를 가지고 그 결과를 평가할 수 있다. 피험자 간 반복을 통해서 우리가 내리는 결론을 더욱 확신할 수 있다.

장점

기저선 실험의 주요 장점은 한 개인의 행동을 살펴볼 수 있는 강력한 방법이라는 점이다. 예컨대 그림 10-3에 나타난 결과가 실제 자료였다면, 시선 접촉이 전기충격에 의해서 통제될 수 있다는 것을 나는 확신할 수 있을 것이다. 여러분 또한 확신할 것이다. 그렇지 않은가?

결과 또한 해석하기가 쉽다. 사실상 그것은 해석하기가 너무 쉬워서 기저선 실험자들은 통계적 검증들을 사용하지 않는다. 기저선 설계를 사용하는 연구자들은 실험에서 발견된 효과가 우연이 아니라 실재하는 효과라는 것을 다른 사람에게 확신시켜 주기 위해서 통계적 검증을 사용해야 한다면, 그 효과가 크지 않거나 혹은 참가자들의 행동이 잘 통제되지 않아 원치 않는 변산성이 포함되었기 때문이며 따라서 행동을 통제할 수 있도록 방법을 더 정교하게 사용해야 한다고 말한다.

전통적인 집단 실험에서 각 집단에 많은 참가자를 사용한다면 통계적으로는 의미 있지만 중요성은 별로 없는 효과를 발견할 수도 있을 것이다. 다시 말하면 행동에 영향을 미치는 변인을 독립변인으로 선정했지만, 그 변인의 효과는 보다 중요한 다른 변인과 비교해 볼 때 미미한 것일 수 있다. 그러나 기저선 실험 절차는 그러한 중요하지 않은 효과들에 대해서는 민감하지 않다. 보다 중요한 독립변인의 변산성이 실재하지만 아주 작은 효과들을 가려 버린다. 따라서 기저선 실험에서 발견된 효과는 잠재적으로 중요할 만큼 그 효과가 크다는 것을 보장한다.

기저선 절차의 또 다른 장점은 언제 독립변인의 수준을 부과할 것인지 그리고 어떤 수준들을 사용할 것인지를 결정하는 데 융통성을 가질 수 있다는 점이다. 표준적인 실험에서는 연구자가 실험 전에 총 시행 수와 독립변인의 수준을 결정해야 한다. 그 다음 대부분의 통계적 검증들의 가정에 맞추기 위해 연구자는 독립변인의 각 수준에서 동일한 개수의 자료들을 수집한다. 그러나 기저선 설계를 사용하는 연구자들은 실험의 어느 시점에서도 지금 제시되고 있는 독립변인의 수준을 유지하면서 더 많은 자료를 모으거나 혹은 새로운 수준으로 바꿀 수 있다. 우리의 예에서 치료자가 전기충격 조건에서 더 많은 자료들이 필요하다고 생각했다면 치료자는 기저선을 복원하기로 하기 전에 더 많은 회기 동안 그 조건을 계속하는 융통성을 발휘할 수 있다.

치료자는 또한 실험이 진행되고 있는 상황에서 독립변인의 다른 수준을 사용할 수 있다. 연구자가 선택한 특정 강도의 전기충격에서 확신할 수 있는 수준만큼 행동 변화가 나타나지 않았다고 가정해 보자. 기저선을 복원하고 안정적인 수행에 도달한 다음에 연구자는 다음 구획의 시행에서 좀 더 강한 전기충격을 선택할 수 있다. 이처럼 연구자는 미리 결정된 독립변인의 수준만을 고수해야 할 필요가 없다.

해석이 쉽고, 통계적 검증이 필요 없으며, 꽤 커다란 효과만을 발견할 수 있도록 해 준다는 것과 융통성이 있다는 장점 이외에 기저선 실험은 단 한 명을 사용하여 실험을 할 수 있다는 장점을 가진다. 단 한 명의 뇌성마비 환자를 가진 치료자나 한 명의 희귀한 정신이상, 훈련법 혹은 재능을 가진 참가자를 가진 실험자는 전통적인 실험법으로는 연구를 할 수 없지만 기저선 절차는 사용할 수 있을 것이다.

단점

기저선 실험이 그처럼 많은 장점을 가지기는 하지만 대부분의 실험은 기저선 실험의 가정을 충족시키지 못하기 때문에 전통적 실험법의 집단설계에 매달리고 있다. 예를 들어 실험 효과들이 역전될 수 있다는 가정은 참가자가 실험의 끝에 가서는 최초의 행동수준으로 되돌아가야 함을 의미한다. 앞에서 피험자 내 설계가 사용될 때 많은 잠재적인 순서 및 계열 효과가 발생하므로 역균형이 필요하다는 것을 배웠다.

기저선 실험은 효과적인 역균형을 사용할 수 없는 피험자 내 설계의 한 특별한 예이다. 따라서 체계적으로 변화하는 어떠한 오염변인도 원래의 기저선으로 돌아가지 못하도록 한다. 그리고 실험적 조작이 제거되었을 때 행동이 기저선으로 돌아가지 않는다면 전이 안정상태가 실험 조작에 의해서 발생된 것인지 오염변인에 의해 발생한 것인지를 알 수 없다.

몇몇 절차들은 돌이킬 수 없다.

이러한 이유 때문에 기저선 절차를 사용하여 연구될 수 없는 전통적 심리학 분야들이 많이 있다. 평생발달, 기억 그리고 학습 등과 같은 분야가 대표적이다. 이 분야의 실험에서 발생된 변화들은 대부분 돌이킬 수 없다. (“지금부터 학습한 모든 단어들을 잊어버리시오.”)

두 번째 단점은 기저선 설계를 사용하면 작지만 중요한 효과들을 발견할 수 없다는 점이다. 전화번호 안내원이 전화번호를 찾을 때 전화번호부 책을 사용하는 것보다 전산화 된 탐색 시스템을 사용하는 것이 더 시간을 단축시켜 주는지를 알아보고자 한다고 가정하자. 기저선 설계를 적용하여 전화번호 문의가 올 때마다 통화시간을 측정한다. 먼저 기저선을 얻을 때까지 안내원이 전화번호부를 이용하여 전화번호를 찾도록 한다. 그 다음 안내원이 컴퓨터에 정보를 입력하면 컴퓨터가 전화번호를 알려 주는 시스템에서 전화번호를 찾도록 한다. 마지막으로 다시 전화번호부를 이용하도록 한다.

그림 10-4는 가상적인 결과를 보여 준다. 이 그림을 눈으로 살펴보았을 때 전산화된 시스템을 사용하는 것과 전화번호를 사용하는 것 사이에 차이가 있다는 것을 확신하기 어렵다. 다시 말해 전이상태가 기저선과 크게 다르지 않게 보인다.

그러나 전산 시스템에서의 평균 통화시간은 전화번호부를 사용할 때의 평균 통화시간보다 3초 짧다. 만일 우리가 표준 실험을 실시했다면 통계적 검증에서 이러한 차이는 유의미한 것으로 나타났을 것이다. 그러나 이 차이가 중요한가? 그렇다. 안내전화 한 통에서 절약되는 일 초가 모두 합산되면 전화회사로서는 수백만 달러를 절약할 수 있다. 이 정도 절약된다는 것은 그 회사에는 매우 중요한 일이다!

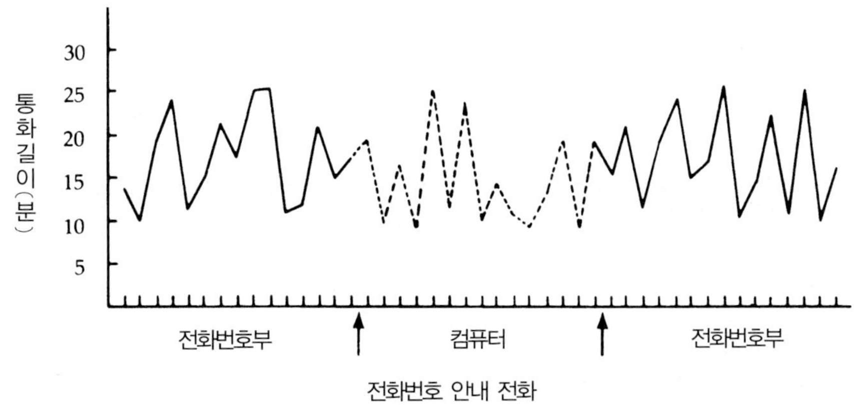

그림 10-4 전화번호 안내 교환원이 전화번호부나 컴퓨터를 사용할 때 각 전화번호 안내 통화에 걸리는 시간을 측정한 가상적인 기저선 실험

기저선 설계의 지지자는 변산성은 실험자의 잘못 때문에 발생하는 것이라고 주장할 수 있는데, 이러한 주장은 살균 처리된 실험실 환경에 있는 쥐에게는 적용될 수 있다. 그러나 전화회사의 연구자가 어떻게 하면 측정되는 행동을 보다 잘 통제할 수 있는지를 생각하기는 어렵다. 왜냐하면 이 경우의 행동은 주로 교환원보다는 고객에 의해 좌우되기 때문이다. 어떤 상황에서는 변산성이 그 상황에 포함되어 있는 경우가 있다. 이러한 경우 작지만 중요한 효과가 변산성에 의해 가려질 수 있으므로 기저선 실험은 적절하지 않을 수 있다.

기저선 실험의 마지막 단점은 우리가 발견한 어떠한 효과가 얼마나 일반적인지를 결정하는 것이 어렵다는 것이다. 각 개인들은 실험적 조작에 대해 다르게 반응할 수 있으며, 그 연구에 참여한 사람이 특이한 경우일 수 있기 때문이다. 이러한 비판은 다른 사람들에게 실험을 실시해봄으로써 극복될 수 있다. 하지만 전통적인 기저선 실험은 가능한 한 적은 수의 참가자를 사용한다.

기저선 설계는 실험심리학의 몇몇 분야에서는 유용한 도구가 될 수 있다. 역사적으로 이러한 설계는 단순학습과 같은 주제를 연구하기 위해 실험실에서 사용되었지만, 몇몇 심리학자는 이러한 설계가 다른 중요한 문제들에도 적용될 수 있다고 생각한다(Blampied, 2000; Morgan & Morgan, 2001). 이 설계의 가정이 충족되면 기저선 실험은 중요한 실험 조작의 효과를 설득력 있게 보여 주는 방법이 될 수 있다. 유감스럽게도 그 가정들은 대체로 너무 엄격해서 기저선 설계는 실험심리학의 몇몇 분야로만 한정되고 있다.

설문조사

설문조사의 방법들

설문조사는 일반적으로 일반화시키려는 전집으로부터 표본을 선정하여 그 표본으로부터 전집에 대한 정보를 얻기 위해서 행해진다. 행동에 관련된 정보들이 설문조사에 포함될 수 있다. 이런 행동들은 물론 직접 측정될 수도 있다. 그러나 의견이나 동기들 그리고 심지어는 미래에 기대되는 행동과 같이 직접 측정할 수 없는 것도 설문조사에 포함될 수 있다. 이 경우 설문조사가 아닌 다른 방법으로는 이와 같은 정보를 수집할 수 없다. 즉, 설문조사에서는 사람들이 어떤 행동을 하는가를 질문할 수 있을 뿐만 아니라 왜 그런 행동을 하는가에 대해서도 질문할 수 있다. 이런 이유 때문에 설문조사는 사회과학에서 널리 사용되며, 학생들이 연구 프로젝트를 생각할 때에 마음 속에서 처음으로 떠오르는 연구 방식 중의 하나이다.

설문조사를 통해 정보를 수집하는 방식에는 여러 가지가 있다. 가장 광범위하게 사용되는 방법 중의 하나는 참가자(설문조사자들은 조사에 응답하는 참가자들을 조사 응답자라고 부른다)에게 직접 우편을 보내는 **우편조사**(mail survey)이다. 우편조사는 여러 장점을 가지고 있다. 먼 곳에 살고 있는 사람들을 개별 면접한다면 매우 어렵고 비용이 많이 드는 일이지만 우편 조사를 통해 싼 비용으로 이런 사람들을 표본으로 삼을 수 있다. 익명성과 사생활이 쉽게 보장되므로 응답자가 매우 정직하게 반응할 가능성이 높다. 이름과 주소만 알고 있다면 관심을 갖고 있는 모집단의 대표가 되는 표본들에게 우편 조사를 발송하는 것 또한 가능하다.

그러나 우편조사의 가장 큰 문제는 다른 쓸모없는 우편물과 함께 쓰레기통에 버려질 가능성이 높다는 점이다. 그래서 응답률은 20%나 30%로 매우 낮다. 원하는 것보다 네 배 정도 많이 발송한 다음 반응하지 않은 사람들을 무시하면 어떨까? 이 방법의 문제는 **비응답 편향**(nonresponse bias)이 발생할 수 있다는 점이다. 우리는 제2장에서 내적 타당도에 위협이 되는 요인으로 선택에 관해 논의했는데, 비응답 편향이 일종의 선택이다. 설문조사에서는 결과를 일반화 시키려는 큰 모집단을 대표할 수 있는 표본을 주의 깊게 선정해야 한다. 그러나 응답을 하지 않는 사람이 발생하면 표본의 구성이 변화될 수 있다. 무선적으로 응답을 하지 않았다면 문제가 되지 않는다. 그리고 표본도 여전히 대표성을 지닌다. 그러나 참가자들이 응답하지 않은 이유가 무엇인지를 알기가 힘들며, 어떤 이유가 표본을 체계적으로 편향되게 할 수 있다. 반응을 하지 않은 사람은 보다 바쁜 사람이며, 바쁘다는 것은 보다 부유한 사람이거나 교육을 많이 받은 사람들일 수 있다. 혹은 어떤 사람들은 교육을 받지 못해 질문들을 읽지 못해서 반응을 못했을 가능성도 있다. 혹은 정치적으로 매우 보수적인 사람들이어서 그들의 사생활을 침해한다고 생각해서 반응을 하지 않았을 가능성도 있다. 문제는 연구자가 비응답자와 응답자가 어떻게 다른지를 알 수 없으며 따라서 표본이 어떤 식으로 편향되었는지를 알 수 없다는 점이다. 따라서 결과를 전집에 일반화 하기가 어렵다.

당연한 말이지만 비응답 편향을 최소화 할 수 있는 방법은 높은 응답률을 확보하는 것이다. Dillman(1978)은 우편조사의 응답률을 높이는 여러 방법을 제안했다. 표지의 내용이 중요하다. 조사나 질문지라고 말하지 말고 도움을 요청하는 형식을 피해야 한다. 여러분의 소속, 날짜, 응답자의 이름과 주소, 왜 응답자가 중요한지에 대한 언급, 비밀 보장, 이 연구의 유용성, 참가하는 것에 대한 보상, 질문이나 의견을 보낼 주소, 감사의 말, 연구자의 자필 서명과 직책 등을 나열하는 것이 최선의 방법이다.

편지는 표준 형식을 갖춘 경우보다 사적인 편지의 형태를 띠는 것이 좋다. 선물은 1500원 정도가 되는, 예를 들어 응답자가 조사에 모두 응답한 후 간직할 수 있는 펜 같은 것이 좋다. 한 연구에 따르면 이 정도의 보상이 주어졌을 때 회수율이 높아진다(Pressley & Tullar, 1977). 또 다른 효율적인 방법은 조사지를 발송하기 전 전화로 각 참가자들과 먼저 접촉하여 조사지가 도착하면 잘 응답해달라고 정중하게 요청하는 것이다. 마지막으로 후속 편지(follow-up)를 보내는 것은 응답률을 효과적으로 증가시킬 수 있다. 어떤 연구자들은 첫 번째 메일을 보낸 후 일주일 뒤에 엽서를 보내고 그 다음 몇 주일 후에 후속 편지와 함께 조사지를 다시 한 번 보낸다.

위에서 언급한 모든 노력을 기울여도 100% 응답률을 기대할 수는 없다. 우편조사에서 대략 80%의 응답률이라면 거의 최선의 경우라고 할 수 있으며, 현실적으로는 대략 60% 정도가 된다. 이 정도의 응답률이라면 응답된 표본과 전집을 비교해봄으로써 표본의 대표성을 평가하는 것이 중요하다. 예를 들어 여러분은 아마도 전집에 걸쳐 성별, 수입 정도 혹은 교육수준과 같은 인구학적 변인들의 분포들에 대해서 알고 있을 것이다. 응답자에게 조사지에서 앞에서와 같은 정보를 물어보는 이유는 전집과 비교해 보기 위해서이다. 이러한 인구학적 변인들에서 표본이 전집의 특성과 많은 차이를 보인다면 이는 표본이 전집을 대표할 수 없음을 보여주는 것으로 그 결과를 일반화 시킨다는 것은 위험한 일이다.

조사 자료를 수집하는 또 다른 방법은 **전화조사**(telephone survey)로서, 전화를 걸어 표준 질문들에 대해 응답을 구하는 방법이다. 우선 이 방법은 우편조사보다 값싸고 용이할 것이라는 생각이 들 것이다. 편지보다 사적이므로 더 솔직한 응답과 모든 질문에 대답을 얻을 수 있다는 장점이 있다. 그러나 문제점들도 있다. 다른 사람들에게 전화를 통해 응답하도록 하는 것이 어려울 수 있다. 낮 시간에는 사람들이 집에 없으며 저녁 시간에는 상품을 팔려는 전화홍보들이 많다. 어떤 전화 홍보들은 설문조사를 하고 있다는 말로 홍보를 시작한다. 많은 사람들이 사적인 전화가 아니면 전화를 끊어버리거나 정중하게 거절한다. 미국의 많은 주에서는 전화를 가진 사람들이 전화 홍보자가 전화를 걸지 못하게 하는 리스트에 이름을 등록할 수 있도록 하고 있다. 가장 큰 문제는 모든 사람들이 전화를 갖고 있지 않거나 혹은 한 사람이 컴퓨터나 팩스에 연결해 놓기 위해 두 대 이상의 전화를 갖고 있으며 어떤 사람은 전화번호부에 이름이 올라 있지 않다는 점이다. 여러분이 응답을 하겠다는 사람을 찾은 경우에도 텔레비전이 켜져 있고 아이가 울고 있는 상황에서 응답자가 전화상으로는 이해하기 힘든 질문들도 있다. 일반적으로 질문은 짧아야 하며, 응답자가 주의를 기울일 수 있는 범위를 벗어나지 않도록 선택할 보기의 개수는 적어야 한다. 마지막으로, 특히 민감한 분야에서는 응답자들이 비밀이 보장되는지에 대해서 확신할 수 없다. 응답자들은 여러분이 누구라고 밝힌 바로 그 사람인지, 자신들의 응답을 누군가 듣고 있는 사람이 있는지도 확신할 수 없다.

조사의 **집단 실시**(group administration)를 통해 시간과 노력을 절감할 수 있다. 이 경우 연구자들은 참가자들에게 직접 가서, 질문지를 나누어 준 후 짧은 시간 내에 그것을 수거할 수 있다. 예를 들어 지난 학기 나는 심리학개론을 수강하는 학생들에게 핵 발전소에 대한 태도를 물어보는 한 페이지 분량의 질문지에 응답하도록 했다. 질문지를 나누어 주고, 다 작성하고 자료를 모으는데 약 10분이 걸렸다. 내가 속해 있는 대학에서는 강의시간을 교육적 목적으로만 사용하도록 하기 때문에 자료를 분석한 후에 그 다음 시간에 그 결과를 보여 줌으로써 심리학의 연구 방법의 예를 보여 주었다. 우리 학교에 있는 많은 학생들은 심리학개론을 수강하는 학생들을 설문조사의 자료를 수집하는 대상으로 삼고 있으며, 이 경우 약 40명 정도의 학생들이 교실로 와서 질문지에 응답한다. 이러한 경우들에서 학생들은 응답하기를 거부할 수 있으며 다른 방식으로 교과목에서 요구하는 기준을 채울 수 있다. 집단 실시는 많은 자료를 신속하게 수집할 수 있다는 장점이 있다. 그러나 단점은 옆에 앉아 있는 사람들 때문에 비밀이 완벽하게 보장될 수 없다는 것이다. 또한 이미 구성되어 있는 집단을 사용함으로써 전집의 대표성을 얻는 것이 어렵다. 심리학개론을 수강하는 학생들이 일반적인 전집을 대표한다고 생각하는가? 이러한 집단들 대부분은 연구 이외의 목적으로 선정되었기 때문에 관심을 가지는 전집을 거의 대표하지 못한다.

시간은 많이 걸리지만 효과적인 조사방법은 대면 **면접**(interview)이다. 응답자들은 연구실 혹은 응답자의 집이나 직장에서 면접인과 개별적으로 만난다. 면접은 면접하는 사람이 주어진 대본에 맞춰 질문을 읽는 것과 같이 구조화 시킬 수도 있고, 면접자가 주제들을 탐색해 볼 자유가 주어지는 구조화 되지 않은 방식으로 될 수도 있다. 구조화 된 면접은 확실히 통제를 잘 할 수 있으며 자료 분석도 용이하다. 이와 달리 비구조화 된 면접은 응답자에게 보다 자연스럽게 보일 수 있으며, 응답자의 심중에 있는 말이나 아주 상세한 응답을 얻을 수 있다. 몇몇 연구자들이 사용하는 전략은 처음에는 구조화 된 조사를 하고 난 후, 끝으로 갈수록 점점 더 비구조화 된 방식을 많이 사용하는 것이다.

설문조사를 생각할 때 인터넷을 간과할 수 없다. **인터넷 조사**(internet survey)는 응답자들이 전산망을 통해서 응답하는 방식으로 완전히 전산화 된 형태로 수행할 수 있다. 혹은 인터넷을 통해서는 단지 참가자들과 접촉하거나 설문조사가 있다는 것을 알리는 데 사용하고, 나중에 질문지는 우편으로 발송할 수 있다. 내 동료와 함께 인터넷 조사를 한 것을 예로 들겠다. 우리가 속해 있는 전문가 모임의 대표적인 표본으로부터 몇몇 정보를 설문조사를 통해 얻으려고 했다. 회원 명부로부터 무선적으로 회원들을 선정한 후 전자 우편으로 한 페이지 설문지를 보내고 전자 우편으로 응답을 발송하도록 요청했다. 전자 우편의 주소가 없는 사람들에게는 우편으로 설문지를 우송했다. 인터넷 조사의 응답률과 우편조사의 응답률을 비교한 연구가 수행된 적이 있었는지는 모르겠지만 짧은 설문지에 대해서는 인터넷을 통해서 전자 우편으로 응답하도록 한 것의 응답률이 높았다. 전자 우편으로 조사에 대해서 상기시켜 주는 것 또한 아주 용이하다. 미래에는 이런 조사가 지원이나 기부를 요청하는 전자 우편에 대한 규제를 어긴 것으로 생각될 수 있지만, 아직까지는 그렇지 않다.

내 동료 중에는 조사 자료를 수집하기 위한 웹 페이지를 운영하는 사람이 있다. 이 웹 페이지에서 그는 컴퓨터에서 만들어진 얼굴 그림에 대해 아름다운 정도를 평가하도록 하는 질문들을 제시하였다. 그리고 그는 이 점수들을 이용하여 얼굴의 어떤 특성이 아름다움과 관련이 있는지를 알아본다. 응답자가 응답을 마치면 다른 응답자의 반응과 자신의 반응을 비교할 수 있도록 웹 페이지를 정기적으로 갱신하고 있다. 자신의 반응을 비교해 볼 수 있도록 함으로써 응답자들이 반응을 하려고 하는 동기를 부여한다. 내 동료는 이 방식으로 수천 건의 응답을 수집하였다. 이 방법에는 응답자 스스로가 연구 대상이 되었기 때문에 표본의 대표성이 문제가 될 수 있다. 그러나 어떤 연구들에서는 이런 것들이 별 문제가 되지 않는 경우도 있다. 웹 페이지를 찾아다니는 사람들은 그렇지 않은 사람들과는 얼굴의 미를 평가하는 데 다른 기준을 갖고 있는가? 그럴 가능성도 있지만 아마도 그렇지는 않을 것이다. 그러나 인터넷 조사를 할 때에는 항상 편향된 표본이라는 것을 염두에 두어야 한다. 모든 사람들이 인터넷을 사용하는 것이 아니며, 인구학적 변인들에 의해서 구분될 수 있는 집단들에서 인터넷을 사용하는 비율은 집단 간에 많은 차이가 난다. 이런 종류의 연구를 하기 위해서는 웹사이트를 어떻게 설정하는지에 대해 많이 알고 있어야 한다. 그러나 설문지를 구성하는 방법에 관해서 알려 주는 웹 페이지도 있다.

표본 선정

내가 강조했듯이, 설문조사의 표본은 연구 결과를 일반화 하려는 전집을 대표할 수 있는 집단이 선정되어야 한다. 대표적인 표본을 어떻게 선정할 수 있는가? 한 가지 방법은 **무선표본**(random sample)을 하는 것이지만 이건 여러분이 생각하는 것보다 어려운 방법이다. 연구 결과를 한 나라의 모든 사람들의 전집에 일반화 시키려 한다면 그 나라의 모든 사람들의 목록을 갖고 있어야 하며, 그 중에서 무선적으로 표본을 선정해야 한다. 이 모든 사람들의 이름을 적은 쪽지를 모두 모자 속에 넣고 표본을 선출하려면 정말로 큰 모자가 필요할 것이다! 대부분의 경우 한 도시나 한 대학 혹은 심리학개론을 수강하는 학생과 같이 보다 작은 전집을 선정하려 할 것이며, 이와 같은 전집이 연구자가 실제 관심을 가지는 전집과 크게 다르지 않기를 바랄 것이다. 이러한 경우에도 무선표본이 가능하지 않은 경우가 있다. 대부분의 심리학과에서는 심리학 과목을 수강하는 학생들 중에서 교과목의 요구조건으로 자발적으로 참가하거나 혹은 추가 점수를 부여하는 조건으로 참가하는 사람들을 대상으로 연구 대상을 선정한다. 어떤 학과에서는 참가 사례비를 지불한다. 위의 어느 경우도 참가자들이 무선적으로 선정된 것이 아니다. 이와 같은 방식으로 선정된 표본은 실제 무선적으로 선정된 표본과는 여러 측면에서 다를 것이다. 무선적이지 않은 표본의 영향이 어떤 것인지를 보여 주는 예가 있다. 1993년 Ross Perot는 텔레비전 시청자들에게 텔레비전 가이드 잡지의 삽입되어 있는 우편엽서에 인쇄된 질문에 답해줄 것을 요청했는데, 97%의 응답자가 정부 지출을 과감히 삭감해야 한다는 데 찬성을 표했다. 그러나 무선표본을 대상으로 동일한 질문을 한 결과 단지 67% 응답자만이 삭감에 찬성을 표했다(Tanur, 1994).

무선 표집을 할 수 없을 때, 연구자들은 **유층화 표집**(stratified sampling)이라 불리는 방법을 사용한다. 이 방법에서는 계층[5]이라 불리는 하위집단들을 정의한 후 참가자들을 각 계층에서 무선적으로 선정하는 방법이다. 예를 들어 표본을 추

5) 계층(strata)의 일상적 의미는 층(layers)과 다르지 않다. 층이란 공사로 인해 잘려진 언덕 한쪽에서 보이는 바위에 나 있는, 그러한 것이다. 다양한 소득을 가진 사람들을 그러한 층으로 나누기는 쉽다.

출할 전집이 우리 나라 모든 사람일 경우 경제적인 계층의 적절한 비율로 대표될 수 있다고 연구자가 확신할 수 있다. 이 경우 연봉 2,000만 원까지, 2,001만 원에서 4,000만 원까지, 4,001만 원에서 6,000만 원까지, 6,000만 원 이상이 각 계층이 될 수 있다. 전집이 한 대학교 전체 학생인 경우 각 계층이 표본에서 전집의 비율대로 표집되게 하기 위해서 성별, 인종, 성적 등위 등을 포함시킨 계층을 선정할 수 있다.

설문지 작성

이제 표본을 선정했으니 설문지를 작성할 일이 남아 있다. 가장 먼저 해야 할 일은 설문지를 제작해야 하는지를 알아보는 것이다. 설문지의 목적이 권위적, 불안, 내향성, 창조적 혹은 다른 개인적인 특성과 같이 한 개인이 특정 성격 차원에서 어디에 속하는지를 알아보는 것이라면, 이러한 목적에 맞게 이미 만들어진 설문지를 발견할 수 있을 것이다. 이 설문지가 출판되었다면 이미 이 설문지의 신뢰도와 타당도(제7장 참조)에 대한 검사가 이루어졌을 것이므로 그것이 좋은지 그렇지 않은지만 알아보면 된다. 문헌조사나 혹은 여러분의 교수를 통해서 질문지가 있는지를 확인해 볼 수 있다. 질문지가 학술잡지에 게재된 연구 논문의 일부분으로 출간되었다면 저작권은 별 문제가 되지 않는다. 그러나 상업적 출판사에서 출간된 것이라면 설문지를 구입해야 되는데 상당히 비쌀 가능성이 있다. 설문지를 무단 복제하여 사용하려는 유혹에 빠지지 마라. 이런 행위는 단순히 비윤리적일 뿐만 아니라 저작권이 있는 경우에는 불법적인 것이다.

여러분의 연구 주제가 특수한 경우이거나 여러분의 목적에 맞는 설문지를 발견하지 못했다면 여러분 스스로 설문지를 만들어야 한다. 설문지를 만드는 것이 매우 쉬운 것처럼 보일 수 있다. 여러분이 해야 될 일은 질문을 만드는 것이다. 예를 들어 낙태에 대해서 사람들이 어떻게 생각하고 있는지에 관심이 있다면, 단순히 "낙태에 대한 여러분의 의견은 어떤 것입니까?" 하고 물어보면 된다. 이러한 질문 방식을 응답자 자신이 원하는 방식대로 응답할 수 있으므로 **개방형 질문**(open-ended question)이라 부른다. 개방형 질문의 한 문항에 대해 한 문장, 한 문단 혹은 책 한 권에 해당되는 응답을 얻을 수 있다는 것을 상상해 보라. 응답자들이 시간을 들여서 이런 질문에 대해서 응답을 할 것이라고 확신을 할 수 있다 하더라도 다양한 응답들을 어떻게 분석할 수 있을까? 설문지를 작성하는 첫 단계에서는 질문하려고 하는 문항들에 관해서 면접을 통해 몇 사람에게 물어보는 것이 좋다. 이와 같은 개방형 질문들에 대한 응답자들의 반응 유형들은 **폐쇄형 질문**(closed-ended question)을 어떻게 구성할 것인가를 가르쳐 준다. 이 모든 과정을 준비하면서 수집된 자료를 언젠가는 분석해야 한다는 사실을 명심하고 있어야 한다. 이상적으로는 대부분의 자료를 숫자로 변환시킬 수 있어야 한다. 통계학자들은 학생들이나 연구자들이 자기 연구실로 들어와서 한 무더기의 설문지를 던져 놓고는 "이게 자료들입니다. 어떻게 분석해야 하지요?" 하고 질문하는 끔찍한 경우에 대해서 얘기하곤 한다.

모든 개방형 질문들에 대한 응답들을 수리적으로 분석하는 게 불가능한 것은 아니다. 부가적인 노력이 필요하겠지만 잘 구조화 된 질문들에 대한 응답을 양적인 자료로 변환시킬 수 있다. 예를 들어 어떤 설문조사자들은 연구와 무관한 사람들을 훈련시켜 개방형 질문들에 대한 응답을 읽고 미리 정해진 범주에 따라 그 응답들을 분류하게 한다. 그 응답들이 얼마나 신뢰롭게 분류되었는지를 확인하기 위해서 응답을 분류한 사람들의 결과들이 비교되어야 한다. 어떤 수단을 이용하든지 간에 설문지 작성을 완료하는 바로 그 시점에서 최종적으로 어떤 자료를 얻게 될 것인지, 그것들을 어떻게 분석할지를 알고 있어야 한다.

응답자의 반응을 숫자로 전환시키는 한 가지 방법은 가능한 반응들을 제한하는 폐쇄형 질문 혹은 **다지 선다형 질문**(multiple-alternative question)을 사용하는 것이다. 아래에 그 예가 있다.

어떤 경우에 낙태가 허용된다고 생각합니까?

_____어느 경우에도 허용되어서는 안 된다.

_____강간이나 근친 상간의 경우에만 허용되어야 한다.

_____강간이나 근친 상간의 경우에만 그리고 미성년일 경우에는 부모의 동의가 있는 경우에만 허용되어야 한다.

_____해당 여성이 원하는 경우에는 언제나 허용되어야 한다.

반드시 한 항목에만 표시를 하도록 지시문을 주어야 한다. 이런 질문에서 각 항목에 표시를 한 사람들의 숫자를 세면 이 숫자들이 곧 자료가 된다.

이 질문은 양적인 자료를 제공하지만 이와 같은 단순한 질문에 대해서도 비판이 따른다. 어떤 응답자들은 허용된다는 말이 어떤 의미인지에 대해 의아해 할 수 있다. 누가 허용해 주는가? 정부인가? 혹은 신인가? 어떤 응답자들은 제시된 문항 중 자신의 감정을 정확히 나타내 주는 것이 없다고 생각할 수도 있다. 어떤 사람들은 태아의 아버지에게도 어떤 권리가 있고 혹은 태아의 개월 수가 얼마인지가 매우 중요한 요인이라고 생각할 수도 있다. 심지어는 질문하는 방식에 따라 응답이 달라질 수 있다. 다음 질문들은 응답자들에게 특정 방향으로 반응하도록 강요하는 방식으로 질문하고 있다고 생각하지 않는가?

"임신 중절을 할 수 있는 여성의 권리는 다른 건강문제와 동일하게 취급되어야 합니까?"

"정부는 임신 중절을 할 수 있는 여성의 권리를 제한해야 합니까?"

"엄마가 뱃속에 있는 아기의 생명을 빼앗는 것이 언제 허용될 수 있을까요?"

특정 단어는 그 단어와 연합되어 있는 특정한 신념이나 정서를 불러일으킨다. 일반적으로 사람들은 타인의 권리는 보호 받아야 하며, 정부의 제한은 최소화되어야 하며, 여성은 독립적이지만 엄마는 책임을 져야 하며, 태아는 사람이 아니지만 뱃속에 있는 아기는 사람이며, 중절은 살인이 아니지만 생명을 빼앗는 것은 살인이라고 생각한다.

대부분의 설문지는 위의 예처럼 확실하게 편향되지는 않지만, 연구자가 설문지 문항들을 편향되지 않도록 하려 해도 조금은 편향될 가능성이 있다. 최근 나는 어떤 통계 과목이 심리학 학생들을 잘 준비시키는지를 알아보기 위한 설문지를 만들었다. 나는 그 과목에서 통계적 지식을 잘 가르치지 않았다고 생각했었다. 대학원 학생들에게 실시하려고 했던 설문지 중의 한 문항은 다음과 같았다. "이 과목이 잘 가르쳐지지 않았다고 생각한다면 어떤 이유 때문이라고 생각하는가?" 그리고는 긍정적인 항목은 포함시키지 않고 문제점이 될 만한 문항들만 포함시켰다. 내 동료 중 한 사람이 내가 만든 그 문항에 부적 편향이 포함되어 있다는 것을 지적했을 때 나는 무척 당황했었다.

말을 조금만 바꾸어도 응답은 크게 변화될 수 있다. 예를 들어 최근의 전화 여론 조사에서 53%의 사람들이 정부는 "복지"에 너무 많은 예산을 사용한다라고 응답했지만 23%의 사람만이 "가난한 사람을 도와주는 데" 너무 많은 예산을 사용한다고 응답했다.[6] 앞에서 언급한 유사한 설문조사에서 Ross Perot는 "재정 적자와 부채의 축소를 위해서 세금 증가분의 두 배 정도를 지출에서 삭감해야 한다고 생각하십니까?"라고 물었다. 무선표본의 67퍼센트 이상이 그렇다고 응답했다. 그러나 질문을 "의료보험이나 교육에 필요한 예산이 삭감될 가능성이 있는 경우에도

6) 600명의 미국 성인을 대상으로 1994년 5월 18~19일에 Time과 CNN에서 실시한 전화 여론 조사의 결과이다. 1994년 6월 27일자 「Time」지 26페이지에 게재되어 있다.

재정 적자를 줄이기 위해 새로 거둬들인 세금의 두 배에 해당되는 지출을 삭감하자는 제안에 대해 찬성합니까 반대합니까?"로 바꾸었을 때 단지 33%의 응답자만이 찬성했다(Tanur, 1994). 말을 조금 바꾸는 경우에도 응답자의 견해가 크게 변화된다는 것을 볼 수 있다.

표본에 속한 응답자들이 설문지의 모든 말들을 쉽게 이해할 수 있는지를 확인하기 위해서 모든 질문들을 검토해 보아야 한다. 대학교 학생이나 강사들은 대부분 대학 교육을 받은 수준의 사람들과 접촉하기 때문에 보통 사람들은 상대적으로 읽기나 단어 이해에서 능력이 떨어진다는 사실을 종종 잊어버린다. 표본에 적절한 단어를 사용하라. 질문들이 적절하게 표현되지 못해서 응답자들이 헷갈리지 않도록 해야 한다. 예를 들어 부정 의문문으로 된 질문은 피해야 한다. "여성은 낙태를 할 권리를 갖고 있지 않습니까?" (Does a woman not have the right to an abortion?) 여러분의 설문지에서 이해되지 않는 부분이 있는지를 알아볼 수 있는 가장 좋은 방법은 연구의 대상으로 사용할 큰 표본과 유사한 작은 표본의 사람들에게 초벌 설문지를 준 다음 의견을 구하는 것이다.

응답자에게 숫자로 변환될 수 있는 응답을 하도록 하는 또 다른 방법은 **평가 척도**(rating scale)를 사용하는 것이다. 평가 척도를 통해 응답을 등급으로 받을 수 있다. 예를 들어 다음과 같이 질문할 수 있다.

"Jones 상원 의원이 낙태에 대해서 그녀의 견해를 얼마나 잘 표현했다고 생각하십니까?"

전혀 아니다	1	2	3	4	5	6	7	8	9	10	매우 그렇다

응답자들은 숫자 위에 동그라미를 표시하거나 체크 표시를 하거나 선분 위에 × 표시를 하도록 지시를 받을 것이다. 긴 선분에 수직 방향으로 작은 선들을 표시해서 각 등급을 구분해 줄 수도 있다. 위의 예에서는 각 척도의 끝에만 언어적 표식이 붙어 있다. 이것을 고정점(anchors)이라 부른다. 숫자 이외에 "전혀 아니다.",

"약간 아니다.", "그저 그렇다.", "약간 그렇다.", "매우 그렇다."와 같이 언어적 표식을 달 수도 있다. 여러 등급을 둘 수 있지만 일반적으로는 다섯 개에서 열 개 정도 둔다. 여러 사람들은 극단치에 반응을 하지 않으므로 최소한 다섯 등급은 두어야 한다. 이런 경우 다섯 등급이 세 등급의 척도로 될 수 있으며 견해 차이가 반영될 여지가 줄어들게 된다.

여러 주제에 대한 응답자의 태도에 관심이 있다면 **리커트 척도**(Likert scale)가 좋은 척도이다. 리커트 척도를 사용할 때에는 응답자에게 일련의 진술문을 주고 각 진술문에 대해서 그들이 동의하는지 아닌지를 응답하도록 할 수 있다. 다음은 이러한 문항들의 한 예이다.

1. 강간에 의해 임신이 되었을 경우 그 여성이 낙태를 하려 하는 것이 합법적이어야 한다.

매우 동의함	동의함	중립적	동의하지 않음	절대 동의하지 않음
1	2	3	4	5

응답자에게는 자신의 태도와 가장 유사한 항목의 번호에 동그라미를 표시하도록 지시할 수 있다. 숫자를 사용하는 대신 각 항목을 구분하든지 구분하지 않든지 간에 수평선을 제시할 수도 있고, 그 경우 응답자들은 그들의 태도에 따라 수평선 위에 X나 다른 표시를 할 수 있다. 이 경우 수직선의 끝에서 표시점까지의 거리를 측정해서 그것을 숫자로 변환시킬 수 있다. 리커트 척도의 장점은 응답자들이 다양한 문항들에 대해서 동일한 척도로 반응한다는 점이다. 형식에서의 내적 일관성은 혼동을 최소화 하고 응답자가 모든 항목에 걸쳐 일관된 방식으로 반응하도록 할 수 있다. 실제적인 측면에서 부가적인 장점은 각 문항들은 질문지의 좌측에, 척도의 숫자는 우측에 나열할 수 있기 때문에 고정점이나 언어적 표식을 각 페이지의 맨 꼭대기에만 인쇄해도 된다는 것이다. 이러한 형식은 공간을 절약할 수 있고 응답자의 이해도도 높일 수 있다. 그림 10-5에 예가 제시되어 있다.

낙태에 대한 의견

각 질문에 대해 여러분이 동의하는 정도와 가장 일치하는 번호에 O표를 하세요.

	절대 동의 안함	동의 안함	그저 그렇다	동의함	매우 동의함
1. 낙태는 죄악이다.	1	2	3	4	5
2. 정부는 가난한 여자가 낙태를 할 때에는 보조금을 지급해야 한다.	1	2	3	4	5
3. 18세 이하의 여자가 부모의 동의 없이 낙태를 하는 것은 불법화 해야 한다.	1	2	3	4	5
4. 낙태를 하는 의사는 환자에게 입양과 같은 다른 대안들을 놓고 상담을 하도록 해야 한다.	1	2	3	4	5
5. 낙태를 할 것인지는 전적으로 임신한 여성에게 맡겨야 한다.	1	2	3	4	5
6. 사후 낙태 약은 합법화되어야 한다.	1	2	3	4	5
7. 낙태 병원 앞에서 피켓 시위를 하는 사람들은 체포되어야 한다.	1	2	3	4	5
8. 강간이나 근친 상간에 의한 임신일 경우에만 낙태가 허용되어야 한다.	1	2	3	4	5

그림 10-5 리커트 척도를 사용한 의견 조사의 한 예

대부분의 연구자들은 설문조사에서 응답자의 성별, 나이, 인종, 교육수준, 수입 정도, 계층, 종교, 학점 등과 같은 인구학적 변인들에 대한 정보도 수집한다.

정확히 어떤 정보에 관해서 질문할 것인지는 연구의 목적에 따라 다르다. 예를 들어 사람들의 낙태에 대한 태도가 종교에 의해 영향 받는지를 알아보고자 한다면 이 요인에 따라 응답들을 분류할 수 있는 종교에 관련된 질문이 반드시 포함되어야 한다. 설문지를 만들 때 자료를 어떻게 분석할 것인지를 결정하는 것이 중요하다는 점을 다시 한 번 밝힌다. 인구학적 항목들을 설문지의 어디에 두어야 하는지에 대해서 모든 연구자들의 의견이 동일하지 않다. 대부분의 경우 설문지의 처음에 두지만 어떤 연구자들은 인구학적 항목을 앞에 두는 것이 응답자들에게 설문지가 지루하다는 느낌을 주어 끝까지 응답하지 않게 만들 가능성이 있다고 주장한다(Dillman, 1978).

장점

설문조사와 설문지의 여러 장점에 대해서 이미 논의하였다. 이 방법을 통해서 기본적인 실험법으로는 연구할 수 없는 사람들의 의견이나 태도, 동기 그리고 미래의 행동에 대해서 평가할 수 있다. 게다가 상대적으로 값싸고 빠르게 많은 양의 자료를 수집할 수 있다.

단점

설문조사의 여러 단점에 대해서도 이미 논의했었다. 특히 설문조사가 계획되는 동안에 자료 분석에 대한 계획이 없는 경우 수집된 많은 자료들을 분석하기가 힘들다. 계획된 경우라도 대용량의 자료를 분석하기 위해서는 좀 더 정교한 통계적 기법이 필요할 수도 있다. 낮은 응답률이 문제가 될 때 비응답 편향 때문에 전집에 일반화 하기가 어렵다.

세 번째 단점은 설문조사는 실험법이라기보다는 상관적 관찰법이라는 점이다. 설문조사에서 행동의 변화를 발생시키기 위해 조작되는 독립변인이 없다. 문헌조사에서 얻어지는 자료는 중다 종속 측정치들이다. 이런 이유 때문에 결과로부터 인과관계를 명시해서는 안 된다. 예를 들어 어떤 종교를 갖고 있는지와 낙태에 대한 태도를 연관짓고 싶을 수 있다. 설문조사를 통해서 보다 근본주의적인 종교적 믿음을 갖고 있는 응답자들이 보다 강하게 낙태에 대해서 반대했다는 것을 발견했을 수 있다. 종교적인 믿음이 낙태에 대해서 부정적인 태도를 만들었다고 말하고 싶겠지만, 연구자가 할 수 있는 말은 그 두 변인들이 관련이 있다는 것이다. 상관 자료를 해석하는 데 주의해야 되는 이유를 지적한 제1장과 제2장에서의 논의를 기억하고 있기를 바란다.

설문조사와 설문지가 본질적으로 갖고 있는 약점은 행동을 직접 측정하는 것이 아니라 응답자 스스로의 보고에 근거하고 있다는 점이다. 따라서 응답자는 자신들이 원하는 대로 응답할 수 있고 연구자는 이 정보에 대해 독립적으로 평가할 방법이 전혀 없다. 왜 응답자들이 거짓말을 할까? 실제로 응답들이 진실되지 못할 것이라고 생각되는 여러 이유들이 있다. 첫째 이유는 자신들을 보호하기 위해서이다. 연구자들이 응답자들에게 익명으로 응답하는 것이고 자신의 이름을 쓸 필요가 없다고 얘기를 해도 응답자들은 연구자들이 설문지에 비밀스런 표시를 해 놓아서 나중에 누가 반응한 것인지를 알 수 있을 것이라고 생각한다. 다른 응답자와 함께 강의실에서 응답을 하도록 했을 때에는, 다른 사람이 자신의 반응을 볼 것이라고 생각한다. 심지어는 비밀이 보장된다는 것을 응답자들이 확신하고 있는 경우에도 연구에서 얻어진 결과가 어떻게 사용될지를 알고 있거나 왜곡된 응답을 할 필요가 있다고 생각할 수 있다. 예를 들어 마리화나를 피면서 이것이 합법화 되어야 한다고 생각하는 사람은 마리화나를 피웠을 때에도 나쁜 경험을 해본 적이 한 번도 없다고 거짓된 반응을 할 수 있다. 많은 사람들이 나쁜 경험이 있었다고 반응한다면 이것 때문에 마리화나가 합법화 되지 않을 수 있다는 것을 알고 있었을 가능성이 있다. 사람들은 자신들의 집단이나 주장에 관심을 끌기 위해서 거짓말을 할 수 있다. 예를 들어 고등학교에서 총에 관련된 어떤 규제가 가해져야 된다고 생각하는 학생이 있다면 그가 학교에서 실제 보았던 것보다 훨씬 많이 보았다고 주장할 것이다.

응답자가 고의적으로 거짓말을 하는 것이 아니라 연구자뿐만 아니라 자신에게 거짓말을 할 수 있다. 감정이 부여될 수 있는 문제들에서 스스로가 느끼는 감정이나 태도들이 사회적으로 용인 받지 못하는 것일 경우 자신들의 감정이나 태도를 인정하지 않을 수도 있다. 예를 들어 스스로 명백히 인종주의적인 행동을 하면서도 응답자들은 자신이 인종주의자라는 것을 부인할 수 있다. 인종주의자는 사회적으로 용인 받지 못하기 때문에 인종주의자이면서도 그것을 인정하지 않으려 한다.

조사 자료를 분석할 때 이 자료는 응답자가 스스로 보고한 것임을 명심하고

표 10-3 준실험법, 기저선 실험법, 그리고 설문조사의 장점과 단점의 요약

실험설계	장 점	단 점
준실험법	•실험이 불가능 상황에서 응용 연구에 적용할 수 있음 •내적 타당도를 위협하는 요인들을 평가할 수 있음	•내적 타당도를 위협하는 요인들이 있음 •전통적인 실험법보다 실험설계가 복잡함 •통계적 분석이 어려울 수 있음
기저선 실험법	•한 사람으로부터 통계분석 없이 쉽게 해석할 수 있는 결과를 얻을 수 있음 •독립변인을 어느 정도, 언제 조작할 것인지에 대해 융통성이 있음 •빈번하게 발생하지 않는 조건을 연구할 수 있음	•어떤 가정들은 충족되지 않는 경우가 많음(예를 들어 가역성) •효과는 작지만 중요한 변인을 연구할 수 없음 •일반화가 제한적임
설문조사	•내적 사건(예를 들어 태도)을 조사할 수 있음 •많은 자료를 빠른 시간에 수집할 수 있음	•매우 큰 자료는 분석하기가 어려울 때가 있음 •낮은 응답률로 인해 비반응성 편파가 발생됨 •결과는 상관적이기 때문에 인과관계에 대한 추론을 할 수 없음 •자기-보고가 진실한 것이 아닐 수 있음

있어야 한다. 조사의 결과를 논의할 때 이러한 사실을 인식하고 논의를 제한해야 한다는 것을 기억하라. "27%의 고등학생들이 마리화나를 피운다."고 말해서는 안 되고 "27%가 마리화나를 피운다고 보고했다."고 말해야 한다. 내 할머니가 내게 말했던 것처럼 "말과 행동은 전혀 별개의 것이다."

표 10-3에는 이 장에서 배운 여러 연구 기법의 장단점이 요약되어 있다.

요약

참가자들을 각 집단에 무선적으로 할당하는 것이 종종 불가능한 응용 분야 상황에서는 **준실험설계**라 불리는 비전통적인 설계가 종종 사용된다. **비실험설계**는 내적 타당도를 위협하는 여러 요인들 때문에 해석이 어렵다. 이 설계들에는 처치에 노출된 후 한 집단의 행동만을 검사하는 **단일집단 사후검사 설계**, 다른 방식으로 선발된 두 번째 집단은 처치에 노출되지 않지만 검사를 받는 **비동등집단을 포함한 사후검사 실시** 그리고 한 집단이 처치 전후에 검사를 받게되는 **단일 집단 사전-사후검사 설계**가 있다.

준실험설계들은 내적 타당도를 위협하는 요인들을 제거하거나 평가할 수 있도록 해 준다. **비동등 통제집단이 포함된 사전-사후검사 설계**에서 한 집단은 처치 전후에 검사를 받고, 다른 방식으로 선발된 두 번째 집단은 처치에 노출되지 않은 채 동일한 시간에 검사를 받는다. 이 기초 설계들의 변형된 설계들에는 사전검사를 사용할 수 없을 때 사후검사와 관련이 있는 변인을 측정하는 **대리 사전검사**를 사용하는 것과 비동등집단들을 나눈 후 그 반은 처치에 노출되기 전에 검사하고 나머지 반은 처치에 노출된 후에 검사하는 **분리된 사전검사와 사후검사 표본**을 사용하는 방법, 처치에 노출되기 전 여러 번에 걸쳐서 검사를 받는 **일 회 이상의 사전검사 관찰**을 하는 방법이 있다.

준실험설계의 두 번째 유형은 **틈입 시간계열 설계**로 한 집단이 처치 전과 후 여러 번에 걸쳐서 검사를 받는다. 이 설계의 변형된 설계에는 상이한 방식으로 선발된 두 번째 집단이 처치에는 노출되지는 않지만 동일한 시간에 검사를 받는 **처치를 가하지 않은 비동등 통제집단을 시간계열에 추가하는 설계**와 처치가 제거된 뒤에 제3의 검사 계열이 주어지는 **처치 제거 틈입 시간계열 설계** 그리고 상이한 방식으로 선발된 두 집단이 여러 시점에 검사되지만 처치가 서로 다른 시점에서 가해지는 **반복교환 틈입 시간계열 설계**가 포함된다.

두 번째 비전통적 설계는 단 한 명의 자료를 사용하여 실험적 효과를 보여 줄 수 있는 **기저선 실험**이 있다. 이 방법은 처치나 임상 장면에서 치료 효과를 평가하기 위해서 종종 사용된다. 연구자는 **기저선**이라고 불리는 **안정상태**의 반응률을 설정한 후 반응률이 새로운 **전이안정상태**로 변화할 때까지 실험적 조작을 가한다. 그 다음 반응률이 원래의 기저선으로 돌아감을 보여 줌으로써 **가역성**이 있음을 보여 주어야 한다. 기저선 설계의 장점은 한 개인의 행동에서 중요한 변화를 보여 줄 수 있다는 점이다. 실험자는 독립변인을 언제 조작할 것인지, 어느 수준으로 변화시킬 것인가에 대해 융통성을 가질 수 있다. 이 결과는 해석 또한 쉽다. 그러나 가역성과 같은 기저선 실험의 어떤 가정이 만족될 수 없는 여러 심리학 분야가 있다. 때때로 그것은 효과는 작지만 중요한 변화를 보여 줄 수 없으며, 결과를 일반화 시키는 것 역시 위험하다.

세 번째 비전통적 설계는 **설문조사** 혹은 설문지 연구로 사람들의 의견이나 태도, 동기 혹은 미래의 행동을 평가하는 데 사용될 수 있다. **우편조사**는 상대적으로 값이 싸고 넓은 지역의 사람들을 표본으로 삼을 수 있다. 그러나 낮은 응답률은 표본의 특정 부분이 상실되는 **비응답 편향**과 관련된 문제가 발생할 수 있으므로 그 표본에서 얻은 결과를 보다 큰 전집에 일반화 할 수 있는 정도에 영향을 줄 수 있다. 적절한 표지, 작은 보상, 사전에 미리 접촉, 후속 편지를 보냄으로써 응답률을 높일 수 있다. **전화조사**는 보다 더 신속하게 그리고 좀 더 사적으로 수행될 수 있다. 그러나 여전히 비응답이 문제될 수 있으며, 전화로서는 대표적인 표본을 얻기가 힘들다. 설문조사의 **집단 실시**는 꽤 효율적이지만 대상이 되는 집단이 실제 연구자가 관심 있는 전집을 대표하지 못하는 경우가 종종 있다. 대면 **면접**은 다른 절차보다 비효율적이지만 응답자와 보다 개인적인 관계를 가질 수 있고 구조화 되었거나 비구조화 된 면접을 할 수 있다. 발전하고 있는 조사방법은 인터넷 조사로서 참가자들은 인터넷상에서 질문을 보고, 전자 우편이나 혹은 우편으로 응답을 보낸다.

설문조사에서는 전집의 모든 사람이 표본에 선정될 가능성이 동일한 **무선표본**과 여러 계층을 먼저 만들고 그 계층 내에서 무선적으로 표집을 하는 **유층화 표본**이 사용될 수 있다. 설문지는 수량화 하기 힘든 **개방형 질문**과 제한된 반응만 허용하는 **폐쇄형 질문**들로 구성된다. 폐쇄형 질문에는 보기가 여러 개인 **다지형 질문**과 리커트 척도와 같은 **평가 척도**가 있다. 설문조사는 의견, 태도, 미래의 행동들에 관해서 짧은 시간 내에 많은 자료를 수집할 수 있도록 해 주지만, 대규모의 자료는 분석하기가 힘들며, 낮은 응답률은 비응답 편향을 발생시키며, 상관 자료로부터 인과관계를 추론할 수 없으며, 자기-보고이므로 신뢰할 수 없다.

준실험연구의 통계방법에 관한 추천도서

초보자를 위한 책

Cook, T. D., & Campbell, D. T. (1979). *Quasi-experimentation: Design & analysis issues for field settings.* Chicago: Rand McNally.

중급자를 위한 책

Box, G. E. P., & Jenkins, G. M. (1976). *Time-series analysis: Forecasting and control.* San Francisco: Holden-Day.

Campbell, D. T., & Stanley, J. C. (1966). *Experimental and quasi-experimental designs for research.* Chicago: Rand McNally.

Kidder, L. H., & Judd, C. M. (1986). *Research methods in social relations,* 5th ed. New York: Holt, Rinehart & Winston.

Shadish, W. R., Cook, T. D., & Campbell, D. T. (2002). *Experimental and quasi-experimental designs for generalized causal inference.* Boston: Houghton

Mifflin.

기저선 설계에 관한 추천도서

Hersen, M., & Barlow, D. H. (1984). *Single-case experimental designs: Strategies for studying behavior change.* New York: Pergamon Press.

Robinson, P. W., & Foster, D. F. (1979). *Experimental psychology: A small-N approach.* New York: Harper & Row.

Todman, J. B., & Dugard, P. (2001). *Single-case and small-N experimental designs: A practical guide to randomization tests.* Mahwah, NJ: Lawrence Erlbaum.

설문조사에 관한 추천도서

Dillman, D. A. (1978). *Mail and telephone surveys: The total design method.* New York: Wiley.

11 실험준비가 다 되었음을 아는 법

오류는 그것이 반복될 때에만 잘못된 것이라는 것을 알 수 있다.

— 작자미상

가장 큰 결점은 결점이 있다는 것을 전혀 모르는 것이다.

— T. Carlyle (1888)

미련한 자는 자기행위를 바른 줄로 여기나 지혜로운 자는 권고를 듣느니라.

— 잠언 12:15

이제 실험을 시작하는 데 필요한 도구들을 모두 가지고 있다. 그러나 자료를 모으기 전에 중요한 문제들을 모두 고려했는지를 알아보기 위해서 스스로에게 질문해야 될 몇 가지가 있다.

내가 실험방법론을 가르칠 때, 내 수업을 듣는 학생들에게 연구 문제를 생각하고, 실험설계를 하고 실험을 실시하도록 한다. 자료를 모으기 전에 수업시간에 학생들이 제안한 자신의 연구에 대해서 수업시간에 발표를 해야 한다. 연구를 시작하기 전에 실험에 필요한 세세한 것들을 모두 고려했는지를 알아보고 잘못된 것이 있는지를 살펴보는 것이 수업에서 해야 될 일이고 내가 또 해야 할 일이다. 이런 연습을 하는 데는 여러 목적이 있다. 이런 과정은 다른 사람들의 발표를 들으면서 모든 과학자들이 가지고 있어야 되는 비판적인 감각을 발달시키는 데 도움을 준다. 발표를 준비하는 과정을 통해 자기들이 세웠던 여러 가정들과 아직까지 결정되지 않은 세세한 것들에 대해 생각해 볼 수 있다. 마지막으로 이러한 연습을 통해 실험을 개선할 수 있는 여러 방법들을 제안함으로써 우리들 모두가 실험자에게 도움을 줄 수 있게 한다.

실험을 시작할 준비가 되었다는 것을 어떻게 알 수 있나

'좋은 게 좋다'는 사회

실험을 하기 전에 고려되어야 하는 문제들에 대해 논의하기 전에 발표를 해야 하는 학생들이 느끼는 정서에 대해 먼저 얘기하고자 한다. 발표를 하는 것이 이 수업에서 가장 싫고, 또 골칫거리인 부분이다. 부분적으로는 다른 과목에서는 잘 하지 않는 발표를 하는 행위 그 자체가 고민스러운 것이지만, 가장 큰 고민은 동료 비판 집단 앞에서 자기 실험에 대해 방어를 해야 하는 것이 아닌가 생각한다.

발표를 듣는 학생들의 첫 반응은 "네가 나에게 돌팔매질을 하지 않는다면 나도 너에게 돌팔매질을 하지 않겠다."는 식으로 아무런 말없이 있는 것이다. 심지어는 내가 비판을 가하도록 부추겨도 여러 학생들은 그들 친구의 생각을 비판하지 않으려 한다. 우리는 타인의 행동이나 의견을 극도로 참아내야 하는 규칙을 가진 '좋은 게 좋다'는 사회에 소속된 것처럼 행동한다. 어떤 사람들은 우리 모두는 자신의 견해를 표현할 수 있는 권리를 갖고 있기 때문에 한 사람의 의견의 가치는 다른 사람의 의견의 가치와 동등하다라고 생각하는 것 같다. 그래서 다른 사람의 의견에 대해 비판을 가하는 것이 그 사람 개인에 대해 혹은 그 사람이 자유롭게 말할 수 있는 권리에 대해 공격하는 것으로 취급된다.

수업의 마지막에 작성된 자신들의 평가에 대한 학생들의 반응을 살펴보면, 어떤 학생들은 확실히 자신들의 발표에 대한 나의 총평들이 개인적이고 부적절한 것이었다고 생각하는 것 같다. 가능한 한 미소를 짓고, 목소리를 낮추고, 도움을 주고자 하는 태도를 보였음에도 불구하고 이 학생들은 왜 평소에는 다정하고 우호적인 선생님이 갑자기 자신들에게 돌변한 태도를 보였는지에 대해 이해하지 못하는 것처럼 보인다.

이 책의 앞 장들을 통해 과학의 테두리 내에서는 한 의견이 다른 의견보다 못할 수 있다는 것을 확신했기를 바란다. 의견들은 당연히 방어될 수 있어야 한다. 과학의 규칙들을 어겼다면 그 결과는 의심스럽거나 혹은 아무 쓸모가 없다. 제3장에서 논의되었던 연역적이고 귀납적 논리의 규칙들은 연구 결과들을 통해 한 이론을 지지하거나 반박하는 기초가 된다. 제2장에서 논의되었던 잠재적 오염변인들

잠재적 비판 집단인 동료들

을 제거하는 것은 독립변인이 종속변인의 변화를 발생시켰다는 인과관계를 설정하는데 필요한 것이다. 제2장에서 논의했던 참가자 표본에 대한 무선선택은 연구결과를 전집에 일반화 할 수 있도록 하는 데 기초가 된다.

수업이나 선생님 혹은 동료들이 제안된 연구에 대해 비판을 가할 때 그들은 연구 제안자가 과학의 규칙에 따를 수 있도록 도와주려고 하는 것이며, 이러한 과정들은 연구가 완료되었을 때 그 결과가 방어될 수 있고 과학적 지식체계에 추가될 수 있도록 한다. 제안단계에서 제기된 비판들은 단지 달갑지 않은 것이지만, 연구가 완료된 후에 제기된 비판에 대해서는 손쓸 방법이 없는 것이다. 사후 비판들은 여러분이 충분히 사려 깊지 못했기 때문에 실수를 했다는 것을 지적할 뿐만 아니라 여러분의 시간과 실험 참가자의 시간을 낭비했고 지식체계를 발전시키는데 사용 가능했던 장비나 자원들을 낭비했다는 것을 지적한다. 여기서 말하고자 하는 것은 과학은 아주 신중한 일이므로 과학에서 실수를 하는 것은 엄청난 죄를 짓는 것이라는 점이 아니라, 과학에는 과학자로서 반드시 지켜야 할 규칙들이 있다는 것이다. 따라서 사용할 수 있는 모든 자원을—여러분이 규칙을 지키고 훌륭한 연구를 할 수 있게 하는 다른 사람들의 조언을 포함해서—사용해야 한다.

연구 시작 전 제기해야 하는 질문들

다음은 학생들이 연구계획서를 작성할 때 내가 가장 빈번히 물어보는 질문들이다. 다음의 질문들에 대해 이미 해답을 구했을 수도 있다. 그렇지 않다면 자료를 수집하기 전에 다음과 같은 질문에 대답할 수 있어야 한다.

내 실험이 윤리적 문제를 고려했는가?

제4장에서 보았듯이 연구 참여자를 윤리적으로 다루어야 한다는 것은 많은 문제들을 고려해야 함을 의미한다. 이 모든 문제들을 다 고려했는가? 참가자들이 심리적으로 혹은 육체적인 스트레스를 받기 쉬운가? 만일 그렇다면 그것을 어떻게 최소화 할 것인가? 참가자들로부터 참가 동의를 받았는가? 여러분이 게시판을 이용해 원하는 사람들이 사인을 하게 해서 참가자를 모집하였다면 참가자들이 실험 참가에 동의할 수 있게 게시판에 실험에 대한 적절한 설명이 게시되어 있었는가? 이러한 동의서를 문서화 했는가? 여러분의 실험에 속임을 사용하는가? 그렇다면 실험이 끝난 후 참가자들에게 적절히 실험에 관한 설명(debriefing)을 할 것인가? 실험에 관해 설명할 내용을 준비했는가? 시간 계획을 작성해서 모든 참가자들을 시간 계획대로 만날 수 있도록 했는가? 실험 장비가 고장 나거나 여러분이 아플 때 어떻게 할지에 대해 생각해 보았는가? 여러분이 수집한 자료가 비밀이 유지될 수 있을 것이라고 확신하는가? 실험에 요구특성이 있는가? 이것들이 실험 결과에 영향을 줄 것 같은가? 실험이 시작되기 전에 스스로에게 이러한 질문들을 모두 해야 한다.

이에 덧붙여 여러분이 속한 기관의 위원회로부터 실험을 수행해도 좋다는 허락을 받기 위해 필요한 문서들을 준비해야 한다. 어떤 경우 위원회가 연구계획서를 검토하는데 몇 주가 걸릴 수도 있으며 이로부터 최종적인 허락을 받기 전에는 실험을 수행할 수 없다. 따라서 가능하면 실험설계를 끝내자마자 필요한 문서들을 작성하고 제출해야 한다. 이 과정은 실험에서 속임이 포함되거나 약물과 관련되어 있어 윤리적으로 논쟁거리가 될 수 있는 실험이라면 특히 중요하다. 이 경우 위원회는 연구계획서를 검토하는데 아마도 보다 많은 시간이 걸리거나 혹은 보다 자세한 내용을 기술하도록 하거나 혹은 여러분의 연구를 허락하지 않을 수도 있다.

얼마나 많은 참가자들이 필요한가?

얼마나 많은 참가자들이 필요한지를 알아내는 것은 어렵다. 학생들이 가장 빈번하게 저지르는 실수 중 하나는 너무 적은 참가자를 사용하는 것으로, 이 때문에 좋게 나올 수 있는 결과가 통계적으로 유의하지 않게 나올 수 있다. 물론 실험에 참가할 수 있는 대상자들의 절대적인 수가 너무 적은 경우도 있다. 여러분이 원하는 만큼의 참가자를 사용할 수 있다고 가정할 때, 통계적 검증력과 필요한 참가자의 대략적인 인원을 결정하는 통계적인 방법이 있다. 이러한 방법은 이 책의 수준을 넘지만 통계적 검증력에 대해 다음 장에서 간단히 살펴볼 것이다.

너무 적은 참가자를 사용하면 적절한 크기의 실험 효과가 통계적으로 유의함을 보여 주지 못할 수 있는 반면 너무 많은 참가자를 사용하면 중요하지 않은 효과가 통계적으로 유의하게 나타날 수 있다는 것을 명심해야 한다. 이 경우 너무 많은 참가자를 사용하는 것이 비효율적일 뿐만 아니라, 잘못된 결과를 얻을 수 있다.

얼마나 많은 수의 참가자를 사용해야 하는지를 결정할 수 있는 가장 좋은 방법은 아마도 문헌조사일 것이다. 통계적으로 유의한 효과가 나타난 다른 사람의 실험을 반복해 보면 어느 정도의 참가자가 필요한지에 대해 확실히 알 수 있을 것이다. 똑같은 실험을 반복하지 않더라도 자신이 측정하려고 하는 것과 동일한 종속 측정치를 사용한 유사한 연구를 발견할 수 있을 것이다. 반응시간이나 혹은 목록에서 회상된 단어 수와 같이 특정한 종속 측정치에서 발견된 변산성은 상대적으로 예측할 수 있다. 그럴 가능성은 거의 없지만 유사한 실험을 발견하지 못하면 적절한 참가자 수를 결정하기 위해 예비실험을 실시해 볼 수도 있다.

개인실험과 집단실험 중 어느 것이 적절한가?

실험을 처음 시작하는 사람들은 대부분 한 사람씩 실험에 참가하는 방식을 먼저 생각한다. 때로는 반응을 측정하기 위한 장비가 하나밖에 없어 선택의 여지가 없는 경우도 있다. 혹은 어떤 사람들은 집단 내 다른 사람들의 수행에 영향을 미칠 수 있으므로 그런 사람들을 대상으로 할 때는 개별 실험을 해야 한다. 그러나 집단으로 실험을 할 수 있다면 보다 효율적으로 자료를 수집할 수 있다.

여러 대안들을 고려할 때, 다음과 같은 질문들을 스스로에게 해보아라. 각 개인에게 질문을 하지 않고 집단에 설문지를 배부할 수 있는가? 개인들 각자에게 컴퓨터 화면으로 자극을 제시하지 않고, 집단에게 슬라이드나 오버헤드 프로젝트를 사용하여 자극을 제시한 후 필요한 자료를 수집할 수 있는가? 자극을 똑같은 순서대로 제시하고 반응의 정확성만 측정하거나, 특정한 반응의 수만을 측정하려 한다면 집단실험을 실시해도 될 가능성이 크다. 자극의 제시순서나 시간이 참가자들의 반응에 의해 결정되거나 정확한 반응시간을 측정해야 한다면 개인실험을 해야 할 것이다.

실험이 얼마나 걸릴 것인가?

실험 시간에 대한 질문은 여러 수준에서 던질 수 있다. 전체적인 수준에서는 자료를 수집하는 데 몇 시간, 며칠 혹은 몇 주가 필요한가라는 질문을, 세세한 수준에서는 단일실험의 한 회기가 얼마나 걸리는가라는 질문을 할 수 있다. 개별 시행들을 사용한다면 한 시행의 길이와 시행 수를 결정하지 않으면 두 질문 중 어느 것도 답할 수 없다. 한 시행의 길이를 파악하기 위해서 여러분은 한 시행 동안 발생할 수 있는 일련의 사건들을 파악하고 시행 간 시간 간격을 포함하여 각 사건들에 걸리는 시간을 알아야 한다. 그 다음 얼마나 많은 시행을 사용할 것인지를 알면 모든 시행을 완료하는 데 걸리는 시간을 계산할 수 있다. 어떤 경우들에서는, 예를 들어 참가자들이 연속적인 두 시행에서 단어의 목록들을 정확히 회상해야 한다는 기준을 통과해야 하는 경우 총 시행 수를 추정할 수밖에 없는 경우도 있다.

한 시행

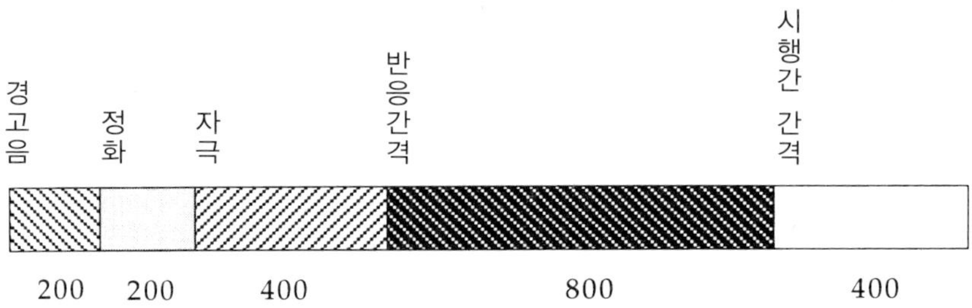

각 사건에 걸린 시간(1000분의 1초)

한 시행에 걸리는 총 시간=200+200+400+800+400=2000ms 혹은 2초

한 회기

20개의 시행으로 구성된 20개의 구획, 30초 휴식, 지시문에 5분 그리고 실험에 대한 설명을 하는 데 5분.

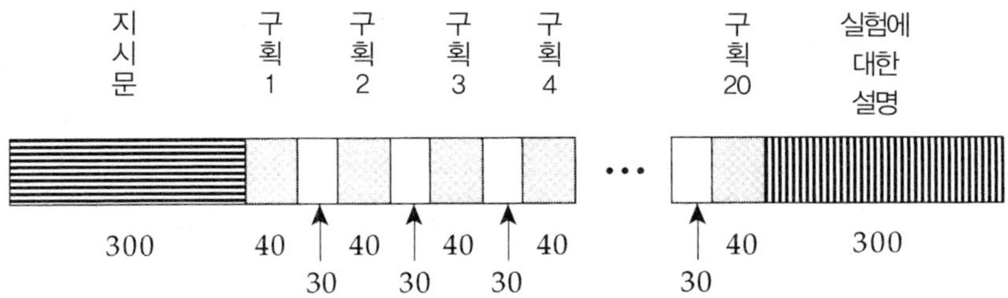

각 사건에 걸린 시간(초)

실험에 소요되는 총 시간 = 300초+(20구획×40초)+(19휴식×30초)+300초
= 1,970초 혹은 32분 50초

늦게 도착하고 자리에 앉고 하는 시간 등을 포함하여, 이 실험은 40에서 45분 정도 걸릴 것이라고 계획해야 한다.

그림 11-1 실험의 한 회기를 실시하는 데 걸리는 시간을 알아보기 위해 필요한 계산의 예

실험과 관련된 다른 과제를 하는 데 걸리는 시간도 포함시켜야 한다는 것을 기억해야 한다. 실험 시작 전 참가자들은 주어진 지시문에 대해 질문을 할 수 있다. 학습효과가 발생될 가능성이 있거나 상대적으로 안정된 수행이 요구될 때는

연습 시행이 필요하다. 길고 지루한 실험 동안 피로의 효과를 제거하기 위해 휴식이 필요할 때도 있다. 특히 학생들이 수업의 요구조건으로 실험에 참가했고 실험에 관해 알고자 할 것이라고 생각한다면 실험의 끝에 실험에 관해 설명하는 시간을 포함시켜 놓아야 한다. 마지막으로 참가자들이 종종 늦게 도착하는 경우가 있으므로 여분의 시간을 남겨 놓는 것이 필요하다. 이 시간을 고려하지 않으면 이후의 실험이 점점 늦어질 것이다. 그림 11-1은 실험 한 회기가 얼마나 걸릴지를 결정하는 데 필요한 단계를 나타내고 있다.

이제 이 실험에 참가하는 모든 참가자의 실험 시간이 얼마나 걸릴 지를 결정해야 한다. 여기서도 계획되지 않은 여분의 시간을 정해 놓아야 한다. 이는 참가자들이 오지 않거나 어떤 기준에 적합하지 않아 특정 참가자의 자료를 제거해야 되거나 혹은 장비가 오동작해서 버려야 하는 자료를 대체시키기 위해 다른 피험자를 실험에 참가시켜야 하기 때문이다. 실험을 완료하는 데 걸리는 전체 시간에서 자료를 모으는 시간은 일부분에 불과하다. 자료를 분석하고 결과를 해석하며, 실험보고서의 초고를 작성하는 데도 시간이 필요하다. 이러한 작업들 각각을 하는 데 걸리는 시간은 대개 기대했던 것보다 많아진다.

참가 자격을 두어야 하나?

일반적으로 말해서 실험에 참가하는 사람들의 자격을 제한할 것인지 아닌지를 결정하는 것은 실험 결과를 어느 집단에 일반화 할 것인지에 따라 달라진다. 제한된 집단의 개인들을 대상으로 했을 때 일반화 가능성은 이미 줄어든다. 예를 들어 대학교 학생들을 사용했다면 특정 나이는 너무 많이 대표된 반면 어떤 나이는 너무 적게 대표되었다는 것을 고려해야 한다. 그 나라의 평균적인 집단과 비교해 보았을 때 평균적인 대학생의 집단은 보다 높은 IQ, 높은 사회 경제적 수준, 더 뛰어난 읽기 능력 그리고 건강에는 문제가 적은 집단이라는 것을 항상 고려해야 된다. 따라서 전체 집단에 일반화 시키는 것은 적절하지 않다.

그러나 실제적인 이유 때문에 이와 같은 일반화의 한계에도 불구하고 여러분은 어떤 사람들을 실험에서 배제하기를 바랄 수도 있다. 예를 들어 여러분이 읽기 능력, 단어 이해, 단어 기억과 같은 언어 능력을 연구하고 있다면 참가자들을 모국어가 영어인 사람으로 한정해야 할 것이다. 여러분이 시 지각을 연구하고 있다면 시력이 1.0 이상이고 색맹이 아닌 사람들을 사용해야 할 것이다. 스포츠심리학에서와 같이 여러분이 운동능력을 연구하고 있다면, 신체적 장애가 있는 사람은 배제해야 할 것이다. 어떤 경우에 있어서는 남자만 혹은 여자만을 대상으로 해야 할 때도 있을 것이고, 수행에서 성차를 알아보기 위해서는 같은 수의 남자와 여자를 사용해야 하는 경우도 있을 것이다. 이러한 것들은 여러분들이 고려하기를 바라는 가능한 제한들 중 단지 몇 가지 예일 뿐이다. 여러분의 실험에서 수행되는 과제에 따라 다른 제약들이 더 적절할 수 있으며 조심스럽게 고려되어야 할 것이다.

참가자를 제거하기 위해 사전 기준을 정해야 하나?

제4장에서 논의되었던 대로 자료를 수집하기 전에 수행의 기준을 정하기를 바랄 것이다. 예를 들어 나는 종종 내 실험에서 반응시간을 측정한다. 때론 참가자 중 한두 사람의 결과는 전체 참가자들의 그것과 비교가 안 될 정도인 때가 있다. 따라서 나는 평균 반응시간이 전체 참가자의 평균 반응시간보다 300ms 이상일 경우 분석에서 제외한다는 기준을 세운다. 이러한 기준은 제거된 참가자의 수와 함께 실험보고서의 결과 부분에서 보고되어야 한다. 제4장에서 언급된 대로 예상된 가설을 지지하는 데 실패한 자료들을 제거해서는 안 된다.

사전 기준을 설정하는 일반적인 목적은 다른 사람들과는 너무 분명히 구별되어 자료의 변산성을 높일 가능성이 있는 사람들을 제거하는 데 있다. 그 사람들은 동기적 요인, 개인적 요인 혹은 개인적인 한계 때문에 다른 사람들과 다를 것이다. 이와 같은 차이는 개인차나 이상 행동을 연구하는 심리학자에게는 관심거리일 것이 확실하다. 그러나 그들의 행동은 사람들의 평균적인 행동을 이해하는 데 관심이 있는 실험심리학자들에게는 큰 관심이 되지 않는다.

실험에 사용되는 모든 변인을 조작적으로 정의할 수 있는가?

제7장에서 나는 독립변인과 종속변인들이 조작적으로 정의되어야 하며, 실험을 반복할 수 있도록 필요한 조작들이 명시되어야 하는 것에 대해 논의하였다. 실험을 설계하는 초기 단계에서 조작적 정의를 결정해야 하지만 실험자들은 종종 그렇게 하지 못할 때가 있다.

독립변인은 실험자들의 주된 관심에 해당되는 변인이기 때문에 그것을 정확히 정의하는 데 매우 주의해야 한다. 내 수업을 듣는 학생들이 빈번히 제안하는 것과 유사한 실험[1)]을 여러분이 제안했다고 가정하자. 음악을 듣는 것이 학습에 미치는 효과를 검증하기를 원한다고 가정하자. 이러한 기본적 실험의 변종들은 락 음악과 고전음악의 효과, 시끄러운 음악과 조용한 음악의 효과를 알아보는 것들이다. 락과 고전음악의 효과를 비교해 본다고 가정하자. 락 음악이라는 것이 무엇인가? 헤비메탈, 펑크 락, 뉴 웨이브, 힙합, 록큰롤 중 과연 어떤 것인가? 고전 음악이란 어떤 것인가? 스트라우스의 왈츠, 드보르작의 '신세계 교향곡', 베토벤의 '소나타', 차이코프스키의 서곡 '1812년' 중 어떤 것을 선정할 것인가? 고전 음악을 사용한다 하더라도 조용한 현악 4중주에 의해서 연주되는 경우와 팀파니와 대포 소리를 포함한 시끄러운 서곡이 사용되는 경우의 실험 결과는 매우 다를 것이다.

시끄러운 음악과 부드러운 음악을 비교하는 경우에도 얼마나 시끄러운 것을 시끄러운 것으로 정할 지가 확실치 않다. 소리가 시끄러워질 때까지 소리를 높인다 혹은 내가 가진 스테레오의 볼륨 조절기를 8에 고정시켜 놓는다라고 하는 것은 적절한 대답이 아니다. 다른 실험자가 동일한 시끄러움을 만들기 위해서 어떠한 조작을 가해야 하는지를 알 수 없기 때문이다. 이상적으로 측정기를 통해 소리의 강도를 측정하여 소리-압력 수준의 평균을 데시벨 단위로 보고할 수 있다.

종속변인에 대해서도 역시 조작적 정의가 필요하다. 음악이 공부에 영향을 주는지를 알아보기 위해서 무엇을 측정해야 될 것인가? 여러 가지 가능성이 있다.

1) 이런 종류의 실험은 특정 약물 X(예를 들어 마리화나, 알코올 혹은 코카인)가 과제 Y(운전, 공부 혹은 기억)의 수행에 영향을 주는가를 검증해 보려는 실험과 유사하다. 실험을 제안해야 하는 과제가 주어졌고 여러분의 실험이 매우 독창적이라는 인상을 심어 주고 싶다면 이런 종류의 실험을 제안하지 않는 것이 좋다.

주어진 시간 내에 참가자들이 얼마나 많은 페이지를 읽을 수 있는지를 발견할 수 있다. 얼마나 많은 수학문제를 푸는지를 알아낼 수 있다. 자료를 주고 그것에 대한 퀴즈를 낼 수도 있다. 혹은 참가자들에게 특정 조건에서 공부하는 것이 얼마나 어려웠는지를 물어볼 수도 있다. 이러한 측정치 각각은 장점과 단점을 가지며, 종속 측정치가 정의되지 않는다면 그 실험 제안은 완결된 것이 아니므로 종속변인들은 조작적으로 정의되어야 한다.

필요한 장비나 자료들을 잘 배치했는가?

많은 실험들에는 장비가 필요하며, 대부분의 실험들에서는 어떤 형태라도 몇몇 자료들이 준비되어야 한다. 다행스럽게도 자극을 정확한 시간 동안 제시하고 반응을 기록하고 저장하는 데 컴퓨터가 사용될 수 있다. 이러한 장비들을 어떻게 사용하는지 알고 있거나 혹은 그러한 사람을 알고 있다면 최소한의 준비만으로 많은 실험을 할 수 있다. 그러나 컴퓨터가 없거나 컴퓨터를 사용하는 것이 큰 이득이 없을 때에는 필요한 장비나 자료들을 직접 만들거나 혹은 구할 수 있는 장비들을 사용하여 옛날 방식대로 실험을 해야 할 것이다.

준비해야 하는 자료들 중에는 지시문, 자료를 기록할 반응지, 실험에 대한 설명에 필요한 자료들이 포함될 수 있다. 사전에 지시문을 작성해 놓아야 한다. 그 후 실험보고서의 부록에 그것들을 포함시켜야 한다. 어떤 경우에도 여러분의 실험을 반복하고자 하는 누군가가 요구한다면 그러한 자료들을 당연히 제공할 수 있어야 한다.

참가자에게 지시문을 주고 그들이 정확히 읽을 것이라고 기대하는 것은 일반적으로 좋은 생각은 아니다. 특히 참가자가 빨리 실험을 끝내기를 실험자가 기다리면서 주위를 배회하고 있을 때 어떤 참가자들은 지시문을 찬찬히 읽지를 못한다. 실험자들은 종종 인쇄된 지시문을 주고 큰 소리로 천천히 그것을 읽어내려 간다(실험자는 여러 번 읽었겠지만 참가자는 이때 지시문을 처음으로 듣게 된다). 지시문의 마지막 문장은 대개 '질문 있습니까?'로 끝난다. 학습이 큰 문제가 되지 않는 실험에서도 참가자가 몇 번의 연습 시행을 하도록 하여 실험이 시작되면 어떤 일들이 일어날 것인지를 알게 하는 것은 매우 유용하다. 지시문의 끝에 연습 시행에 관련된 내용이 포함될 수 있다.

실험이 개별 반응을 기록하는 것이라면(예를 들어 질문지와는 달리) 이러한 반응들을 기록할 수 있는 반응지를 준비해야 할 것이다. 독립변인의 다른 수준에 해당하는 시행들이 실시된다면 반응지에 독립변인의 수준에 관련된 정보도 포함되어야 한다. 특히 시행이 무선적으로 제시되는 경우 난수표나 다른 난수 발생 장비를 이용하여 실험에 앞서 무선화 된 순서를 결정해야 한다. 실험이 진행되는 도중에 무선화 시키려 한다면 실제적으로는 무선화 되지 않을 것이다(제2장을 볼 것).

마지막으로 실험이 끝난 후 연구의 목적에 대해 참가자에게 말해 줄 수 있도록 실험에 관련된 설명할 내용을 작성해 놓아야 한다. 참가자가 교과목의 요구 조건으로 실험에 참가한 경우, 실험에 대한 설명은 대개 필요하다. 그렇지 않은 경우라도 실험에 대해 설명을 하려고 마음먹어야 한다. 실험에 대해 설명을 해 줌으로써 사람들은 자신이 경험했던 것에 대해 잘못된 생각을 갖지 않고 보다 편안한 마음으로 실험 장소로부터 나갈 것이다. 그리고 실험 참가를 통해 관찰자들은 심리학에 대해 무언가 배울 수 있고, 실험자가 시간을 들여 연구의 목표에 대해 설명을 해 주었고 참가한 것에 대해 감사함을 표했기 때문에 자신들의 실험 참가에 대해 유쾌한 마음을 가질 것이다.

자료를 어떻게 분석하는지 알고 있는가?

제12장은 기술 통계치와 추론통계치를 이용하여 실험 결과를 분석하는 법을 다루며, 부록 A는 일반적으로 사용되는 통계적 검증에 대한 지침을 제공할 것이다. 실험이 상대적으로 간단하고 소규모라면 이것만으로도 자료를 어떻게 분석할 것인

지를 결정하는 데 충분할 것이다. 실험이 보다 복잡하다면 결과를 분석하기 위한 적절한 방법을 택하기 위해서 선생님이나 통계학 책 혹은 통계 상담자에게 도움을 청할 필요가 있다. 어떤 방법을 최선의 방법으로 선택하든지 간에 실험 전에 어떻게 자료를 분석할 것인지를 반드시 결정해야 한다. 통계 상담자들은 실험이 끝난 후 자기들을 찾아오는 사람들의 자료가 분석이 불가능한 아무 쓸모가 없는 것임을 발견하곤 한다는 끔찍한 얘기들을 들려준다. 이러한 얘기의 주인공이 되지 말기를 바란다. 실험에 앞서 여러분의 자료가 어떤 형태가 되어야 할지, 자료들이 어떻게 분석되어야 할지를 반드시 알아야 한다.

실험의 결과들을 어떻게 해석할 것인가?

실험을 하기로 결정했다면, 어떤 결과가 나올 것인지에 대해 몇 가지 생각이 있을 것이다. 독립변인의 조작에 의한 효과가 없을 것이라는 영가설, 즉 통계학의 가정과는 달리, 여러분은 독립변인의 차이에 의해서 종속변인에서 효과가 발생할 것이라고 기대할 것이다. 과학자들은 특정 결과가 나올 것이라고 예측하는 편향된 사람이 아니라 객관적인 관찰자가 되는 게 좋다.

사실 과학에서 가장 흥미로운 점은 실험의 결과를 예측하는 것이다. 결과를 잘 예측할 수 있는 것은 훌륭한 과학자가 되는 데 필요한 기술들 중의 하나이다.[2] 그러나 예측을 하는 것이 객관성을 잃고 편향된 실험을 하게 할 수도 있기 때문에 이러한 예측에 사로잡히는 것에 주의해야 한다.

결과가 어떻게 나오든 간에 그 결과를 해석할 준비가 되어 있어야 한다. 실험설계에 의해서 어떤 실험들은 특정 결과가 나오면 실패한 것으로 고려된다. 과학자들은 종종 영가설을 지지하는 이러한 결과들을 부적 결과라고 부른다. 예를 들어 락과 고전 음악이 학생들의 공부하는 것에 효과가 있는지를 알아보기 위한 실험을 한 후, 락을 들은 집단과 고전 음악을 들은 집단들의 수행에서 통계적으로 유의한 결과를 얻지 못했다고 가정하자. 제12장에서 논의되는 것처럼 통계적 검증

2) 영어과 교수는 아마도 이 문장을 역설적(멍청한 것이라고 생각되지 않기를 바란다)이라고 부를 것이다.

은 동일한지를 검증하는 것이 아니라 차이가 있는지를 검증하는 것이므로, 두 집단의 수행은 동일했다고 말할 수는 없고 단지 두 집단에서 차이를 발견하지 못했다고 말할 수 있다. 락 음악이 공부에 미치는 효과가 고전 음악이 공부에 미치는 효과와 차이가 없다는 것을 알아보는 것은 재미있는 것일 수 있지만, 차이를 발견하지 못한 것은 실제 차이가 없었기 때문이 아니라 다른 여러 요인들 때문에 차이를 발견하지 못한 것일 수 있다. 예를 들어 너무 적은 수의 참가자를 사용했거나 적절한 통제를 하지 않아 자료의 변산성이 너무 컸거나 하는 등등의 요인에 의해 영향 받았을 가능성이 있다. 유사한 실험 조건을 사용한 여러 다른 실험들에서 통계적으로 유의한 효과가 나타났다면 부적 결과라도 의미가 있는 결과일 수 있다. 그러나 일반적으로 부적 결과는 흥미로운 것이 아니다. 실험 결과가 부적이든 정적이든 간에 예기치 않게 나왔다면 그 결과를 받아들이고 설명하려고 해야 한다. 이런 결과들이 실험설계나 방법론상의 문제 때문에 발생했다고 생각하고 그것들을 버리려는 것을 흔히 볼 수 있다. 그러나 실험이 시작될 때 가설에 대한 여러분의 믿음이 얼마나 강력한 것인가에 상관없이 실험이 일단 끝나고 나면 그 결과가 어떻든지 간에 그것을 받아들이고 설명해야 한다.

실험의 결과를 해석할 수 있는지를 알아보는 한 가지 방법은 여러 가능한 결과들을 고려하고 그 결과들 각각을 예측할 수 있는지를 알아보는 것이다. 제3장에서 논의된 대로 이론은 결과를 예측할 수 있게 해 준다. 이론이란 추상화 된 변인들—실험이론일 경우 독립변인과 종속변인들—간의 가능한 관계에 대한 진술이다. 이론은 특정한 실험에 대한 구체적인 진술이라기보다는 일반적인 진술이다. 따라서 여러분들의 실험이 특정 이론이 설명하려고 하는 맥락에 맞는지, 즉 이론에 의해서 예측될 수 있는 결과를 여러분의 실험에서 예측하고 있는지를 결정해야 된다. 예측을 달리하는 두 개 혹은 그 이상의 이론이 있다면 더 좋은 상황이다. 이 이론들 중의 하나는 정적 결과를 지지하고 두 번째 것은 부적 결과를 지지한다고 해도 앞 단락에서 논의한 이유 때문에 정적 결과가 나왔을 때 해석하기가 여전히 더 쉽다. 가장 최선의 상황은 두 이론들 각각은 정적인 결과를 예측하지만 그 방향만 다를 때이다. 이 경우 어떤 결과가 나와도 명확히 해석될 수 있다.

예측을 하고 예측을 지지 받을 수 있도록 하는 두 번째 방법은 기존 연구들을 살펴보는 것이다. 한 측면에서는 여러분의 실험과 유사하지만 다른 측면에서는 여러분의 실험과 다른 실험을 누군가 이미 했을 수 있다. 이 경우 이것과 유사한 결과를 얻을 것이라는 것을 예측할 수 있다. 유사한 결과를 얻었다면 그 결과가 반복적으로 검증되었고 약간 다른 여러분의 실험 상황에도 일반화 될 수 있다는 것을 보여 줄 수 있다. 그리고 보다 일반적인 이론적 진술을 할 수 있다. 이전 연구의 결과와는 다른 결과를 얻었다면 이전 이론의 제한점을 발견한 것이며 이것 역시 무언가를 발견한 것이다.

세 번째로 사전 연구나 이론이 없는 경우 논리적 주장을 통해 예측을 할 수 있다. 예를 들어 크고 예측할 수 없는 음악은 학생들의 주의를 뺏기 때문에 공부하는 데 방해가 된다는 것을 논리적으로 주장할 수 있다. 추론 과정을 통해 위의 효과와는 다른 효과가 발생할 것을 예측할 수도 있다. 예를 들어 음악은 시끄럽고 예기치 못한 소음을 차단해 주기 때문에 공부하는 데 도움을 줄 것이라고 예측하거나 혹은 음악에 친숙해질수록 방해의 효과가 감소할 것이라고 예측할 수 있다. 이러한 예측들은 처음에는 논리에 근거한 것이지만 실험 결과에 의해 지지받는다면 이론적인 지위를 얻을 수 있다.

실험의 가능한 결과들을 예측할 수 있기를 원하는 이유는 기본적으로 실험이 끝났을 때 어떤 중요한 점들을 과학에 기여할 수 있는지에 대해 사전에 알 수 있기 때문이다. 실험의 결과들이 어떤 중요한 것들을 지지하는 것이라고 주장하지 못한다면 어떤 유용한 것도 과학에 추가하지 못한다. 예를 들어 실험 결과가 제안된 모든 이론에 의해 예측될 수 있거나 대안적인 이론들을 제거할 수 없다면 여러분이 수행한 작업이 지식 체계에 기여한 바가 전혀 없게 된다. 제3장에서 논의한 대로 과학의 진보는 이론들을 확정함에 의해서가 아니라 이론들을 반박함에 의해서 이루어지는데, 실험 결과는 어떠한 이론도 반박하지 못하는 것이다. 요점은 특정 결과가 과학의 진보에 중요하다고 믿는다면 실험을 하기 전에 이 믿음에 대해 방어를 할 수 있어야 한다는 것이다. 그렇지 않다면 진보라고는 없다.

이제 모든 준비가 다 되었는가?

여기서 제기된 모든 문제들에 대해 대답을 할 수 있다면, 이제 실험을 할 준비가 다 되었을 것이다. 마지막으로 이 시점에서 실험보고서에서 결과 부분을 제외한 나머지 부분을 모두 작성할 수 있는지에 대해 스스로에게 물어볼 수 있다. 실제로 자료를 모으기 전에 이 작업을 함으로써 많은 시간을 절약할 수 있다. 실험심리학을 전공하는 대학원생은 논문을 작성하기 전에 공식적인 연구 제안서를 작성해서 제출해야 한다. 이 제안서의 결과 부분에는 실제 결과는 아니지만 예측할 수 있는 여러 결과가 포함되어 있어 통계 분석 자료가 없다는 것을 제외하고는 기본적으로 최종 보고서와 마찬가지이다. 연구 제안서를 작성하는 것의 장점은 논문의 대부분이 이미 작성되어 있다는 점이다. 대학원에서는 논문 심사를 맡은 교수들이 실험이 시작되기 전에 실험설계에 큰 문제점이 없는지를 지적해 줌으로써 학생들에게 도움을 준다. 여러분들에게는 실험보고서의 대부분을 작성해 놓는 것의 장점은 그 과정을 통해 이 장에서 제기된 질문들에 대해서 대답을 해야 한다는 데 있다. 실험의 아주 세세한 부분까지를 완전히 결정하지 못했다면 실험의 자세한 절차 부분을 모두 기술하기는 어렵다. 문헌조사를 하기 전까지는 연구의 이론적 배경을 작성할 수는 없다. 기존의 이론이나 사전 연구의 결과를 알지 못한다면 자신의 결과를 예측할 수 없다. 연구 제안서를 작성하는 것은 여러분이 제안한 실험에 대해 이 모든 문제들을 고려했는지를 확신할 수 있는 좋은 방법이다.

이제 여러분 자신의 자료를 수집하는 흥미진진한 실험을 할 준비가 되었다. 실험을 계획하는 것은 흥미로울 수 있고 좋은 지적 훈련이 될 수 있다. 문헌을 조사하는 데는 훈련이 필요하며 흥미로운 것일 수 있다. 적절한 통계 검증을 발견하는 것은 스릴 있는 과정일 수 있다. 솔직히 말하면 나는 통계적 검증이 실험의 일부분이기 때문에 실시한다. 자료를 수집하고 자신의 이론이나 예측을 검증하는 창조적인 작업을 위해서는 실험을 준비하는 과정에서 흥미롭지 못하다고 생각되는 여러 단계들을 열심히 준비할 만하다. 나는 지식 체계에 지속적이고 사라지지 않을 것 같은 기여를 함으로써 과학을 진보시키는 데서 만족감을 얻는다. 나에게 있어서는—여러분도 동일하기를 바란다—과학자가 된 것의 가장 흥미로운 점은 누구도 보지 못한 자료를 처음으로 보게 되는 발견의 기쁨이다. 그리고 바로 이것이 이 모든 일들에 노력을 투자할 만하게 한다.

요약

실험을 하기 전에 실제적인 측면에서 고려해야 할 세세한 것들이 많이 있다. 이러한 세세한 것들을 모두 고려했는지를 알아볼 수 있는 좋은 방법은 여러분의 생각을 발표하거나 혹은 연구 제안서를 작성하여 다른 사람에게 보여 주는 것이다. 또한 자신의 연구가 윤리적인 문제가 없는지, 실험이 위원회로부터 허락을 받았는지를 고려해야 된다. 필요한 참가자의 수를 결정하는 데 있어서 자신의 연구와 유사한 논문들을 발견해서, 그 연구에서 사용한 참가자 수와 비슷한 수로 결정하면 된다. 그리고 개인실험을 해야 할지, 집단실험을 해야 할지를 결정해야 한다. 실험시간이 얼마나 걸릴지를 알아보기 위해서 각 시행에 걸리는 시간을 알아야 하고, 다른 것에 소비되는 시간을 알아야 하고, 각 조건에 참여하는 참가자의 수를 알아야 한다. 참가자의 자격 조건을 둘 것인지를 결정하기 위해서는 실험 자료를 어떤 집단에 일반화 시킬 것인지에 대해서 생각해 보아야 한다. 실험 자료에 잘못된 자료가 포함되는 것을 방지하기 위해서는 실험 자료에서 제거해야 될 자료에 대한 기준을 세워 놓아야 한다. 적절한 조작적 정의를 내리기 위해서는 독립변인의 조작이나 종속변인의 측정에서 필요한 절차들을 정확히 규정해야 한다.

필요한 장비나 자료를 배치하는 일에는 지시문, 반응지 그리고 실험에 대한 설명에 필요한 내용을 준비하는 것이 포함된다. 마지막으로 자료를 어떻게 통계분석하고 결과를 어떻게 해석할 것인지를 알고 있어야 한다. 이러한 해석은 기존의 연구나 이미 보고된 발견들이나 논리적 논거들에 의해서 지지 받을 수 있다. 실험을 시작하기 전에 이 모든 것들을 했다면 실험을 완료하고 보고서를 작성하는 것이 큰 문제없이 잘 될 것이다.

12

실험 결과를 해석하는 법

포장만 그럴듯한 통계치라도 히틀러의 "엄청난 거짓말"보다는 더 낫다. 통계는 여러분을 오도할 수 있지만 구속하지는 않는다.

— D. Huff (1954)

거짓말에는 세 가지가 있다. 거짓말, 빌어먹을 거짓말 그리고 통계이다.

— Benjamin Disraeli

가설 검증 절차에 의해서 만들어진 이분법적인 결론에 너무 의존함으로써 우리도 모르는 사이에 우리의 연구들을 막다른 골목으로 몰아가는데, 이는 우리의 잠재력을 꺾고 비전을 방해할 수 있다.

— G. R. Loftus (1993)

통계는 빈번히 잘못 사용되고 있음에도 불구하고, 불확실한 상황에서 결정을 내리는 데 아주 세련되고 강력한 도구가 될 수 있다.

— Roger E. Kirk (1990)

이제 자료 수집을 할 준비가 다 되었다. 반응을 손으로 기록하려 한다면 각 참가자에 대한 반응 용지를 준비해야 한다. 이 용지에는 참가자의 번호, 성별, 제시될 조건 그리고 참가자에게 해야 할 말이나 특정한 실험 회기에서 필요한 말들이 포함되어 있어야 한다. 체계적으로 반응을 기록할 수 있는 용지 역시 필요하다. 이러한 자료들을 이용하여 독립변인들과 그 변인들의 수준들에 따라 배열된 자료 세트가 만들어진다. 요즘 행해지는 대부분의 실험들처럼 컴퓨터에서 실험을 한다면 원자료가 재배열되도록 컴퓨터 프로그래밍을 해야 한다. 손으로 자료를 수집한다면 스스로 자료들을 배열해야 되며 컴퓨터를 이용하여 통계 분석을 한다면 이 자료 세트를 컴퓨터에 입력해야 한다. 이제 한 세트의 숫자들을 갖고 있지만 독립변인이 종속변인에 어떤 효과를 미쳤는지를 알아보기까지는 아직도 먼 길이 남아 있다. 이 질문에 대답하기 위해 자료 분석을 위한 몇 가지 접근법과 그것의 사용법에 관해 알아두어야 한다.

이 장을 통해 자료 분석의 기초가 되는 논리를 이해할 수 있을 것이다. 이 장은 실험을 분석하는 데 필요한 통계 분석을 하는 데 도움을 주려는 것이 아니다. 만일 그러한 계산이 필요하다면 이 장을 먼저 읽은 뒤 부록 A에 있는 적절한 통계적 연산을 참조하라. 그 부록은 통계 교과서를 대신할 수 있는 것이 아니라, 선생님의 도움을 받아가며 이 책에서 논의된 대부분의 단순한 실험설계를 분석할 수 있도록 하기 위한 것이다.

빈도 분포의 도표화

심리학 전공자와 경제학 전공자들 간에 불안수준의 차이가 있는지에 관심을 가지고 있다고 가정하자. 여러분 대학에 있는 학생들의 명단을 찾아 두 전공자들을 무선적으로 열 명씩 선정하고 이 학생들에게 개개인의 전반적인 불안수준을 측정할 수 있는 검사를 받도록 했다. 두 집단의 검사 점수가 여러분의 원 자료가 된다.[1)]

표 12-1은 0부터 100 사이의 가상적인 점수들을 보여 준다. 점수가 클수록

표 12-1 열 명의 경제학 전공자와 심리학 전공자의 가상적인 불안 점수

경제학 전공자		심리학 전공자	
번호	점수	번호	점수
1	62	11	55
2	56	12	42
3	67	13	61
4	91	14	58
5	53	15	70
6	87	16	47
7	51	17	62
8	63	18	36
9	46	19	74
10	71	20	51

참가자는 더 높은 불안수준을 가짐을 나타낸다. 두 집단에 차이가 존재하는가? 이 예에서 개개인의 점수를 본다고 해도 노래에서 개별적인 음들을 듣고 그 전체 곡조를 알 수 없는 것과 같이 전체 자료에 대해서 알기는 힘들다. 원 점수를 다시 배열하여 그것들을 좀 더 쉽게 해석할 수 있도록 해야 한다. 이 자료로 **빈도분포**(frequency distribution)를 그릴 수 있는데, 이것은 자료에서 각 점수들이 얼마나 자주 발생했는지를 도표로 그린 것이다. 이 자료에서는 각 점수들이 한 번만 발생되었다는 것을 알 수 있을 것이다. 따라서 그 분포를 의미 있게 만들기 위해서는 유목을 만들어 그 안에서 점수들이 몇 번 발생했는지를 살펴볼 필요가 있다. 각 유목 내에 여러 개의 점수들이 포함되어 있기를 바라므로 각 유목이 10개의 점수를 가질 수 있도록 만들었다(예를 들어 10~19점). 그림 12-1은 두 집단 각각의 빈도 분포를 나타내고 있다. "빈도"라고 명명된 세로축은 각 유목에 해당되는 원 자료 점수의 개수이다.

1) 이 예가 실제 실험이 아니라 상관적 관찰법이라는 것을 알았을 것이다. 왜냐하면 두 행동, 즉 전공을 선택하는 행동과 검사에 제시된 질문에 대답하는 행동을 비교하고 있기 때문이다. 이 연구에서 독립변인은 조작되지 않았다.

빈도 분포를 그리는 것은 조건들 간에 차이가 있는지를 알아보는 첫 단계에서 유용하다. 때때로 실험의 효과는 그 분포를 눈으로 보기만 해도 차이가 있다는 확신을 가질 수 있을 만큼 강력하다. 그러나 이 예에서 분포들은 매우 비슷해 보인다.

전체 분포를 보여 주지 않고서도 연구자들 간에 의사소통이 가능하도록 통계학자들은 서로 다른 유형의 분포들에 이름을 붙였다. 우리는 그림 12-2의 왼쪽 상단에 보여진 **정상 분포**(normal distribution)의 특성에 관해 이미 이야기했다. 정상 분포가 되기 위해서 분포는 복잡한 수학 공식에 부합되어야 한다. 그러나 여기에서 우리는 단지 분포가 그림에서 보여 준 종 모양으로 보이면 그 분포가 정상 분포에 접근한다고 말할 수 있다. 여러분 자료의 분포들이 정상 분포와 유사한가를 아는 것은 중요하다. 왜냐하면 여러분이 사용하고자 하는 통계적 검증들은 자료가 정상 분포에 접근할 것을 요구하고 있기 때문이다.

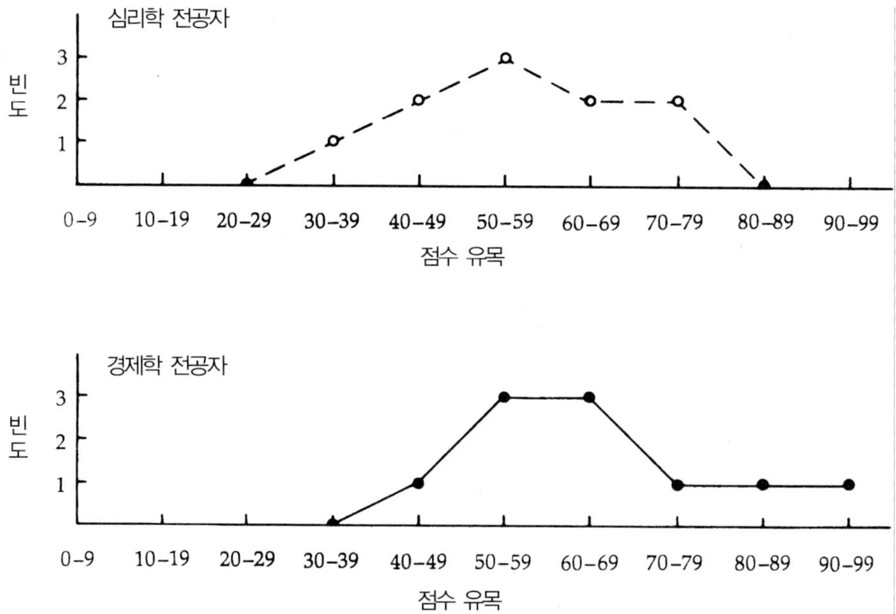

그림 12-1 표 12-1에 나열된 심리학 전공자와 경제학 전공자의 가상적인 불안 점수의 빈도 분포

몇몇 다른 유형의 분포들이 그림 12-2에 예시되어 있다. 빈도수가 가장 많은 유목이 두 개인 분포는 **양봉 분포**(bimodal distribution)이다. 남녀의 수가 동일한 집단의 키 분포는 양봉 분포이다. 양끝 중 하나가 더 많은 점수를 가짐으로써 분

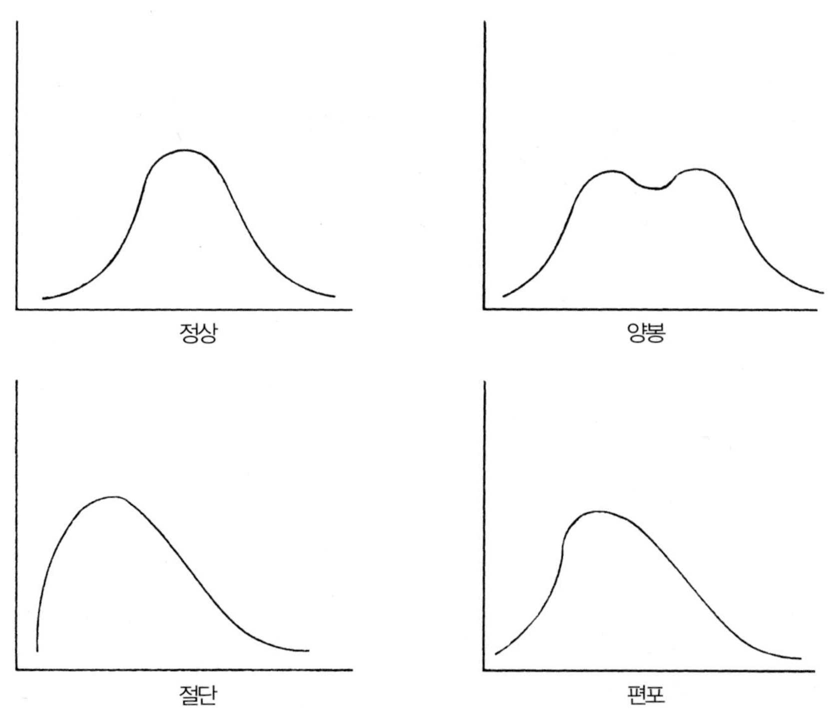

그림 12-2 네 유형의 빈도 분포

절단된 분포

포가 비대칭적이면 그 분포는 **편향**(skewed)되어 있다고 부른다. 박사들의 지능지수는 대체로 낮은 점수가 거의 없으므로 편향되어 있을 것이다. 그러나 만일 분포의 한쪽 끝이 완전히 잘려 나간 것처럼 보인다면, 그것은 **절단**(truncated)되었다고 말한다. 반응시간의 도표는 개인이 반응할 수 있는 속도 한계가 있기 때문에 절단된 분포를 보인다.[2)]

빈도 분포를 도표로 작성하는 것은 단순히 원자료의 형태로 나열하는 것에 비해 보다 정돈된 방식으로 기술할 수 있게 해 주지만, 실험 결과를 간결하게 나타낼 수 있는 방법은 아니다. 각 집단 참가자의 수행 결과를 하나의 숫자로 표현하면 좋을 것이다. 우리는 자료를 이러한 방식으로 기술해 주는, 기술 통계치를 계산하는 방법을 알 필요가 있다.

분포를 기술하기 위한 통계

심리학자들은 기본적으로 두 가지 종류의 통계를 사용한다. 기술통계와 추론통계가 그것이다. **기술통계**(descriptive statistics)는 실험자가 자료의 모든 점수를 보고하지 않고도 자료의 특성들을 기술할 수 있게 해 주는 한 수치이다. 추론통계는 이 장의 뒷부분에서 논의될 것이다.

집중경향

자료로부터 각 조건 참가자들의 전형적인 행동이 무엇인가를 아는 것은 중요하다. 심리학자들은 이와 같은 통계치를 **집중경향**(central tendency)의 지표라고 부른다. 우리의 예에서 두 집단을 비교할 수 있는 한 가지 방법은 심리학 전공자와 경제학

2) 천장효과와 바닥효과를 기억하는가? 이 효과들은 보통 절단분포를 야기한다.

아이스크림을 얹은 파이

전공자들의 집중경향치를 계산하는 것이다.

집중경향을 나타내는 세 가지 방법이 있다. **최빈치**(mode)는 가장 쉬운 계산법이지만 수많은 자료들을 무시하기 때문에 일반적으로 사용하기에 가장 나쁘다. 최빈치는 단순히 가장 빈번하게 발생하는 점수이다. 자료들을 유목에 따라 분류하고 나면 최빈치가 나타날 것이다. 심리학 전공자의 최빈치는 빈도가 3인 50-59 유목이다. 비록 이 유목이 이 분포의 집중경향을 꽤 잘 반영하고 있는 것처럼 보이지만, 단지 한 점수만 제거되어도 최빈치는 급격하게 변하게 된다. 예를 들어 14번 학생의 점수가 58이 아니라 71이었다고 가정하자. 최빈치 유목은 빈도가 3인 70-79점 유목이 될 것이다. 이 유목이 분포의 집중경향을 잘 나타낸다고 생각하는가?

최빈치는 전형적인 행동을 기술하기 위하여 자료의 단일 특성, 즉 어떤 점수가 가장 빈번하게 발생했는지만을 사용하기 때문에 문제가 있다. 그래서 최빈치를 사용한다면 각 숫자의 순서와 크기와 같은 수많은 정보를 버리게 된다. 작은 표본들에서 자료를 기술하기 위해서 최빈치를 사용하는 것은 위험하다.

중앙치(median)는 문자 그대로 중간 점수이다. 그 점수의 윗쪽과 아랫쪽에 있는 점수들의 수는 같다. 중앙치를 계산하기 위해서 모든 점수들을 순서대로 나열하고 중간의 점수를 선택하면 된다. 만일 우리가 짝수 개의 점수를 가지고 있다면 중앙치는 두 개의 중간 점수들의 중앙에 오게 된다. 예를 들어 경제학 전공자 점수를 배열할 때 우리는 다섯 번째 점수는 62이고 여섯 번째는 63이라는 것을 발견하였다. 그렇다면 중앙치는 62.5이다. 심리학 전공자 집단의 중앙치는 56.5이다. 중앙치는 점수들 간에 얼마나 차이가 있는지는 반영하지 않는다. 왜냐하면 그것은 각 점수들의 서열만을 기준으로 만들어졌기 때문이다. 따라서 목록 내의 중간에 있는 점수의 위치가 변하지 않는 한, 중앙치를 변화시키지 않고서도 분포 내의 어떤 점수라도 변화시킬 수 있다. 결국 우리가 자료를 중앙치로 기술할 때 약간의 정보를 잃을 수 있다.

평균치(mean)는 점수에 대해 가중치를 둔 평균이다. 즉, 그것은 모든 개별

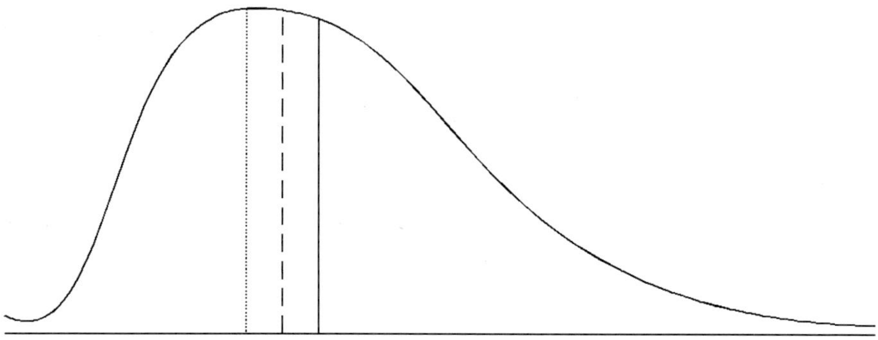

그림 12-3 편포에서의 최빈치, 중앙치 그리고 평균치의 위치

점수들의 합을 점수들의 개수로 나눈 것이다. 예를 들어 경제학 전공자 집단의 평균치를 얻기 위해서 우리는 열 개의 점수를 더하여 합계 647을 산출했고 10으로 나누어 평균치로 64.7이라는 결과를 얻었다. 심리학 전공자 집단의 평균은 55.6이다. 평균치는 분포의 무게 중심점이다. 이처럼 평균치는 점수의 크기에 의해 영향 받는 평균이므로, 그것은 분포에 있는 어떤 점수이든 그 점수가 변할 때마다 함께 변한다.

중앙 집중치 중 어떤 수치가 분포를 가장 잘 기술하는가? 모든 흥미로운 질문과 마찬가지로 그 대답은 "상황에 따라 다르다."이다. 첫째로, 그것은 분포의 모양에 달려 있다. 만일 분포가 정상분포이거나 이와 다른 단봉(unimodal)의 대칭적 분포라면, 세 수치가 모두가 똑같다. 그러나 분포가 보다 편향되어 감에 따라 그 세 수치들은 점점 서로 떨어지게 된다. 그림 12-3은 평균치가 분포의 오른쪽 끝에 있는 극단적 점수의 크기에 의해 가장 많이 영향 받는다는 것을 보여 준다. 중앙치는 오른쪽에 더 많은 점수들이 있다는 이유만으로 영향 받는다. 그러나 최빈치는 이 극단적 점수들에 의해 영향 받지 않는다.[3]

3) 어떤 측정치를 사용해야 할 것인가는 여러분이 사용하는 숫자의 특성에 따라 달라질 수 있다. 척도에 대한 논의를 살펴보기 위해서 부록 A를 보고, 어떤 중앙 집중치가 각 척도에 적절한지는 그림 A-1에 나타나 있다.

어떤 측정치를 사용할 것인가를 결정할 때 여러분의 판단에 의존해야 한다. 만일 대규모 집단에 있는 사람들의 수입을 도표로 그린다면 아마도 그림 12-3에 나타난 것과 비슷한 분포를 얻게 될 것이다. 이 경우에는 중앙치가 아마도 최선의 집중경향치가 될 것이다. 왜냐하면 중앙치는 평균치보다 특이한 월급을 받는 소수의 사람들에 의해서 영향을 덜 받기 때문이다. 여러분들은 매우 크거나 매우 작은 몇 개의 점수들이 평균치를 왜곡시킬 수 있는 훨씬 더 극단적인 예들을 생각해 낼 수도 있을 것이다. 평균을 기술하기 위해 측정치를 선택해야 할 때마다 단순히 분포의 모양을 검토해야 하며, 그 평균이 어떤 목적으로 사용될 것인지를 결정해야 하며, 그러고 나서 스스로의 판단에 따라야 한다.[4)]

분산

중앙 집중치는 분포에 관해 유용한 것들을 알려 주지만, 단지 특정한 한 측면만을 기술한다. 분포를 기술하는 데 필요한 두 번째 통계치는 분산(dispersion), 즉 점수들이 얼마나 흩어져 있는가에 대한 측정치이다.

분산을 나타내는 측정치 중 하나는 **범위**(range)인데, 그것은 최대 점수로부터 최소 점수를 빼서 구할 수 있다. 경제학 전공자 집단에 대한 예에서 범위는 91－46＝45이다. 심리학 전공자 집단에서 범위는 74－36＝38이다. 범위는 분산에 대한 지표가 될 수 있기는 하지만 그것이 최소 점수와 최대 점수들만으로 결정되기 때문에 그 사이에 있는 점수들에 대해서는 전혀 민감하지 않다. 하나의 극단적인 점수는 범위를 완전히 변화시킨다. 이런 이유 때문에 분산을 나타내는 다른 측정치가 더 유용하게 사용될 수 있다.

대안적인 측정치로서 우리는 각 점수로부터 평균치를 빼서 각 점수가 평균치

4) 나는 여러분이 제5장을 읽었고, 과학을 정당하게 다루려고 노력하고 있다는 것을 가정하고 있다. Huff(1954)의 『통계학을 이용하여 어떻게 거짓말을 할 수 있나?(How to lie with statistics)』와 Campbell(1974)의 『통계적 사고에서 결점과 오류들(Flaws and Fallacies in statistical thinking)』이라는 책들에서 평균과 같은 기술 통계치들이 어떻게 왜곡된 통계 수치가 되는지에 대한 많은 재미있는 예들이 제시되어 있다.

로부터 얼마나 편차가 있는지를 알아볼 수 있다. 이 편차들을 더한 후 그것을 편차들의 개수로 나누어서 편차의 평균을 얻을 수 있다. 그러나 편차들을 더하면 합계는 0이 되므로 이 방법은 별 도움을 주지 못한다. 편차들의 부호를 무시하고 그 절대값들을 더함으로써 편차들의 평균을 구할 수 있다. 그러나 이렇게 절대값을 더하는 것보다 각 편차를 제곱하고[5] (이것은 플러스나 마이너스 부호를 없애준다) 제곱한 값들을 더하고 나서 제곱한 값들의 개수로 나누어 주는 것이 분산을 잘 나타내는 것이라고 통계학자들은 생각한다. 이 계산을 통해 우리는 **변량**(variance)이라고 불리는 분산의 측정치를 가지게 된다. 더욱 유용한 측정치는 변량의 제곱근[6]에 해당하는 **표준편차**(standard deviation)이다. 이 수치들을 계산하는 공식이 부록 A에 제시되어 있다.

표준편차가 분산을 나타내는 유용한 측정치인 이유들 중 하나는 평균과 표준편차 사이에 놓여 있는 점수들의 비율에 대한 정보를 제공한다는 점이다. 정상 분포에 있는 점수들의 약 2/3는 평균에서 표준편차만큼 큰 점수와 평균에서 표준편차만큼 작은 점수 사이에 놓여 있다. 예를 들어 어느 대학에서 일학년과 사학년에게 작문 시험을 치르도록 한 후 일학년 학생들의 점수의 표준편차는 15이고 사학년 학생들의 점수의 표준편차는 5라는 것이 발견된다면, 일학년 학생들의 2/3의 점수들은 30점 차이 이내에 있으며 사학년 학생들의 2/3의 점수들은 10점 차이 이내에 있다는 것을 알 수 있다. 사학년 학생들의 평균 점수들이 증가한다는 결과와 더불어 표준편차에 대한 결과는 대학이 학생들을 훌륭한 작문가가 될 수 있도록 교육을 잘 했다는 가설을 지지하는 데 사용될 수 있다. 특정 학생이 훌륭한 작문가가 되었다는 것뿐만 아니라 전체 학생이 일관되게 작문에서 더 나아졌음을 보여 준다.

표준편차는 점수들의 분포를 나타내기 위해 평균치를 사용할 때 어느 정도의 오류가 발생될 수 있는지를 나타낼 수 있는 방법 중의 하나이다. 평균치는 개별 점수들에 대한 가장 좋은 추정치이다. 따라서 표준편차는 여러분의 추정치가 평균

5) 같은 숫자로 한번 곱하라.

6) 같은 숫자로 한번 곱했을 때 변량이 되는 수.

적으로 얼마나 좋은지를 나타낸다. 모든 점수들이 동일하다면 표준편차는 0이 될 것이며 이는 평균치에는 오차가 전혀 없음을 나타낸다. 점수들의 차이가 커질수록 표준편차는 증가하게 되고 이것은 평균점수로 점수를 나타낼 때 발생되는 오차도 증가함을 의미한다.[7)]

변인들 간 관계의 도표화

실험을 하는 이유는 독립변인과 종속변인 사이에 관계가 있는지를 밝혀내기 위한 것이다. 빈도분포를 도표화 하는 것은 자료 분석의 훌륭한 첫걸음이지만, 두 변인의 관계를 그래프로 그리는 것이 유용하다는 것을 알게 될 것이다. 그래프는 전혀 새로운 것이 아니다. 이전 장들에서도 종종 나왔던 것이다. 그러나 완벽하게 하기 위해서 그 기초 개념부터 살펴보자.

그래프 그리기

그래프는 두 개의 축을 가지고 있다. 수직축(y축)은 **세로좌표**(ordinate)라고 불리며 수평축(x축)은 **가로좌표**(abscissa)라고 불린다.[8)] 실험 결과를 도표로 작성할 때, 종속변인은 세로좌표에 그리고 독립변인은 가로좌표에 그린다. 어떤 상황에서는 독립변인의 수준을 숫자로 나타낼 수 없거나, 숫자로 나타낼 수 있는 경우에도 양적인 의미가 없을 때도 있다. 부록 A에서 이러한 수준들은 이름을 나타내는 것이기 때문에 명명척도라고 불린다는 것을 발견할 수 있을 것이다. 이러한 경우 일

7) 어떤 분산점수를 사용해야 할 것인가는 여러분이 사용하는 숫자의 특성에 따라 달라질 수 있다. 척도에 대한 논의를 살펴보기 위해서 부록 A를 보고, 각 척도에서 어떤 수치가 분산을 나타내기에 적절한지는 그림 A-1에 나타나 있다.

8) 어떤 용어가 어떤 축을 지칭하는지를 기억하기 위해서 각 단어의 첫 부분을 말할 때 여러분의 입모양을 관찰하는 것이 도움이 될 것이다. "ab……"를 말할 때는 입이 가로로, "or……"는 입이 세로로 늘어나게 된다. 나는 이런 식으로 그 용어들을 기억한다.

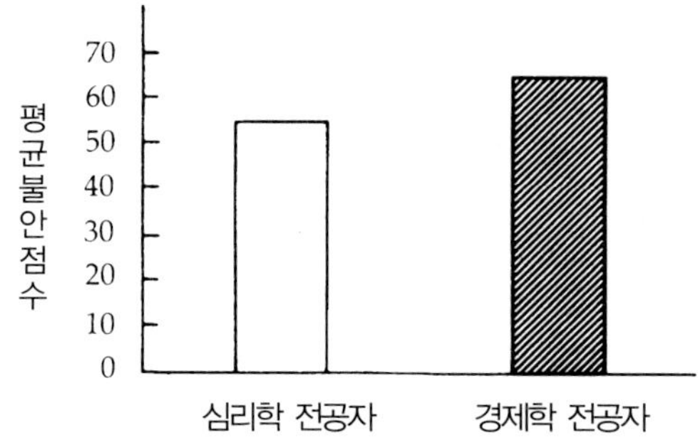

그림 12-4 표 12-1에 나타난 심리학 전공자와 경제학 전공자 집단의 평균 불 안점수를 나타내는 막대 그래프

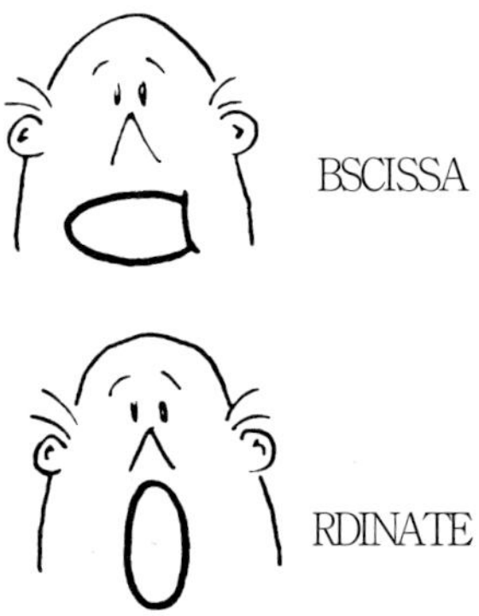

반적으로 **막대그래프**(bar graph)로 나타내는 것이 적절하다. 그림 12-4는 심리학 전공자와 경제학 전공자의 평균 불안 점수에 대한 막대그래프를 나타낸다.

만일 독립변인이 연속적이거나 부록 A에 나와 있는 용어로 최소한 등간척도이면 그 수준들의 순서를 매길 수 있다. 이 경우 그림 12-5에 나타난 것과 같은 **히스토그램**(histogram)을 그릴 수 있다. 히스토그램에서는 막대그래프의 막대들 사이에 있는 간격이 제거되어 있다. 그림 12-5는 환자들이 치료 받은 시간에 따른 그들의 자아상 평가점수를 나타내는 가상적인 자료이다. 치료 시간은 연속 변인인데, 이는 시간적 연속선상의 어떤 지점도 독립변인의 수준으로 선택될 수 있기 때문이다.

독립변인이 연속적일 때 자료를 표시하는 일반적인 방법은 **선 그래프**(line graph) 혹은 **함수**(function)를 사용하는 것이다. 그림 12-6은 그림 12-5에 그려진 것과 동일한 결과이지만 히스토그램이 아니라 선 그래프이다. 개별 자료점들을 표시한 후 이들 점들을 직선으로 연결한 것이다. 이러한 방식으로 자료를 표시하는 것이 자료의 경향성을 매우 효과적으로 강조할 수 있음에 주목하라. 이런 형태의 그래프를 이용하기 위해서는 자료가 연속적이어야 한다. 좋지 않은 예로서 그림의

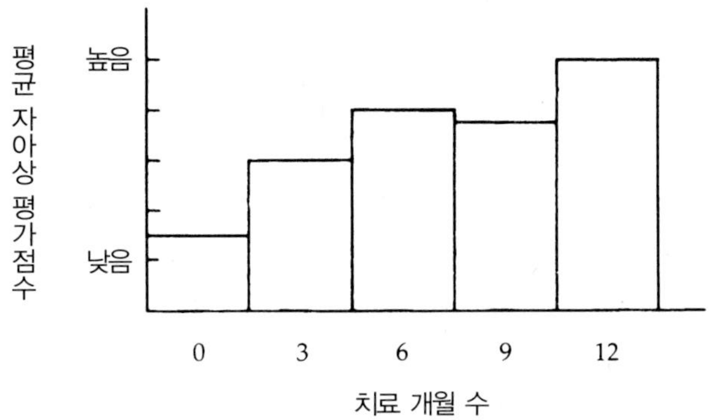

그림 12-5 치료에 소요된 개월 수에 따른 지각된 자아상에 관한 중다수준 실험 결과를 예시한 히스토그램(가상적 자료)

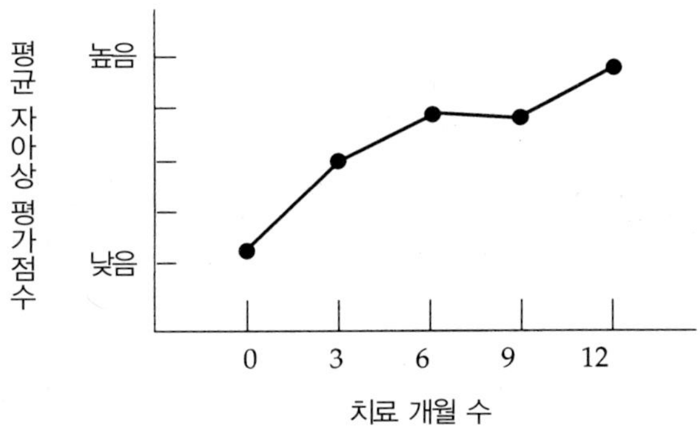

그림 12-6 그림 12-5와 동일한 자료로 그린 선 그래프

x축이 히스패닉, 아프리칸 아메리칸(흑인)과 같은 인종 유목을 표시하는 것이라고 가정하자. 이 유목들은 명백히 연속선상에 있지 않다. 그래서 유목을 열거하는 순서는 완전히 임의적인 것이다. 이와 같은 자료에서 경향성을 발견하려고 하는 것은 무의미하다.

선 그래프는 두 수준 실험의 결과보다는 함수적(중다수준) 실험의 결과를 제시하는 데 최고의 방법이다. 두 수준 실험에서의 문제는 변인들의 관계가 선형적인지에 대해 알지 못하면서 각 수준들 사이를 직선으로 표현하게 된다는 점이다.

독립변인의 수준이 둘 이상 사용된 함수적 실험에서는 각 점들을 직선으로 연결하는 것만으로도 함수의 형태가 어떤 것인지를 알 수 있다. 그러나 그래프에 그려진 함수를 해석하는 데 주의를 기울여야 한다. 함수의 모양은 독립변인의 수준이 동일한 가격을 갖고 있을 때에만 의미가 있다. 부록 A에서 이러한 수준들은 최소한 등간척도가 되어야 함을 알 수 있다. 왜냐하면 한 등급이 최소한 다른 등급과 동일하기 때문이다. 만약 수준들이 단지 서열척도(순서는 나타낼 수 있지만 그 간격이 같지 않을 때)로 표시된다면 일반적인 추세는 추론할 수 있지만 그 함수의 모양은 해석할 수 없다(실험보고서에서 그림을 그리는 방법에 대한 더 자세한 논의는 제13장을 보라).

함수의 기술

도표화 된 함수들의 여러 유형들이 그림 12-7에 예시되어 있다. 만일 독립변인을 한 단위 변화시키는 것이 항상 종속변인을 일정한 양만큼 주어진 방향으로 변화하도록 한다면 그 함수는 **직선적**(linear)이며, 그렇지 않은 것은 모두 **곡선적**(curvilinear)이다. 독립변인을 증가시킬 때 종속변인도 증가하는 함수는 **정적**(positive)이며, 반대로 독립변인이 증가할 때 종속변인이 감소하면 그 함수는 **부적**(negative)이다. 방향을 역전시키지 않는 함수, 즉 그 함수의 부분들이 전적으로 정적이거나 전적으로 부적인 함수는 **단조**(monotonic) 함수이며, 그렇지 않은 함수는 **비단조**(nonmonotonic) 함수라고 불린다. 독립변인이 증가함에 따라 종속변인의 변화 크기가 점차로 더욱 커져 가면 그 함수는 **정적으로 가속**(positively accelerated)되는 것이다. 만일 그 변화의 크기가 점차로 작아진다면 그것은 **부적으로 가속**(negatively accelerated)되는 것이다. 부적 가속 함수는 결국 한 수준으로 접근하여 평평해지는 것처럼 보인다. 그 곡선은 실제로 점근선(asymptote)이라고 불리는 직선에 점점 더 가까워지는 것이다. 그와 같은 함수는 점근적 또는 점근선에 접근하다고 불린다. 그러나 함수의 곡선과 점근선은 만나지 않는다.

만일 이러한 용어들을 처음 대하는 것이라면 약간 당황하게 될지도 모르지만

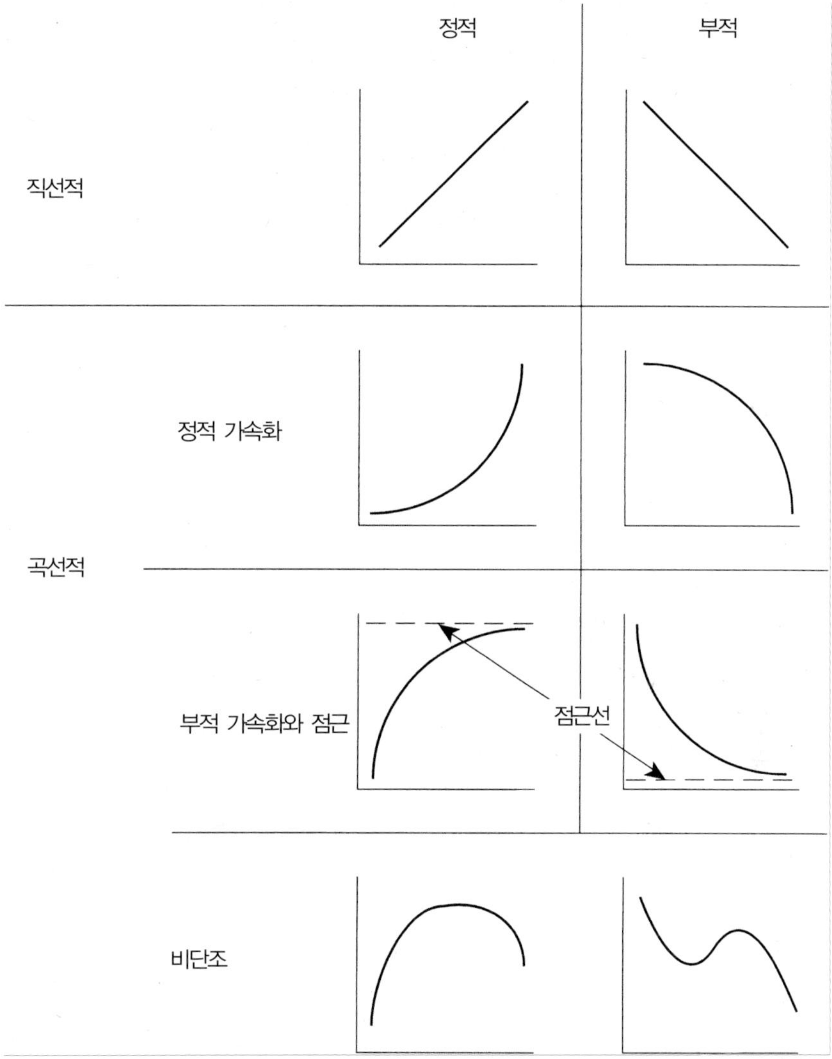

그림 12-7 함수적 관계를 기술하는 데 사용되는 몇몇 용어들을 예시하는 그래프들

이러한 용어들을 사용해서 심리학적 관계들을 기술해 감에 따라 그것들은 좀 더 친숙해질 것이며, 이 용어들을 사용하여 결과를 더 효율적으로 논의할 수 있다는 것을 알게 될 것이다.

관계의 강도에 관한 기술

이전 단원에서 다룬 함수들은 개인적 자료가 아니라 기술 통계치를 그래프로 그린 것이었다. 그러나 모든 자료들이 부드러운 함수 위에 정확히 놓이는 것은 아니다. 만일 실험적 관계를 도표화하기 위해 원 자료를 사용한다면, 대체로 약간의 변산성 또는 함수 주변에 자료들이 흩어져 있는 것을 보게 될 것이다. 제1장에서 보았듯이, 이러한 도표를 **산포도**(scatterplot)라 부른다.

산포도

그림 12-8은 산포도의 몇 가지 예를 보여 준다. 이 도표들은 실험에 의한 결과들을 이용하여 종속변인과 독립변인의 관계를 나타낼 때와 종속변인들이 두 축 모두에 제시되는 상관적 관찰(제1장)에 의한 자료를 나타낼 때 사용될 수 있다. 여러분이 산포도에서 각 점들이 흩어져 있는 것을 살펴보면 그 관계의 강도가 어느 정도인지를 알 수 있을 것이다. 그러나 눈으로 관찰하는 것은 이 강도를 추정하는 데 있어서 약간 조악한 방법이다. 다행히 그 관계가 직선적이면[9] 상관 계수라고 불리는 기술 통계치를 이러한 목적으로 사용할 수 있다.

강한 관계에 대한 산포도?

9) 실제 등위나 순서만 매겨질 수 있는 자료를 사용하여 상관을 내기도 하는데, 이 경우 직선적이라는 용어는 무의미하다. 그와 같은 상관은 단조적 관계를 가지기만 하면 사용될 수 있다.

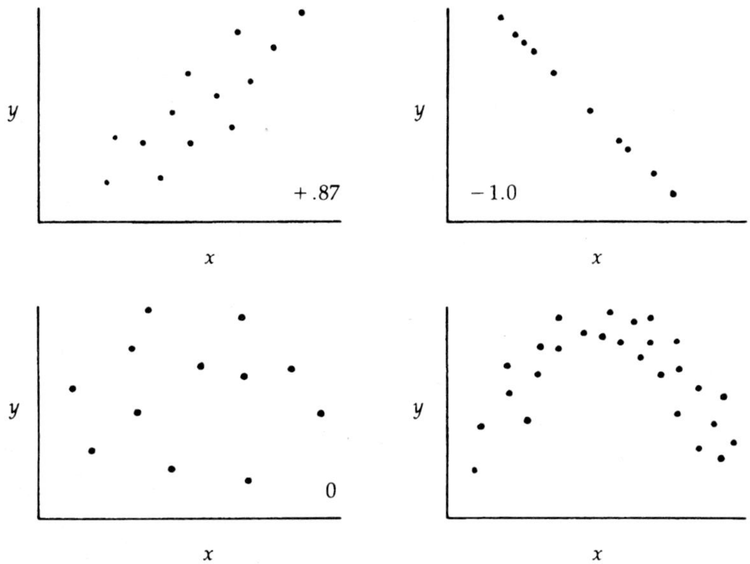

그림 12–8 산포도의 네 가지 예. 상관 계수는 세 개의 도표에 나타나 있다. 오른쪽 하단의 표는 관계가 곡선적이므로 상관 계수가 주어져 있지 않다.

상관 계수

상관 계수(correlation coefficient)는 +1.0과 −1.0 사이의 숫자이다. 그 기호는 관계가 정적인가 부적인가를 나타내며, 숫자의 크기는 관계의 강도를 나타내 준다. 상관 계수 1.0(+ 또는 −)은 완벽한 관계를 나타내며, 0은 관계가 없음을 나타낸다.

그림 12-8은 세 개의 자료에 대한 상관 계수를 보여 준다. 오른쪽 하단의 도표에서는 함수가 곡선적이기 때문에 단순한 직선적 상관은 부적절하여, 따라서 상관 계수가 제시되어 있지 않다. (그러나 **상관비율**[correlation ratio]이라고 불리는 곡선적 상관을 기술하는 방법이 있다[Kirk, 1990]). 부록 A나 다른 통계 교과서[10]를 통해서 상관 계수의 계산법을 알 수 있을 것이다.

상관 계수를 보고할 때 종종 **결정 계수**(coefficient of determination) 혹은 설

10) 몇 가지 통계 교과서들이 이 장의 끝 부분에 열거되어 있다.

명된 변량의 비율이 함께 보고된다. 결정 계수는 상관 계수를 단순히 제곱한 것으로 두 변인이 공유하고 있는 변량의 비를 나타낸다. 보고된 상관 계수가 +0.5라면 결정 계수는 +0.25이다. 즉, 두 변인이 25%의 변량을 공유하고 있다. 미국 심리학회 출판 편람(미국 심리학회, 1994)과 여러 연구자들은 상관을 보고할 때는 결정 계수를 보고하도록 추천한다. 그러나 또 다른 연구자들은 상관 계수가 상관적 관찰에서의 효과 크기를 보다 잘 나타내며, 결정 계수는 결과의 실용적 중요성을 심각하게 과소평가 한다고 주장한다(Rosnow & Rosenthal, 1999).

요인실험의 결과 해석

요인실험의 결과는 둘 이상의 독립변인이 포함되므로 변인들 간 상호작용도 평가해야 하기 때문에 다른 유형의 실험보다 결과를 해석하기가 어렵다. 그림 12-9의 맨 위쪽 그래프는 앞 장에서 예시했던 실험의 결과로, 학생들이 12 포인트와 10 포인트로 인쇄된 문장을 읽는 데 걸린 시간을 나타낸다. 이 예에서 한 집단은 8세 아동들, 다른 집단은 12세 아동들이었다고 가정하자. 그래프에서 한 독립변인(글자 크기)은 x축에, 다른 독립변인(나이)은 점과 선의 종류로 구별되어 있음을 주목하라. 요인실험의 결과에서는 더 이상 독립변인이 종속변인에 영향을 주었는지에 대한 질문만 할 수는 없고, 보다 구체적으로 세 가지 질문들을 해야 한다. (1) 활자 크기의 효과가 있는가? (2) 나이의 효과가 있는가? (3) 한 변인의 효과는 다른 변인의 수준에 따라 달라지는가? 앞의 두 질문은 **주효과**(main effect)에 해당되는 것이며 세 번째 것은 **상호작용**(interaction)에 해당되는 것이다.

주효과

이 실험에는 두 개의 독립변인이 있으므로 주효과는 두 개이다. 주효과들이 유의한지를 알아보기 위해서 통계 분석을 해야 한다. 실험 결과를 해석하기 위해서 그림에서 보이는 효과들이 통계적으로 유의한 것이라고 가정하자. 글자 크기의 주효과가 있는지를 알아보기 위해서 나이에 따른 어떠한 효과도 무시해야 한다. 따라서 그래프에서 각 글자 크기에 대해 각 나이 집단에 해당하는 자료 점들의 중간에 해당되는 점을 발견해야 한다. 그림 12-9에서 "글자 크기의 주효과"라는 질문이 있는 그래프를 보면 각 흰 점과 검은 점 가운데에 표시된 두 개의 X 표시들이 있다. 이 표시들은 나이는 전혀 조작이 되지 않은 것처럼 두 수준의 나이에 해당하는 자료의 평균을 취한 글자 크기의 효과를 나타낸다. 이 두 X 표시들 간에 차이가 있는지를 발견하기 위해서 y축을 가로지르는 두 수평선을 표시해 놓았다. 화살표는 두 글자 크기 조건을 나타내는 X들 간의 차이를 보여 준다. 따라서 위 질문에 대한 대답은 '글자 크기의 주효과가 있다'이다. 나이의 주효과가 있는지를 알아보려면 동일한 과정을 따라하면 된다.

상호작용

상호작용이 무엇인지를 기억하지 못한다면 요인실험들에 관해서 논의했던 제9장에서 상호작용 부분을 살펴보라. 한 변인의 효과가 다른 변인의 수준에 따라 다르게 나타날 때 상호작용이 발생한다는 것을 기억하라. 글자 크기 실험에서 상호작용에 대한 질문은 '글자 크기의 효과가 아동의 나이에 따라 다르게 나타나는가' 혹은 '나이의 효과가 글자 크기에 따라 다르게 나타나는가?'이다.

그림 12-9의 왼쪽 아래의 그래프에는 각 나이 집단에 대해서 글자 크기가 10 포인트에서 12 포인트로 변함에 따라 나타나는 효과를 발견하기 위해서 수평선들이 제시되어 있다. 8세 아동의 경우 독서시간이 감소되지만, 12세의 경우 아무런 변화가 없다는 것을 주목하라. 따라서 글자 크기의 효과는 나이에 따라 다르며 우리의 질문에 대한 대답은 상호작용이 있다는 것이다. 오른쪽 아래 그래프는 상호작용에 대해 다른 방식으로 질문을 한 것을 보여 주고 있다. "독서시간에서 나이의 효과가 글자 크기에 따라 다른가?" 이 그래프의 화살표를 보면 차이가 있다는 것을 알 수 있을 것이다. 물론 실제로는 하나의 상호작용만 있기 때문에 두 질문

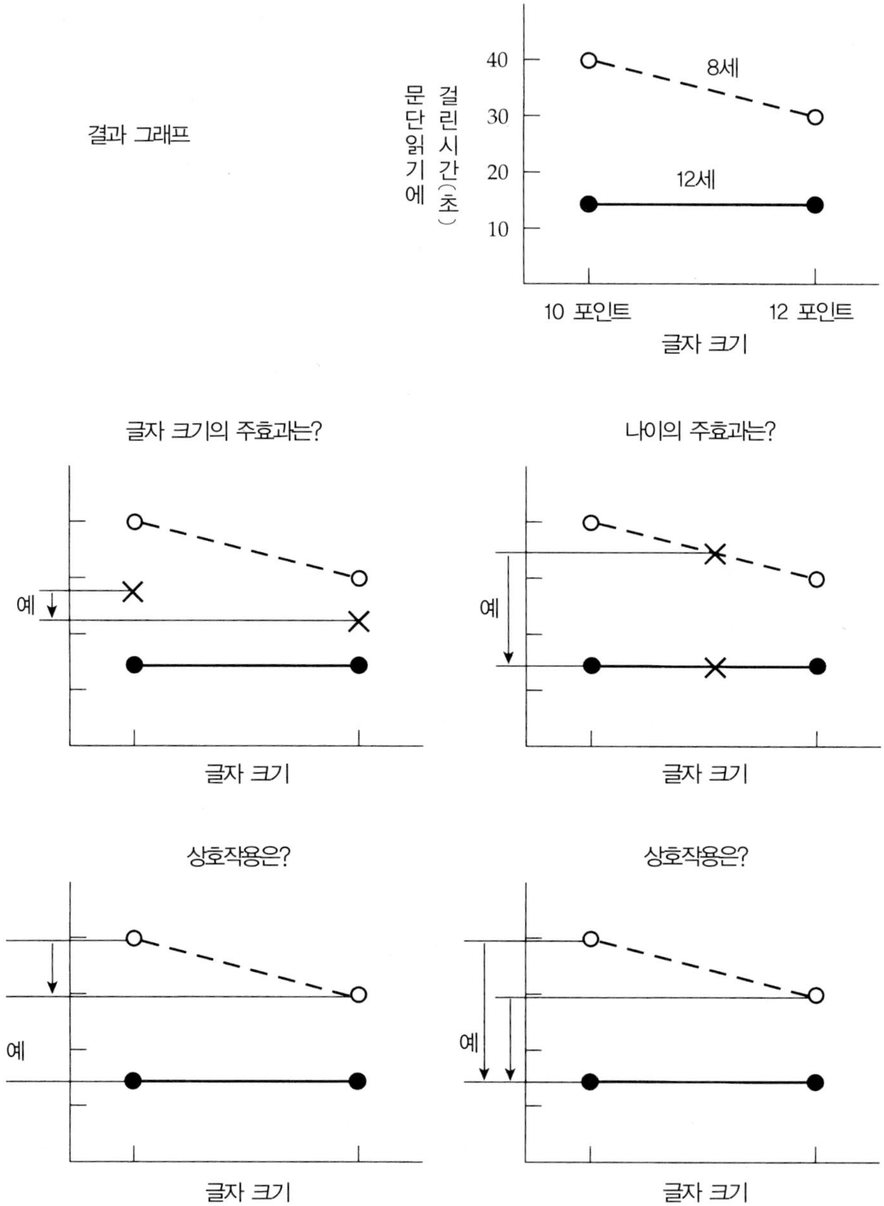

그림 12-9 2×2 요인실험에서 주효과와 상호작용 효과

에 대한 대답은 항상 동일하다. 그러나 두 방식을 각각으로 살펴보는 것이 상호작용을 해석하는 연습을 하는 데 도움을 준다.

그림 12-10은 이 실험에서 산출될 가능성이 있는 다른 결과들의 예를 보여준다. 각 그래프에 대해서 앞에서 논의한 것과 동일한 절차를 이용하여 세 가지 질문들에 대답해 보라.

여러분이 보고 있는 그래프에서 주효과와 상호작용 효과가 있는지를 살펴볼 때, 주효과들만 있는 경우에는 결과에 대한 해석은 직접적이라는 것을 발견하기를 바란다. 그러나 상호작용이 있을 때 주효과에 대한 해석이 다소 복잡해진다. 예를 들어 그림 12-9를 보면 두 글자 크기 조건 모두에서 효과가 있기 때문에 상호작용이 존재함에도 나이의 주효과가 있는 것으로 나타났다. 그러나 글자 크기에 대한 주효과가 있었지만 그 효과는 나이 집단들 둘 중 한 집단에서만 나타났기 때문에 상호작용 효과는 글자 크기의 주효과를 해석하기 어렵게 한다. 그림 12-10의 아래 판에는 상호작용 중 두 선이 서로 교차하는 **교차 상호작용**(crossover interaction)이 제시되어 있다. 교차 상호작용이 있으면서 주효과가 있다면 그 경우의 주효과는 해석하기가 힘들다. 사실 그러한 효과는 전형적으로 의미가 없는 것이다.

이와 같은 논의는 두 개의 요인들만 있으며 각 요인들은 단지 두 수준만을 가지는 요인설계의 가장 단순한 형태에만 한정될 수 있다. 수준들이 더 많아지거나 혹은 요인들이 추가되면 주효과와 상호작용 효과를 해석하는 것이 더 어려워진다. 어떻게 복잡해지는지를 아주 조금 맛보기 위해 독서 실험에 세 번째 요인, 즉 독서 자료의 난이도가 추가되었다고 가정해 보자. 그림 12-11은 가상적인 결과를 보여 주고 있다. 이 경우 세 변인(나이, 글씨 크기, 난이도) 각각의 주효과가 있는지 알아볼 수 있다. 추가적으로 나이와 글씨 크기, 나이와 난이도 그리고 글씨 크기와 난이도가 상호작용 하는지를 알아볼 수 있다. 이와 같은 상호작용 각각을 **이원 상호작용**(two-way interaction)이라 부르는데 그 이유는 요인 두 개와 관련이 있기 때문이다. 이원 상호작용이 있는지를 알아보기 위해서는 고려하고 있지 않은 세 번째 요인에 걸쳐 있는 두 점들의 평균을 구하면 되며, 이 과정은 앞의 예에서 주효과를 발견하기 위한 절차와 유사하다. 그런 다음 앞 절에서 해 보았던 방식대

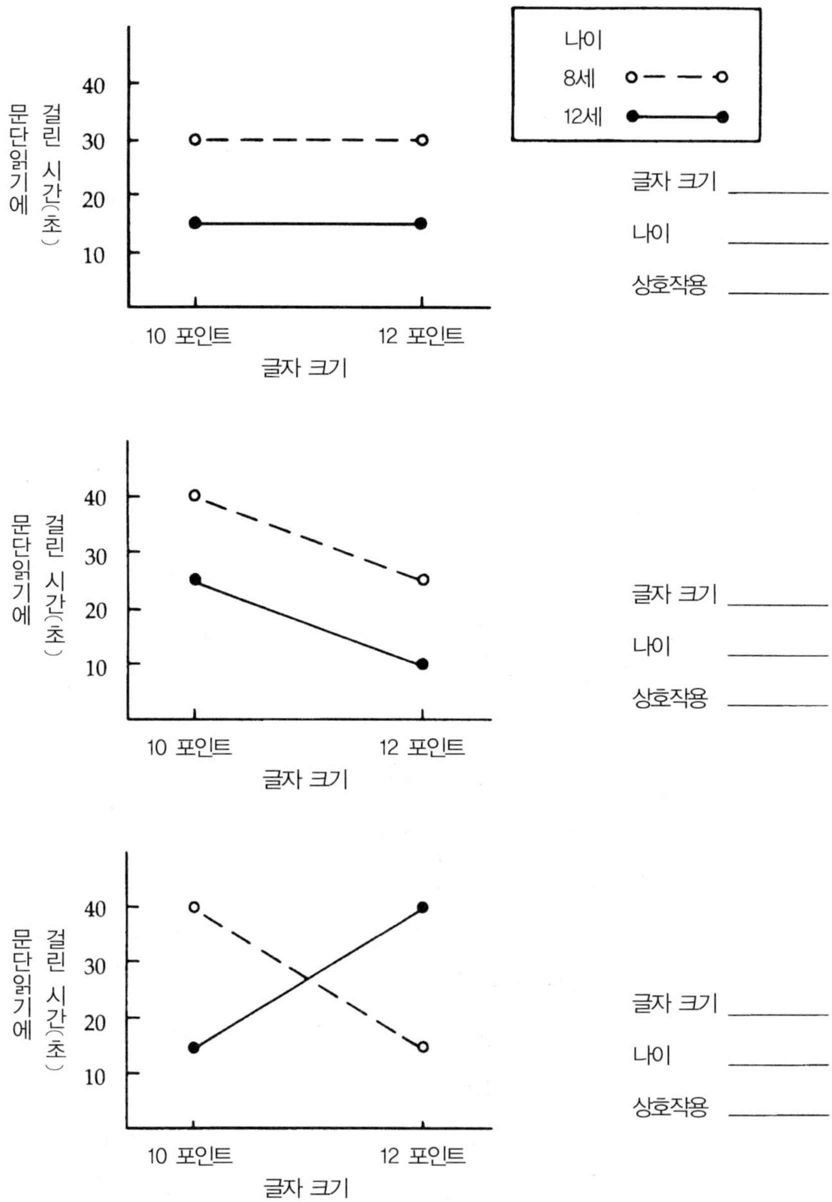

그림 12-10 2×2 요인실험에서 나타날 수 있는 세 가지 결과들의 그래프. 각 그래프의 질문에 답하라(답은 이 장의 끝부분에 있다).

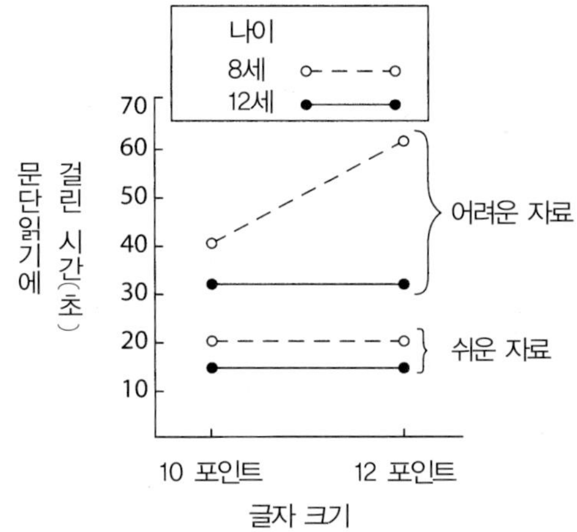

그림 12-11 2×2×2 요인실험에서 삼원 상호작용을 보여 주는 그래프

로 이원 상호작용을 해석하면 된다.

이 예에서 **삼원 상호작용**(three-way interaction) 또한 가능하다. 각 이원 상호작용의 특성이 세 번째 요인의 각 수준에 따라 달라질 때 삼원 상호작용이 발생한다. 이 그림에서 나이와 글씨 크기 사이의 이원 상호작용은 독서 재료의 난이도에 따라 달라지는가? 실제 그렇게 나왔기 때문에 삼원 상호작용이 있다고 할 수 있다. 두 요인 이상이 사용될 때 비록 결과를 해석하는 기본적인 절차는 동일하지만 상호작용을 해석하는 것은 더 어려워진다.

여기서는 가장 단순한 형태의 요인 실험만을 다루었다. 각 요인이 셋 이상의 수준을 가지거나 혹은 요인들의 수가 셋 이상이면, 결과 해석을 위한 기본적인 절차는 같아도 상호작용을 해석하는 것은 훨씬 더 어려워진다.

추론통계

추론통계의 일반적인 논리를 논의하기 위해서, 열 명의 심리학 전공자와 경제학 전공자의 불안검사의 예로 돌아가 보자. 그 두 집단이 불안수준에서 차이를 보이는지를 알아내기 위하여 빈도분포를 작성하고 각 집단의 평균치를 계산해서, 경제학 전공자 집단의 평균치는 64.7이며 심리학 전공자 집단의 평균치는 55.6이라는 것을 발견하였다. 이것은 실재하는 차이인가? 물론 그렇다. 여러분은 '결과에 나타난 차이가 어떻게 실제하는 차이가 아니라고 할 수 있는가?'라고 말할 것이다. 이 두 표본들에 대한 여러분의 생각은 절대적으로 옳다. 표본들 간의 어떠한 차이도 표본들 간에 실재하는 차이이다. 그러나 그 질문에서 심리학자가 말하고자 하는 것은 "이 실험을 위해 우리가 우연히 선택된 두 표본의 점수들 간에 실제로 차이가 있느냐?"가 아니라 "잠정적으로 표집될 가능성이 있는 모든 경제학 전공자와 모든 심리학 전공자 전집들 간에 불안수준에서 차이가 나는가?"이다. 실험의 목적은 두 모집단에 관하여 무엇인가를 말하고자 하는 것이지 특정 표본에 관해 말하려는 것이 아니다.

여러분이 콩을 경작하는 농부라고 생각해 보자. 여러분은 콩 마름병으로 인하여 돈을 벌지 못하고 있다. 콩 마름병은 많은 콩을 시들고 말라죽게 하는 원인 불명의 병이다. 콩 마름병을 제거할 수 있는지를 알아보기 위하여 한 밭에는 콩 마름병에 견딜 수 있을 것 같은 새로운 종류의 콩을 심는다. 마름병 밭과 새 종자를 심은 밭에서 각각 10톤의 콩을 수확해서 두 개의 통에 넣었다. 여러분은 두 통 모두 병들어 있는지를 알고 싶을 것이다.[11] 그러나 분명 두 통에 들어 있는 모든 콩을 다 검사하고 싶지는 않을 것이므로, 각 통으로부터 100개의 콩을 표집하기로 결정할 것이다. 마름병 밭에서 수확한 콩의 표본에서는 12개의 시든 콩이 있었으며 다른 표본에는 7개의 시든 콩이 있었다. 분명히 표본들 간에는 차이가 있지만, **추론통계**(inferential statistics)검증은 위에서 제기한 질문에 해답을 줄 수 있을 것이다. 추론통계에서의 "추론"은 모집단들 간에 차이가 있는지를 추론하는 것을 도와준다는 사실에서 온 말이다.

심리학자들도 콩을 재배하는 농부와 동일한 문제에 직면한다. 잠정적으로 다

11) 이 문장의 원문은 "You want to know if both bean bins are blighted"이다.

른 두 개의 모집단(독립변인의 두 수준)에서 무선적으로 선발된 표본을 선택하였고 그 결과로부터 모집단의 행동이 다른지를 알고자 한다.

영가설의 유의도 검증

대부분의 추론통계검증은 영가설의 유의도 검증에 기초하고 있다. 이전 장에서 영가설의 개념에 대해 간단히 소개했었지만 이 장에서 그것을 조금 더 확장시키려고 한다. 영가설은 여러분의 독립변인 수준들이 아무런 효과가 없다는 것을 나타낸다. 예를 들어 남자와 여자들의 수학적인 능력이 차이가 나는지에 대해 여러분이 궁금해 한다고 가정해 보자. 여러분은 남자와 여자 표본들에게 수학문제를 풀게 함으로써 이러한 질문을 검증해 볼 수 있다. 여러분이 성별 사이에 차이가 실제로 있을 것이라고 생각하고 연구를 수행했다고 하더라도 유의도 검증 절차에서는 아무런 차이가 없을 것이라고 생각해야 한다. 연구 결과 남자 표본의 평균이 여자 표본의 평균과 차이가 있음을 발견했다고 가정하자. 추론통계검증을 할 때 여러분들이 던지는 질문은 표본에서 발견된 평균의 차이가 영가설이 참인 상황, 즉 전집의 평균에서는 차이가 없는 상황에서 우연히 발견될 수 있는 가능성이 얼마나 되는가이다.

표본은 일반적으로 전집에서 무선적으로 선정되기 때문에 전집 평균들 간에 아무런 차이가 없는 경우에도 표본에서는 상당한 차이가 발견될 가능성이 항상 존재한다. 표본의 크기가 작을 때 이러한 결과는 특히 두드러진다. 통계적 검증은 표본의 크기와 같은 요인들을 고려하고, 영가설이 참이라고 할 때 여러분의 결과가 발견될 가능성이 어느 정도인지를 얘기해 준다.

유의도 검증에서 결정 오류

증거에 근거하여 예/아니오 판단을 내려야만 할 때 우리는 두 가지 방식에서 옳은 결정을 할 수가 있으며, 두 가지 방식에서 잘못된 결정을 내릴 수 있다. 예를 들어

표 12-2 영가설 검증에서 정확하거나 오류를 범하는 방식

	참	
	영가설 거짓	**영가설 참**
영가설 기각	정확 (검증력)	1종 오류
영가설 기각 실패	2종 오류	정확

거짓말 탐지기로부터 어떤 증거를 갖고 있으며 어떤 사람이 거짓말을 하고 있는지에 대해 결정을 해야한다고 가정하자. 그 사람이 진실을 얘기하고 있을 때 진실을 얘기하고 있다고 말하거나 거짓말을 하고 있을 때 거짓말을 한다고 말하는 것은 옳은 결정일 수 있다. 그러나 그 사람이 진실을 얘기하고 있지만 거짓말을 한다고 말하거나, 거짓말을 하고 있을 때 진실을 얘기한다고 말함으로써 오류를 범할 수 있다. 표 12-2는 영가설 검증에서 발생될 수 있는 결과들을 보여 주고 있다.

표에서 볼 수 있듯이 통계적 검증의 확률적 결과들로부터 영가설을 기각하거나 영가설을 기각하는 데 실패했다고 결론지을 수 있다(이 장의 나중에 논의할 것이지만 영가설을 받아들일 수는 없다는 것을 명심하라). 이러한 결론에 도달했을 때 여러분은 옳을 수도 혹은 틀릴 수도 있다. 틀릴 수 있는 두 가지 다른 방식들은 서로 다른 이름을 가진다. 여러분이 영가설이 사실임에도 그것을 기각했을 때 여러분은 **1종 오류**를 범한 것이며, 영가설이 거짓일 때 영가설을 기각하는 데 실패했다면 여러분은 **2종 오류**를 범한 것이다. 통계적 검증은 1종 오류를 범할 가능성이 얼마나 되는지를 알려 주며, 이것을 유의도 수준이라고 부른다.

유의도 수준

그처럼 엄격한 기준을 고수하는 것이 아마도 불행한 일이기는 하지만, 대부분의 심리학자들은 결과가 유의미하기 위해서는 표본들에서 관찰된 차이가 우연히 발생될 가능성이 20번 중의 한 번보다 적어야 한다는 것에 동의한다. 그러므로 표본들이 실제 동일한 모집단에서 선택된 경우에도 20번 중에 한 번(또는 100번 중에

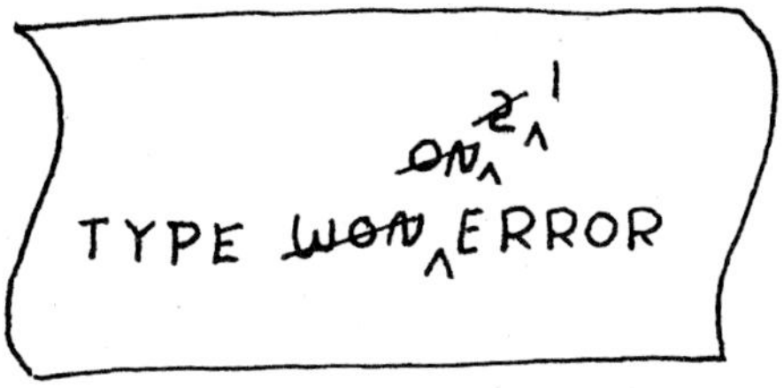

다섯 번)꼴로 유의미한 차이를 얻을 수 있다. 어떤 심리학자들은 차이가 없음에도 불구하고 모집단 간에 차이가 있다고 말하는 것을 피하기 위해 훨씬 더 주의 깊게 행동한다. 즉, 우연에 의해 발생될 확률이 단지 100번 중에 한 번 꼴로 나타나는 경우에만 표본들의 차이를 실재하는 차이로 받아들인다. 이러한 기준들을 .05 **유의도 수준**(level of significance) 또는 .01 유의도 수준이라 한다. 우연에 의해서 발생될 확률이 이 기준보다 작게 나타난다면 그 결과를 **통계적으로 유의하다**라고 말한다.

학술 논문에서 위의 유의도 수준 각각은 $p<.05$ 혹은 $p<.01$로 제시된다. 이것은 통계적 검증이 .05 혹은 .01 수준에서 유의하다는 것을 의미하며, 따라서 독립변인의 수준들이 동일한 모집단에서 선정된 경우라도 100번 중에 1번 혹은 5번보다 작은 확률로 각 수준들 간에 차이가 발생할 가능성이 있음을 의미한다. 부등호의 방향에 주의해라. $p>.05$는 유의한 차이를 발견하지 못했음을 나타낸다.

이러한 내용들을 내가 어떤 식으로 표현하는지를 주의 깊게 살펴보아라. 어떤 학생들은 특정 수준에서 검증을 한다는 것이 동일한 실험 결과를 얻을 수 있는 가능성이 어느 정도인지를 얘기하는 것이라고 잘못 생각한다. 예를 들어 $p<.05$ 수준에서 통계적으로 유의한 결과를 얻었다면 여러분이 실험을 다시 했을 때 실험 횟수의 95% 수준에서 영가설을 기각할 수 있다고 결론지을 수 있다. 그러나 통계적인 유의도 수준으로부터 여러분이 동일한 결과를 얻을 수 있는 확률이 얼마인지에 대해 결론을 내릴 수는 없다.

통계적 검증력

우리가 옳을 수 있음에도 오류가 있는 방식으로 결론지을 가능성에 대해서 논의했었다. 우리가 옳을 수 있는 가능성을 알 수 있는 방법은 없을까? 표 12-2에서 영가설이 거짓일 때 영가설을 정확히 기각하는 결정에 검증력이란 단어를 괄호 안에 표시해 놓았던 것을 주목하라. 검증력이란 통계적 검증이 영가설을 정확히 기각할 확률을 의미하는 것이다. 비록 이러한 논의가 이 책의 수준을 넘어서는 것이지만 영가설이 거짓일 때(즉, 실제로 차이가 있을 때) 독립변인에서 실제로 존재하는 차이를 놓칠 가능성을 결정하기 위해서 통계적 검증력을 계산할 수 있다는 것은 알고 있어야 한다. 예를 들어 검증력이 .50 수준에서 결정되었다면 이러한 실험을 한 횟수의 반 정도에서 영가설을 기각하는 데 실패할 수 있다는 것을 우리는 알 수 있다. 검증력에 영향을 미치는 세 가지 요인은 유의도 수준, 효과의 크기 그리고 표본의 크기이다. 물론 실험자가 가장 통제를 잘 할 수 있는 요인은 표본의 크기이다. 이러한 이유 때문에 연구자들은 실험을 하기 전에 충분한 수의 표본을 선정했는지를 결정하기 위해 실험의 검증력을 종종 계산한다.

모수적 검증과 비모수적 검증

이러한 결정을 내릴 수 있도록 하기 위해서 많은 추론 검증들이 개발되었다. 어떤 검증을 할 것인지는 실험설계와 검사의 가정을 주어진 자료가 충족시킬 수 있느냐에 따라 달라진다. (추론 검증의 몇 가지 예가 부록 A에 나타나 있다.) 가장 빈번하게 사용되는 검증들은 **모수적 검증**(parametric tests)이라고 불린다. 이 검증들은 연구의 대상이 되는 모집단의 빈도 분포가 정상 분포를 나타낼 것이라고 가정한다. 이 가정이 만족되지 않을 때는 **비모수적 검증**(nonparametric tests)을 사용해야 한다.

추론적 검증이 심리학 실험의 결과들을 평가하기 위한 중요한 도구라는 것은 명백하다. 사실 정교한 통계적 검증이 개발됨으로써 심리학이 존경 받은 과학이 되었다. 그러나 우리는 추론적 검증의 한계를 이해해야 한다.

통계적 검증의 잘못된 해석

통계적 검증을 통해 독립변인의 각 수준에서 유의한 차이를 발견하지 못한 경우, 그것이 각 수준들이 유의하게 동일하다는 것을 나타내는 것이라고 생각하는 실험

자들이 있다. 이것은 분명 잘못된 것이다! 이러한 오류를 피하기 위하여 추론적 검증들은 표본들이 동일한 모집단으로부터 표집되었을 경우 그 결과에서 차이가 발생할 확률을 얻기 위해 만들어진 것이지, 표본들이 각기 다른 모집단들로부터 표집되었을 때의 표본들 간의 동질성에 관해서는 아무것도 말해 주지 않는다는 것을 명심해야 한다. 따라서 부적 결과(통계적으로 유의미하지 않은 것)는 심리학 잡지에 거의 실리지 않는다. 통계적 검증은 표본들이 상이한 모집단으로부터 왔을 경우 그 두 표본이 동등한 확률을 말해 주기 위해 고안된 것이 아니다. 표본들이 동일한 모집단에서 표집되었을 때 차이가 발생할 확률만 말해 준다.[12]

추론적 검증을 할 때 연구자들이 범할 수 있는 두 번째 오류는 .05와 .01 수준을 절대적인 것으로 받아들이는 것이다. 그들은 .06 수준에 주목하려 하지 않을 것이다. 유의도 수준에 대한 더욱 현실적인 접근은 유의도 수준들은 단지 결정을 내리는 기준일 뿐이라고 생각하는 것이다. 불확실성에 직면해서 결정을 내릴 때, 그 결정이 맞거나 틀릴 확률뿐 아니라 맞거나 틀릴 때의 수익과 대가 또한 고려해야 한다. 통계적 결정과정이 아닌 경우에도 이러한 요소들을 간과하지 않는다. 예를 들어 비행기를 탈 것인지를 결정하는 중이라면 단지 우산을 가지고 갈 것인지를 결정할 때보다 맑은 날일 가능성이 더 확실해야 한다. 두 경우에서 그 결정이 맞거나 틀릴 경우 그에 따르는 수익과 대가는 매우 다르다. 유의도 수준 .05와 .01 수준은 수익과 대가를 고려하지 않는다. 따라서 실험 결과를 해석할 때 맞거나 틀릴 경우에 어떤 결과가 발생할지를 고려해야 하며 맹목적으로 .05 수준에서 검증

12) 통계적 검증들은 동일성을 검증하는 것이 아니라는 나의 논지는 대부분의 심리학 문헌들에서는 사실이지만, 정확하게는 이 말이 모든 분야에서 사실은 아니다. 심리학자들에게는 친숙하지는 않지만 동등성에 대한 정규(formal)의 통계적 검증들은 지난 수십 년간 발전되어 왔다. 그 방법들은 이 책의 범위를 벗어나지만, Rogers, Howard와 Vessey(1993)의 「두 실험집단 사이의 동등성을 평가하기 위한 유의도 검증」이란 논문을 읽어보기를 추천하면서 이 방법들을 잠깐 언급한다.

하지 말아야 한다.

유의하다는 용어를 "매우 유의한"과 같이 수정해서 사용할 수 있는지에 대한 논쟁이 있다. 어떤 사람들은 전통적 심리학의 결과들은 유의한 것과 유의하지 않은 것 둘로 나누기 때문에 그리고 특히 수정된 용어를 사용함으로써 효과의 크기가 효과의 확률로 잘못 대치되기 때문에 수정된 용어를 사용하는 것이 잘못된 것이라고 생각한다(Harcum, 1989; Levenson, 1990). 그러나 다른 사람들은 확률은 연속선상에 있기 때문에 한 효과가 다른 것보다 더 유의하다고 말하는 것이 결코 잘못된 것이 아니라고 주장한다(Kanekar, 1990). 중요한 점은 통계적 유의도 수준을 실용적 중요성으로 잘못 취급하는 것을 피해야 한다는 데 있으며, 이 점은 이 논쟁의 양 편에 속한 사람들 모두 동의할 것이다. 이런 이유 때문에 정적인 결과를 보고할 때 유의하다는 것이 실용적으로 중요한 것이라고 주장하는 것이 아님을 강조하기 위해 통계적으로 유의하다는 표현을 사용하는 것이 최선이다. 그리고 부적인 결과를 보고할 때는 '무의미한(insignificant)'이란 용어보다 통계적으로 유의하지 않은(statistically nonsignificant)이란 용어를 사용하라. 무의미한이란 용어는 확실히 그 결과가 중요하지 않다는 것을 암시하는 말이다.

통계적 유의도와 실용적 중요성을 혼동하지 않기 위해서 차이를 산출할 수 있는 차이만이 차이라고 할 수 있다는 오래된 속담을 기억해라. 한 속독법 학원 원장이 모든 고용인들이 속독법을 배울 수 있도록 고용주인 여러분에게 학원비를 지불하도록 설득하고 있다고 가정하자. 사람들이 강의를 수강하고 난 후 유의하게 빨리 읽는다는 실험적 증거를 가지고 있다고 말한다. 어느 정도 빨리 읽는지를 묻는다. 그들의 연구 결과 학생들이 일분에 평균 반 단어를 더 읽는 것으로 나타났고 그 차이는 통계적으로 유의한 것이라고 주장한다. 그들의 말은 정확히 맞다. 충분한 참가자를 사용하고 충분한 자료를 수집함으로써 전집들 사이의 근소한 차이조차 통계적으로 의미 있는 것으로 해석할 수 있다. 그러나 고용주로서 여러분은 통계적 유의성보다는 실용적 중요도에 더 관심을 둔다. 과학자로서도 마찬가지이다.

실험자들에게 그들의 결과가 통계적으로 유의한지를 고려할 뿐만 아니라 그것이 중요한 것인지도 고려하도록 하며 융통성 없게 .05 수준을 고집하는 통계적 검증을 하지 않도록 하기 위해, 중요한 심리학 잡지의 편집장이었던 Geoffrey Loftus (1993, 1996)는 통계적 가설 검증이 어떤 경우에는 반드시 필요한 것이 아닐 경우도 있다고 말했다. 실험자들에게 실험 자료의 평균과 그 평균의 분산치(예를 들어 표준편차)가 나타나 있는 그래프를 그리도록 권했다. 그는 추론통계검증을 사용하지 않고도 그림만 보면 효과의 중요도를 알 수 있는 경우가 종종 있다고 믿었다. 그런 경우 통계적 검증을 할 필요가 없다고 권했다.

마지막으로 실용적 중요성을 평가하는 것은 판단의 문제이다. 이 장에서 논의된 검증 도구들은 결과가 중요할 때 여러분의 결정과정에 도움을 주지만, 그 도구들 자체가 결과의 중요성을 입증시켜 주지는 않는다. 다른 연구자들에게 차이가 실재한다는 것을 확신시키기 위해서는 논리적 주장들을 사용하여 그 결과의 중요성을 입증해야 한다.

메타 분석

단순한 실험을 한다면 이 방법을 사용하지 않을 것이지만, **메타 분석**이라 불리는 통계적 기법을 사용한 논문을 볼 수도 있다. 이러한 논문들을 이해하기 위해서는 메타 분석(meta-analysis)이라는 것에 대해 조금은 알아야 한다. 제6장에서 논문을 어떻게 찾는가에 대해서 논의했다. 논문을 찾을 때 특정 주제에 대한 논문들의 수가 많다는 것에 놀랄 것이다. 심지어는 아주 좁은 연구 영역에서도 수십만 개의 논문이 문헌에 있다. 개괄 논문(review article)을 쓰는 연구자들이 이러한 연구들을 평가하고 통합하는 전형적인 방법은 서술적으로 개괄(narrative review)하는 것이다. 모든 논문들을 읽으면서 어떤 논문들이 중요한 것인지 부차적인 것인지를 고려하고, 적어도 중요한 논문들의 결과를 새겨둔 후 주된 결과들을 요약하려고 한다. 연구에 따르면 연구자들이 이러한 과정을 수행하는 방법은 되는 대로 하는 것이었다(Jackson, 1980). 많은 경우 동일한 문헌에서 각기 다른 연구자들이 완전히 다른 결론을 내리는 것을 종종 볼 수 있을 것이다. 이런 방법들의 문제는 한 실험에 참가한 100명의 자료를 한 번 본 다음 아무런 통계적 분석 없이 결론을 이끌어내는 거의 불가능한 일을 한다는 것이다. 메타 분석은 많은 다른 연구들의 자료를 통합해 주는 통계적인 방법이다.

메타 분석을 사용한 연구의 결과를 이해하기 위해 그것의 상세한 통계적인 부분까지 이해할 필요는 없다. 세부적인 것을 알고 싶다면 이 장의 마지막 부분에 열거되어 있는 메타 분석에 관한 책을 보면 된다. 기본적으로 메타 분석은 동일한 문제에 대한 연구들이지만 방법이 다른 무한한 수의 실험 결과를 다룰 수 있고 그것을 통계적으로 통합할 수 있다. 예를 들어 Lipsey와 Wilson(1993)은 심리치료, 교육치료 그리고 행동치료가 효과적인지에 관심이 있었다. 그들은 이 주제에 관해 십 수년간에 걸쳐 행해진 302개의 연구들을 조사했다. 메타 분석의 개관에서 각 연구들의 기본적 자료는 **평균 처치 효과 크기**이다. 이 통계치를 계산하는 것은 매우 쉽다. 통제집단의 평균에서 처치집단의 평균을 뺀 후 통제집단의 표준편차로 나눈 값이다. 그래서, Lipsey와 Wilson의 연구에서 각 연구들의 종속변인이 어떻게 측정되었고 처치가 어떻게 조작되었는지와 무관하게 처치를 받지 않은 집단의 평균에서 처치를 받은 집단의 평균을 뺀 값을 첫째 집단의 표준편차로 나누었다. 저자들은 평균 처치 효과를 자료로 사용하여 이 값들에 대해서 통계 분석을 한 후, 이 결과가 우연에 의해서 발생되었을 가능성을 결정하였다. 이 자료들은 다른 방식으로 재분석될 수도 있다. 예를 들어 특정 실험설계를 사용한 연구들만 모아서 분석하거나, 좋다고 판단되는 자료들을 좋지 않은 것 같은 자료들과 분리해서 분석할 수도 있다. 이와 같은 작은 단위의 분석을 통해 모든 연구들에 대한 초기 분류가 적절했는지를 평가할 수 있다.

어떤 연구자들은 메타 분석 기법이 흠결이 있는 연구들의 결과를 합치는 데 사용된다고 주장하면서 이 방법에 대해서 비판적이다(Wilson, 1985). 이와 같은 경우 메타 분석의 결과는 원 연구의 문제점을 그대로 가지게 된다. 그러나 소규모의 여러 분석들을 포함시키는 보다 정교한 메타 분석 기법을 통해 결점이 있는 연구들로부터 훨씬 큰 결점이 있는 결과가 발생할 가능성을 줄일 수 있다고 주장하면서 메타 분석을 지지하는 연구자들도 있다(Mann, 1990). 메타 분석은 아직 이 정도에 머물러 있다. 적절하게 행해진다면 이 방법은 다른 방법으로는 다룰 수 없는 다양한 연구 결과를 통합할 수 있는 유용한 도구가 될 수 있다.

컴퓨터를 사용한 결과의 해석

심리학 실험을 하는 전 과정, 즉 문헌조사, 자극 제시, 반응 기록과 같은 여러 영역에서 사용된다. 그러나 가장 많이 컴퓨터를 사용하는 영역은 통계 분석이다. 컴퓨터는 매우 많은 숫자들을 저장하고 다룰 수 있기 때문에 특히 통계 분석 작업에 유용하다. 최근에는 컴퓨터를 쉽게 사용할 수 있게 되었고 아주 강력한 통계 소프트웨어들에 의해 일반 개인용 컴퓨터에서 대부분의 통계적 검증들을 할 수 있게 되었다.

비록 통계적 계산을 하는 데 컴퓨터의 유용함은 매우 긍정적인 것이지만, 그것과 연관된 문제도 있을 수 있다. 그 한 가지는 컴퓨터가 통계를 하는 데 필요한 수작업을 대신하기 때문에 사람들은 종종 정신적인 노력도 할 필요가 없다고 생각한다. 여러분이 통계적 검증을 처음으로 사용할 때 그 방법이 어떻게 이루어지는지를 이해하는 것은 매우 중요하다. 컴퓨터는 이러한 이해 없이도 통계분석을 할 수 있도록 해 준다. 자료를 입력하는 데 필요한 단계들을 누군가 가르쳐 주고 컴퓨터가 결과를 산출해 주면 여러분은 여러분이 무엇을 하고 있는지에 대한 이해가 전혀 없어도 분석의 전 과정을 수행할 수 있다. 나는 학생들에게 컴퓨터를 사용하여 통계 분석을 하기 전에 한 번은 손으로 직접 계산하도록 하여 학생들이 작은 마술상자 속에서 어떤 일이 일어나는지를 이해할 수 있도록 한다.

컴퓨터는 거의 완벽하며, 거의 오류를 발생시키지 않기 때문에 사람들은 컴퓨터에서 산출된 결과는 진리라고 생각한다. 그러나 다음과 같은 경구를 명심해라. 쓰레기가 들어가면 쓰레기가 나온다. 이 장에서 배운 결과를 해석하는 데 필요한 가르침을 기억하라. 또한 여러 통계적 방법들의 가정과 한계를 알 필요가 있다(부록 A를 볼 것). 마지막으로 몇 가지를 살펴보기 전에는 컴퓨터의 결과를 액면 그대로 받아들이지 말아라. 컴퓨터가 오류를 산출할 가능성은 거의 없지만 여러분이 자료를 입력하는 과정에서 실수를 했을 가능성이 있다. 컴퓨터는 빠르고 정확하지만, 정말 멍청하다. 여러분이 실수를 했는지 혹은 조건 A의 자료를 조건 B의 자료보다 먼저 입력한다고 컴퓨터에게 명령한 후 그렇게 하지 않았는지에 대해서 컴퓨터는 전혀 상관하지 않는다. 바로 여러분이 그런 오류를 검사해야 한다.

통계적 결과를 빨리 검사해 볼 수 있는 한 방법은 결과에서 주어진 기술 통계치들이 합당한지를 살펴보는 것이다. 글자 크기 실험에서 8세 아동이 12세 아동보다 더 느리게 읽을 것을 기대할 수 있다. 그 결과가 이와 같은 논리적인 예상과 다를 때 분석들을 조심스럽게 살펴보아야 된다. 이런 결과는 자료를 잘못 입력했을 가능성을 살펴볼 수 있는 지표가 된다. 자료의 일부분의 평균을 손으로 계산한 후 그것이 컴퓨터의 결과와 일치하는지를 살펴볼 수도 있다. 글자 크기 실험의 예에서 한 나이 집단이나 한 문단 혹은 특정 글자 크기에 대한 평균을 손으로 계산하여 결과에 나와 있는 수치와 비교해 볼 수도 있다. 이런 계산 과정은 몇 분이면 끝나지만, 컴퓨터의 결과가 정확하다는 것을 확신시켜 줄 수 있다.

나는 이 논의를 통해 컴퓨터의 역할에 대해 정확한 자리매김이 있기를 바란다. 컴퓨터와 통계 소프트웨어는 자료를 해석하는 데 사용될 수 있는 도구에 불과하다. 겁낼 것 없다. 컴퓨터는 여러분의 친구이며 항상 친숙한 것으로 남아 있을 것이다. 그러나 모든 다른 복잡한 기계들에서처럼 잘 사용되고 있는지를 확신하기 위해서는 주의해야 한다. 컴퓨터 친구는 융통성이 전혀 없으므로 강박적으로 컴퓨터의 규칙을 따라야 한다. 컴퓨터는 여러분이 잘못한 경우에도 여러분을 믿는다. 그리고 여러분이 틀렸는지를 알아챌 수 있는 상식이 전혀 없다. 문제가 발생하지 않도록 하기 위해서, 컴퓨터의 능력뿐만 아니라 한계에 대해서도 알고 있어야 한다.

요약

일단 실험을 완성하면, 참가자의 반응 용지에 기록된 자료를 해석해야 한다. 아주 유용한 첫 단계는 종속변인의 유목 내에서 발생하는 자료의 수를 나타내는 **빈도 분포**를 작성해 보는 것이다. 종종 이 분포들은 **정상 분포**라고 불리는 대칭적인 종 모양의 분포와 유사하다. 다른 분포들로서는 가장 빈번하게 발생되는 유목의 수가 두 개인 **양봉 분포**와 분포의 한쪽 끝에 더 많은 점수들을 가지는 **편향된 분포**, 분포의 한쪽 끝에서는 자료가 없는 **절단 분포**가 있다. 분포의 집중 경향을 나타내기 위해 가장 보편적으로 사용되는 세 개의 통계치가 있다. **최빈치**는 가장 빈번하게 발생되는 유목이며, **중앙치**는 중간 점수이며, **평균치**는 분포의 무게 중심이다. 분포의 분산을 기술하는 데 일반적으로 두 가지의 통계치가 사용된다. **범위**는 최고 점수와 최저 점수 간의 차이이다. 그리고 **표준편차**와 때때로 **변량**은 정상 분포에 근접하는 분포의 분산을 기술한다.

그래프들은 독립변인과 종속변인간의 관계를 나타내 준다. 독립변인의 수준들을 가로축에 놓고, 종속변인의 값들은 세로축에 놓는다. **막대그래프는** 질적으로 다른 유목들을 대표하는 데 사용될 수 있다. **히스토그램** 또는 **함수적 선 그래프**들은 연속적 변인들을 나타내기 위하여 사용될 수 있다. 함수들을 기술할 때, 함수들이 **직선적**인지 **곡선적**인지, **정적**인지 **부적**인지, **단조적**인지 **비단조적**인지, **정적으로 가속**되었는지 **부적으로 가속**되었는지 그리고 **점근**하는지를 나타낼 수 있다. 실험적 관계의 강도는 산포도로 예시될 수 있으며, 만일 관계가 직선적이라면 **상관계수**나 **결정계수**를 계산할 수 있다.

요인 실험의 결과를 해석하기 위해서 다른 요인들의 평균 수준에서 한 요인이 종속변인에 미치는 효과인 **주효과**가 있는지를 결정해야 한다. 또한 한 변인의 효과가 다른 변인들의 수준에 따라 달라지는 **상호작용** 효과를 결정해야 하며, 특히 **교차 상호작용**은 주효과에 대한 해석을 어렵게 한다. 세 개나 그 이상의 요인이 사용되었다면 상호작용을 해석하는 것은 보다 더 어렵다. 왜냐하면 여러 개의 이원 상호작용과 삼원 상호작용이 있으며 심지어는 보다 고차의 상호작용도 있을 수 있기 때문이다.

추론통계는 자료 표본 간에 나타난 차이가 모집단에서의 실제적 차이(독립변인의 수준)가 아니라 우연히 발생되었을 확률이 어느 정도인지를 추론하기 위해 사용된다. 한 효과가 **통계적으로 유의하다**고 말해지기 위해서는 우연에 의한 차이가 날 확률은 보통 .05나 .01보다 작아야 한다. **모수적 검증**은 모집단이 정상 분포라는 것을 가정하며, **비모수적 검증**은 정상 분포를 가정하지 않는다. 통계적으로 유의하지 않은 결과를 각 조건들이 동등함을 의미한다고 생각함으로써, .05와 .01 유의도 수준을 너무 강조함으로써, 그리고 통계적으로 유의한 것과 실용적 중요도를 혼동함으로써 연구자들은 종종 통계적 검증들을 잘못 사용한다.

메타 분석은 여러 실험 결과들을 합치는 데 필요한 통계적 기법이다. **평균 처치 효과 크기**라 불리는 단일 통계치는 각 실험의 결과에서 계산될 수 있으며, 이 효과 크기들이 우연에 의해 발생했을 확률이 얼마인지를 결정하기 위해서 분석된다.

컴퓨터는 통계적 분석을 하기 위해서 종종 사용된다. 그러나 통계적 검증들의 가정에 부합되는지, 자료가 적절하게 입력되었는지를 확인하는 데 주의를 기울여야 한다. 통계의 결과들이 내적 일관성과 정확성이 있는지를 확인한 후에 받아들여야 한다.

그림 12-10의 문제에 대한 해답

위 그래프	글자 크기?	아니오
	나이?	예
	상호작용?	아니오
중앙 그래프	글자 크기?	예
	나이?	예
	상호작용?	아니오
아래 그래프	글자 크기?	아니오
	나이?	아니오
	상호작용?	예

통계에 관한 추천도서

초보자를 위한 책

Hinkle, D. E., Wiersma, W., & Jurs, S. G. (1988). *Applied statistics for the behavioral sciences.* Boston: Houghton Mifflin.

Kirk, R. E. (1990). *Statistics: An introduction.* Fort Worth, TX: Holt, Rinehart & Winston.

중급자를 위한 책

Keppel, G., & Zeddeck, S. (1989). *Data analysis for research designs: Analysis of variance and multiple regression/correlation approaches.* New York: W. H. Freeman.

Maxwell, S. E., & Delaney, H. D. (1990). *Designing experiments and analyzing data: A model comparison perspective.* Belmont, CA: Wadsworth.

Myers, R. H. (1971). *Response surface methodology.* Boston: Allyn & Bacon.

메타분석에 관한 추천도서

Cook, T. D., Cooper, H., Cordray, D. S., Hartmann, H., Hedges, L. V., Light, R. J., Louis, T. A., & Mosteller, F. (Eds.). (1992). *Meta-analysis for explanation: A casebook.* New York: Russell Sage Foundation.

Glass, G. V., McGaw, B., & Smith, M. L. (1981). *Meta-analysis in social research.* Newbury Park, CA: Sage.

Rosenthal, R. (1991). *Meta-analytic procedures for social research* (rev. ed). Newbury Park, CA: Sage.

13 실험 결과를 보고하는 법

자기만족은 글을 잘 쓰는 것의 적이다. … 자신이 쓴 글을 비판적으로 읽을 수 있는 능력은 수려한 문장을 만들거나 설득력 있는 논지를 만드는 것만큼이나 중요하다.

— Rachel Toor (2006)

우리 모두는 진리를 좇는 맹목적 추구자들
요란하게 뒤죽박죽된 단어들에 의해 혼돈되고
우리가 의미하는 바를 말하는 것인지
우리가 말하는 바를 의미하는지를
모르는 채,
단지 행동만이 그 시간 속에서 우리를 깨우쳐 주리

— B. Decker (1967)

우리가 알고 있는 바와 같이 십계명은 수용되었고 출판되었다. 모세가 34개의 다른 계명을 수정하여 다시 제출하도록 요구했다는 사실을 여러분들은 모를 것이다. 16계명들이 출판 지연으로 인해 여전히 출판되는 과정에 있다.

— Paladino & Handelsman (1995)

출판되어 나온 논문은 연구에 대해 군더더기가 제거된 합리적인 설명들인데 이는 표준적인 이야기 구조를 갖고 있다. 비록 경험이 많은 수사관이 기사의 행간을 읽음으로써 그 기사의 이면에 있음직한 실제 내용이 어떤 것인지를 추측할 수 있다고 하더라도 연구 논문에는 이러한 것이 하나도 없다.

— Madigan, Johnson, & Linton (1995)

다음과 같은 고전적인 철학적 논쟁이 있었다. 숲 속에서 나무 한 그루가 쓰러졌는데, 그곳에 그 소리를 들은 사람이 없었다면 그것을 소리라고 할 수 있는가? 논쟁의 문제는 소리가 소리로 존재하기 위해서는 사람이 그 소리를 들어야만 하는가였다. 여러분은 어떻게 생각하는가? 연구를 보고할 때도 이와 유사한 질문을 던질 수 있다. 누구도 알지 못하는 연구를 연구라고 할 수 있을까? 이 두 질문에 대한 형이상학적 대답은 여러분이 용어를 어떻게 정의하느냐에 따라 달라질 수 있다. 그러나 우리는 실제적인 대답에 관심이 있기 때문에 보고되지 않은 연구는 연구되지 않은 것과 같다고 말할 수 있다.

연구의 궁극적 목적은 실험을 하는 것이 아니라 과학의 지식체계를 세우는 것이다. 다른 과학자들이 실험을 알지 못한다면 그 결과는 지식체계를 세우는데 필요한 벽돌로서 사용될 수 없다. 실험에 관해 보고하는 것은 그 결과를 공개함으로써 과학이 연구 결과로부터 무언가를 받아들이도록 해 준다.

실험에 대한 보고는 연구의 결과물이므로, 좋은 품질을 가진 결과물이 되도록 해야 한다. 훌륭하게 작성된 실험보고서가 연구의 잘못된 부분을 살려 줄 수는 없지만, 엉망으로 작성된 실험보고서는 연구의 잘된 부분을 망쳐버리기 십상이다. 보고서의 저자와 그의 연구에 대해서 비공식적으로 토론해 본 것으로 판단해 볼 때 중요한 문제에 대해 잘 숙고하여 실험을 행한 것 같기는 하지만 보고서를 통해 표현할 능력이 부족해서 그의 연구들이 다른 사람에게 잘 알려지지 않은 연구자들을 나는 많이 알고 있다. 많은 훌륭한 연구들이 이와 같이 사라졌을 것이다.

심지어는 작문 과목의 강사들조차 학생들에게 자신의 생각들을 정돈되게 작성하도록 가르치는 데 곤란을 겪는다. 이 장에서 일반적인 작문에 대해서 가르칠 여지는 없다.[1] 내가 아는 한 작문에 관한 가장 간결한 가르침은 William Safire(1979)의 기사이다.

1) 여러분이 작문을 하는 데 곤란을 겪는다면, Strunk와 『White의 Elements of Style』(1979)라는 책이 유용할 것이다.

하나의 부정사를 분리시키지 말라. 수동태를 사용하지 말라. 진술을 부정문으로 하지 말라. 동사는 주어와 일치시켜라. 빠뜨린 낱말이 있나 주의하여 교정하라. 보고서를 다시 읽어보며 편집을 하는 것은 불필요한 반복을 피하게 해 줄 것이다. 필자는 관점을 옮겨서는 안 된다. 접속사로 문장을 시작하지 말라. 감탄부호를 너무 많이 사용하지 말라!!! 특히 10개 이상의 단어가 있는 긴 문장에서 대명사는 가능한 한 선행사에 가까이 두라. 주어가 생략된 분사 구문을 쓰지 않도록 하라. 연결동사는 문장 끝에 써서는 안 된다. 혼합된 은유를 피하라. 가볍게 들리는 유행어는 피하라. 단수 명사는 단수 대명사로 쓰여야 한다. 항상 정확한 숙어를 선정하라. 부사는 항상 동사 뒤에 놓아라. 마지막으로 중요한 것은 진부한 문귀는 피하고 그것의 대안을 찾으라는 것이다* (각 문장들은 그것이 금지하고 있는 사항을 어기고 있다).

이 장의 목적은 제한되어 있다. 나는 연구보고서에 포함되는 부분들을 기술하고, 작성한 보고서가 읽을 만한 것인지를 결정할 수 있는 제안점들과 주가 달려 있는 보고서 예를 제시할 것이다.

실험보고서는 일관된 구성을 사용하여 내용을 효율적으로 전달해야 한다. 이런 원칙을 염두에 두고, 미국 심리학회(APA, 2020)는 실험보고서 작성에 관한 일련의 규칙을 만들었다. **미국 심리학회의 출판 지침서**(Publication Manual of the American Psychological Association)가 그것이다.[2] 모든 실험 심리학자의 책상

* 이 문장의 원문은 다음과 같다. Remember to never split an infinitive. The passive voice should never be used. Do not put statements in the negative form. Verbs has to agree with their subjects. Proofread carefully to see if you any words out. If you reread your work, you will find on rereading that a great deal of repetition can be avoided by rereading and editing. A writer must not shift your point of view. And don't start a sentence with a conjunction. Don't overuse exclamation marks!!! Place pronouns as close as possible, especially in long sentences, as of 10 or more words, to their antecedents. Writing carefully, dangling participles must be avoided. If any word is improper at the end of a sentence, a linking verb is. Take the bull by the hand and avoid mixed metaphors. Avoid trendy locutions that sound flaky. Everyone should be careful to use a singular pronoun with singular nouns in their writings. Always pick on the correct idiom. The adverb always follows the verb. Last but not least, avoid cliches like the plague: seek viable alternative.

2) 보고서를 작성할 때 『출판 지침서 7판』을 사용하라. 7판은 구판에 비하여 변한 것들이 많이 있다. 이 책의 예제들은 4판을 참고로 한 것이고, 여러분이 다른 변화들을 알고 싶다면 최근 지침서를 참고해야 한다.

위에 찬찬히 읽은 이 지침서들이 놓여 있어야 한다. 이 지침서는 1929년 7페이지의 논문으로 시작되었으나 지금은 428페이지의 책이 되었다. APA 형식에 맞게 작문하는 법을 완전히 터득하려고 하는 것은 큰 일거리이다. 그러나 이러한 노력은 할 필요가 있다. 이 지침서는 표준 참고서이며 널리 사용된다. 예를 들어 여러분이 읽고 있는 책의 출판사도 저자들에게 이 지침서를 사용하도록 요청한다. 다른 과목에서 강사가 특정 지침서에 따르라고 말하지 않았다면, 여러분들은 이 지침서의 규칙들을 사용하는 것이 안전하다. 심리학 과목이나 심지어는 과목 프로젝트에서도 이 지침서의 일반적인 지침을 따라야 한다. 이 책에서 모든 주제들을 다룰 수는 없지만 나는 가장 중요한 규칙을 언급하고 초보 연구자가 종종 저지를 수 있는 실수들을 지적할 것이다.

APA 양식과 일반 작문과의 차이점

『출판 지침서』에 있는 여러 규칙(이런 규칙들을 모두 합쳐 APA 양식이라 부른다)들에 대해 말하기 전에 APA 양식과 다른 분야의 작문 양식의 차이점에 대해서 얘기하겠다. 심리학의 이러한 전통 중 어떤 것들은 명확하지 않을 수도 있으며, 어떤 경우에는 단지 『출판 지침서』에만 나와 있는 것들도 있다. 심리학 교수들은 수많은 논문들을 읽고 논문 양식에 대해 터득하게 된 경우가 있기 때문에 종종 출판 양식에 대해서 강조하지 않는 경우도 있다. 다른 수업시간에 배웠던 작문에 대한 내용이 심리학 수업에는 받아들여지지 않을 수 있기 때문에 여러분들이 이러한 미세한 차이들의 전통들을 아는 것이 중요하다. 여기서 내가 얘기하는 것의 많은 부분들은 두 심리학 학술 잡지에서 사용된 언어와 『현대 언어 학회의 출판서(Publication of the Modern Language Association)』와 『미국 역사 잡지(Journal of American History)』에서 사용된 언어를 비교한 Madigan, Johnson과 Linton (1995)의 연구에 기초하고 있다.[3)]

언어

심리학 연구자들은 명료한 언어를 사용한다. 명료하다는 것의 의미는 언어가 말하고자 하는 정보의 전달을 방해하지 말아야 한다는 것이다. 인문학 논문들에서 어떤 단어를 사용할 것인가는 어떤 사고를 나타내려고 하는 것인지 만큼 중요하며 이런 측면에서 언어와 사고들은 서로 연관되어 있다. 심리학에서 언어는 가능하면 직설적이어야 하며, 두드러지지 않아야 한다. 예를 들어 과학적 작문들은 전통적으로 "나는 자료를 분석했다."가 아니라 "자료들은 분석되었다."와 같이 능동태보다는 수동태로 쓴다. 이 표현들은 그 차이가 크지 않은 것처럼 보일 수 있지만 이는 연구자보다는 자료에 중점을 둔 표현이다. 과학적 작문에서 일상적이지 않게 그리고 매우 독창적인 방법으로 기술하려고 한다면, 다른 연구자들은 아마도 여러분이 노력을 들여 만들어낸 문학적인 표현을 제대로 감상하지 못할 것이며 이러한 작문법이 오히려 다른 사람들에게 그 연구의 엄밀성을 의심하도록 할 수 있다.

인용

심리학자들은 다른 연구들을 거의 역사학자들만큼이나 많이, 문학 비평에서보다는 훨씬 더 많이 인용하지만, 전형적인 인용방법들은 다르다. 인문학에서 필자들은 직접 인용을 사용한다. 평균적으로 역사학자들은 매 60 단어마다 한 번씩 직접 인용을 하는 반면, 심리학자들은 매 3000 단어에서 한 번 이하로 직접 인용을 한다(Madigan 등, 1995). 저자의 말을 직접 인용하기보다는 심리학자들은 문구를 바꾸어 인용한다. 앞 단락에서 지적한 바대로 이러한 차이는 아마도 언어가 사용되는 방식에서의 차이를 반영한 것일 수 있다. 역사학자들은 내용뿐만이 아니라 기술 방식도 중요하다고 생각한다. 심리학자들은 어떤 단어가 사용되었는지와 무관하게 자료, 이론, 그리고 논리적 주장들 자체가 중요하다고 생각한다. 학생들은 종종 문학 교수는 원 문장을 다른 문장으로 바꿔 인용했을 때 점수를 낮게 주지만

3) APA 양식에 능통해지기를 원한다면 『Mastering APA style: Student's Workbook and Training Guide』라는 책을 미국 심리학회에서 구할 수 있다 강사들에게는 『Mastering APA style: Instructor's Resource Guide』라는 책이 있다.

심리학 교수는 직접 인용을 너무 많이 하면 점수를 낮게 주는지를 이해하지 못한다. 불행하게도 세상은 항상 공정한 것이 아니며 성공하기 위해서는 이러한 작은 차이들을 배워야 할 것이다. 그러나 다른 문장으로 바꾸어 인용할 때는 직접 인용과 마찬가지로 적합한 인용이 중요하다는 점을 강조하고 싶다. 적절하게 인용하지 못한다면 그것은 **표절**(plagiarism)이다. 일반적으로 받아들여지는 표절에 대한 정의는 다른 사람의 언어, 생각 혹은 사고들을 도용하는(훔치는) 것이다. 표절은 그게 학문의 세계에서 일어났건 직업의 세계에서 일어났건 간에 심각한 결과를 초래한다. 표절과 관련된 깊이 있는 논의는 제5장을 참고하라.

하위 표제

다음 장에서 논의될 것이지만, APA 양식에 따르면 보고서의 각 단원은 정해진 순서대로 제시되어야 한다. 이 단원 내에서 심리학자들은 새로운 주제를 소개하는 것을 알리기 위해 하위 표제를 사용할 수 있다. 이러한 하위 표제들을 사용함으로써 새로운 주제를 소개하는 단락을 사용할 필요가 없기 때문에 연구보고서가 간결해진다. 인문학에서 하위 표제들은 거의 사용하지 않는다. 연구보고서에 나타나는 이러한 구조들은 이야기 구조라고 불리는 것을 강조하고 있다. 일관된 구조 내에서 연구를 기술함으로써 저자와 독자들 사이에서 다음에는 어떤 정보가 주어질 것인지를 기대할 수 있는 의사소통의 수단을 제공해 준다. 언어 자체를 강조하지 않음으로써 이 모든 구조들에 의해 오락적인 문학작품이 아닌 일관되고 간결하게 정보를 담고 있는 논문이 된다.

각주

심리학자들은 각주 특히 산만한 각주라고 불리는 것을 거의 사용하지 않는다.[4] 심리

4) 이 점을 강조하기 위해서 나는 각주를 사용하지만, 산만한 각주는 아니다. 산만하다(discursive)는 것의 사전적 의미는 '논점을 벗어난' 혹은 '두서없는'이란 말들을 의미한다. 산만한 각주란 주요 논지에서 벗어난 각주를 말한다.

학자들은 전형적으로 많은 독자들이 흥미를 가질 만한 것이 아닌 정보를 추가하거나 논점을 명확히 하기 위해서 각주를 사용한다. 한편 역사학자들은 심리학자보다 네다섯 배나 많이 산만한 각주를 사용하며, 문학 평론에서는 그 수가 두 배나 많다 (Madigan et al., 1995). 이런 각주를 사용함으로써 역사학자나 문학 평론가들은 동시에 여러 수준에서 논의가 만들어질 수 있는 병렬적인 텍스트를 설정하기도 한다. 심리학자들은 이러한 각주는 독자들이 기대하는 명확하고 간결하며 순서가 있는 양식을 방해한다고 생각한다.

의견 차이

역사학자나 문학 평론에서 다른 사람들과 의견이 다르면 그 차이에 대해 과감하게 얘기하며 이러한 의견에서의 불일치가 사적 감정이 될 수도 있다. 한 저자가 다른 사람에 대해 "어리석은" 혹은 "어떤 주제에 대해서 심사숙고하지 못한" 혹은 "의도적인 오역"과 같은 표현을 사용하여 비난할 수 있다. 심리학자들은 자신의 의견과 다른 경우에서도 인신 공격을 하지 않는다. 다른 연구자들을 직접 비판하기보다 자료나 방법론 그리고 이론의 관점에서 그 차이를 정중하게 얘기한다. 과학의 세계에서 통합된 지식체계를 건설하는 데 모든 연구자들이 힘을 합쳐 참여하고 있다는 사실을 알고 있기 때문에 이와 같이 다른 연구자들을 공손하게 대하는 전통이 형성되었을 것이다. 협동하지 못하면 지식체계를 허술하게 만들 수 있으며 혹은 만드는 데 보다 오랜 시간이 소요될 수 있다. 개인에 대해 초점을 맞추지 않음으로써 지식체계를 구성하는 자료나 이론을 강조할 수 있다.

방어적인 결론

심리학자들은 학술적인 작문에서 애매한 단어들을 보다 많이 사용한다. 심리학자들은 역사학자나 문학 평론가보다 평균적으로 열 배 정도 많은 애매한 단어를 사용한다(Madigan 등, 1995). 다음이 전형적인 애매한 단어나 구들이다. …과 일치하는(*is consistent with*), …을 지지하는(*lends support to*), …로 고려될 수 있다(*may be considered*), …와 관련될 수도 있다(*may be related to*). 이러한 애매한 말들의 대부분은 심리학자들이 결론을 내릴 때 하는 말이다. 대부분의 경우 연구자들이 애매한 말을 사용하는 것은 자료에 대해서가 아니라 이론에 대해서이다. 제3장에서 논의한 대로 이론은 그 본질상 증명될 수 없지만 반증되기는 어려워도 불가능한 것은 아니다. 이러한 이유로 아주 강력한 자료인 경우에도 그것이 이론과는 크게 관련이 없을 수 있다. 심리학자들은 자료와 이론 사이의 연관성이 약할 수 있다는 것을 알고 있기 때문에 결론에 대해서 애매한 태도를 취한다. 어떤 과학자가 자신의 결론을 매우 독단적으로 내린다면, 동료 과학자들은 그 사람을 순진한 사람이라고 비난할 것이다(정중한 방식으로).

APA 양식에서의 작고 미묘한 차이들에 대한 논의를 통해서 심리학자들은 왜 여러분들이 다른 과목에서 배운 것과는 약간 다른 방식으로 작문을 하는지를 이해할 수 있기를 바란다. 각기 다른 분야에서, 언어들이 사용되는 방식에서 미묘한 차이가 있다는 것을 완전히 이해하기에는 여전히 많은 시간이 걸릴 것이다. 그 분야에서 경험이 쌓여가면서, 특히 다른 사람의 논문을 읽고 자신의 연구 논문을 작성해 가면서 이런 점을 이해할 수 있을 것이다.

보고서의 구성 요소

모든 실험보고서에는 정해진 순서에 따른 표준 단원들이 있어야 한다. 그렇지 않으면 "우선 에~ 내가 말하려는 것들을 말하고 나서 에~ 이런 것에 대해 말하고, 에~ 그러고 나서 내가 말한 것들을 말하겠습니다."라고 설교하는 노목사의 경우와 다를 바가 없게 될 것이다. 실험보고서는 모두 표준 양식을 따르기 때문에 "무엇에 대해 말하고, 그 다음 무엇에 대해 말하고"와 같이 쓸모없는 말을 사용하는 데 공간을 사용할 필요가 없다. 표준화 된 구조로 보고서를 작성함으로써 작문을 효율적으로 할 수 있으며, 일관성 있는 구조로 쓰였기 때문에 방법이나 결과와 같이 논문의 특정 부분에만 관심이 있는 독자들이 그 정보를 빨리 찾을 수 있다. 보고서의 각 구성 요소들은 다음의 개요에 나열되어 있고 그 다음 단원에 설명되어 있다.

I. 제목 페이지
  A. 제목
  B. 저자
  C. 소속
  D. 난외(欄外) 제목
II. 초록 페이지
III. 보고서 본문
  A. 서론
    1. 배경
    2. 문헌 개관
    3. 목적
  B. 방법
    1. 참가자
    2. 장치
    3. 절차
  C. 결과
    1. 결과의 언어적 진술
    2. 도표와 그림을 위한 진술 삽입
    3. 기술 및 추론통계
  D. 논의
    1. 목적과 결과 간의 관계 진술
    2. 이론적 또는 방법론적 공헌
    3. 연구의 나아갈 방향
IV. 참고문헌
V. 저자 주(있을 때만)
VI. 각주(있을 때만)

VII. 도표
VIII. 그림 제목
IX. 그림

제목

발표된 후 2개월 동안 주요 심리학 잡지에 실린 연구보고서의 약 절반 정도가 200명 이하의 심리학자에게 읽혀진다(Garvey & Griffith, 1971). 보고서를 읽는 사람들은 거의 제목(title)을 근거로 보고서를 선택한다. 대부분의 심리학자는 관심있는 최신 연구를 찾기 위해 여러 잡지의 제목 페이지를 정기적으로 훑어본다. 그렇기 때문에 제목은 보고서의 가장 중요한 부분이다. 제목에 정보가 별로 없거나 잘못된 정보가 있는 경우 다른 사람들이 여러분의 논문을 볼 수 있는 기회는 없어진다.

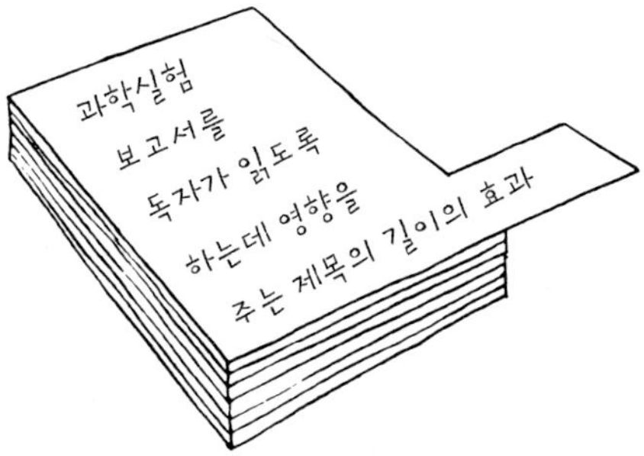

제목을 결정하는 데 가장 도움이 되는 두 가지 제언은 서로 상충된다. (1) 가능한 한 많은 정보를 포함시켜라. (2) 가능한 한 짧게 써라. 대부분의 제목에는 주된 독립변인과 종속변인이 언급되어야 한다. 그러나 변인만으로는 어떤 연구인지가 명확하지 않다면 여러분은 연구의 일반적인 영역에 대해서 구체적으로 명시해 주어야 한다. 출판지침서에 따르면 제목은 10에서 12 단어 이내이어야 한다. 대부분의 제목은 이것보다 상당히 짧다.[5]

제목을 만드는 한 가지 방법은 먼저 길게 만든 후 긴 설명에서 시작해서 더 이상 줄일 수 없을 때까지 단어를 삭제해 가는 것이다. 예를 들면 앞서 논의된 활자 크기 실험의 제목이 필요하다고 가정하자. 첫 단계에서는 다음과 같은 제목으

5) 이것에 대한 확실한 증거를 갖고 있지는 않지만, 일반적으로 잘 알려진 논문들의 제목은 길이가 짧다. 이는 독자의 기억 폭 때문에 생긴 것일 수도 있고, 글을 잘 쓰는 사람은 제목을 짧게 쓰기 때문일 수도 있다. 나도 이 책을 그냥 책이라 부를 걸…….

로 시작할 수 있다. "다양한 나이의 아동이 하나의 표준 절을 읽는 데 걸리는 시간과 활자 크기의 효과를 조사하는 실험." 단축시켜 보자. "…의 효과를 조사하는 실험"은 즉각적으로 제거할 수 있는데, 이런 낱말은 독자에게 아무런 새로운 정보를 주지 않기 때문이다. 단어의 재배열을 통해 대부분의 전치사(of, on, to, for)도 제거할 수 있다. 이 예에서 일반적 묘사(다양한 나이의 어린이)를 사용하는 것보다 독립변인의 특정 수준(8세와 12세)을 지정하는 것이 더 효과적이다. 약간의 작업 후에 "글자 크기와 8세 및 12세의 독서 속도"로 제목을 정할 수 있다. 이 제목은 원래 정보의 대부분을 포함하면서도 확실히 짧아졌다.

제목에 콜론(:)을 사용하여 단어를 줄일 수 있다. 이 책의 참고문헌에 있는 논문 제목을 살펴본다면 콜론이 포함된 제목을 많이 발견할 수 있을 것이다. 예를 들어 Johnson의 「단기 기억 과제 동안의 동공 반응: 인지적 과정, 각성, 혹은 이 둘 모두?」 콜론이 없다면 제목의 길이는 길어질 수 있다. 예를 들어 「단기 기억 과제 동안의 동공 반응은 인지적 과정, 각성 혹은 이 둘 모두를 나타내는 것인가?」 Greenwald의 논문 「피험자 내 설계: 사용할 것인가, 사용하지 않을 것인가?」는 "피험자 내 설계는 사용할 수 있는가, 사용할 수 없는가?"로 될 것이다. 이 예에서는 콜론을 사용해도 제목의 길이가 크게 줄어들지 않는다. 그렇지만 콜론에 의해서 셰익스피어의 질문처럼 되어 제목이 보다 흥미롭게 된다.

저자와 연구 기관

제목 뒤에, **저자**(author)들이 나열되고, 그 뒤에 연구가 행해진 **연구 기관**(institution)이 기재된다. 연구가 행해진 연구소를 표시하는 이유는 그 연구가 이루어질 수 있도록 여러 자원들을 제공해 준 것에 대해 영예를 주어야 하며, 윤리적인 문제나 참가자들에 대한 보호를 연구소가 책임지고 있기 때문이다.

저자가 여러 명인 경우 그 연구에 상당한 과학적 공헌을 한 사람만 기재한다. 단순히 몇 가지 자료를 수집했거나 분석에만 도움을 준 사람은 저자의 목록에 올리기보다는 저자의 주를 통해 감사를 표해야 한다. 일반적으로 연구에 일차적 책

임을 진 사람이 연구보고서도 작성해야 하며 첫째 저자가 되어야 한다. 다른 사람의 이름은 기여도의 크기에 따라 순서대로 그 다음에 기재되어야 한다. 그러나 연구자의 기여도를 확실히 알 수 없는 상황—예를 들어 학생과 교수의 공동 연구에서와 같이—이 발생할 수 있으며, 이 경우 논쟁이 생길 수도 있다. 연구과정의 초기단계에서 이 문제에 대해 논의함으로써 이러한 논쟁을 피할 수 있다고 제안되었다(Fine & Kurdek, 1993). 고려해야 할 다른 요소들은 연구에 대한 기여가 전문적인 것인지 비전문적인 것인지, 각 개인의 특정한 능력, 각 개인들에게 할당된 임무 등이 있다. 저자에 대한 합의들은 연구가 진행되어 가면서 다시 논의될 수 있지만, 나중에 심각한 논쟁을 피하기 위해서는 사전에 합의를 해 두는 것이 좋다.

난외 표제와 페이지 표제들

난외 표제는 해당 논문을 식별하기 위해서 제목 페이지의 첫머리에 인쇄되는 축약된 제목이다. 빈칸과 구두점을 포함하여 50 글자보다 길어서는 안 된다. 페이지 표제는 제목의 첫 몇 개의 단어로 이루어져 있으며 각 페이지의 오른쪽 위 모서리의 페이지 번호의 바로 왼쪽에 인쇄된다.

초록

초록(abstract)은 보고서에서 두 번째로 중요한 부분이다. 독자가 제목에 흥미를

느껴 여러분의 보고서를 선택했다면, 그 사람은 학술 잡지나 『심리학 초록집(Psychological Abstracts)』에 제시되어 있는 연구의 초록을 읽을 것이다. 방문 판매원처럼 제목은 문에 발을 들여놓을 수 있게 하지만 초록은 집 안으로 초대 받을 수 있게 한다.

초록은 전체 보고서가 축약된 형태이어야 한다. 최종 보고서에서 초록은 제목 바로 뒤에 나오지만, 대부분의 실험자는 보고서의 나머지 부분이 완료될 때까지 초록 작성을 미룬다. 초록에서는 연구문제와 변인 이름들을 제시하고, 연구 방법을 간략히 제시해야 하며, 중요한 결과와 그 결과의 의미를 논의해야 한다. 이 모든 것을 하는 데 글자와 여백과 구두점을 포함하여 최대한 960 철자(100에서 120 단어)만을 사용해야 한다. 단어 몇 개로 많은 정보를 포함시켜야 한다. 제목에서와 같이 긴 초고를 쓴 후에 필요 없는 정보나 부분을 제거해 나가는 것이 유용하다. 그래도 초록은 이해할 수 있게 그리고 제목과는 달리 완전한 문장들로 써야 한다. 한 번 편집을 한 후에도 초록이 여전히 길면, 남아 있는 정보의 상대적인 중요도에 따라 길이 기준에 맞을 때까지 중요하지 않은 것들을 제거하라.

어떤 연구자들은 제목과 초록을 마지막에 해야 할 일로 여긴다. 논문의 본문을 쓰는 데 온갖 노력을 들인 후에 제목과 초록은 단번에 써 버린다. 여기에서 나는 제목과 초록이 여러분의 실험보고서의 가장 중요한 두 부분임을 알려 주고 싶다. 이 부분에 최고의 노력을 기울여라.

서론

서론(introduction)은 지식체계의 최근 동향을 기술하는 데 사용된다. 서론은 항상 보고서 본문의 첫 번째 부분에 있기 때문에 표제를 쓸 필요가 없다. 독자는 여러분의 연구 분야에 어느 정도 친숙하므로 여러분이 수행한 연구와 가장 관련있는 실험 몇 가지만 언급하면 된다. 다른 연구를 인용할 때 본문에는 연구자의 이름과 연도만 표시하고 참고문헌 부분에 인용의 출처에 대한 모든 정보를 표시하면 된다.[6] 실험의 기초가 되는 중요 연구들만 명확하고 간략하게 기술하라. 좋은 서론이란 독자들이 어떤 실험이 행해졌는지를 알 수 있도록 해 주는 짧은 개괄 논문이다.

여러분의 연구를 지지해 주는 문헌을 개괄한 뒤에, 실험의 목적에 대해 언급해야 한다. 이 문장에는 연구의 독립변인과 종속변인 간의 관계를 명시해야 한다. 예를 들면 "이 실험의 목적은 활자의 크기가 8세와 12세 어린이의 독서속도에 동일한 영향을 미치는지를 알아보고자 한 것이다."와 같은 문장이 포함되어야 한다. 문헌의 개괄이나 이론적 논쟁에서 실험의 결과를 예측할 수 있다면, 여기에서 가설의 형태로 예측하라. 하지만 결과를 예측하는 목적은 보고서의 뒷부분에서 결과를 해석하기 쉽게 하기 위한 것이므로 가설의 논리적 근거를 설명하여야 한다. 가설이 지지 받지 못할 것 같으면 독자의 시간을 낭비하지 말라.

방법

이 부분에서 독자는 여러분이 무엇을 왜 했는지를 알도록 해야 한다. 여러분이 했던 것을 독자에게 말해야 한다. **방법**(method) 부분은 독자가 여러분의 실험을 반복할 수 있을 만큼 자세한 내용을 담고 있어야 한다. 하지만, 어떤 세부 사항이

6) 실험 인용법: 저자가 한 명인 경우, 저자 이름과 논문 작성 연도를 쓴다. 즉, "Jones(1967)가 발견한…" 또는 "…이 발견되었다(Jones, 1967)". 저자가 둘 이상인 경우 "Jones와 Smith(1971)" 혹은 "…이 발견되었다(Jones & Smith, 1971)"와 같이 두 사람의 이름 모두를 쓴다. 셋 이상인 경우, 처음으로 그 연구를 인용할 때는 저자의 이름을 모두 쓰고 그 다음부터는 첫 번째 저자의 이름 뒤에 "et al."을 쓴다. 예를 들어 "Johnson et al.(1972)도 발견한…"과 같이 제시한다.

실험의 결과와 연관되어 있는지는 스스로 판단해야 한다. 예를 들어 활자 크기 실험에서 각 문단이 인쇄된 종이의 넓이는 확실히 명시해야 하지만, 글을 읽었던 방의 정확한 넓이는 명시할 필요가 없다. 무한한 일련의 환경 조건 모두를 언급하는 것이 불가능하기 때문에 논리적인 측면에서 결과에 영향을 미칠 수 있는 것들만 언급해야 한다.

방법 부분은 보통 여러 하위 부분들로 나뉘어진다. 필요에 따라 하위 부분을 추가할 필요가 있을 수도 있지만, 전형적인 보고서는 대개 세 하위 부분으로 나뉜다.

참가자

참가자(participants) 혹은 피험자(subjects)[7] 부분에는 참가자가 누구였는지가 명시되어야 한다. 그 사람들이 학생인지, 조종사인지 혹은 어린이인지? 여성인가 남성인가? 참가자가 몇 명이고 어떻게 선정하였는가? (자원자였나? 강의에서 요구하기 때문인가? 돈을 받았는가?) 이러한 정보를 기술할 때 사모아에 살고 있는 독자도 이해할 수 있도록 해야 한다는 점을 유의해라. ("참가자들은 PSY204의 학생들이었고..." 엥? PSY204가 뭐지?) 동물을 참가자로 할 경우, 나이와 성별과 더불어 속(屬), 種(종)을 보고해야 한다. 특정 참가자의 자료를 제외하려면(제5장을 보라), 그 기준을 제시해야 한다.

장치/재료

장치/재료(apparatus/materials) 부분에는 실험에 사용된 장비나 재료를 기술한다. 표준 심리학 장치를 사용했다면 일반적인 이름, 제조업자, 모델번호만 쓴다("표준 2 채널 순간 노출기 모델 800-F가 사용되었다…."). 맞춤 장비인 경우 독자가 유사한 장치를 만들 수 있도록 주문한 장치의 세부 설명을 기술하라("슬라이드는 세로

7) 1974년 이전에 출간된 논문을 보면 S로 축약된 피험자(subject)와 E로 축약된 실험자(experimenter) 단어를 볼 수 있다. 이러한 단축된 글자는 이제 사용하지 않는다. 사실, 피험자라는 용어는 가능한 한 사용하지 말아야 하며, "학생", "아동" 또는 "쥐"와 같이 보다 구체적인 단어를 사용하는 것이 좋다. 일반적인 용어를 사용해야 한다면 참가자(paticipants), 응답자(respondents) 혹은 개인(individuals)이라는 용어를 사용하라.

15cm, 가로 20cm이며 참가자로부터 30cm 높이에 설치되어 있는 간유리 화면[Plexiglas panel]에 뒤에서 투사되었다.").[8] 실험을 할 때 모든 측정치를 적어 두어야 한다. 실험이 끝난 뒤에 이런 세부사항들을 재구성하는 것은 종종 어려우며 때로는 불가능하다.

절차

절차(procedure) 부분에는 실험이 진행되는 동안 각 참가자에게 일어난 일을 정확히 명시해야 한다. 이 부분을 쓸 때는 실험에 대해 알지 못하는 순수한 참가자가 실험실로 걸어 들어오는 것을 상상하라. 그 순간부터 무엇이 일어나는가? 참가자가 어떤 지시를 받는가? 실험 조작에 관한 중요한 부분이 아니라면, 지시문은 보통 제시되었던 것과는 다른 문장으로 기술될 수 있다. 시행을 하는 동안 어떤 일이 어떤 순서로 언제 일어났는가? 몇 번의 시행이 제시되었는가? 그것들은 몇 구획으로 제시되었는가? 혹은 몇 회기로 제시되었는가? 시행이 무선화 혹은 역균형되었는가? 정확히 무엇이 측정되었으며, 어떻게 측정되고 기록되었는가? 어떤 실험설계가 사용되었는가? 왜 그와 같은 절차를 사용하였는가?

절차 부분은 기술하기 가장 어려운 부분 중의 하나인데, 그것은 여러분들이 이미 각 세부 사항에 매우 친숙해졌으며 각 절차가 너무 명백하고 확실하게 보이기 때문이다. 실험에 대해 아무것도 모르는 사람에게 반드시 절차 부분을 읽도록 한 후, 어떤 실험이 이루어졌는지를 말하도록 시켜 보라. 그러고 나서 잘못된 것 같은 부분을 수정한 후 다른 사람에게 다시 시도하라. 결국에는 두 보고가 일치할 것이며, 그 시점에서 절차 부분은 완성된다.

결과

결과(result) 부분은 먼저 자료를 기술하는 것으로 시작해야 한다. 일반적인 결과

8) 모든 측정치는 미터 단위로 보고하라. 미터 단위가 아닌 제품이면 그대로 보고하되 그에 해당하는 미터 단위를 첨가하라(판은 가로 3피트[0.91미터]였다).

를 예시하거나 사례수가 작은 실험의 결과를 나타낼 때만 원 자료를 제시하라. 기술 통계치가 먼저 보고되어야 한다.[9] 평균이나 중앙치와 같은 집중 경향치를 보고할 때는 대체로 표준편차와 같은 분산 측정치도 함께 보고해야 한다. 보고할 수치가 적다면 본문에 포함시켜라. "1, 2, 4초간 처리를 받은 조건의 반응시간은 각각 350, 362, 391msec였다." 하지만 다섯 개나 여섯 개 이상의 자료 점을 보고해야 할 때는 표나 그림을 이용하라.

주효과를 보여 주기 위해서 혹은 종속변인의 정확한 값이 중요하여 이를 제시할 필요가 있을 때는 표를 이용한다. 표는 본문이 아닌 독립된 페이지에 작성되어야 한다. 이 장의 마지막에 있는 짧은 예제 보고서에서 표가 어떻게 구성되어 있는지를 살펴보아라. 구체적인 문제들에 대해서는 『출판 지침서』를 참조하라.

그림을 너무 많이 제시하지 마라. 왜냐하면 그림은 학술 잡지의 공간을 많이 차지하고 표보다 인쇄하는 데 비용이 많이 든다.[10] 제12장에서 보았듯이, 그림은 자료의 상호작용과 추세를 보여 주는 아주 효과적인 방법이다. 대부분 그림은 표보다 더 선호된다. 독자들은 일반적으로 표보다는 그림에서 정보를 더 잘 추출할 수 있고 기억할 수 있다. 그림을 그리는 데 필요한 일반적인 규칙들이 다음에 제시되어 있다.

1. x축과 y축의 이름을 붙이고 측정 단위를 표시하라.[11]
2. 세로축은 가로축의 2/3 정도 길이가 되게 긋는다.
3. 세로축의 최소점에 0을 기록한다. 공간을 절약하기 위해(예를 들어 0과

9) 결과 부분의 첫 문장이 "변인 A의 효과는 유의했다. $t(18)=4.7$, $p<.01$."과 같은 학생들의 보고서를 많이 보았다. 자료를 기술하기에 앞서 추론통계의 결과를 보고하는 것은 마치 야구 경기에서 "한 팀이 이겼다."라고 말하는 것과 유사하다. 어느 팀이 이겼는가? 몇 대 몇으로 이겼는가? 실험의 예로 돌아가면, 어떤 방향으로 효과가 발생했나? 효과의 크기는 얼마인가?

10) 그림은 일반 문자로 표시될 수 없는, 그리고 시각적으로 자료를 제시하는 것들을 말한다. 실험보고서에서는 가장 일반적으로 사용되는 그림은 그래프이다.

11) 초보 연구자들은 이 과정을 종종 잊어버린다. 이러한 실수를 저지르지 않기 위해서 각 축의 이름을 붙이기 전까지는 자료점을 그래프에 찍지 않는 것을 규칙으로 삼아라.

0.3초 사이에 반응시간이 없으면) 세로축을 절단점을 두어야 할 경우, 그 지점에 이중 사선으로 절단점을 표시하라.

4. x축에 표시되지 않은 독립변인을 나타내기 위해 점이나 선으로 된 기호를 사용하라. 이들 기호는 보고서에서 일관성 있게 사용한다. 색깔을 이용하여 구별하지 말라. 색깔은 칠하기 그림책에서나 사용한다!
5. 한 그림에 너무 많은 곡선을 그리지 말라. 셋이나 넷 이상을 그리지 말라.
6. 본문과 다른 독립된 페이지에 그림을 그려라.

이런 규칙들에 의해 결과가 분명하게 제시되고, 왜곡될 가능성을 최소화 할 수 있다. 하지만 때로는 자료를 왜곡하지 않기 위하여 이 규칙들을 바꿀 수도 있다.

공식적인 출간을 위해서 학술 잡지에 제출된 그림들은 대개 컴퓨터 프로그램과 프린트를 사용하여 만들어진 것들이다. 그림 작업을 할 때, 좋은 프린터를 사용하고 출판을 위해서 그림이 축소되었을 때에도 선의 굵기와 글자 크기가 적절한지를 잘 생각하라. 실험의 각 부분들이 그림이 축소되는 과정에서 너무 작아지지 않도록 하기 위해 글자와 숫자의 크기는 4 포인트 이상 차이가 나지 않도록 하라 (예를 들어 14 포인트에서 10 포인트까지).

자료가 일단 기술된 후, 추론통계의 결과치를 보고한다. 먼저 어떤 검증 절차가 사용되었는지를 명시하고, 각 변인들이 통계적 검증과정에서 어떻게 사용되었는지가 명확하지 않다면 그것도 밝혀야 한다. 이와 같은 검증의 결과는 표준 방식으로 보고된다. 예를 들어 10명의 참가자로 이루어진 두 집단에 대해 *t*-test[12] 검증을 한 결과가 4.7이고, 이것이 .01 수준에서 유의하다면 다음과 같이 보고할 수 있다. "집단 간 차이는 유의한 것으로 나타났다. $t(18)=4.7$, $p<.01$."[13] 다른 검증

12) t 검증은 두 표본의 평균이 서로 유의미하게 다른지를 나타내는 추론적 검증이다. t 검증 결과는 숫자이다. 표에 있는 다른 숫자와 이 숫자를 비교함으로써, 평균들이 특정 확률 수준(예를 들면 .01의 확률 수준은 $p<.01$이다.)에서 통계적으로 다른지를 결정할 수 있다.

13) 괄호 안의 숫자는 t 검증의 자유도이다. 대부분의 통계적 검증은 하나나 두 숫자로 된 자유도를 갖는다. 그 검증들을 배우면 이 숫자가 어떻게 결정되는지를 알게 된다.

도 같은 방법으로 보고하는데, 먼저 검증 통계치를 나타내는 기호를 먼저 써 주며(이탤릭체를 사용할 수 없으면 밑줄을 그어준다), 그 뒤에 괄호 안에 자유도를 표시하고, 등호, 검증계산 결과, 쉼표, 이탤릭체나 밑줄 친 소문자 p 그리고 < 기호(유의미하지 않은 경우 > 기호)가 뒤따르며, 끝으로 검증 수준이 제시된다. 많은 학술 잡지들은 표준적인 유의도 검증뿐만 아니라 **효과 크기**(effect size)도 보고할 것을 요구한다. 효과 크기를 보고함으로써 독자들이 표본에서 발견된 차이가 어느 정도 실제 전집에서 발견될 차이인지를 결정할 수 있도록 할 뿐만 아니라 그 차이가 중요한 것일만큼 충분히 큰 차이인지를 결정할 수 있게 해 준다. 효과의 크기는 추론통계에서 얻은 수치들을 이용하여 쉽게 계산될 수 있다. 통계책이나 강사에게 어떤 공식을 사용하여 계산할 수 있는 지를 물어보아라.

결과 부분에서는 정보를 명확하게 하기 위한 경우를 제외하고는 결과에 대해 해석하지 말아야 한다. 결과 부분에서는 발견된 사실을 제시하고, 논의 부분에서는 왜 이러한 결과가 발생했다고 생각하는지에 대해 설명해야 한다. 따라서 표준 형식에서는 이 두 부분이 합쳐질 수 없다. 정보들이 보다 명확하고 효율적으로 제시될 수 있는 경우라면 결과와 논의 부분을 합칠 수도 있다. 만약 두 부분을 합치려고 한다면 반드시 표제를 결과와 논의라고 표시하는 것을 명심하라.

논의

서론에서는 기존의 지식체계가 무엇으로 구성되어 있는지와 그 중 어떤 부분이 확장되어야 하는지를 기술했다. 그리고 결과 부분에서는 지식체계라는 집을 짓는데 필요한 또 하나의 새로운 벽돌을 마련했다.[14] 이제는 새 벽돌이 구조에 어떻게 부합되는지와 새로운 구조들이 이전의 구조들과 어떻게 다른지를 기술해야 한다. 따라서 **논의**(discussion) 부분은 연구 결과로 지식체계를 갱신하는 곳이다.

대부분의 경우 서론 부분에는 대립하고 있는 이론들이나 실험 결과를 예측할 수 있는 가설이 언급되어 있다. 논의 부분에서는 이들 이론이나 가설들을 짧게 개

14) 또는 어떤 경우에는 여러분의 실험이 기존 구조의 일부를 날려 버릴지도 모른다.

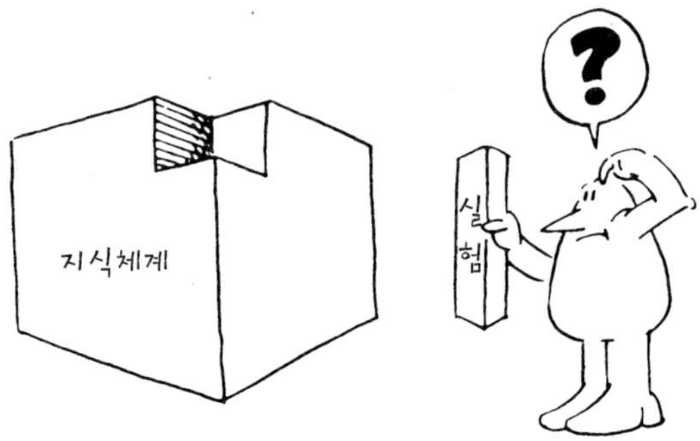

괄한 후 실험 결과가 이것들을 지지하는 것인지 반박하는 것인지에 대해서 논의해야 한다. 하나 이상의 이론이나 가설이 결과를 설명할 수 있다면 향후 연구에서 이것들을 검증할 수 있는 방법을 제안할 수 있다.

이 부분에서 결과를 제한하기도 하고, 필요하다면 예기치 않았던 발견의 원인이 무엇인지를 고찰해 보는 곳이기도 하다(고찰이 장황하지 않고 고찰 그 자체로 두는 한). 하지만 통계적으로 유의하지 않은 효과를 설명하느라 독자의 시간을 낭비하게 해서는 안 된다. 부적인 결과가 우연에 의해서 발생된 것이 아니라고 해석할 수 있는 경우는 거의 없다.

특히 응용분야의 작업을 하는 경우에 논의 부분에서 연구의 실용적 가치—결과가 어디에 어떻게 사용될 수 있는지, 현행의 응용분야에 있는 절차들을 어떻게 변경시킬 수 있는지—를 명시해 주어야 한다.

마지막으로 논의 부분에서 앞으로의 연구 방향에 대한 제안을 할 수도 있다. 지식체계의 새로운 상태를 논의하였으므로 여러분은 어떤 방향으로 나아가야 할지를 제안할 수 있다.

참고문헌

참고문헌(reference) 부분에는 보고서에서 인용된 문헌들만을 저자의 이름순으로 나열한다. 이 책의 마지막과 예제 보고서에 나열된 참고문헌들은 규정된 양식을 따르고 있으므로 유용한 예가 될 것이다. 특이한 참고문헌에 대해서는 『출판 지침서』를 참조하라.

글쓰는 방식

실험보고서는 문학작품이나 오락적인 이야기가 아니다. 따라서 일반적인 문체가 사고의 흐름을 방해하거나 혹은 연구보다 여러분에게 더 초점이 주어지게 해서는 안 된다. 이런 이유로 과학보고서 작성에는 표준양식이 생겨나게 되었다.

전통적으로 과학보고서 작성자는 1인칭 능동형보다 3인칭 수동형을 사용한다. 연구자는 "나는 ...하려고 이 실험을 했다."라고 쓰는 대신 "이 실험은 ...하려고 행해졌다."라고 쓴다. 이러한 작문 방식은 연구 보고서를 일상적인 편지와 같은 문서들과 구분될 수 있도록 하지만, 더 이상 이러한 방식을 고집하지는 않는다. 산문은 지루하고 단조로우며 독자에게 즐거움보다는 고통을 준다. 오늘날에는 제한된 범위 내에서 대명사 "나(I)"의 사용은 적합한 것으로 간주된다. "...라고 생각되어진다."보다는 "나는 ...라고 생각한다."라고 쓰는 것을 예로 들 수 있다. 그러나 독자의 관심이 연구보다 여러분에게 더 쏠릴 만큼 과도하게 "나"란 말을 사용하지는 말아야 한다. 또한 대명사에 아무런 문제가 없을 때는, 특히 수동형보다는 능동형 동사를 사용하도록 한다. 예를 들면, "이전 보고서에서 새로운 방법이 기술되었다."보다는 "이전 보고서는 새로운 방법을 기술하였다."로 쓴다.[15] 여기서도 일반적 규칙은 사고의 유연한 흐름을 방해하지 않으면서 글을 생생하게 만드는 단어를 사용하는 것이다.

문장의 문맥으로 보아 어떤 시제의 동사를 사용해야 할지 결정해야 한다. 서론과 방법 부분의 문장은 대부분 과거의 행동을 지칭한다. 예를 들어 "Boles(1972)

15) 어떤 사람은 기술하는 사람은 보고서가 아니라 저자라는 이유를 들어 이런 형식에 반대할 수도 있다. 나는 보고서 작성이 대개 개인적 기호의 문제라고 생각한다. 이 경우 나는 생생한 양식을 위해 정확성을 조금 양보하는 것을 선호한다.

가 ...을 보고했다."나 "학생들은 ...단어들을 회상했다." 등이 있다. 반면에 실험이 완료된 후에도 그 결과와 이론은 현존하는 것이다. 즉, 지식체계는 현존하고 있으므로 현재 시제 동사를 사용하여 논의해야 한다. 예를 들어 "이 자료는 망각의 간섭이론을 지지한다."라고 쓴다.

끝으로 과학보고서는 간결해야 한다. 시간과 공간이 제한되어 있으므로 지나치게 장황한 말은 허용되지 않는다. 내가 이 책에서 사용한 문체는 과학보고서에는 적합하지 않을 수 있다.[16] 나는 단순한 정보 전달 이상의 것을 하려 하고 있기 때문에 의도적으로 필요 이상의 말을 사용하고 있다. 즉, 여러분들에게 정보를 전달할 뿐만 아니라 여러분들에게 확신시키고, 유도하고, 변화시키려 하였다. 과학적인 글에서, 여러분들의 독자는 이미 확신하고, 유도되고, 변화되었다고 생각할 수 있으므로, 여러분들은 단지 지식을 전달하기만 하면 된다.

보고서 작성과정에서 초보 연구자가 겪는 가장 흔한 문제는 게으름이다. 물론 실험을 하는 사람은 게으를 수 없기 때문에 실제로 게으르지는 않겠지만 그의 글 쓰는 습관은 게으를 수 있다. 가장 중요한 것은 연필 끝이 뭉뚝해질 때까지 쓰고 또 쓰는 것이다. 가장 중요한 키(key)는 삭제 키(delete key)이다. 훌륭하고 간결한 보고서를 단번에 작성할 수 있는 사람은 거의 없다. 과학보고서를 잘 작성하는 사람은 가장 적합한 단어나 문장 구조를 선택하기 위해서 수많은 대안적인 단어와 문장을 만들어 본다. 모든 단어가 말하려는 바를 정확히 전달하도록 해야 하며, 모든 문장들은 다음 문장으로 매끄럽게 이어져야 한다. 이런 식으로 작문을 해 나가는 것은 어려운 작업이다!

보고서를 쓸 때, 대부분의 연구자는 우선 최선을 다해 첫 초고를 작성한다. 두세 번의 시도를 한 후에야 이러한 초고가 완성될 것이다. 왜냐하면 수정한 것 위에 다시 수정하기보다는 오히려 전체를 다시 쓰는 것이 더 쉽기 때문이다. 일단 만족스러운 최종 초고가 완성되면 몇몇 사람에게 읽어보도록 해야 한다. 이 사람들 중 최소한 한 사람은 여러분의 실험에 친숙하지 않아야 하는데, 여러분은 자신

16) 내가 과학적인 문체로 책을 썼다면, 여러분도 지루하고 나도 지루하고 출판업자도 지루할 것이다. 내 어머니 한 분만 그 책을 살 것이다. 어머니는 내가 지루하게 해도 나를 사랑하시니까.

적이 최선의 비평가이다.

의 연구에 너무 익숙해져 있어 보고서가 실험을 얼마나 잘 기술하는지를 판단할 수 없기 때문이다. 여러분은 이미 어떤 일이 일어났는지를 알고 있기 때문에 여러분의 마음은 보고서에서 빠진 부분을 쉽게 채워 버린다. 실험에 대해 모르는 독자가 그 빠진 부분을 잘 찾아낼 수 있는 사람이다.[17)]

실험에 친숙한 독자에게 보고서를 주는 것도 도움이 되는데, 그는 여러분이 했다고 기술한 것을 여러분이 실제로 했는지를 알려 줄 수 있기 때문이다. 그는 여러분의 실수를 찾아 줄 수 있다. 끝으로 과학보고서 문체에 익숙한 사람에게 여러분의 보고서를 보여 주어라. 이런 독자는 여러분이 했던 실험을 보고하는 방식을 어떻게 개선하는 것이 좋은지를 알려 줄 것이다.

이런 독자들의 평을 들은 후에야, 보고서의 최종본을 쓸 준비가 되는 것이다. 이 최종본은 깨끗하게 인쇄되고 제출하기 전에 교정을 보아야 한다.

어떤 사람들은 여기에 기술된 절차를 따른 보고서가 읽기 쉬워진다고 생각할 것이지만, 다른 절차가 최선의 방법이라고 생각할 사람도 있을 것이다. 글쓰는 것도 기술이다. 한 사람에게 좋은 방법이 다른 사람에게는 맞지 않을 수 있다. 그렇다고 해도 우리가 논의해 온 것의 핵심은 어떤 절차를 선택하더라도 따라야 하는

17) 내 친구 중 한 명이 나에게 그의 동료 학자의 죽음에 대해 이렇게 말했다. "나는 그를 정말 그리워할 거야. 그는 나의 최고 좋은 적이었는데, 이제 내 보고서를 누구에게 보내야 할지 모르겠네." 친분이 깨질까 봐 두려워하지 않고 여러분의 보고서를 비판적으로 읽어줄 사람이 있다는 것은 행운이다. 친구는 다정하기 때문에 좋은 비판가가 될 수 없다.

것들이다. 보고서는 연구의 최종 산물이며, 최소한 연구의 다른 면에 들이는 노력과 같은 정도의 노력을 기울여야 한다.

빈번히 발생하는 열 가지 오류 목록

나는 수업을 듣는 학생들이 쓴 수천 개의 연구보고서를 평가했다. APA 양식을 학생들의 머릿속에 집어넣으려고 했지만 학생들은 여전히 실수를 저지른다. 다른 실수들보다 훨씬 빈번히 나타나는 실수들이 있다. 일반적으로 가장 빈번하게 나타나는 10개의 오류 목록을 제시하는 것이 도움이 될 것이라고 생각한다. (하나를 더 추가로 끼워 넣을 수밖에 없다.)

APA 양식을 가장 빈번하게 어기는 학생들의 실수들

10b. 시간을 언급하지 않을 때에도 because나 as를 사용하지 않고 Since를 사용함

10a. 괄호 속에 'and'를 사용하거나 문장 속에 '&'를 사용함

9. 인용에서 "et al."을 사용할 때 et 다음에 점을 찍는 것
8. 참가자를 피험자로 부르는 것
7. 페이지가 권(volume) 단위로 붙여짐에도 참고문헌에서 호(issue number)를 붙이는 것.
6. 통계적 결과를 본문에 표시할 때 '<' 또는 '>' 부호를 반대로 표시하는 것
5. 표제의 수준을 잘못 사용하는 것
4. 참고문헌란에 본문에 인용된 연구들이 모두 포함되지 않는 것
3. "data is"(data는 복수임)라고 기술하는 것
2. "male"과 "female"을 명사로 사용하는 것
1. 이미 수행된 것을 과거 시제로 표현하지 않고, 이론을 현재 시제로 표현하지 않는 것

보고서 표본

이 예제 보고서의 내용은 무시하라. 이것은 지어낸 것이며 짧은 보고서에서 가능한 한 많은 미국 심리학회 양식의 예를 설명하려고 시도했기 때문에 문체가 좋지 않다. 여백에 있는 주석에는 양식 규칙들이 간단하게 기술되어 있으며, 본문에서 그 주석에 해당되는 예는 화살표로 표시되어 있다. 가장 확실한 것은 여전히 『출판 지침서』이다.

어떤 강사들은 위에 제시된 규칙들과는 다르게 보고서를 제출하라고 할 수 있다. 예를 들어 강의시간에 제출하는 보고서는 실제 출판을 위해 잡지에 제출될 것이 아니기 때문에 나는 학생들에게 보고서를 작성할 때 그림이나 표를 따로 작성하지 말고 본문에 포함시키라고 얘기한다. 본문을 읽을 때 그림과 표를 쉽게 찾아볼 수 있다. 여러분의 강사들도 이런 방식을 선호할 것이다.

보다 APA 양식에 대해 상세한 부분까지 알고 싶다면 『미국 심리학회 출판 지침서 7판』(2020)을 보라. 논문 작성에 더 많은 도움이 필요하다고 생각될 때 유용한 추가적인 다른 자료들이 있다. Fred Pyrczak과 Randal R. Bruce(2000)는 『경험적 연구보고서 작성법 : 사회과학과 행동과학 학생들을 위한 기초 지침서』란 책을 썼다. APA 양식에 대해서 더 많은 도움이 필요하다면 미국 심리학회가 출판한 『APA 양식 정복 : 학생들을 위한 학습장과 훈련 지침』(Gelfand, Walker, & APA, 2010)이 있다. APA 양식을 여러분의 보고서에 쉽게 적용할 수 있는 소프트웨어들이 있는데 http://www. apastyle.org에서 다운받을 수 있는 APA 양식 도우미 5.0과 ReferencePointSoftware. com에서 다운받을 수 있는 *Reference Point Software's Template for APA style* 이 있다.

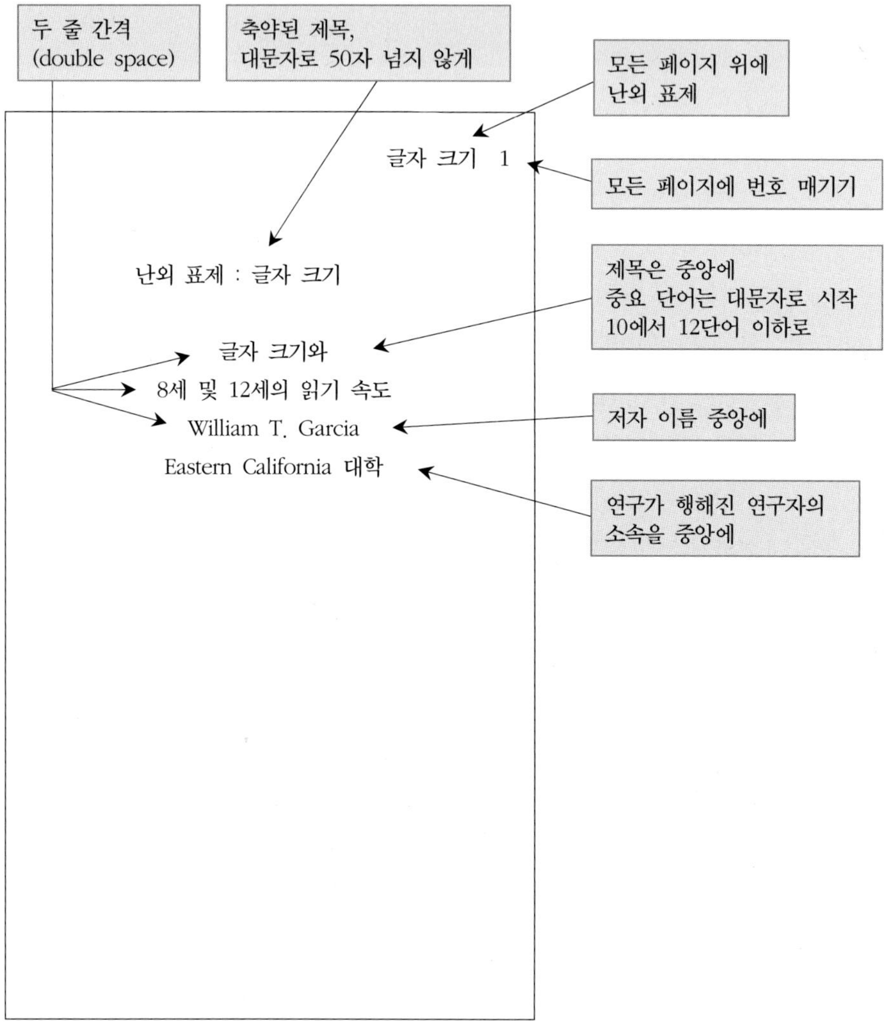
두 줄 간격
(double space)
축약된 제목,
대문자로 50자 넘지 않게
모든 페이지 위에
난외 표제
글자 크기 1
모든 페이지에 번호 매기기
난외 표제 : 글자 크기
제목은 중앙에
중요 단어는 대문자로 시작
10에서 12단어 이하로
글자 크기와
8세 및 12세의 읽기 속도
William T. Garcia
저자 이름 중앙에
Eastern California 대학
연구가 행해진 연구자의
소속을 중앙에

초록에는 들여쓰기 없음

글자 크기 2

초록

8세 및 2세 아동의 독서시간은 글자 크기와의
함수로 측정되었다. 독서물은 10 포인트나
12 포인트로 인쇄되었다. 결과는 글자 크기가 어린
아동에게 중요한 요인을 나타냈는데, 작은
글자체보다 큰 활자체가 빨리 읽혔다.
글자 크기는 더 나이든 아동의 독서 속도에는
영향을 주지 않는다. 결과는 독서의
자극–영향이론의 맥락에서 해석되었다.

두 줄 간격

공란을 포함해서 960 글자 이하

오른쪽 정렬 없음

모든 페이지의 네 면의 여백은 모두 1인치

각 문단은 다섯에서 일곱 공란 들여쓰기

제목 전체를 중앙에

글자 크기 3

글자 크기와 8세 및 12세의

독서 속도

많은 연구자는 어린아동이 더 나이든 아동보다 시각적 영향을 받기 위하여 더 큰 물체를 필요로 한다고 생각해 왔다(Darling, 1980 ; Miller & Hokes, 1979 ; William, Garcia, Levitz, 1982). Miller와 Hoaks(1979)는 그들의 고전적 개관 노문에서 이 진술문의 역동을 상술하고 자극－영향이론이라 명했다.

William 등(1982)은 뒤에 서로 다른 세 가지 나이의 아동들의 동공 반응을 측정하여 그 이론을 실험했다. 3세 아동은 같은 크기에 반응하는 데 7세 아동보다 노출 시간이 375ms 더 필요했다.

두 줄 간격

참고문헌의 인용은 괄호 안에 저자 이름별, 철자 순으로

처음 언급된 연구는 저자가 여섯 명 이하이면 모두 나열

괄호 안에서는 & 기호를 사용

본문에서는 '와(과)'를 씀

3명 이상인 경우 첫 인용 후에는 '등(et al.)'이라고 씀

값 뒤에 오는 단위는 축약형을 사용, 천분의 일초는 ms으로 쓰고 점을 찍지 않음

0에서 9까지의 숫자는 초록을 제외하고 모든 부분에서 글자로 표시

시간, 날짜, 연령, 측정단위 앞에 오는 숫자는 아라비아 숫자로 표시

출판중일 때에는 '인쇄중'이라고 표시

10 이상인 숫자는 아라비아 숫자로 표시

글자 크기 4

미터법 사용

Grant(인쇄중)도 48명의 다른 연령의 아동에게 10cm와 20cm 원반의 효과를 비교하기 위해 동공 크기를 이용했다. 원반 크기는 10세 이상 아동에게는 별로 효과가 없지만 더 어린 아동에게는 효과가 있었다.

여기에 보고된 연구에서 독서 과제의 자극-영향이론을 응용해 보았다. 이 이론에 따라서 글자 크기는 12세 아동의 독서 속도에는 별로 효과가 없으나, 8세 아동에게는 효과가 있다는 것을 예언하였다.

방법

참가자

서른 명의 초등학교에 다니는 8세 아동 소녀 15명과 소년 15명을 한 집단의 피험저로 이용했다.

표제는 다음 순서로

1. 굵은 글씨로 중앙에
2. 굵은 글씨로 왼쪽 정렬
3. 굵은 이텔릭체로 왼쪽 정렬
4. 굵은 글씨로 들여쓰기, 마침표 삽입
5. 굵은 이텔릭체로 들여쓰기, 마침표 삽입

문장 시작에는 숫자를 글자로 표시함. 문장의 처음에는 숫자를 사용하지 말 것

글자 크기 5

교장과 부모가 그들이 참가자로 되는 것을 허락했다. 12세 집단에서 17명의 소년과 13명의 소녀가 시간당 3.5달러를 받고 참가하였다.

참가자의 수, 성별, 나이, 선정 방법, 왜 참가했는지를 기술

장 치

주문한 장치의 규격

영사기가 30cm×40cm 잿빛 유리 위에 문단을 배경 영사했다. 스톱워치로 독서 시간을 측정했다.

일반 장비는 일반적으로 기술

절 차

아동은 개별적으로 20분의 회기 동안 검사되었다. 스크린 앞에 앉고 나서 스크린에 나타난 문장을 말하게 했다. 그들은 이 문장을 이해하는데 필요한 만큼 주의하여 읽었다. 한

글자 크기 6

문단을 읽고 나서 각 아동은 세 질문을 받아, 문단의 문맥에 대해 한 단어로 대답했다. 질문에 대답한 후에 각 아동이 세 문단을 읽을 때까지 다른 문단이 제시되었다.

각 문단은 독서 능력용 검사이고 8세나 그 아래 연령 수준이다. 질문은 이해 정도를 측정한다.

실험자는 스톱워치를 사용해서 매 시행마다 독서 잠재력을 수동으로 측정한다. 점수는 각 회기의 3시행 각각에서 얻어진다. 그래서

절차는 과거형으로

10 이하의 숫자는 글자로 표시

시간, 나이, 점수 척도의 점수는 아라비아 숫자로 표시

글자 크기 7

실험방안은 두 수준 (8세와 12세)의 나이와 두 수준(10 포인트와 12 포인트)의 글자 크기, 세 수준의 시행으로 2×2×3 요인분석방안이었다.

결과

각 연령 집단과 글자 크기에 따른 평균 독서 시간이 그림 1에 있다. 변량분석은 연령의 주효과가 의미있음을 가리키는 독서 속도에 관해 계산한다. $F(1, 58) = 26.7, p < .01$.

그림 1을 이 부근에 넣으시오.

글자(point) 크기의 주효과는 의미가 없다, $\underline{F}(1, 58) = 0.87, p > .05$. 그러나 나이(Age) × 글자(Point) 상호작용은 의미있다. $F(2, 116) = 10.3, p < .01$.

본문에서 그림 언급

통계 결과들이 보고되는 방식에 주목

1보다 크지 않거나 유의도 수준이 아니라면 1보다 낮은 자리의 수는 항상 0. 다음에 표시

상호작용을 나타낼 때는 대문자로

주효과는 대문자로 쓰지 않음

평균을 보고할 때는 항상 표준편차와 같은 분산의 측정치를 함께 제시

부등호의 방향에 유의하라. $p>$는 유의하지 않음을 $p<$는 유의함을 나타낸다.

t나 F와 같은 추론통계치는 소수 둘째 자리까지 제시하라

글자 크기 8

세 번의 각 시행에서 얻은 독서 시간의 평균과 표준편차가 표 1에 있다. 시행의 주 효과는 유의도 수준에 도달하지 못했다. $F(12, 24) = 1.53$, $p > .05$.

표 1을 이 부근에 넣으시오.

이 표는 표의 사용법을 보여주기 위해서 제시했다. 실제 보고서에서 표와 그림을 함께 제시하는 것은 중복적이다.

논의

이 자료는 전체적으로 자극-영향이론과 일치한다. 글자 크기의 상호작용으로 독서 시간에서의 아무런 차이도 없음이 나이 든 아동에게서 발견되었다. 그러나 어린 아동에 대해 글자 크기의 차이는 독서 시간의 유의미한 차이를 유발한다. 자극-영향이론의 범주 내에서 이런 자료를 해석하자면 나이 든 아동에게는 작은 글자 크기조차 최대의 시각적 영향을 미친다는 것이다.

자료와 해석은 현존하는 것이므로 현재 시제를 사용

글자 크기 9

어린 아동이 높은 수준의 수행을 하려면 더 큰 크기의 글자가 필요하다.

이런 결과의 의미는 아동용 독서물 출판업자에게는 명백하다. 그러나 출판업자에게 추천하기에 앞서 더 많은 수의 글자 크기와 여러 연령 수준의 아동에게서의 독서 수준을 비교한 추가 연구가 이루어져야 한다.

40 단어 이하인 인용은 인용부호를 사용하여 제시. 이보다 긴 인용문은 인용부호 없이 들여쓰기를 한 단락으로 제시

각 참고문헌의 첫 줄은 내어쓰기

첫 저자의 이름순으로 정렬

참고문헌에 나와 있는 것은 모두 본문에서 인용되어야 함. 본문에 인용된 모든 것은 참고문헌에 나와 있어야 함

글자 크기 10

저자 : 성과 이름의 첫 글자

출판 연도

제목 : 첫 글자는 대문자

잡지 이름 : 주된 단어의 첫 글자는 대문자

권 번호 : 잡지 이름을 이탤릭체 그리고 컴마 그리고 권 번호

페이지

저자가 여러 명일 때 & 기호 사용

참고문헌

Darling, D. T. (1980). 자극 영향이론에서의 내적 합치도. *Journal of Child Behavior, 26,* 58-63.

Grant, U. T. (인쇄중). 원반에 대한 동공 반응. *Sensation & Perception.*

Millar, J. R., & Hoaks, A. R. (1979). 자극—영향이론: 지각의 발달이론. *Childhood Perception and Cognition, 7,* 278-295

Williams, E. T., Garcia, W. T., & Levitz, G. W. (1982). *Behavior of Review, 21,* 326-354

책이나 잡지 그리고 다른 참고문헌은 이 책의 끝에 있는 참고문헌 부분을 참조할 것

글자 크기 11

저자 주

이 William T. Garcia, 심리학과 (현재 Westbrook 대학 아동발달센터 근무)

자료수집에 힘써준 Nancy Wells에게 감사드립니다. 이 실험은 Washington의 Madison에서 1995년 5월 15일에 있었던 북서부 심리학 협회 모임에서 발표되었습니다.

이 논문에 관한 회신은 아동 발달센터, 4546, Westbrook대학, Monroe, 워싱턴 12342에 있는 William T. Garcia에게 보내거나 이메일 주소 garcia.ccd.wu.edu로 보내주십시오.

첫 문단은 저자와 소속

둘째 단락은 연구비 지원 기관과 도움을 준 사람. 자료가 보고된 적이 있으면 표시

셋째 단락은 현재 주소와 함께 연락처

글자 크기 12

표 1

나이, 활자크기, 시행에 따른 읽기 속도의 평균과 표준편차(단위: 초)

글자 크기	8세 평균	8세 표준편차	12세 평균	12세 표준편차
10 포인트				
시행 1	84.2	12.9	31.2	8.7
시행 2	83.4	10.2	27.7	7.8
시행 3	81.0	10.7	24.7	8.1
12 포인트				
시행 1	58.0	10.1	32.3	9.2
시행 2	56.1	8.2	29.1	8.3
시행 3	55.9	7.7	30.8	8.5

대 소문자 섞어 쓴 제목, 왼쪽 정렬, 이탤릭체

수평선만 사용

평균을 제시할 때 표준편차와 같은 분산의 측정치 제시

제목과 표는 그 자체로써 이해 가능해야 한다. 제목은 표에서 사용된 약어를 설명하고 있어야 한다.

들여쓰기 하기

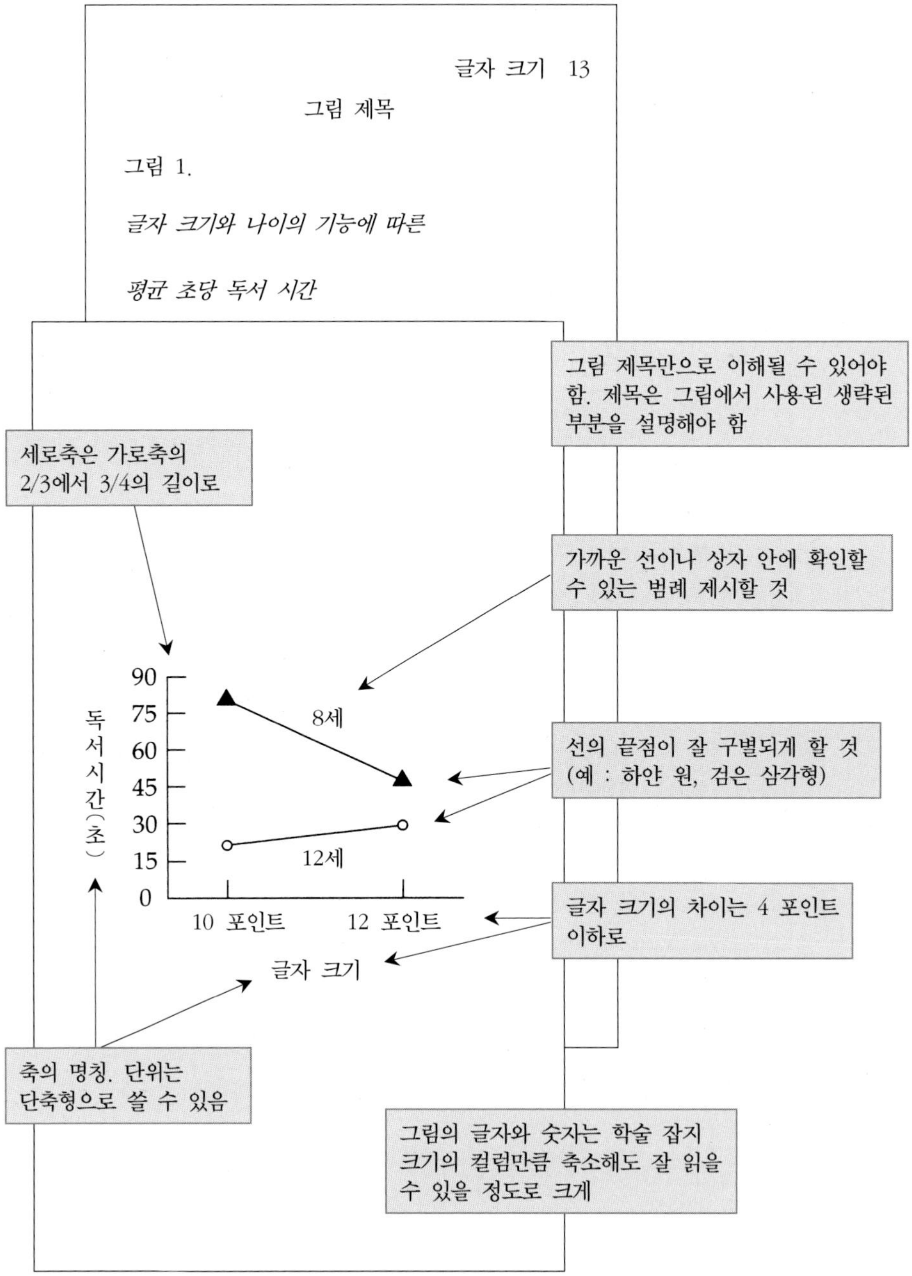
글자 크기 13
그림 제목
그림 1.
글자 크기와 나이의 기능에 따른
평균 초당 독서 시간
그림 제목만으로 이해될 수 있어야 함. 제목은 그림에서 사용된 생략된 부분을 설명해야 함
세로축은 가로축의 2/3에서 3/4의 길이로
가까운 선이나 상자 안에 확인할 수 있는 범례 제시할 것
90
75
60
45
30
15
0
독서시간(초)
8세
12세
선의 끝점이 잘 구별되게 할 것 (예 : 하얀 원, 검은 삼각형)
10 포인트
12 포인트
글자 크기
글자 크기의 차이는 4 포인트 이하로
축의 명칭. 단위는 단축형으로 쓸 수 있음
그림의 글자와 숫자는 학술 잡지 크기의 컬럼만큼 축소해도 잘 읽을 수 있을 정도로 크게

학술 대회에서 발표

구두 발표

연구는 기본적으로 논문의 형태로 보고되지만, 학생들을 포함하여 대부분의 연구자들은 학술 대회에서 발표하는 것을 통해서 연구 결과를 보고한다. 학생들은 이와 같은 방식으로 연구 결과를 발표할 기회가 증가하고 있다. 예를 들어 우리 대학에 있는 학생들은 작년에 학생회에서 지원을 받은 심리학과 혹은 대학교 주최의 학술 대회에서 연구 결과를 발표했었다.

많은 학생들에게 학술 대회에 참가하는 것은 자신의 연구를 여러 사람에게 발표하고, 또 한꺼번에 여러 분야의 연구들을 볼 수 있다는 점에서 매우 흥미로운 일이다. 그러나 논문이나 발표 포스터를 준비하는 것은 끔찍한 과정일 수 있다. 왜냐하면 말하기 과목을 수강하지 않고서는 대부분의 학생들은 발표하는 훈련이 되어 있지 않기 때문이다. 지금부터 구두 발표 기술에 대해 속성 강좌를 하겠다.

학회 논문(conference paper)에는 어떤 것들을 포함시켜야 하나? 이런 질문은 학술 발표에 따라 달라지지만 일반적으로 20명에서 100명의 청중들 앞에서 10분에서 20분 정도의 시간이 주어지며 질문 받을 시간을 조금 남겨야 한다고 생각하면 된다. 전형적으로 슬라이드와 같이 시각적 자료를 준비해야 한다. 이런 방식으로 발표를 준비하는 것은 논문을 작성하는 것과는 많이 다르다. APA 형식을 갖춘 연구보고서를 읽어내려 간다면, 대부분의 청중들은 자리를 박차고 나가버릴 것이다. 논문은 너무 길고, 너무 자세하게 기술되어 있고, 구어체로 쓰여져 있지 않다. 논문을 완전히 이해하기 위해서 다른 사람들은 여러분의 논문을 읽을 것이고 아주 상세한 것들은 논문으로부터 알 수 있을 것이라고 생각해도 된다. 인간의 기억에 관련된 연구로부터 사람들이 귀담아 들을 수 있는 것은 몇 몇 주된 요점에 불과하다는 것을 우리는 알고 있다. 연구의 요점들을 이해하고 기억하기 쉽도록 만들어야 한다.

이상적으로는 대화하는 형식으로 발표하는 것이 좋다. 내가 학술 대회에서 처음 발표했던 논문을 생생히 기억하고 있다. 이 전공을 시작한 지 오 개월밖에 되지 않은 상태에서 전국에서 모인 이 분야의 연구자들 앞에서 발표를 했었다. 발표할 것들을 모두 암기하여 요약본도 없이 발표를 했었다. 다리는 떨렸지만 말을 더듬지도 않고 발표를 마쳤고 스스로를 대견스러워 했었다. 발표가 끝난 뒤 만찬장에서 내 지도 교수가 학술 대회 위원장에게 “David가 오늘 발표를 잘하지 않았어요?”라고 물었을 때, 그 사람은 “아뇨 , 마치 글을 읽고 있는 것 같았어요. 발표 때에는 그런 식으로 하지 않죠.”라고 말했다. 그때는 정말 박살이 난 느낌이었지만 이 말은 가장 좋은 충고였다. 의사소통을 연구하는 사람들은 대화체 화법은 쓰여진 문장을 읽는 것과는 매우 다른 것이라는 것을 알고 있다. 대화체 화법에서 정신 활동에 따라 말의 속도를 변화시키고, 다음 문장을 생각하기 위해서 잠깐 쉬기도 하며, 아주 빨리 말을 하기도 한다. 말의 속도나 말을 하는 도중에 잠깐씩 쉬어 가는 것을 통해 청중들은 강연자의 사고 패턴을 따라간다. 쓰여진 문장을 읽을 때에는 각 단어들을 거의 동일한 속도로 말하게 된다. 이러한 단조로운 방식은 청중들의 불면증을 치료할 수는 있어도 연구의 흥미로운 점을 전달하기는 힘들다. 어떤 말을 해야 할지를 정확히 알고 있어야 하지만 연습을 너무 많이 해서 마치 글을 읽는 것처럼 되어 발표가 지루하게 되지 않도록 해야 한다.

발표를 자연스럽게 하려 한다면 자료를 제시하는 데 소요될 것이라고 예상했던 시간보다 더 많은 시간이 걸릴 것이다. 발표 준비물을 작성하여 마음속으로 읽거나 혹은 큰 소리를 내어 읽어가면서 연습을 하는 경우에도 속도가 빨라질 수 있는데, 자신은 자신의 발표 내용을 알고 있기 때문에 이해하기 위해서 속도를 늦출 필요가 없기 때문이다. 따라서 실제 발표를 하는 시간은 연습 때보다 최소한 20% 정도 시간이 늘어날 것이라고 생각하면 된다. 이상적으로는 발표를 해 나가면서 발표 시간을 조절할 수 있도록 더 많은 이야기를 하거나 혹은 이야기를 생략할 지점을 설정해 놓는 것이 좋다.

청중이 어떤 사람인지를 파악하고 그들에게 발표 수준을 맞추도록 해야 한다. 청중들이 학생들인가, 심리학자인가 혹은 여러분 분야의 전문가들인가 혹은 여러 분야의 사람들이 모여 있는가? 우리는 우리가 발표하는 주제에 대해서 잘 알고 있기 때문에 모든 사람들이 그 주제에 대해서 잘 알고 있거나 흥미를 느끼는 것이 아니라는 것을 잊어버릴 수 있다. 연구 주제에 대해서 처음으로 관심을 가졌던 순간을 생각해 보아라. 그 상황이 여러분이 발표를 시작할 때 청중들이 그 주제에 대해 느끼는 상황과 유사하다.

몇 년 전에 나는 발표자가 발표할 때 그래프를 충분히 사용하지 않는다고 비판했다. 그래프는 만들고 제시하기가 어렵기 때문에 발표자들은 그래프를 충분히 사용하지 않는 잘못을 저질렀다. 그러나 오늘날 발표자는 오히려 너무 많은 그래프를 사용하는 잘못을 저지른다고 생각한다. 파워포인트와 같은 프로그램을 이용하여 여러분이 제시하고자 하는 요점 하나하나들을 매우 쉽게 화면에 속사포처럼 뿌릴 수 있다. 이렇게 하는 것은 큰 잘못이라고 나는 생각한다! 파워포인트의 해악에 대한 논문과 책을 저술한 Edward Tufte의 주장까지는 아니지만 나는 이러한 도구들이 발표를 잘못되게 할 수 있다고 생각한다.[20]

훌륭한 발표자는 이야기에 주목하도록 하는 사람이라고 나는 생각한다. 잠자리에서 아이에게 들려주는 얘기를 속사포처럼 제시하는 방식의 파워포인트 발표자료로 만든다고 상상해 보라. 이야기가 가지고 있는 감정과 신비로움을 담아낼 방법이 없다고 생각한다. 이와 유사한 방식으로 여러분의 흥미로운 연구 주제를 속사포 같은 문구들로 바꾸어 놓는다면 많은 청중들은 화면에 제시된 것을 빨리 훑어본 후 다음 화면이 제시될 때까지 귀를 닫아버릴 것이다. 내가 선호하는 방식은 몇몇 주된 요점만 제시하는 것이며, 그러한 요점들도 내가 말하기 전에는 제시하지 않는 것이다. 파워포인트로 대량의 정보를 쏟아 붓는 방식에 대해 특히 발표 경험이 없는 사람들에게 유용한 안전대책이 있다. 모든 내용들을 화면에 제시하고 그것들을 읽어 내려가는 것은 아주 쉽다. 그러나 이러한 유혹에서 벗어나서 이야기를 하려고 시도해라. 파워포인트는 아주 중요한 요점들을 강조하는 데에만 최소한으로 사용하면서.

여러 사람의 발표를 들으면서 발표자가 저지르는 가장 큰 실수는 보다 중요

20) Tufte의 비판을 보려면 http://www.wired.com/wired/archive/11.09/ppt2.html을 볼 것. 게티스버그 연설의 파워포인트 발표자료를 보려면 http://www.norvig.com/Gettysburg/을 보라.

한 결과를 말하기 위해서 실험의 절차 부분에 대해서는 자세히 설명하지 않는 것이라는 것을 발견했다. 절차를 명확히 설명하지 않는다면 그 결과는 중요하지 않다. 청중들이 절차를 이해할 수 있도록 하는 가장 좋은 방법은 청중들이 실험 참가자라고 생각하는 것이다. 참가자에게 일련의 시각적 자극을 제시하고 반응을 받았다면 청중들에게도 간략하게 지시문을 준 다음 실제 자극과 비슷한 자료를 보여주고 반응을 하도록 하면 된다. 대표적인 시행들 중 몇 개를 제시하는 것이 절차를 말로 설명하는 것보다 시간이 적게 걸리며 청중들도 절차 부분을 더 정확히 알 수 있다. 심리학자들은 사람들이 얘기를 듣는 것보다 스스로 해 보면서 더 잘 학습할 수 있다는 것을 안다. 이 법칙을 이용하자.

발표를 할 때는 큰 그림으로 발표를 해라. 청중들이 자세한 역균형 방법이나 통계적 유의도 수준, 그 외의 자세한 것들을 알고 싶다면 질문을 하거나 혹은 여러분의 논문의 원고를 볼 것이다. 대부분의 청중은 아주 자세한 부분들은 전혀 기억하지 못한다. 일반적으로 결과는 슬라이드를 사용하여 그래프로 제시하는 것이 좋다. 발표 시 포인터를 활용하면 청중들을 바라보고 그림의 특정 부분을 지적하면서 발표를 하기 쉽다.

그래프를 제시할 때는 청중들이 이 그래프를 처음 보는 것이라는 것을 명심해라. 어떤 발표자는 그래프를 잠깐 보여 준 뒤에 "여러분이 확실히 본 바와 같이 이 결과는 우리의 가설을 지지했습니다."라고 바로 결론을 내린다. 청중으로 앉아 있던 나는 "잠깐, 각 축은 무엇을 나타내는 것인가? 수행이 나은 것이 그래프에서 위쪽으로 나타났는지 아래쪽으로 나타났는지, 직선과 점선은 각각 어떤 조건을 나타내는가? 가설이지지 받지 못했다면 그래프는 어떤 식으로 나타났을까? 이 그림의 어떤 점이 가설을 지지하는 것인가?" 하는 것에 대해 스스로에게 물어 보았다. 청중들은 이러한 질문들을 하지 않았지만, 그래프를 보여 줄 때는 각 축이 무얼 나타내는지, 각 선이나 막대는 무엇을 나타내는지, 그림에서 집중해서 보아야 할 부분이 어디인지를 지적해 가면서 설명해야 한다. 마지막으로 뒤에 있는 사람이 충분히 볼 수 있을 정도로 그림과 글자들이 커야 한다. 이를 위해서는 아마도 논문에 제시된 그림의 크기보다 커야 할 것이다. 다행스럽게도 오늘날 컴퓨터를 이용하면 기술적으로는 쉽게 그림을 그릴 수 있지만, 내가 참석한 학술 대회에서 이해하기 어려운 그림들을 종종 본다.

발표 끝에는 결론을 화면에 나열해 주어야 한다. 청중들이 기억할 수 있는 수는 셋 혹은 다섯 개의 정도의 결론이다. 결론을 내린 후 끝마무리를 할 준비가 되어 있어야 한다. "음, 이제 할 말을 다 했군요."라고 말하는 것은 인상적이지 않다. "들어 주셔서 감사합니다." 혹은 "시간이 허락되면 질문에 대해 답변을 드리겠습니다."라고 말하면 청중들은 이제 발표가 끝난 것이라는 것을 알 수 있고 발표자가 발표를 끝까지 잘 준비했다는 사실을 알 것이다.

이제 발표가 끝나고 자리에 앉을 준비가 되었다. 호흡을 한 번 하고 긴장을 풀어라. 얼마나 다행스러운가. 그러나 발표장 사회가 "몇 가지 질문을 받을 수 있는 시간이 있습니다."라고 말한다. 물론 발표자는 제기될 수 있는 모든 문제들에 대해서 발표를 통해 대답을 했기 때문에 어떤 질문에도 준비가 되어 있지 않을 것이다. 그러나 청중들 중에서 어떤 사람들은 손을 들고 "그 결과가 Landon의 이론을 어떻게 지지한다고 할 수 있습니까? 작년에 Wagner가 제안한 환원이론으로 그 결과를 예측할 수 없습니까?"라고 질문한다. 여러분은 Wagner에 대해서 들어 본 적도 없다. 어떻게 반응할 것인가? 나는 이와 같은 질문에 대한 적절한 대답을 줄 수 없다.[21] 내가 얘기할 수 있는 것은 이러한 질문에 대해서 최선을 다해 준비하라는 것이다. 생각할 수 있는 모든 질문들을 다 생각해 보았다면, 다른 사람에게 질문을 해 달라고 요청할 수 있다. 발표를 준비하는 가장 좋은 방법은 동료나 여러분의 학과에 있는 다른 학생들과 교수들 앞에서 발표를 해 보는 것이다. 어려운 질문을 해 달라고 강하게 요청해라. 이러한 질문을 받았을 때 대답을 하려고 노력

21) 정직이 최상의 방법이라고 생각하지만, 가끔 빠져나가기 위해서 허풍을 떠는 사람을 보았다. 말을 되받아 치는 데에 여러 부류가 있다. 1. 시간이 없습니다.—"여러분 말이 맞을 수 있지만 이 문제는 여기서 논의하기에는 너무 복잡하군요. 나중에 보도록 하죠.", "그 문제에 대해서 생각을 해 보았지만, 여기에서 논의하기에는 너무 자세한 여러 가지 측면에서 그게 아니라고 결론을 내렸습니다." 2. 좀 더 말해 봐라.—"어떤 측면에서 그의 이론이 내 결과에 적용될 수 있다고 생각됩니까?" "좀 더 구체적으로 말씀해 주세요" "그 문제에 대해서 여러분의 의견을 듣고 싶습니다" 3. 내 잘못이 아니에요.—"이 논문의 공동 저자가 그 질문에 대답을 할 것입니다."

해라. 그리고 나중에 더 나은 대답을 생각할 시간이 있을 때 그 질문에 대해 다시 생각해 보아라. 이러한 질문들 중 몇 가지들이 발표 장에서 다시 제기될 수 있다. 준비해라.

포스터

대부분의 학술 대회에서는 구두 발표 이외에 포스터 발표를 할 수 있다. 큰 방 가득히 게시판이 줄지어 있는 광경을 상상해 보라. 포스터를 게시한 사람들은 게시판 앞에 서 있고, 포스터는 압정으로 게시판에 고정시켜 놓았다. 어떤 사람들은 제목을 읽으면서 여기저기로 돌아다니고 있으며 어떤 사람들은 연구자와 얘기를 한다. 전형적으로 포스터 발표자는 계속 방문하는 사람들에게 연구에 대해서 설명하고 논의하기 위해서 한 시간이나 그 이상 포스터 앞에 서 있어야 한다.

구두 발표보다 포스터 발표를 하는 것의 장점은 발표자의 연구에 관심을 가지고 있는 사람들과 얘기를 주고받을 수 있다는 점이다. 이러한 과정은 특히 단순하게 설계된 실험으로부터 직접적인 결과를 얻어 몇 개의 그래프를 통해 쉽게 이해될 수 있을 때 적절하다. 포스터 발표의 단점은 한 사람이 다가와서 연구에 대해서 질문을 하고 그것에 대해 2분 동안 설명을 했을 때 다른 사람이 와서 동일한 질문을 묻는 경우가 발생한다는 점이다. 처음부터 다시 설명한다면 첫 번째 사람은 지루해질 것이고, 계속 진행한다면 두 번째 사람은 발표자의 설명을 따라오지 못할 것이다. 이러한 형태가 발표시간 내내 계속될 수 있다. 발표가 끝났을 때 연구에 대해서 누구에게도 완전하게 설명하지 못했다는 느낌을 가질 수도 있다. 연구가 복잡하거나 일반적이지 않은 복잡한 방법이 사용되었거나 혹은 아주 세세한 것이나 친숙하지 않은 이론을 검증했다면 이러한 단점은 특히 문제가 된다. 즉, 자신의 연구를 정당화 하기 위해 필요한 얘기를 할 시간이 충분히 없었다.

포스터 발표를 준비하는 데 필요한 가장 일반적인 방법은 몇 개의 소 발표를 준비하는 것이다. 일분 정도의 설명을 통해서 연구의 개요를 설명할 수 있다. 이 발표는 연구의 개요에 대해서만 알고 싶은 사람에게 할 수 있다. 그리고 몇 분이 걸릴 발표를 준비하는 것이 좋은데, 이 발표는 특히 여러분이 연구에 관심이 많은 사람들을 대상으로 한 것이다. 여러분이 연구한 것과 동일한 연구를 하는 몇몇 사람들과 여러분의 연구에 대해서 심도 있게 논의할 준비도 해야 한다. 포스터는 그것을 보는 것만으로도 이해가 될 수 있도록 만들어야 된다. 포스터가 여러분의 연구를 잘 설명할수록, 기초적인 것을 다시 설명하는 일 없이 다른 사람들과 의견을 쉽게 주고받을 수가 있다. 포스터에는 어떤 것들을 포함시켜야 되는가?

여러분의 연구가 포스터 발표를 할 수 있도록 받아들여졌다면, 포스터를 어떻게 만들라고 하는 자료를 받을 것이다. 전형적으로 1.2×2.4m의 게시판과 압정(확실히 하기 위해서 압정은 준비해 가는 것이 좋다)이 주어진다. 이 게시판에 여러분의 포스터를 게시하면 된다. 여러분의 논문을 인쇄해 가서 그것을 게시해서는 안 된다. 그것의 글자 크기는 너무 작고, 너무 상세한 것들이 기술되어 있기 때문에 누구도 그것을 읽을 시간이 없다. 사람들은 여러분의 연구를 이해하는 데 기껏해야 몇 분 정도의 시간만을 소비할 것임을 명심해라. 이 짧은 시간 동안 가능한 한 많은 정보를 제공해야 할 것이다. 이 경우 그림은 천 마디의 말보다도 더 유용하다.

그림 13-1은 포스터 배열의 한 예이다. 내용들은 표준 종이 크기의 패널에 쓰여 있다. 대부분이 그림이라는 것에 주목하라. 일반적인 전략은 가능하면 글자를 적게 사용하는 것이다. 글자를 쓸 때에는 그림 설명에 쓰도록 하라. 두 번째 일반적인 전략은 내용이 왼쪽 위에서 시작하여 오른쪽 아래로 진행되도록 하는 것이다. 그러나 영어의 쓰는 방식과는 달리 왼쪽에서 오른쪽으로 배열하지 않는다. 여러분의 패널을 따라 사람들이 왼쪽 오른쪽으로 왔다갔다 하게 되면 한 사람씩 차례로 넘어지게 될 것이다. 대신에 내용이 아래로 진행되게 해라. 그림에 제시된 것처럼 그림의 번호를 매겨놓은 것도 도움이 될 수 있으며, 어떤 경우에는 화살표

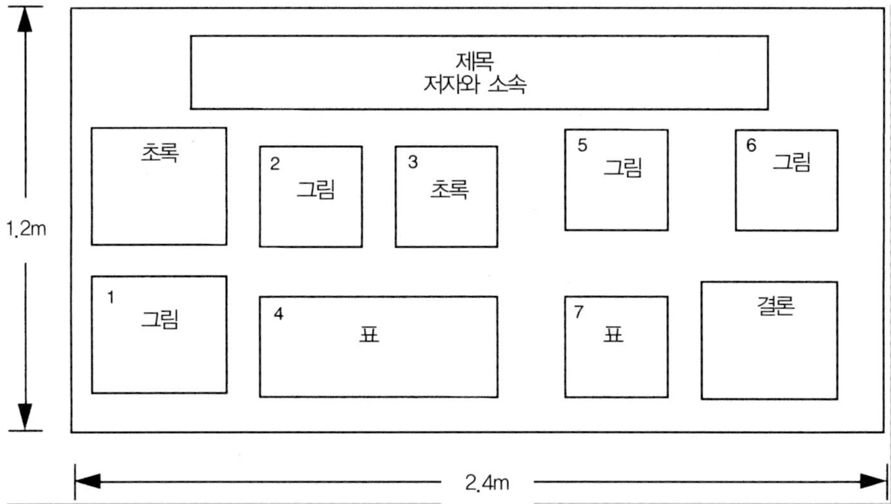

그림 13-1 포스트 배열의 예. 제목과 저자의 글자 크기는 최소한 1인치로 하고 나머지 글자는 최소한 1/3인치로 할 것. 내용의 순서는 왼쪽 위에서 오른쪽 아래로 제시하되 순서가 세로 방향으로 진행되도록 할 것. 그림은 크게, 글자는 작게 제시해라.

를 사용하는 것이 더 적절할 수 있다.

게시판의 맨 위에는 제목과 저자가 제시되어야 한다. 이 글자들의 높이는 최소 1인치(72 포인트)는 되어야 한다. 사람들은 1~2미터 떨어진 곳에서 포스터를 보게 된다는 것을 명심하라. 제목은 연구자와 얘기하는 사람들의 머리사이로 보일 수 있을 정도로 커야 한다. 많은 사람들은 돌아다니면서 제목을 읽고 관심이 없으면 다른 게시물로 옮겨간다. 연구자의 이름 아래에 대학과 같은 연구자의 소속을 밝혀야 한다. 이 글자와 게시물의 다른 글자의 크기의 높이는 최소한 1/3인치(24 포인트) 이상이 되어야 한다. 그림, 차트 등은 슬라이드에서와 유사하게 굵은 선을 사용하는 것이 좋다(Human Factors and Ergonomics Society, 인간요인과 인간공학협회, 1995).

요약은 단순하고 간결해야 한다. 모든 불필요하게 자세한 것들은 제외시켜라. 실험에 사용된 방법은 가능한 한 몇 단어로 설명하든지 그림을 통해 설명해야 한다. 여러분의 연구에 따라 연구의 여러 조건에 해당하는 자극을 그림으로 보여 주거나 설문조사의 대표적인 항목들을 보여 주거나 혹은 실험설계에 대한 도식적 그림을 제시할 수도 있다. 결과는 쉽게 읽혀질 수 있는 부호와 글자를 사용하여 그래프로 나타내어야 된다. 가능하다면 통계결과를 그림 설명에 포함시켜라. 일반적으로 원자료나 통계표는 제시하지 않는다. 마지막으로 결과를 요약할 수 있는 결론 부분을 제시해라. 다섯 항목 이상은 제시하지 마라. 사람들은 여러분의 결과를 기록하지 않을 것이며, 다른 많은 포스터를 볼 것이므로 그 사람들이 나중에 기억할 한두 가지 정도만 강조하는 것이 좋다. 게시물을 다른 사람에게 맞추어라. 즉, 심리학자뿐만 아니라 여러 분야의 사람들이 모두 모였을 경우 심리학 전문 용어를 사용하는 것을 피해야 하고 결론이 실제 생활에 어떤 시사점이 있는 지를 관련지어 제시하는 것이 좋다.

미적으로 좋게 보이기 위해 어떤 사람들은 패널의 가장자리에 색깔을 입히지만 너무 환상적이게 만들지 마라. 과학자들은 멋있는 그래프가 아니라 멋진 자료에 의해 보다 더 감동 받는다. 가능하다면 각 패널이나 혹은 모든 패널을 딱딱한 보드에 붙이거나, 학회에 참가하기 위해서 여행을 해야 하는 경우 포스터 전체를 한 장이나 두 장으로 복사해서 딱딱한 원통에 말아 넣어도 된다. 이렇게 준비하면 패널을 똑바로 부착하거나 균등하게 배열하는 데 신경을 쓸 필요가 없다. 마지막으로 포스터 교정을 보아라. 글자가 너무 커서 읽기가 쉽지 않을 것이지만 포스터에는 오자가 많이 들어가 있을 가능성이 있다. 전문가들이 만든 포스터를 가지고 온 세계적으로 유명한 연구자들의 포스터에 볼펜으로 오자를 고친 것을 본 적이 있다. 이 연구자들은 무척 당혹해 했다. 여러분도 그럴 수 있다.

구두 발표의 경우와 마찬가지로 여러분의 동료에게 포스터를 발표해 보는 것이 좋다. 그 사람들에게 질문을 하도록 요청하라. 모든 작업을 마쳤을 때 다른 사람에게 포스터나 발표에서 개선할 점이 있는지를 물어라. 마지막으로 사람들이 가져갈 수 있도록 완전히 작성된 보고서의 복사물을 준비하라. 사람들은 이 자료를 달라고 요구한다.

여러분의 연구를 어떤 방식으로 발표하든 간에 자부심을 갖고 훌륭하게 완수해라. 발표물은 지금까지 해 왔던 이 모든 작업들의 결과물이라는 것을 기억해라.

발표를 불명확하게 하거나 흥미없게 한다면 이 모든 노력들은 아무 쓸모없는 것이 된다.

요약

다른 과학자가 그 연구에 대해 알 수 없다면 그 연구는 가치가 없으므로, 시험자는 잘 쓰여진 실험보고서로써 결과를 알려야 한다. 보고서를 쓸 때는 미국 심리학회가 권장하고 있는 **출판 지침서**를 따라야만 한다. 한 보고서는 표준화된 몇 가지 부분들로 나뉜다. 많은 독자는 보고서의 제목을 보고 그것을 읽을지를 결정하므로, **제목**은 독자들이 이런 결정을 내리는 데 충분할 만큼의 정보를 포함하면서도 간략해야 한다. 제목 뒤에는 연구를 한 **저자**와 **연구소**가 이어져야 한다. 그 다음에 완전한 보고서의 축소판(120단어)인 초록이 쓰여진다.

보고서의 본문에서 **서론**은 지식체계의 최근 동향에 관한 문헌을 개관하고 실험 목적을 언급하며, **방법** 부분에서는 독자가 실험을 되풀이할 때 필요로 하는 정보를 제공해야 한다. 그것은 전형적으로 세 하위부분으로 나뉘는데, **참가자** 하위부분에서는 그 유형과 참가자 수, 선정방법을 기술하며, **장치/재료** 하위부분에서는 다른 사람이 그와 유사한 기구나 재료를 만들 때 필요한 정보를 제공하고, **절차** 하위부분에서는 각 참가자에게 일어난 상황에 대한 상세한 설명을 한다. **결과** 부분은 실험에서 발견한 것을 도표나 그림을 이용하여 기술 및 추론통계를 써서 요약하는 곳이다. 다음의 논의부분에서, 보고서 작성자는 지식체계로 돌아가 결과를 그것에 연결한다. 보고서는 인용한 참고문헌을 철자순으로 나열함으로써 마무리된다.

전반적인 문체를 생생하게 살리면서 가능한 한 효과적으로 정보를 전달하기 위해서 실험보고서를 3인칭 수동태로만 쓸 필요는 없다. 요즈음에는 능동형 동사가 선호되기도 하고 때때로 1인칭을 사용하는 것도 받아들여진다. 서론과 방법 부분은 보통 과거시제로 쓰지만 결과나 논의부분은 현재 시제로 쓴다. 보고서는 가능한 한 간결해야 하므로 지루한 문체는 피해야 하며, 훌륭한 보고서가 되도록 하기 위해 다른 독자의 논평을 이용해야 한다.

연구는 학술 회의에 **구두 발표**나 **포스터 발표**의 형태로 보고될 수 있다. 구두 발표는 대개 20명에서 100명 정도의 사람들에게 10에서 20분 동안 하게 된다. 대화체를 사용하는 것이 좋으며 논문에 나와 있는 자세한 것들은 많이 제외시켜야 된다. 슬라이드와 같은 시각적 자료를 준비해야 한다는 것을 명심하라. 발표자는 예상 질문을 준비해야 한다. 포스터 발표는 다른 사람들과 상호작용을 더 많이 할 수 있다. 제목과 6개에서 8개의 패널이 포함된 포스터를 준비해야 하며, 발표장을 돌아다니면서 질문하는 사람들에게 해야 할 짧은 발표를 준비해야 한다. 포스트는 큰 글자체와 이해하기 쉬운 그림 그리고 너무 자세한 자료를 제외시키는 것을 포함하여 주의 깊게 준비되어야 한다. 구두 발표와 포스터 발표는 학회 전에 동료들 앞에서 연습해야 한다.

맺음말

심리학 실험을 하는 데 대한 나의 생각에 따라 여기까지 걸어온 것을 축하한다. 내 글과 그림들이 여러분의 발전을 방해하지 않고 흥미를 불러일으켰기를 바란다. 격식 차리지 않는 것과 정확성 간에는 미묘한 균형이 있으며, 그 균형은 독자에 따라 다르다. 나의 글이 여러분에게 너무 불균형을 초래하지 않기를 바란다.

이 책이 곧바로 여러분을 완전히 성숙한 실험심리학자로 만들어 주지는 않았겠지만, 여러분이 이 책으로부터 충분한 정보를 얻어서 스스로 간단한 실험을 시도할 수 있게 되기를 바란다. 여러분은 실험을 하는 것이 실험방법에 관한 책을 읽는 것보다 훨씬 더 재미있다는 것을 알게 될 것이다. 그러니 이제부터는 그 재미를 만끽하라!

부록 A

기초통계를 하는 법

당신이 만일 계산공포증 환자(제3장 참조)라면 이 부록은 바로 당신을 위해 쓰인 것이다. 단지 기초대수학만 배웠다면 이 간단한 통계 "요리책"을 사용할 수 있을 것이다. 초판의 서문에서 나는 이 책이 통계 책이 아니라는 것을 주장했는데, 내가 이 부록에서 약간의 통계를 다루었다고 해서 그 말에 모순이 생기지는 않을 것이다. 이 책의 초판을 사용했던 일부 교사나 학생은 기초 기술통계와 추론통계검증에 대해 간단히 기술할 필요가 있다고 느꼈다. 여기서 나는 이들 몇 가지 검증법을 알려 줄 것이다. 그렇지만 나는 어떤 검증을, 왜 해야 하는지에 대해서는 말하지 않겠다. 대신에 일반적으로 특정 검증을 선택하는 데 필요한 조건들에 대해서만 조금 얘기할 것이다.

내 경험에 따르면 숫자와 관련된 내용을 글로 나타내는 것은 대개 혼동을 가져온다. 그래서 그 대신에 예를 통해서 숫자를 어떻게 다루어야 할 지를 보여 주려 한다. 여러분의 자료로부터 나온 숫자들을 여기에 제시한 예와 같이 배열하고 똑같은 단계를 밟아 나간다면 별 문제가 없을 것이다.

우선 숫자의 특성에 관해 얘기하겠다. 그러고 나서 통계적 기호들을 짧게 설명하고, 마지막으로 각 통계적 조작의 활용 예를 제시할 것이다. 그리고 각 예의 마지막에 이러한 결과들을 원고의 본문에 제시할 때 어떻게 기술하는지를 보여 줄 것이다.

숫자의 특성

숫자는 다양한 방식으로 사용될 수 있다. 어떤 방식(시장까지의 거리는 28마일이다)은 많은 정보를 포함하고 있지만, 어떤 방식(1루수는 28번이다)은 적다. 어떤 숫자로는 특정한 표현을 할 수 있고 통계적 조작이 가능하다(14마일 떨어져 있는 극장까지의 거리는 시장까지의 거리의 반이다). 동일한 표현도 어떤 숫자로 표현하면 우스꽝스럽게 된다(2루수는 14번이다. 따라서 1루수의 반이다). 따라서 숫자를 가지고 통계적 조작을 하기 전에 그 숫자가 통계적 조작에 합당한 것인지를 알아야 한다.

명명척도

단지 무언가에 이름을 붙이기 위해 사용되는 숫자들은 **명명척도**(nominal scale)라 불린다. 명명척도 자료는 양적인 속성을 지니지 않는다. 명명척도를 가지고 할 수 있는 단 하나의 합당한 통계적 조작은 각 숫자가 발생하는 사례의 수를 세는 것이다. 28번 선수들이 몇 명이나 되나?

서열척도

순서 또는 등위 지어진 숫자들은 **서열척도**(ordinal scale)라 불린다. 지난해에 챔피언이었던 자동차 경주자는 자신의 차에 1번을, 2등이었던 경주자는 2번을 달 수 있다. 이 서열척도 숫자로부터 우리는 1번 운전자가 2번 운전자보다 더 잘 했었다는 것을 알 수 있지만 얼마나 더 잘 했는지는 모른다. 2번과 3번 운전자가 단지 2점 떨어져 있었던 반면에 1번과 2번 운전자는 500점 떨어져 있었을 수 있다.

등간척도

숫자들 간의 간격이 의미 있는 것이라면 그 숫자들은 **등간척도**(interval scale)이다. 화씨 척도로 측정된 온도는 등간적이다. 50°와 60°의 간격은 10°이며, 60°와 70°의 간격 역시 10°이다.

비율척도

만일 당신이 두 숫자들로부터 비율을 만들었을 때 그 비율이 의미 있는 것이라면 그 척도는 **비율척도**(ratio scale)이다. 20°의 온도가 10°보다 두 배 뜨겁다고 말할 수는 없지만, 20마일이 10마일의 두 배라고는 말할 수 있다. 등간척도와 비율척도

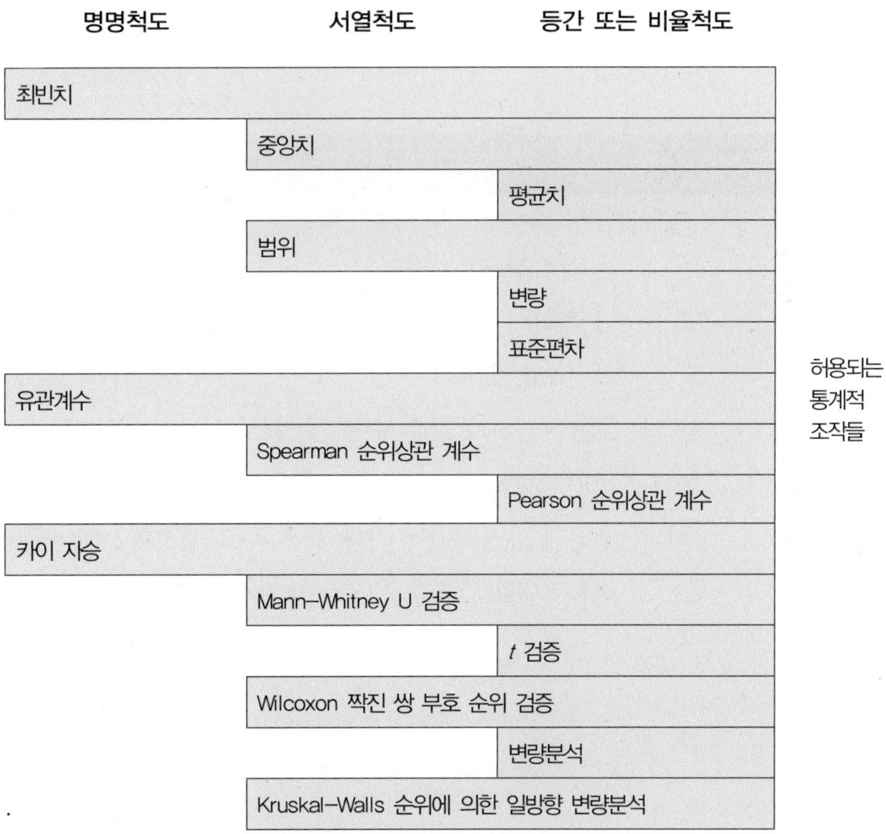

그림 A-1 통계적 조작들과 그것에 적합한 숫자 척도

간의 커다란 차이는 후자가 절대영점을 가진다는 것이다. 화씨온도에서 "0°"는 그것이 물의 빙점보다 임의로 규정한 32°만큼 낮다는 것 이외에는 별다른 뜻이 없다. 거리, 무게 그리고 부피 같은 양에 대해서 영점 단위는 의미 있는 개념이다.

통계적 조작을 하기 전에 당신이 대답해야 할 한 가지 질문은 "내가 어떤 척도를 다루고 있는가?"이다. 그림 A-1은 우리가 이 부록에서 논의할 조작과 그 조작들을 하기에 적합한 척도들을 기록해 놓은 것이다.

명명척도와 같은 저차원 척도의 숫자들에 대해 가할 수 있는 조작들은 비율척도와 같은 고차원 척도의 숫자들에도 적용할 수 있다. 이러한 이유 때문에 그림에서 검게 칠해진 부분은 등간 또는 비율자료에는 적용될 수 있으며, 모든 조작들은 명명자료에는 단지 세 가지 조작만이 사용될 수 있음을 나타낸다.

통계 공식에 사용되는 기호들

X = 자료나 점수

N = 점수들의 전체 개수

Σ = 점수들을 합하라

X^2 = X를 제곱하라(같은 수를 두 번 곱하라)

X^3 = X의 세제곱(같은 수를 세 번 곱하라)

$\sqrt{X}$ = X의 제곱근(어떤 숫자를 같은 수로 곱하면 X가 되는가?)

$|x|$ = x의 절대값(기호를 무시한 숫자)

기술 통계

집중경향의 측정치

최빈치

최빈치(mode)는 가장 빈번하게 발생되는 점수이다. 각 점수들이 발생되는 횟수를 세어서 가장 자주 발생되는 점수를 선택하라. 다음 단원의 예에서 최빈치는 2인데 그 이유는 그 숫자가 두 번 발생되었기 때문이다.

중앙치

중앙치(median)는 중앙에 있는 점수이다. 점수들은 우선 크기에 의해 배열되어야 한다. 정수가 홀수 개일 때 그 중앙치는 가운데 점수이고, 짝수 개일 때 그 중앙치는 가운데 있는 두 점수의 평균 점수이다. 다음 예에서 가운데의 두 점수는 2와 3이므로 중앙치는 2.5이다.

평균치

$$\text{평균치} = M = \overline{X} = \frac{\Sigma X}{N}$$

예

	X
	1
	2
	2
	3
	4
	5
$\Sigma X =$	17
$N =$	6

$$\overline{X} = \frac{17}{6} = 2.8$$

본문에서 보고할 때 M=2.8

분산의 측정치

범위

범위(range)는 최대 점수에서 최소 점수를 뺀 것이다. 앞의 예에서,

범위 = 5 − 1 = 4

변량

$$변량 = S^2 = \frac{\Sigma(X - \overline{X})^2}{N}$$

예

	X	$\overline{X}$*	$X - \overline{X}$	$(X - \overline{X})^2$
	1	3	−2	4
	2	3	−1	1
6개의	3	3	0	0
점수이므로	3	3	0	0
$N = 6$	4	3	1	1
	5	3	2	4
	$\Sigma X = 18$			$\Sigma(X - \overline{X})^2 = 10$

*평균치 $= \overline{X} = \frac{18}{6} = 3.$

$$\frac{\Sigma(X - \overline{X})^2}{N} = \frac{10}{6} = 1.67$$

표준편차

$$표준편차 = SD = \sigma = \sqrt{S^2} = \sqrt{\frac{\Sigma(X - \overline{X})^2}{N}}$$

앞의 예에서,

$$SD = \sqrt{1.67} = 1.29$$

본문에서 보고할 때 SD=1.29

연합도의 측정치

유관계수

유관계수(contingency coefficient, C)는 명명척도가 사용되었을 때 두 조의 숫자들 사이의 관계의 강도에 대한 측정치이다. 카이 자승(χ^2) 검증이 먼저 실시되어야 한다(p.445 참조). 카이 자승 검증이 두 변인 실험에서 수행되었으며 이 두 개의 명명척도 변인들 간의 강도의 정도를 알고자 한다고 가정하자.

$$C = \sqrt{\frac{\chi^2}{N + \chi^2}} = \sqrt{\frac{15}{100 + 15}} = \sqrt{.130} = .36$$

유의도 검증을 위해서 카이 자승 검증이 이미 계산되었으므로 관계의 통계적 유의도를 위한 더 이상의 검증은 필요하지 않다.

본문에서 보고할 때 C(N=100)=.36

Spearman 순위상관 계수

Spearman 순위상관 계수(*rho*)는 두 개의 서열척도들 간의 관계의 강도를 측정하기 위해서 사용된다. 이 경우 각 피험자들에 대해 두 개의 점수나 순위가 얻어지고 차이 *d*가 결정된다.

예

참가자	첫 번째 측정치의 순위	두 번째 측정치의 순위	d	d^2	
Bill	4	4	0	0	
Jane	1	2	−1	1	
Bob	5	5	0	0	$N = 5$
Pete	2	3	−1	1	
Mary	3	1	+2	4	
				$\Sigma d^2 = 6$	

$$rho = 1 - \frac{6\Sigma d^2}{N^3 - N} = 1 - \frac{6(6)}{125 - 5} = 1 - \frac{36}{120}$$
$$= 1 - .3 = .7$$

얻어진 *rho*가 실제로 관계가 있었기보다는 우연적 변산으로 인하여 발생하였는지를 결정하기 위하여 부록 B(표 B-1)에 있는 *rho*의 임계치를 참조해야 한다. 통계적으로 유의하기 위해서는 *N*이 5일 때 *rho*가 1이어야 하지만 위 결과는 그렇지 않다. 또한 표에 의하면 관계가 존재할 때에 피험자가 많아질수록 통계적으로 유의한 효과를 발견할 확률이 높아진다는 것을 알 수 있다.

본문에서 보고할 때 $\rho(N=5)=.70,\ p > .05$

Pearson 적률상관 계수

Pearson **적률상관 계수**(r)는 두 개의 등간 또는 비율척도 사이의 관계의 강도를 측정하기 위하여 사용될 수 있다. 다음의 예에서 X는 한 변인의 점수를 나타내며, Y는 두 번째 변인의 점수를 나타낸다.

예

피험자	X	X^2	Y	Y^2	XY	
Tom	9	81	8	64	72	
Sue	4	16	4	16	16	
Jill	4	16	6	36	24	
Dave	2	4	4	16	8	$N = 8$
Ken	1	1	3	9	3	
Jo	3	9	2	4	6	
Juan	7	49	8	64	56	
Al	5	25	5	25	25	
	$\Sigma X = 35$	$\Sigma X^2 = 201$	$\Sigma Y = 40$	$\Sigma Y^2 = 234$	$\Sigma XY = 210$	

$$r = \frac{N\Sigma XY - \Sigma X \Sigma Y}{\sqrt{N\Sigma X^2 - (\Sigma X)^2}\sqrt{N\Sigma Y^2 - (\Sigma Y)^2}} = \frac{8(210) - (35)(40)}{\sqrt{8(201) - 35^2}\sqrt{8(234) - 40^2}}$$
$$= \frac{1680 - 1400}{\sqrt{1680 - 1225}\sqrt{1872 - 1600}} = \frac{280}{\sqrt{383}\sqrt{272}} = \frac{280}{(19.57)(16.49)}$$
$$= \frac{280}{322.7} = .868$$

여덟 개의 점수쌍으로부터 얻어진 이러한 크기의 r이 통계적으로 유의한지를 결정하기 위해서는 r의 임계치를 부록 B의 표 B-2를 참조하라. 이 표를 사용하기 위해서 자유도(degree of freedom, df)라고 불리는 값을 결정해야 한다. 이 검사에 대한 자유도는 $N-2$이다. 따라서 이 예에서 $df=6$이다. 상관 계수 .868이 기록된 값 .834를 초과하므로 그것은 $p<.01$ 수준에서 유의미하다. 즉, 단일 모집단에서 표본을 우선적으로 선발할 때 100번에서 한 번 이하로 이 정도의 관계강도가 발생하리라고 기대한다.

본문에서 보고할 때 $r(6)=.87,\ p<.01$

추론적 통계

카이 자승

카이 자승(χ^2) 검증은 관찰된 점수의 발생 빈도가 기대된 빈도와 통계적으로 다른 지의 여부를 결정하는 데 사용된다.

예

	뒷면을 보고 앞면을 예측하는 참가자	뒷면을 보고 뒷면을 예측하는 참가자
관찰치	60	40
예측치	50	50
$O-E$	+10	−10
$(O-E)^2$	100	100
$\frac{(O-E)^2}{E}$	2	2

$$\chi^2 = \Sigma\frac{(O-E)^2}{E} = 2 + 2 = 4$$

기대된 빈도는 이전에 이루어진 관찰이나 이론적 예측에 기초한 빈도이다. 대체로 이론적 예측은 관찰빈도가 우연에 의해 기대되는 빈도로 될 것이라고 예측한다. 예컨대 앞의 예에서 피험자의 예측에는 아무런 편파(도박꾼의 오류)도 개입되지 않을 것이라고 기대할 수 있다. 즉, 횟수의 반에서는 앞면이 예측될 것이고, 횟수의 반에서는 뒷면이 예측될 것이다.

추론통계검증을 하는 데 있어서 마지막 단계는 계산결과를 임계치 표와 비교하는 것이다. 카이 자승 값의 표는 부록 B(표 B-3)에 제시되어 있다. 표에서 적합한 수를 찾아내려면 우선 다음과 같이 자유도의 값을 결정해야 한다.

df =고려 중인 $(O-E)$의 수 빼기 1, 이 경우에서는 $2-1=1$

그 표에서 $p<.05$ 유의도 수준에서 유의미하기 위해서 $df=1$일 때, χ^2은 3.84를 초과해야 한다는 것을 알 수 있다. 따라서 이 예에 있는 자료는 .05 수준에서 우연에 의해서 발생된 차이가 아니다. 만일 우리가 $p<.01$ 수준에서 검증하고 있었다면 $\chi^2=4$는 6.64를 초과하지 않았을 것이며, 그 검증은 유의도 수준에 도달하지 못했을 것이다.

본문에서 보고할 때 $\chi^2(1, N=100)=4.00,\ p<.05$

비상관측정치를 위한 *t* 검증

t 검증에는 두 가지 형태가 있다. 하나는 상관되지 않은 자료를 위한 것이고, 나머지 하나는 상관된 자료를 위한 것이다. 비상관측정치를 위한 *t* 검증은 두 독립 집단의 참가자들에서 관찰된 차이가 우연에 의해 발생했을 확률을 결정하기 위해 사용된다. 그 기초가 되는 분포는 정상 분포라고 가정된다.

예

집단 1			
X_1	$\overline{X}_1$	$X_1 - \overline{X}_1$	$(X_1 - \overline{X}_1)^2$
9	7	2	4
8	7	1	1
7	7	0	0
7	7	0	0
4	7	−3	9
$\Sigma X_1 = 35$			$\Sigma(X_1 - \overline{X}_1)^2 = 14$

$$N_1 = 5$$

$$M_1 = \overline{X}_1 = \frac{\Sigma X_1}{N_1} = \frac{35}{5} = 7$$

$$\sigma_1 = \sqrt{\frac{\Sigma(X_1 - \overline{X}_1)^2}{N_1}} = \sqrt{\frac{14}{5}} = \sqrt{2.8} = 1.67$$

집단 2			
X_2	$\overline{X}_2$	$X_2 - \overline{X}_2$	$(X_2 - \overline{X}_2)^2$
5	3	2	4
4	3	1	1
3	3	0	0
2	3	−1	1
1	3	−2	4
$\Sigma X_2 = 15$			$\Sigma(X_2 - \overline{X}_2)^2 = 10$

$$N_2 = 5$$

$$M_2 = \overline{X}_2 = \frac{\Sigma X_2}{N_2} = \frac{15}{5} = 3$$

$$\sigma_2 = \sqrt{\frac{\Sigma(X_2 - \overline{X}_2)^2}{N_2}} = \sqrt{\frac{10}{5}} = \sqrt{2} = 1.41$$

$$t = \frac{M_1 - M_2}{\sqrt{\left(\frac{\sigma_1}{\sqrt{N_1 - 1}}\right)^2 = \left(\frac{\sigma_2}{\sqrt{N_2 - 1}}\right)^2}} = \frac{7 - 3}{\sqrt{\left(\frac{1.67}{\sqrt{5 - 1}}\right)^2 + \left(\frac{1.41}{\sqrt{5 - 1}}\right)^2}}$$

$$= \frac{4}{\sqrt{\left(\frac{1.67}{2}\right)^2 + \left(\frac{1.41}{2}\right)^2}} = \frac{4}{\sqrt{.697 = .497}} = \frac{4}{\sqrt{1.194}} = \frac{4}{1.09} = 3.67$$

비상관적 t 검증의 자유도는 다음과 같다.

$df = N_1 + N_2 - 2 = 5 + 5 - 2 = 8$

부록 B의 표 B-4는 자유도가 8일 때 집단 간 차이가 $p < .01$ 수준에서 유의미하기 위해서 t는 3.355를 넘어야 한다는 것을 나타내고 있다. 따라서 산출된 값 3.67은 이 수준에서 유의미하다.

본문에서 보고할 때 $t(8) = 3.67,\ p < .01$

상관측정치를 위한 *t* 검증

상관측정치를 위한 t 검증은 동일하거나 짝지어진 참가자들 간에 관찰된 차이(D)가 우연에 의해 일어났을 확률을 결정하기 위해서 사용된다.

$$t = \frac{\bar{X}_D}{\frac{\sigma_D}{\sqrt{N-1}}}$$

예

피험자	상황 1	상황 2	차이(D)	$\bar{X}_D$*	$X_D - \bar{X}_D$	$(X_D - \bar{X}_D)^2$
1	9	6	3	3	0	0
2	8	5	3	3	0	0
3	7	5	2	3	−1	1
4	8	4	4	3	1	1
5	8	5	3	3	0	0
$N = 5$	$\Sigma X_1 = 40$	$\Sigma X_2 = 25$	$\Sigma D = 15$			$\Sigma(X_D - \bar{X}_D)^2 = 2$

*$M_D = \bar{X}_D = \frac{\Sigma D}{N} = \frac{15}{5} = 3$

$$\sigma_D = \sqrt{\frac{\Sigma(X_D - \overline{X}_D)^2}{N}} = \sqrt{\frac{2}{5}} = \sqrt{.4} = .632$$

$$t = \frac{\overline{X}_D}{\frac{\sigma_D}{\sqrt{N-1}}} = \frac{3}{\frac{.632}{\sqrt{5-1}}} = \frac{3}{\frac{.632}{2}} = \frac{3}{.316} = 9.49$$

상관측정치의 자유도는 다음과 같다.

$df = N_1 - 2 = 5 - 1 = 4$

표 B-4는 두 종류 모두에 사용될 수 있다. 이 예에서 $p < .01$ 수준에서 유의미하기 위해서는 t 점수가 4.604를 넘어서야 한다. t 점수가 4.604보다 크므로 유의미하다.

본문에서 보고할 때 $t(4) = 9.49$, $p < .01$

Mann-Whitney *U* 검증

Mann-Whitney U 검증은 비상관 t 검증과 동일한 일반적 상황이지만 정상 분포나 등간척도에 대한 가정이 충족될 수 없을 때 사용된다.

$$\left.\begin{array}{c} U = N_1N_2 + \dfrac{N_1(N_1+1)}{2} - R_1 \\ \text{또는} \\ U = N_1N_2 + \dfrac{N_2(N_2+1)}{2} - R_2 \end{array}\right\} \text{둘 중 더 작은 값}$$

여기에서

N_1 = 더 작은 집단의 참가자 수

N_2 = 더 큰 집단의 참가자 수

R_1 = 더 작은 집단의 순위 합계

R_2 = 더 큰 집단의 순위 합계

예

집단 1			집단 2		
	X_1	순위		X_2	순위
	1	1		2	2
	3	3.5		4	5
	3	3.5		7	8
	5	6		8	9.5
$N_1 = 10$	6	7	$N_2 = 10$	10	13.5
	8	9.5		13	16
	9	11.5		15	17
	9	11.5		16	18
	10	13.5		17	19
	12	15		18	20
		$R_1 = 82$			$R_2 = 128$

순위는 어떤 집단에 속해 있는지와 관계없이 모든 점수들을 순서대로 정렬하여 결정된다. 순위에 동점이 있을 때는 평균이 사용된다.

$$U = N_1N_2 + \frac{N_1(N_1 + 1)}{2} - R_1 = (10)(10) + \frac{10(10 + 1)}{2} - 82$$

$$= 100 + \frac{110}{2} - 82 = 73$$

또는

$$U = (10)(10) + \frac{10(10 + 1)}{2} - 128 = 27$$

27이 더 작으므로 $U=27$이다.

U의 임계치를 결정하기 위한 두 개의 표는 부록 B에 제시되어 있다. 만일 $p< .05$ 수준에서 유의도 검사를 하고자 한다면 표 B-5를 사용해야 한다. $N_1=10$이고 $N_2=10$일 때의 U값은 23이다. 유의미하기 위해서 결과값은 이 임계치와 같거나 그보다 작아야 한다. 27은 그렇지 않으므로 그것은 이 수준에서 통계적으로 유의미하지 않다.

Mann-Whitney U 검증이 유의미하기 위해서는 그 값이 표에 있는 값에 비해 크지 않고 오히려 작아야 한다는 것이 다른 검증들하고 다른 점임을 주목하라. 7

보다 작은 N_1 값이 나타나 있는 표를 발견하기 위해서는 이 책보다 더 고등한 수준의 통계책을 사용해야 한다. 20보다 더 큰 N_2 값에 대해서 U 값은 다음의 공식을 사용하여 z 점수로 전환되어야 한다.

$$z = \frac{U - \frac{N_1 N_2}{2}}{\sqrt{\frac{(N_1)(N_2)(N_1 + N_2 + 1)}{12}}}$$

z 점수는 부록 B의 표 B-7에 열거되어 있는 임계치와 비교될 수 있다.

본문에서 보고할 때 $U(N_1=10,\ N_2=10)=27,\ p<.05$

Wilcoxon 짝진 쌍 부호 순위 검증

Wilcoxon 짝진 쌍 부호 순위 검증(Wilcoxon matched-pairs signed-ranks test)은 동일하거나 짝지어진 참가자가 두 조건에 할당되었을 때 그 두 조건 간의 차이(D)가 우연에 의해 발생되었을 확률을 결정하는 데 사용된다. 이 검증은 서열 척도에 의한 자료를 대상으로 하므로 정상 분포일 필요가 없다는 점이 상관 t 검증과 다른 점이다.

$$\left.\begin{array}{l} T = \Sigma \mathrm{R}_+ \\ T = |\Sigma \mathrm{R}_-| \end{array}\right\} \text{둘 중 더 작은 값}$$

여기서

R_+는 차이 간 양수인 순위.

R_-는 차이 간 음수인 순위.

예

쌍	조건 1	조건 1	차이(*D*)	*D*의 절대값에 의한 순위	양수 *D*를 가지는 순위	음수 *D*를 가지는 순위
1	54	50	4	3	3	
2	47	32	15	9	9	
3	39	33	6	4	4	
4	42	45	−3	2.5		−2.5
5	51	38	13	7	7	
6	46	39	7	5	5	
7	42	44	−2	1		−1
8	54	46	8	6	6	
9	42	39	3	2.5	2.5	
10	47	33	14	8	8	
					$\Sigma R_{+} = 45.5$	$\lvert\Sigma R_{-}\rvert = 3.5$

45.5와 3.5에서 작은 값은 3.5이다.

$T = \lvert\Sigma R_{-}\rvert = 3.5$

통계적 유의도를 검증하기 위해서 부록 B의 표 B-8을 보라. 유의미하기 위해서는 T값이 제시된 값보다 작거나 같아야 한다. 이 예에서 10개의 정수 쌍이 있으므로 n=10이며, 조건 간의 차이의 방향에 대해서 예측하지 않았다고 가정한다면 양방향 검증이 적합하다. 3.5는 5보다 작지만 3보다는 크다. 따라서 $p < .02$이다.

본문에서 보고할 때 $T(n=10)=3.50,\ p < .02$

변량분석

변량분석(ANOVA)은 기초가 되는 분포가 정상 분포에 접근할 때 등간이나 비율 척도 자료에 사용될 수 있다. 변량분석검증은 피험자 내(반복측정) 설계나 피험자 간(분리집단) 설계 그리고 중다 독립변인을 가진 방안에서 사용 가능하다. 그러나 이 부록에서는 단일 독립변인을 가진 피험자 간 설계만 다룰 것이다. 다음의 예에서 독립변인은 세 수준을 가진다. 그러나 여기에 주어진 공식들은 세 개 이상의 집단을 가진 설계에도 사용될 수 있다.

ANOVA 계산은 복잡해 보이기는 하지만 이 검증에 깔려 있는 논리는 실제로 간단하다. 세 집단의 참가자들로부터 자료를 수집하여 실험을 수행한다고 가정해 보라. 실험의 질문은 세 집단의 피험자들이 동일한 모집단으로부터 와서 우연적 변산에 의해서만 차이를 보이는지, 아니면 그 표본들이 상이한 모집단으로부터 와서 우연적 변산뿐 아니라 독립변인에 의해서도 차이를 보이는지를 알아보는 것이다. ANOVA는 당신이 표집한 모든 점수들이 포함되어 있는 분포에서 발견된 변량을 분할할 수 있도록 해 준다. 이 분포의 변량의 일부는 독립변인에 의한 변량을 포함하여 집단들 간의 차이에 의해 발생된 것이다. 이 변량의 두 번째 부분은 집단 내 참가자들 간의 우연적 변산에 기인하는 것이다.

ANOVA를 할 때 계산되는 최종 숫자는 F 값(F value)이라고 불린다. 그것은 집단 내의 변량에 대한 집단들 간의 변량의 비율이다. 만일 표집된 집단들이 동일한 모집단으로부터 왔으며, 독립변인이 어떠한 효과도 가지지 않는다면 우리는 그 비율이 1에 근접할 것을 기대할 수 있다. 그러면 F 값은 1보다 클 것이다. F 값이 증가함에 따라 집단들 간의 차이가 우연적 변산보다 독립변인의 효과에 기인한 집단들 간의 차이라는 것을 점점 더 신뢰하게 될 것이다.

다음의 예에서 우리는 먼저 **전체 자승합**(total sum of squares, SS_{TOT})라고 불리는 숫자를 계산하고 나서 **집단 간**(sum of squares between groups, SS_{bg}) **집단 내 자승화**(sum of squares within groups, SS_{wg})를 계산한다. 그러고 나서 SS_{bg}와 SS_{wg}를 해당 자유도로 나누어 집단 간 평균 자승(MS_{bg}) 및 집단 내 평균 자승(MS_{wg})을 얻는다. 그 뒤 MS_{bg}를 MS_{wg}로 나누어 F 값을 알아낸다.

이제 예를 따라 내려가 보라. 하지만 곤란한 경우가 생기면 다음의 정의가 도움이 될 것이다.

T는 전체 집단에 대한 모든 점수의 전체 자승합이다.

T_j는 집단 j에서의 전체 자승합이다.

N은 전체 집단의 사례수이다.

n_j는 집단 j의 사례수이다.

$\sum_{j=1}^{k}$ 은 1부터 k까지의 전체 집단의 합을 의미한다.

k는 집단수이다.

예

집단 1		집단 2		집단 3	
X_1	X_1^2	X_2	X_2^2	X_3	X_3^2
3	9	9	81	10	100
5	25	6	36	8	64
4	16	5	25	11	121
3	9	8	64	10	100
1	1	7	49	9	81
2	4	7	49	10	100
5	25	6	36	11	121
2	4	4	16	12	144
3	9	8	64	10	100
1	1	7	49	9	81
$T_1 = 29$	103	$T_2 = 67$	469	$T_3 = 100$	1012
$n_1 = 10$		$n_2 = 10$		$n_3 = 10$	

$N = 10 + 10 + 10 = 30$
$T = 29 + 67 + 100 = 196$
$k = 3$

$$SS_{\text{TOT}} = \Sigma X^2 - \frac{T^2}{N} = (103 + 469 + 1012) - \frac{(196)^2}{30}$$

$$= 1584 - \frac{38416}{30} = 1584 - 1281 = 303$$

$$SS_{\text{bg}} = \sum_{j=1}^{k} \frac{T_j^2}{n_j} - \frac{T^2}{N} = \frac{29^2}{10} + \frac{67^2}{10} + \frac{100^2}{10} - \frac{(196)^2}{30}$$

$$= \frac{841}{10} + \frac{4489}{10} + \frac{10000}{10} - 1281$$

$$= 84.1 + 448.9 + 1000 - 1281 = 1533 - 1281 = 252$$

$$SS_{\text{wg}} = SS_{\text{TOT}} - SS_{\text{bg}} = 303 - 252 = 51$$

$$df_{\text{bg}} = k - 1 = 3 - 1 = 2$$

$$df_{\text{wg}} = N - k = 30 - 3 = 27$$

$$MS_{\text{bg}} = \frac{SS_{\text{bg}}}{df_{\text{bg}}} = \frac{252}{2} = 126$$

$$MS_{wg} = \frac{SS_{wg}}{df_{wg}} = \frac{51}{27} = 1.89$$

$$F = \frac{MS_{bg}}{MS_{wg}} = \frac{126}{1.89} = 66.7$$

이제 이 숫자를 부록 B의 표 B-8에 제시되어 있는 임계치와 비교하면 된다. 분자의 자유도 2와 분모의 자유도 27을 가지고 $p < .05$ 수준에서 유의미하려면 F 값은 3.38 이상이어야 하며, $p < .01$ 수준에서 유의미하기 위해서는 5.57 이상이어야 한다. 66.7이 이 임계치들을 훨씬 초과하므로 집단들 간의 차이는 매우 유의미하다. 세 집단 중 어느 두 집단 간의 차이에 의해서도 이 검증은 통계적 유의도에 도달할 수 있다는 것을 주목하라. 어떤 평균치가 다른 것과 통계적으로 차이가 나는가를 결정하기 위해서는 더 많은 검증들이 수행되어야 한다. 이 검증들은 이 책의 범위를 벗어난다. 그것들은 제12장의 끝에 있는 추천도서를 참고하라.

본문에서 보고할 때 $F(2, 27) = 66.70$, $p < .05$

Kruskal-Wallis 순위에 대한 원방향 변량분석

만일 등간 또는 비율 척도가 아니거나 정상 분포의 가정이 만족될 수 없다면 Kruskal-Wallis 변량분석이 둘 이상의 독립된 집단들 간의 차이를 위한 검증에 사용될 수 있다. 서열 척도만 분석될 수 있다.

K = 집단수

n_j = 집단당 사례수

N = 전체 사례수

R_j = 집단 j의 순위합계

k = 각 점수에 대한 동점 사례수

예

집단 1		집단 2		집단 3	
X_1	순위	X_2	순위	X_3	순위
8	15	2	2.5	6	11
4	5.5	5	8.5	5	8.5
7	13	2	2.5	4	5.5
5	8.5	3	4	5	8.5
7	13	1	1	7	13
	$R_1 = 55.0$		$R_2 = 18.5$		$R_3 = 46.5$

$K = 3$
$n_j = 5$
$N = 15$

각 집단별의 순위를 얻기 위해 모든 점수의 순위를 매겨라.

점수	순위	동점의 평균	t
1	1	1	
2	2	2.5	2
2	3		
3	4	4	
4	5	5.5	2
4	6		
5	7	8.5	4
5	8		
5	9		
5	10		
6	11	11	
7	12	13	3
7	13		
7	14		
8	15	15	

이 표의 순위를 앞의 예의 각 점수 열에 적고 R_1, R_2, R_3를 구하기 위해 각 순위들을 합하라.

$$H = \frac{12}{N(N+1)} \sum_{j=1}^{k} \frac{R_j^2}{n_j} - 3(N+1)$$
$$= \frac{12}{15(15+1)} \left[\frac{(55)^2}{5} + \frac{(18.5)^2}{5} + \frac{(46.5)^2}{5} \right] - 3(15+1)$$
$$= \frac{12}{15(16)} \left[\frac{3025}{5} + \frac{342.25}{5} + \frac{2162.25}{5} \right] - 3(16)$$
$$= \frac{12}{240} \left[\frac{5529.5}{5} \right] - 48$$
$$= .05(1105.9) - 48 = 55.295 - 48 = 7.295$$

동점은 H를 $1 - \frac{\Sigma(t^3 - t)}{N^3 - N}$로 나누어서 교정한다.

$$1 - \frac{(2^3 - 2) + (2^3 - 2) + (4^3 - 4) + (3^3 - 3)}{15^3 - 15}$$
$$1 - \frac{(8 - 2) + (8 - 2) + (64 - 4) + (27 - 3)}{3375 - 15}$$
$$1 - \frac{96}{3360} = 1 - .029 = .971$$
$$H = \frac{7.295}{.971} = 7.51$$

부록 B의 표 B-9에 따르면 집단 크기가 5, 5, 5인 경우 H 값이 7.51이 될 확률은 0.49보다 작다. 따라서 집단 간 차이도 $p < .05$ 수준에서 통계적으로 유의미하다. 이 값이 $p < .01$ 수준에서 요구하는 7.98보다 작기 때문에 이 차이는 .01 수준에서 유의미하지 않다.

만일 집단들의 사례수가 다섯 명 이상이라면 H는 카이 자승처럼 분포된다. 그 경우에 임계치를 결정하기 위해서는 $k-1$의 자유도를 가지고 표 B-3을 참조하여 $k-1$의 자유도를 가지는 값을 찾아라.

본문에서 보고할 때 H(5, 5, 5)=7.51, $p < .05$

결론

이 부록은 매우 기초적인 통계적 조작의 계산 예를 제시하고 있다. 그러나 실험에 대한 기초 강의수준을 넘어서면 최소한 세 가지를 더 해야 할 필요가 있다. 첫째, 중다 독립변인을 가지는 방안과 피험자 내 및 피험자 간 변인의 혼합 방안을 분석하기 위한 더 복잡한 검증을 배울 필요가 있다. 둘째, 시간과 노력을 절약하기 위해 컴퓨터 패키지 프로그램을 배울 필요가 있다. 셋째, 아마도 가장 중요한 것으로, 통계에 대한 요리책식 접근을 뛰어넘어야 한다는 것이다. 연구자로서 특정 통계적 조작을 왜 하는지를 이해해야 한다.

통계적 조작의 개념을 이해하는 것은 자료분석을 위한 가장 강력한 방법이 무엇인지를 가르쳐 줄 뿐 아니라, 자료들을 효과적으로 분석될 수 있는 연구를 설계할 수 있도록 해 준다. 통계 전문가들은 많은 자료 더미를 자신의 책상 위에 쌓아 놓고 "이걸 어떻게 분석하지요?" 하고 물어보는 미숙한 연구자들도 있다는 소름끼치는 이야기를 들려준다. 몇몇 경우에 그 자료로는 통계적 분석을 할 수 없는 경우도 있다.

요점은, 실험설계와 통계적 분석은 밀접하게 연관되어 있다는 것이다. 연구를 설계하려고 계획하고 있다면 결과분석에 사용되어야 할 통계적 조작의 기초가 되는 개념들도 이해하여야 한다.

부록 B

통계표

표 B-1 *rho* (Spearman 순위상관 계수)의 임계치

N	p = .0500	p = .0100
5	1.000	—
6	.886	1.000
7	.786	.929
8	.738	.881
9	.683	.833
10	.648	.794
12	.591	.777
14	.544	.715
16	.506	.665
18	.475	.625
20	.450	.591
22	.428	.562
24	.409	.537
26	.392	.515
28	.377	.496
30	.364	.478

출처: Olds, E. G., Distribution of squares of rank differences for small numbers of individuals, *Annals of Mathematical Statistics,* 1938, IX, 133-148과 The 5% significance levels for sums of squares of rank differences and a correction, Annals of Mathematical Statistics, 1949, XX, 117-118에서 계산됨. 수리통계연구소(Institute of Mathematical Statistics)의 허가에 의함, 표 B-1은 *Elementary Statistics,* Underwood 등에서 저자인 Appleton-Century-Crofts의 허가에 의해 발췌됨.

표 B-2 r(Pearson 적률상관 계수)의 임계치

	양방향 검증의 유의도 수준		
df	.10	.05	.01
1	.988	.997	.9999
2	.900	.950	.990
3	.805	.878	.959
4	.729	.811	.917
5	.669	.754	.874
6	.622	.707	.834
7	.582	.666	.798
8	.549	.632	.765
9	.521	.602	.735
10	.497	.576	.708
11	.476	.553	.684
12	.458	.532	.661
13	.441	.514	.641
14	.426	.497	.623
15	.412	.482	.606
16	.400	.468	.590
17	.389	.456	.575
18	.378	.444	.561
19	.369	.433	.549
20	.360	.423	.537
25	.323	.381	.487
30	.296	.349	.449
35	.275	.325	.418
40	.257	.304	.393
45	.243	.288	.372
50	.231	.273	.354
60	.211	.250	.325
70	.195	.232	.303
80	.183	.217	.283
90	.173	.205	.267
100	.164	.195	.254

출처: R. A. Fisher의 *Statistical Methods for Research Workers*, 14판, 복제권 1973, Hafner Press.

표 B-3 카이 자승의 임계치

df	p = .05	p = .01
1	3.84	6.64
2	5.99	9.21
3	7.82	11.34
4	9.49	13.28
5	11.07	15.09
6	12.59	16.81
7	14.07	18.48
8	15.51	20.09
9	16.92	21.67
10	18.31	23.21
11	19.68	24.72
12	21.03	26.22
13	22.36	27.69
14	23.68	29.14
15	25.00	30.58
16	26.30	32.00
17	27.59	33.41
18	28.87	34.80
19	30.14	36.19
20	31.41	37.57
21	32.67	38.93
22	33.92	40.29
23	35.17	41.64
24	36.42	42.98
25	37.65	44.31
26	38.88	45.64
27	40.11	46.96
28	41.34	48.28
29	42.56	49.59
30	43.77	50.89

출처 : 표 B-3은 Fisher와 Yates의 *Statistical Tables for Biological, Agricultural and Medical Research*, Longman Group Ltd., London(이전에는 Oliver와 Boyd Ltd., Edinburgh가 출판)의 표 4에서 발췌함. 저자와 출판사의 허가에 의함.

표 B-4 *t*의 임계치

df	p = .10	p = .05	p = .02	p = .01
1	6.314	12.706	31.821	63.657
2	2.920	4.303	6.965	9.925
3	2.353	3.182	4.541	5.841
4	2.132	2.776	3.747	4.604
5	2.015	2.571	3.365	4.032
6	1.943	2.447	3.143	3.707
7	1.895	2.365	2.998	3.499
8	1.860	2.306	2.896	3.355
9	1.833	2.262	2.821	3.250
10	1.812	2.228	2.764	3.169
11	1.796	2.201	2.718	3.106
12	1.782	2.179	2.681	3.055
13	1.771	2.160	2.650	3.012
14	1.761	2.145	2.624	2.977
15	1.753	2.131	2.602	2.947
16	1.746	2.120	2.583	2.921
17	1.740	2.110	2.567	2.898
18	1.734	2.101	2.552	2.878
19	1.729	2.093	2.539	2.861
20	1.725	2.086	2.528	2.845
21	1.721	2.080	2.518	2.831
22	1.717	2.074	2.508	2.819
23	1.714	2.069	2.500	2.807
24	1.711	2.064	2.492	2.797
25	1.708	2.060	2.485	2.787
26	1.706	2.056	2.479	2.779
27	1.703	2.052	2.473	2.771
28	1.701	2.048	2.467	2.763
29	1.699	2.045	2.462	2.756
30	1.697	2.042	2.457	2.750
60	1.671	2.000	2.390	2.660
∞	1.645	1.960	2.326	2.576

출처 : 표 B-4는 Fisher와 Yates의 *Statistical Tables for Biological, Agricultural and Medical Research*, Longman Group Ltd., London(이전에는 Oliver와 Boyd Ltd., Edinburgh가 출판)의 표 3에서 발췌함. 저자와 출판사의 허가에 의함.

표 B-5 $p<.05$ 수준에서의 Mann-Whitney U 검증의 임계치

	N_1													
N_2	7	8	9	10	11	12	13	14	15	16	17	18	19	20
3	1	2	2	3	3	4	4	5	5	6	6	7	7	8
4	3	4	4	5	6	7	8	9	10	11	11	12	13	13
5	5	6	7	8	9	11	12	13	14	15	17	18	19	20
6	6	8	10	11	13	14	16	17	19	21	22	24	25	27
7	8	10	12	14	16	18	20	22	24	26	28	30	32	34
8	10	13	15	17	19	22	24	26	29	31	34	36	38	41
9	12	15	17	20	23	26	28	31	34	37	39	42	45	48
10	14	17	20	23	26	29	33	36	39	42	45	48	52	55
11	16	19	23	26	30	33	37	40	44	47	51	55	58	62
12	18	22	26	29	33	37	41	45	49	53	57	61	65	69
13	20	24	28	33	37	41	45	50	54	59	63	67	72	76
14	22	26	31	36	40	45	50	55	59	64	67	74	78	83
15	24	29	34	39	44	49	54	59	64	70	75	80	85	90
16	26	31	37	42	47	53	59	64	70	75	81	86	92	98
17	28	34	39	45	51	57	63	67	75	81	87	93	99	105
18	30	36	42	48	55	61	67	74	80	86	93	99	106	112
19	32	38	45	52	58	65	72	78	85	92	99	106	113	119
20	34	41	48	55	62	69	76	83	90	98	105	112	119	127

출처: Auble. D., Extended tables for Mann-Whitney statistics, *Bulletin of the Institute of Educational Research at Indiana University*, 1953, 1(2)의 표 1, 3, 5 및 7에서 인용되고 축약됨.

표 B-6 $p<.01$ 수준에서의 Mann-Whitney U 검증의 임계치

	N_1													
N_2	7	8	9	10	11	12	13	14	15	16	17	18	19	20
3	—	—	0	0	0	1	1	1	2	2	2	2	3	3
4	0	1	1	2	2	3	3	4	5	5	6	6	7	8
5	1	2	3	4	5	6	7	7	8	9	10	11	12	13
6	3	4	5	6	7	9	10	11	12	13	15	16	17	18
7	4	6	7	9	10	12	13	15	16	18	19	21	22	24
8	6	7	9	11	13	15	17	18	20	22	24	26	28	30
9	7	9	11	13	16	18	20	22	24	27	29	31	33	36
10	9	11	13	16	18	21	24	26	29	31	34	37	39	42
11	10	13	16	18	21	24	27	30	33	36	39	42	45	48
12	12	15	18	21	24	27	31	34	37	41	44	47	51	54
13	13	17	20	24	27	31	34	38	42	45	49	53	56	60
14	15	18	22	26	30	34	38	42	46	50	54	58	63	67
15	16	20	24	29	33	37	42	46	51	55	60	64	69	73
16	18	22	27	31	36	41	45	50	55	60	65	70	74	79
17	19	24	29	34	39	44	49	54	60	65	70	75	81	86
18	21	26	31	37	42	47	53	58	64	70	75	81	87	92
19	22	28	33	39	45	51	56	63	69	74	81	87	93	99
20	24	30	36	42	48	54	60	67	73	79	86	92	99	105

출처: Auble. D., Extended tables for Mann-Whitney statistics, *Bulletin of the Institute of Educational Research at Indiana University*, 1953, 1(2)의 표 1, 3, 5 및 7에서 인용되고 축약됨.

표 B-7 다양한 z-정수와 관련된 확률들

	0	0.01	0.02	0.03	0.04	0.05	0.06	0.07	0.08	0.09
0.0	0.5000	0.4960	0.4920	0.4880	0.4840	0.4801	0.4761	0.4721	0.4681	0.4641
0.1	0.4602	0.4562	0.4522	0.4483	0.4443	0.4404	0.4364	0.4325	0.4286	0.4247
0.2	0.4207	0.4168	0.4129	0.4090	0.4052	0.4013	0.3974	0.3936	0.3897	0.3859
0.3	0.3821	0.3783	0.3745	0.3707	0.3669	0.3632	0.3594	0.3557	0.3520	0.3483
0.4	0.3446	0.3409	0.3372	0.3336	0.3300	0.3264	0.3228	0.3192	0.3156	0.3121
0.5	0.3085	0.3050	0.3015	0.2981	0.2946	0.2912	0.2877	0.2843	0.2810	0.2776
0.6	0.2743	0.2709	0.2676	0.2643	0.2611	0.2578	0.2546	0.2514	0.2483	0.2451
0.7	0.2420	0.2389	0.2358	0.2327	0.2296	0.2266	0.2236	0.2206	0.2177	0.2148
0.8	0.2119	0.2090	0.2061	0.2033	0.2005	0.1977	0.1949	0.1922	0.1894	0.1867
0.9	0.1841	0.1814	0.1788	0.1762	0.1736	0.1711	0.1685	0.1660	0.1635	0.1611
1.0	0.1587	0.1562	0.1539	0.1515	0.1492	0.1469	0.1446	0.1423	0.1401	0.1379
1.1	0.1357	0.1335	0.1314	0.1292	0.1271	0.1251	0.1230	0.1210	0.1190	0.1170
1.2	0.1151	0.1131	0.1112	0.1093	0.1075	0.1056	0.1038	0.1020	0.1003	0.0985
1.3	0.0968	0.0951	0.0934	0.0918	0.0901	0.0885	0.0869	0.0853	0.0838	0.0823
1.4	0.0808	0.0793	0.0778	0.0764	0.0749	0.0735	0.0721	0.0708	0.0694	0.0681
1.5	0.0668	0.0655	0.0643	0.0630	0.0618	0.0606	0.0594	0.0582	0.0571	0.0559
1.6	0.0548	0.0537	0.0526	0.0516	0.0505	0.0495	0.0485	0.0475	0.0465	0.0455
1.7	0.0446	0.0436	0.0427	0.0418	0.0409	0.0401	0.0392	0.0384	0.0375	0.0367
1.8	0.0359	0.0351	0.0344	0.0336	0.0329	0.0322	0.0314	0.0307	0.0301	0.0294
1.9	0.0287	0.0281	0.0274	0.0268	0.0262	0.0256	0.0250	0.0244	0.0239	0.0233
2.0	0.0228	0.0222	0.0217	0.0212	0.0207	0.0202	0.0197	0.0192	0.0188	0.0183
2.1	0.0179	0.0174	0.0170	0.0166	0.0162	0.0158	0.0154	0.0150	0.0146	0.0143
2.2	0.0139	0.0136	0.0132	0.0129	0.0125	0.0122	0.0119	0.0116	0.0113	0.0110
2.3	0.0107	0.0104	0.0102	0.0099	0.0096	0.0094	0.0091	0.0089	0.0087	0.0084
2.4	0.0082	0.0080	0.0078	0.0075	0.0073	0.0071	0.0069	0.0068	0.0066	0.0064
2.5	0.0062	0.0060	0.0059	0.0057	0.0055	0.0054	0.0052	0.0051	0.0049	0.0048
2.6	0.0047	0.0045	0.0044	0.0043	0.0041	0.0040	0.0039	0.0038	0.0037	0.0036
2.7	0.0035	0.0034	0.0033	0.0032	0.0031	0.0030	0.0029	0.0028	0.0027	0.0026
2.8	0.0026	0.0025	0.0024	0.0023	0.0023	0.0022	0.0021	0.0021	0.0020	0.0019
2.9	0.0019	0.0018	0.0018	0.0017	0.0016	0.0016	0.0015	0.0015	0.0014	0.0014
3.0	0.0013	0.0013	0.0013	0.0012	0.0012	0.0011	0.0011	0.0011	0.0010	0.0010
3.1	0.0010	0.0009	0.0009	0.0009	0.0008	0.0008	0.0008	0.0008	0.0007	0.0007
3.2	0.0007	0.0007	0.0006	0.0006	0.0006	0.0006	0.0006	0.0005	0.0005	0.0005
3.3	0.0005	0.0005	0.0005	0.0004	0.0004	0.0004	0.0004	0.0004	0.0004	0.0003
3.4	0.0003	0.0003	0.0003	0.0003	0.0003	0.0003	0.0003	0.0003	0.0003	0.0002
3.5	0.0002	0.0002	0.0002	0.0002	0.0002	0.0002	0.0002	0.0002	0.0002	0.0002

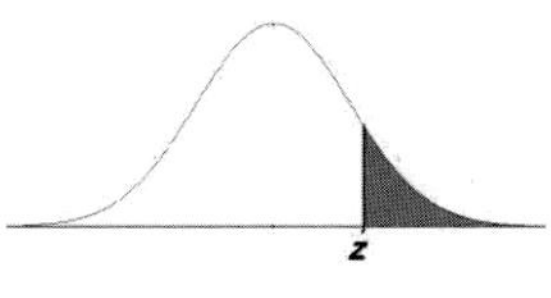

그림과 같이 표의 내부에 있는 값들은 z의 Ho하에서의 일방향 확률을 나타낸다. 제일 왼쪽 행은 소수 첫번째 까지의 z값을 표시하며 제일 위쪽 열은 소수 두째 자리의 z값을 나타낸다. 따라서 $z > 1.96$ 인 확률을 구하려고 하면 먼저 제일 왼쪽 행의 1.9와 제일 위쪽 열의 0.06의 교차점의 값을 찾으면 된다. 즉 z 점수가 1.96보다 큰 확률은 0.025가 된다. 특히 z점수는 평균(0점)을 기준으로 서로 대칭이므로 $z < -1.96$ 인 확률값도 $z > 1.96$의 확률값과 동일하다.

표 B-8 윌콕슨 T 임계치

	단측 검증의 유의수준					단측 검증의 유의수준			
	.05	*.025*	*.01*	*.005*		*.05*	*.025*	*.01*	*.005*
	양측 검증의 유의수준					양측 검증의 유의수준			
n	*.10*	*.05*	*.02*	*.01*	*n*	*.10*	*.05*	*.02*	*.01*
5	0	—	—	—	28	130	116	101	91
6	2	0	—	—	29	140	126	110	100
7	3	2	0	—	30	151	137	120	109
8	5	3	1	0	31	163	147	130	118
9	8	5	3	1	32	175	159	140	128
10	10	8	5	3	33	187	170	151	138
11	13	10	7	5	34	200	182	162	148
12	17	13	9	7	35	213	195	173	159
13	21	17	12	9	36	227	208	185	171
14	25	21	15	12	37	241	221	198	182
15	30	25	19	15	38	256	235	211	194
16	35	29	23	19	39	271	249	224	207
17	41	34	27	23	40	286	264	238	220
18	47	40	32	27	41	302	279	252	233
19	53	46	37	32	42	319	294	266	247
20	60	52	43	37	43	336	310	281	261
21	67	58	49	42	44	353	327	296	276
22	75	65	55	48	45	371	343	312	291
23	83	73	62	54	46	389	361	328	307
24	91	81	69	61	47	407	378	345	322
25	100	89	76	68	48	426	396	362	339
26	110	98	84	75	49	446	415	379	355
27	119	107	92	83	50	466	434	397	373

출처 : Roger E. Kirk, *Elementary Statistics* (2판) Pacific Grove, CA: Brooks. Cole, 1984

표 B-9 *F*의 임계치

분모의 자유도	분자의 자유도 1	2	3	4	5	6	8	12	24	∞
1	161.45	199.50	215.72	224.57	230.17	233.97	238.89	243.91	249.04	254.32
	4032.10	4999.03	5403.49	5625.14	5764.08	5859.39	5981.34	6105.83	6234.16	6366.48
2	18.51	19.00	19.16	19.25	19.30	19.33	19.37	19.41	19.45	19.50
	98.49	99.01	99.17	99.25	99.30	99.33	99.36	99.42	99.46	99.50
3	10.13	9.55	9.28	9.12	9.01	8.94	8.84	8.74	8.64	8.53
	34.12	30.81	29.46	28.71	28.24	27.91	27.49	27.05	26.60	26.12
4	7.71	6.94	6.59	6.39	6.26	6.16	6.04	5.91	5.77	5.63
	21.20	18.00	16.69	15.98	15.52	15.21	14.80	14.37	13.93	13.46
5	6.61	5.79	5.41	5.19	5.05	4.95	4.82	4.68	4.53	4.36
	16.26	13.27	12.06	11.39	10.97	10.67	10.27	9.89	9.47	9.02
6	5.99	5.14	4.76	4.53	4.39	4.28	4.15	4.00	3.84	3.67
	13.74	10.92	9.78	9.15	8.75	8.47	8.10	7.72	7.31	6.88
7	5.59	4.74	4.35	4.12	3.97	3.87	3.73	3.57	3.41	3.23
	12.25	9.55	8.45	7.85	7.46	7.19	6.84	6.47	6.07	5.65
8	5.32	4.46	4.07	3.84	3.69	3.58	3.44	3.28	3.12	2.93
	11.26	8.65	7.59	7.01	6.63	6.37	6.03	5.67	5.28	4.86
9	5.12	4.26	3.86	3.63	3.48	3.37	3.23	3.07	2.90	2.71
	10.56	8.02	6.99	6.42	6.06	5.80	5.47	5.11	4.73	4.31
10	4.96	4.10	3.71	3.48	3.33	3.22	3.07	2.91	2.74	2.54
	10.04	7.56	6.55	5.99	5.64	5.39	5.06	4.71	4.33	3.91
11	4.84	3.98	3.59	3.36	3.20	3.09	2.95	2.79	2.61	2.40
	9.65	7.20	6.22	5.67	5.32	5.07	4.74	4.40	4.02	3.60
12	4.75	3.88	3.49	3.26	3.11	3.00	2.85	2.69	2.50	2.30
	9.33	6.93	5.93	5.41	5.06	4.82	4.50	4.16	3.78	3.36
14	4.60	3.74	3.34	3.11	2.96	2.85	2.70	2.53	2.35	2.13
	8.86	6.51	5.56	5.03	4.69	4.46	4.14	3.80	3.43	3.00
16	4.49	3.63	3.24	3.01	2.85	2.74	2.59	2.42	2.24	2.01
	8.53	6.23	5.29	4.77	4.44	4.20	3.89	3.55	3.18	2.75
18	4.41	3.55	3.16	2.93	2.77	2.66	2.51	2.34	2.15	1.92
	8.28	6.01	5.09	4.58	4.25	4.01	3.71	3.37	3.01	2.57
20	4.35	3.49	3.10	2.87	2.71	2.60	2.45	2.28	2.08	1.84
	8.10	5.85	4.94	4.43	4.10	3.87	3.56	3.23	2.86	2.42
25	4.24	3.38	2.99	2.76	2.60	2.49	2.34	2.16	1.96	1.71
	7.77	5.57	4.68	4.18	3.86	3.63	3.32	2.99	2.62	2.17
30	4.17	3.32	2.92	2.69	2.53	2.42	2.27	2.09	1.89	1.62
	7.56	5.39	4.51	4.02	3.70	3.47	3.17	2.84	2.47	2.01

다음 쪽에 계속됨

표 B-9 계속

분모의 자유도	분자의 자유도 1	2	3	4	5	6	8	12	24	∞
40	4.08 7.31	3.23 5.18	2.84 4.31	2.61 3.83	2.45 3.51	2.34 3.29	2.18 2.99	2.00 2.66	1.79 2.29	1.52 1.82
50	4.03 7.17	3.18 5.06	2.79 4.20	2.56 3.72	2.40 3.41	2.29 3.19	2.13 2.89	1.95 2.56	1.74 2.18	1.44 1.68
60	4.00 7.08	3.15 4.98	2.76 4.13	2.52 3.65	2.37 3.34	2.25 3.12	2.10 2.82	1.92 2.50	1.70 2.12	1.39 1.60
70	3.98 7.01	3.13 4.92	2.74 4.07	2.50 3.60	2.35 3.29	2.23 3.07	2.07 2.78	1.89 2.45	1.67 2.07	1.35 1.53
80	3.96 6.98	3.11 4.88	2.72 4.04	2.49 3.56	2.33 3.26	2.21 3.04	2.06 2.74	1.88 2.42	1.65 2.03	1.31 1.47
90	3.95 6.92	3.10 4.85	2.71 4.01	2.47 3.53	2.32 3.23	2.20 3.01	2.04 2.72	1.86 2.39	1.64 2.00	1.28 1.43
100	3.94 6.90	3.09 4.82	2.70 3.98	2.46 3.51	2.30 3.21	2.19 2.99	2.03 2.69	1.85 2.37	1.63 1.98	1.26 1.39
200	3.89 6.97	3.04 4.71	2.65 3.88	2.42 3.41	2.26 3.11	2.14 2.89	1.98 2.60	1.80 2.28	1.57 1.88	1.14 1.21
∞	3.84 6.64	2.99 4.60	2.60 3.78	2.37 3.32	2.21 3.02	2.09 2.80	1.94 2.51	1.75 2.18	1.52 1.79	

참고: 각 칸의 위에 제시된 숫자는 .05 수준에서의 검증을 아래에 제시된 숫자는 .01 수준에서의 검증을 위한 것임.

출처: H. E. Garrett의 *Statistics in Psycological Education*, 5판에서 인용, 복제권 1958, David Mckey Co., Ins.

표 B-10 *H*(Kruskal-Wallis의 순위에 의한 일원변량분석)의 임계치

표본 크기				
n_1	n_2	n_3	H	p
2	1	1	2.7000	.500
2	2	1	3.6000	.200
2	2	2	4.5714	.067
			3.7143	.200
3	1	1	3.2000	.300
3	2	1	4.2857	.100
			3.8571	.133
3	2	2	5.3572	.029
			4.7143	.048
			4.5000	.067
			4.4643	.105
3	3	1	5.1429	.043
			4.5714	.100
			4.0000	.129
3	3	2	6.2500	.011
			5.3611	.032
			5.1389	.061
			4.5556	.100
			4.2500	.121
3	3	3	7.2000	.004
			6.4889	.011
			5.6889	.029
			5.6000	.050
			5.0667	.086
			4.6222	.100
4	1	1	3.5714	.200
4	2	1	4.8214	.057
			4.5000	.076
			4.0179	.114
4	2	2	6.0000	.014
			5.3333	.033
			5.1250	.052
			4.4583	.100
			4.1667	.105
4	3	1	5.8333	.021
			5.2083	.050
			5.0000	.057
			4.0556	.093
			3.8889	.129
4	3	2	6.4444	.008
			6.3000	.011
			5.4444	.046
			5.4000	.051
			4.5111	.098
			4.4444	.102
4	3	3	6.7455	.010
			6.7091	.013
			5.7909	.046
			5.7273	.050
			4.7091	.092
			4.7000	.101
4	4	1	6.6667	.010
			6.1667	.022
			4.9667	.048
			4.8667	.054
			4.1667	.082
			4.0667	.102
4	4	2	7.0364	.006
			6.8727	.011
			5.4545	.046
			5.2364	.052
			4.5545	.098
			4.4455	.103
4	4	3	7.1439	.010
			7.1364	.011
			5.5985	.049
			5.5758	.051
			4.5455	.099
			4.4773	.102
4	4	4	7.6538	.008
			7.5385	.011
			5.6923	.049
			5.6538	.054
			4.6539	.097
			4.5001	.104
5	1	1	3.8571	.143
5	2	1	5.2500	.036
			5.0000	.048
			4.4500	.071
			4.2000	.095
			4.0500	.119

다음 쪽에 계속됨

표본 크기				
n_1	n_2	n_3	H	p
5	2	2	6.5333	.008
			6.1333	.013
			5.1600	.034
			5.0400	.056
			4.3733	.090
			4.2933	.122
5	3	1	6.4000	.012
			4.9600	.048
			4.8711	.052
			4.0178	.095
			3.8400	.123
5	3	2	6.9091	.009
			6.8218	.010
			5.2509	.049
			5.1055	.052
			4.6509	.091
			4.4945	.101
5	3	3	7.0788	.009
			6.9818	.011
			5.6485	.049
			5.5152	.051
			4.5333	.097
			4.4121	.109
5	4	1	6.9545	.008
			6.8400	.011
			4.9855	.044
			4.8600	.056
			3.9873	.098
			3.9600	.102
5	4	2	7.2045	.009
			7.1182	.010
			5.2727	.049
			5.2682	.050
			4.5409	.098
			4.5182	.101
5	4	3	7.4449	.010
			7.3949	.011
			5.6564	.049
			5.6308	.050
			4.5487	.099
			4.5231	.103
5	4	4	7.7604	.009
			7.7440	.011
			5.6571	.049
			5.6176	.050
			4.6187	.100
			4.5527	.102
5	5	1	7.3091	.009
			6.8364	.011
			5.1273	.046
			4.9091	.053
			4.1091	.086
			4.0364	.105
5	5	2	7.3385	.010
			7.2692	.010
			5.3385	.047
			5.2462	.051
			4.6231	.097
			4.5077	.100
5	5	3	7.5780	.010
			7.5429	.010
			5.7055	.046
			5.6264	.051
			4.5451	.100
			4.5363	.102
5	5	4	7.8229	.010
			7.7914	.010
			5.6657	.049
			5.6429	.050
			4.5229	.099
			4.5200	.101
5	5	5	8.0000	.009
			7.9800	.010
			5.7800	.049
			5.6600	.051
			4.5600	.100
			4.5000	.102

출처: Kruskal, W. H.와 Wallis, W. A.의 Use of ranks in one-criterion variance analysis, *Journal of American Statistical Association*, 1952, 47, 614-617에서 저자들과 출판사의 호의적인 허가로 인용 및 축약(이 표의 수정은 Errata, *Journal of American Statistical Association*, 48, 910의 저자에 의한 것이 통합된 것임).

부록 C

난수표

Doing Psychology Experiments

Line \ Col.	(1)	(2)	(3)	(4)	(5)	(6)	(7)	(8)	(9)	(10)	(11)	(12)	(13)	(14)
1	10480	15011	01536	02011	81647	91646	69179	14194	62590	36207	20969	99570	91291	90700
2	22368	46573	25595	85393	30995	89198	27982	53402	93965	34095	52666	19174	39615	99505
3	24130	48360	22527	97265	76393	64809	15179	24830	49340	32081	30680	19655	63348	58629
4	42167	93093	06243	61680	07856	16376	39440	53537	71341	57004	00849	74917	97758	16379
5	37570	39975	81837	16656	06121	91782	60468	81305	49684	60672	14110	06927	01263	54613
6	77921	06907	11008	42751	27756	53498	18602	70659	90655	15053	21916	81825	44394	42880
7	99562	72905	56420	69994	98872	31016	71194	18738	44013	48840	63213	21069	10634	12952
8	96301	91977	05463	07972	18876	20922	94595	56869	69014	60045	18425	84903	42508	32307
9	89579	14342	63661	10281	17453	18103	57740	84378	25331	12566	58678	44947	05585	56941
10	85475	36857	43342	53988	53060	59533	38867	62300	08158	17983	16439	11458	18593	64952
11	28918	69578	88231	33276	70997	79936	56865	05859	90106	31595	01547	85590	91610	78188
12	63553	40961	48235	03427	49626	69445	18663	72695	52180	20847	12234	90511	33703	90322
13	09429	93969	52636	92737	88974	33488	36320	17617	30015	08272	84115	27156	30613	74952
14	10365	61129	87529	85689	48237	52267	67689	93394	01511	26358	85104	20285	29975	89868
15	07119	97336	71048	08178	77233	13916	47564	81056	97735	85977	29372	74461	28551	90707
16	51085	12765	51821	51259	77452	16308	60756	92144	49442	53900	70960	63990	75601	40719
17	02368	21382	52404	60268	89368	19885	55322	44819	01188	65255	64835	44919	05944	55157
18	01011	54092	33362	94904	31273	04146	18594	29852	71585	85030	51132	01915	92747	64951
19	52162	53916	46369	58586	23216	14513	83149	98736	23495	64350	94738	17752	35156	35749
20	07056	97628	33787	09998	42698	06691	76988	13602	51851	46104	88916	19509	25625	58104
21	48663	91245	85828	14346	09172	30168	90229	04734	59193	22178	30421	61666	99904	32812
22	54164	58492	22421	74103	47070	25306	76468	26384	58151	06646	21524	15227	96909	44592
23	32639	32363	05597	24200	13363	38005	94342	28728	35806	06912	17012	64161	18296	22851
24	29334	27001	87637	87308	58731	00256	45834	15398	46557	41135	10367	07684	36188	18510
25	02488	33062	28834	07351	19731	92420	60952	61280	50001	67658	32586	86679	50720	94953

다음 쪽에 계속됨

Line \ Col.	(1)	(2)	(3)	(4)	(5)	(6)	(7)	(8)	(9)	(10)	(11)	(12)	(13)	(14)
26	81525	72295	04839	96423	24878	82651	66566	14778	76797	14780	13300	87074	79666	95725
27	29676	20591	68086	26432	46901	20849	89768	81536	86645	12659	92259	57102	80428	25280
28	00742	57392	39064	66432	84673	40027	32832	61362	98947	96067	64760	64584	96096	98253
29	05366	04213	25669	26422	44407	44048	37937	63904	45766	66134	75470	66520	34693	90449
30	91921	26418	64117	94305	26766	25940	39972	22209	71500	64568	91402	42416	07844	69618
31	00582	04711	87917	77341	42206	35126	74087	99547	81817	42607	43808	76655	62028	76630
32	00725	69884	62797	56170	86324	88072	76222	36086	84637	93161	76038	65855	77919	88006
33	69011	65797	95876	55293	18988	27354	26575	08625	40801	59920	29841	80150	12777	48501
34	25976	57948	29888	88604	67917	48708	18912	82271	65424	69774	33611	54262	85963	03547
35	09763	83473	73577	12908	30883	18317	28290	35797	05998	41688	34952	37888	38917	88050
36	91567	42595	27958	30134	04024	86385	29880	99730	55536	84855	29080	09250	79656	73211
37	17955	56349	90999	49127	20044	59931	06115	20542	18059	02008	73708	83317	36103	42791
38	46503	18584	18845	49618	02304	51038	20655	58727	28168	15475	56942	53389	20562	87338
39	92157	89634	94824	78171	84610	82834	09922	25417	44137	48413	25555	21246	35509	20468
40	14577	62765	35605	81263	39667	47358	56873	56307	61607	49518	89656	20103	77490	18062
41	98427	07523	33362	64270	01638	92477	66969	98420	04880	45585	46565	04102	46880	45709
42	34914	63976	88720	82765	34476	17032	87589	40836	32427	70002	70663	88863	77775	69348
43	70060	28277	39475	46473	23219	53416	94970	25832	69975	94884	19661	72828	00102	66794
44	53976	54914	06990	67245	68350	82948	11398	42878	80287	88267	47363	46634	06541	97809
45	76072	29515	40980	07391	58745	25774	22987	80059	39911	96189	41151	14222	60697	59583
46	90725	52210	83974	29992	65831	38857	50490	83765	55657	14361	31720	57375	56228	41546
47	64364	67412	33339	31926	14883	24413	59744	92351	97473	89286	35931	04110	23726	51900
48	08962	00358	31662	25388	61642	34072	81249	35648	56891	69352	48373	45578	78547	81788
49	95012	68379	93526	70765	10593	04542	76463	54328	02349	17247	28865	14777	62730	92277
50	15664	10493	20492	38391	91132	21999	59516	81652	27195	48223	46751	22923	32261	85653

출처: Table of 105,000 Random Decimal Digits, Statement no 4914, Fil no 261-A-1, Interstate Commerce Commission, Washington, D.C., May 1949.

용어해설

가로좌표(Abscissa) 독립변인의 수준이 종종 표시되는 그래프상의 수평축(x축)

가설(Hypothesis) 변인들 간에 예측된 관계에 대한 기술

개방형 질문(Open-ended question) 응답자들이 자유롭게 반응할 수 있도록 한 조사 질문

검사-재검사 신뢰도(Test-retest reliability) 동일 집단이 두 번에 걸쳐 검사를 실시한 후 두 점수들의 상관계수를 통해 검사의 신뢰도를 결정하는 방법

결과 위조(Fabrication of results) 거짓 자료를 만드는 과학에서의 사기의 한 형태

결정계수(Coefficient of determination) 설명된 변량을 나타내는 상관계수를 제곱하여 나온 통계치

결정적 사건(Critical incident) 응용 연구에서 독립변인과 종속변인 사이에 관련성이 있는 지를 진단할 수 있는 단 하나의 사례

교차 상호작용(Crossover interaction) 요인 실험의 결과에서 독립변인을 나타내는 직선이 서로 교차하는 상호작용

구인 타당도(Construct validity) 어떤 행동을 지칭하는 데 사용된 용어와 조작되거나 측정된 행동 사이의 관련 정도

구획 내 무선화(Randomization within blocks) 시행의 각 블락에서 각 조건이 동일하게 발생될 수 있게 하는 제약 내에서 무선적으로 선정하는 방법

귀납(Induction) 실제 관찰보다도 더 많은 정보를 담고 있는 결론을 이끌어내는 논리적 과정

기관 심사위원회(Institutional review board) 모든 연구들이 윤리적인 문제 없이 행해질 수 있도록 감독하는 위원회

기록 연구(Archival research) 공공기관이나 개인적인 기존의 기록들을 검토하고, 조직하고, 해석하는 연구의 한 형태

기술 통계치(Descriptive statistics) 자료의 일부 특성만을 기술하여 자료를 요약하는 방법(예를 들어 집중경향치나 분포의 분산 등)

기술적 이론(Descriptive theory) 반드시 사건들이 왜, 어떻게 발생되었는지를 설명하지 않고 단지 사건에 명칭만 붙인 이론

기저선 실험(Baseline experiment) 단일 참가자를 이용한 단일 변인 실험의 일종. 먼저 반응의 안정상태가 결정된 후 실험적 조작이 가해지고 전이상태가 결정된다. 마지막으로 조작이 제거되었을 때 반응이 안정상태로 되돌아간다.

기초연구(Basic research) 과학의 기본적인 기제를 이해하기 위한 연구. 이러한 연구가 응용문제를 해결하는 데 도움을 주기도 하지만, 그 목표는 단지 지식체계를 확장시키는 것이다.

내용 타당도(Content validity) 검사에 포함되어야 하는 주제를 조심스럽게 분석하고 검사를 구성함으로써 그 주제를 대표적으로 나타낼 수 있는 항목들을 포함하는지를 나타내는 타당도

내적 타당도(Internal validity) 종속변인의 변화가 독립변인의 조작에 의해서 발생되었다는 주장의 확실성

다지 선다형 질문(Multiple-alternative question) 여러 개의 정해져 있는 문항들에서 응답을 선정할 수 있도록 한 질문

단일집단 사전-사후검사 설계(One-group pretest-posttest design) 단일집단이 독립변인의 한 수준에 노출된 후 검사를 받고 나중에 다시 한번 검사를 받는 비실험설계

단일집단 사후검사 설계(One-group posttest-only design) 단일집단이 독립변인의 한 수준에만 노출되는 비실험설계

단조 함수(Monotonic function) 선택된 범위 내에서 항상 증가하거나 혹은 항상 감소하는 함수

대리 사전검사(Proxy pretest) 사후검사와 상관이 있는 검사로서, 비동등 통제집단을 사용하는 준실험설계에서 집단들이 어느 정도 동등하다는 것을 확인하기 위해서 사용한다.

대칭적 전이(Symmetric transfer) 두 수준의 독립변인 A와 B가 있을 때 A 다음에 B가 제시될 때의 순서효과가 B 다음에 A가 제시될 때의 순서효과와 동일한 것

독립변인(Independent variable) 종속변인에 미치는 효과를 알아보기 위해 실험자가 조작하는 변인

동시 타당도(Concurrent validity) 검사와 특정 기준이 동일한 시간에 취해질 때 검사가 특정 기준을 얼마나 잘 예측할지를 나타내는지에 대한 타당도

동의서(Informed consent) 연구에 관련된 중요한 모든 정보가 참가자에게 주어졌고 또 공식적으로 연구에 참여하겠다는 것을 동의했다는 것을 확인하기 위한 절차

동형 신뢰도(Alternative-form reliability) 동일 집단에게 내용이 유사한 두 개의 검사를 실시하여 그 검사들 사이의 상관계수를 계산하여 검사의 신뢰도를 결정하는 방법

등간 척도(Interval scale) 각 숫자의 간격이 동일한 측정척도

라틴 방형(Latin square) 독립변인의 각 수준의 순서가 모든 위치에 동등하게 나타나도록 하는 역균형법

리커트 척도(Likert scale) 반응자들이 주어진 문장에 얼마나 동의하는지를 표시하도록 하여

특정 주제에 대한 반응자의 태도를 알아보는 평정 척도

막대그래프(Bar graph) 간격이 있는 수직 막대를 이용하여 질적인 자료의 빈도를 나타내는 방법. 질적인 유목들은 x축에, 빈도는 y축에 제시되며, 각 유목의 빈도는 막대의 높이로 표현된다.

맥락효과(Context effect) 실험에서 선정된 변인의 특정 수준이 참가자들의 행동에 미치는 영향

면접(Interview) 대면 접촉을 통해 구조적 혹은 비구조적으로 반응자의 자료를 모으는 방법

모수적 검증(parametric test) 전집 분포에 대한 가정–대개 정상 분포–하에 만들어진 추론 통계 검증

모의실험 통제집단(Simulation control group) 요구 특성을 평가하기 위해 참가자들은 실험적 조작에 노출되어 있는 것처럼 생각하고 기대되는 행동을 모사해 보라고 설명을 듣는다.

무선변인(Random variable) 수준이 실험자에 의해서 통제되는 것이 아니라 우연적으로 선정될 수 있는 환경적 요인

무선 표본(Random sample) 무선화 과정을 통해 선발된 집단

무선화(Randomization) 우연에 의해 선정될 수 있도록 하는 선정방법으로 각 항목이 선정될 확률이 동일하다.

무차별적 전이(Nondifferential transfer) (대칭적 전이를 볼 것) 독립변인의 수준이 A와 B 둘인 실험에서 A 다음에 B를 제시하는 효과와 B 다음에 A를 제시하는 효과가 동일한 것

문헌조사(Literature search) 특정 연구 분야에 관련된 공식적인 과학적 지식체계를 검토하는 과정

문화기술지(Ethnography) 어떤 문화에 대해 상세히 기술하는 질적 연구 설계

바닥 효과(Floor effect) 더 이상 낮은 점수를 받을 수가 없어서 점수 분포에서 낮은 부분이 절단되는 효과

반복 측정 설계(Repeated measures design) (피험자 내 설계를 볼 것) 동일한 참가자가 독립변인의 모든 수준에 노출되는 실험설계

반분 신뢰도(Split-half reliability) 하나의 검사를 두 부분으로 나누어 이들의 상관을 구함으로써 검사의 신뢰도를 결정하는 방법

반응 표면 방법론(Response-surface methodology) 모든 독립변인의 모든 수준에 대한 요인설계 실험을 실시하지 않고 여러 독립변인들 조합의 효과를 추정하는 방법.

범위(Range) 가장 큰 수와 가장 작은 수와의 차이

범위효과(Range effect) 피험자 내 설계에서 학습이 가장 잘 전이될 수 있는 독립변인의 중간 수준에서 최고 수행이 발생되는 경향성

변량 분석(Analysis of variance) 요인 실험이나 중다 수준 단일 변인 실험에서 얻어진 자료를 분석하여 통계적인 추론을 하는 모수적 검증

변산(Variance) 분포의 분산을 나타내는 측정치. 이 점수는 각 점수에서 평균을 뺀 후 제곱하여 모두 합산한 다음 점수의 개수로 나눔으로써 구해진다.

복합 종속변인(Composite dependent variable) 여러 독립변인의 결과를 합쳐서 하나의 수치로 나타낸 것

부분 역균형법(Partial counterbalancing) 독립변인 수준의 제시순서에 의해 나타나는 오염 효과를 줄이기 위해 제시수준의 순서를 결정하는 방법

부적 가속 함수(Negatively accelerated function) 한 변인이 증가함에 따라 다른 변인의 증가나 감소의 비율이 감소하는 함수. 이런 함수는 초기에는 매우 급한 기울기를 보이다가 점차 평평해진다.

부적 함수(Negative function) 한 변인이 증가할 때 다른 변인의 값이 감소하는 함수

분리 집단 설계(Separate groups design) (피험자간 설계를 볼 것) 각 집단이 독립변인의 한 수준에만 노출되는 설계

비단조적 함수(Nonmonotonic function) 함수의 기울기가 정적에서 부적으로 부적에서 정적으로 변화되는 함수

비동등집단이 포함된 사후검사 실시 설계(Post-test-only design with nonequivalent groups) 한 집단은 독립변인의 한 수준에 노출되고, 이 집단과 다르게 선정된 두 번째 집단은 독립변인의 둘째 수준에 노출되는 비실험설계

비동등 통제집단 설계(Nonequivalent control group design) 실험집단과는 다른 방식으로 구성된 통제집단을 사용하는 준실험설계

비모수적 검증(Nonparametric test) 정상분포와 같은 전집분포에 대한 가정이 필요치 않는 통계적 검증

비실험 통제집단(Nonexperiment control group) 실험의 요구특성을 평가하기 위해 사용하는 통제집단. 실제 독립변인의 수준에는 노출되지 않지만 독립변인의 조건에 대해서 얘기해 준 후 어떻게 반응할지를 물어본다.

비응답 편향(Nonresponse bias) 여러 소집단의 응답비율의 차이에서 발생되는 설문조사 결과의 왜곡

빈도 분포(Frequency distribution) 특정 점수나 급간에 해당되는 점수의 수를 도표로 나타낸 것

사례사(Case history) 한 사람이나 사건에 대한 자세한 자료를 수집하는 비실험방법

산포도(Scatterplot) 각 축에 나타난 변인들의 값들로 결정된 위치에 자료를 표시하는 방법

상관(Correlation) 두 변인 사이의 관련성을 나타내는 것으로 특정 방향과 강도를 가진다.

상관 계수(Correlation coefficient) 두 변인 사이의 관계의 방향과 강도를 1.0에서 −1.0 사이의 수로 표시한 것

상관적 관찰(Correlational observation) 둘 이상의 변인들이 관련이 있는지를 알아보기 위한 설계로 변인들을 조작하지 않으며 인과적 결론을 도출할 수 없다.

선 그래프(Line graph) 연속적인 직선이나 곡선으로 변인 사이의 관계를 나타내는 방법

선택 반응시간(Choise reaction time) 여러 자극들 중 하나가 제시되었을 때 여러 반응들 중 한 반응을 하는 데 걸린 시간

선형 함수(Linear function) 일직선으로 나타나는

함수

설문조사(Survey) 의견이나 행동에 대해 질문함으로써 자료를 모으는 방법

설문조사의 집단 실시(Group administration of surveys) 한 집단에 조사를 동시에 실시하여 자료를 수집하는 방법

소집단 기저선 설계(Small-N baseline design) (기저선 설계를 볼 것) 소수의 참가자들의 자료를 이용하여 효과를 보여 줄 수 있는 단일변인 실험의 한 형태

수량적 설계(Quantitative design) 사건들이 수량화될 수 있어 최종 자료가 수로 표시될 수 있는 연구 설계들

수량적 이론(Quantitative theory) 변인 사이의 관계를 수학적으로 표시하는 이론

수렴계열 설계(Converging-series design) 점진적으로 대립되는 이론들을 제거해 나가기 위해 실시하는 일련의 실험들

수직축(Ordinate) 주로 종속변인이 제시되는 그래프의 수직축

순서효과(Order effect) 피험자 내 설계에서 독립변인의 수준의 제시 순서에 따라 측정치가 바뀌는 효과

순수 연구(Pure research) (기초 연구를 볼 것) 과학의 기본적 기제를 이해하기 위한 연구. 이러한 연구가 응용문제의 해답을 제공해 줄 수 있지만, 이 연구의 기본적인 목적은 단지 지식체계를 확장하는 것이다.

순위 척도(Ordinal scale) 각 숫자의 순서는 의미있지만 각 숫자 사이의 간격이 동일하지 않는 척도

신뢰도(Reliability) 측정이 동일하게 반복될 수 있는 정도

실험집단(Experimental group) 피험자 간 실험에서 처치 조건에 노출된 참가자 집단

실험적 방법(Experimental method) 독립변인을 조작하고 종속변인을 측정하는 연구 기법. 실험적 방법은 종속변인에서의 변화는 독립변인의 조작에 의해서 만들어졌다는 인과적 추론을 가능하게 한다.

안면 타당도(Face validity) 가장 약한 형태의 검사 타당도. 검사가 측정하려고 하는 것을 측정하고 있는지를 표면적으로 검토하여 결정하는 타당도

양봉 분포(Bimodal distribution) 최고점이 두 개인 빈도 분포

역균형(Counterbalancing) 제시 순서의 효과를 제거하거나 최소화 하기 위해 독립변인의 수준들의 제시 순서를 결정하는 방법

역사심리학(Psychohistory) 개인의 성격 분석적 측면에서 쓴 일대기로, 보통 유명한 사람들의 일생에서 중요한 사건들을 검토함으로써 행동양태를 설명한다.

연역(Deduction) 일련의 전제로부터 논리적 결론에 도달하는 방법. 이러한 결론은 전제보다 많은 정보를 갖고 있지 않다(예를 들어 A는 B이다. B는 C이다. 그러므로 A는 C이다).

예비실험(Pilot experiment) 실험법의 모든 요구사항을 충족시키지는 않지만 최종 실험에 사용할 수준이나 절차를 검토해 보기 위해 실시

하는 소규모 실험

예언 타당도 (Predictive validity) 한 검사가 다른 기준을 성공적으로 예언할 수 있는가를 결정함으로써 그 검사의 타당도를 결정하는 방법

오염변인(Comfounding variable) 독립변인의 수준과 관련이 있는 변인으로 행동적 변화가 독립변인의 수준이나 오염변인의 수준에 따라 변화될 수 있다.

완전 역균형(Complete counterbalancing) 각 참가자들에 걸쳐 독립변인의 각 수준이 동일한 횟수로 제시되며 각기 다른 수준 뒤에 동일한 횟수로 제시되도록 각 조건의 제시순서를 결정하는 방법

외적 타당도(External validity) 실험 결과를 실험에 포함되었던 세팅이 아닌 실세계의 전집이나 상황에 일반화 할 수 있는 정도

요구특성(Demand Characteristics) 참가자들이 특정 방식, 대개 독립변인의 수준과 무관하게 실험의 가설을 지지하는 방식으로 반응하도록 하는 실험자의 특성

요인설계(Factorial design) 둘 이상의 독립변인이 포함된 실험설계로 각 독립변인의 모든 수준이 다른 독립변인의 모든 수준과 조합됨

요인 설계에서 상호작용(Interaction in a factorial design) 여러 개의 독립변인이 종속변인에 미치는 효과가 비가산적인 것

우편조사(Mail survey) 우편에 의한 설문조사

위약(Placebo) 약물 연구에서 실제 약물이 제공되는 것과 동일한 형태로 제시되는 효과 없는 약물. 생리학적으로는 아무 효과가 없지만 종종 위약도 행동의 변화를 일으킬 수 있다.

유관 계수(Contingency coefficient) 명명 척도인 두 세트의 수들 사이의 연합 강도에 대한 측정치

유의도 수준(Level of significance) 표본의 관찰된 특성이 전집의 실재하는 차이가 아니라 우연에 의해 발생되었을 통계적 확률

유추이론(Analogical theory) 심리학적 개념을 물리적인 모형에 유추하여 설명하려는 이론

유층화 표집(Stratified sampling) 대표성을 띤 하위 전집 혹은 계층(strata)－소득이나 인종 등－의 비율대로 표본을 선정하는 방법

은폐 실험(Blind experiment) 참가자들이 그들에게 노출된 독립변인의 수준을 알 수 없도록 하는 실험

응용연구(Applied research) 특정 문제를 해결하는 것을 일차적인 목적으로 하는 연구

이론(Theory) 추상화 된 일련의 변인들 사이의 가능한 관계에 대한 진술들

이월효과(Carry-Over effect) 피험자 내 설계에서 행동의 변화가 독립변인의 다른 수준에 사전 노출된 것에 영향 받은 효과

이중 과제 방법(Dual-task methodology) 특정 과제와 동시에 수행된 두 번째 과제의 수행을 측정하여 특정 과제를 수행하는 데 필요한 처리과정을 추론하는 방법

이중 은폐 실험(Double-blind experiment) 참가자나 실험자 모두 제시된 독립변인의 수준을 알 수 없도록 한 실험

인터넷 조사(Internet survey) 인터넷을 통한 조사

자연적 관찰(Naturalistic observation) 자연적인 장면 속에서 행동을 연구하는 연구 방법의 일종

전자 출판물(Electronic publishing) 종이가 아니라 인터넷과 같이 전자적 형태로 출판된 것

절약률(Percent savings) 특정 과제를 최초 학습하는 데 걸린 시행의 수에서 재학습하는 데 걸린 시행의 수를 뺀 다음 최초 학습 시행수로 나눈 다음 100을 곱한 것으로 그 과제를 사전에 학습함에 의해 절약되는 시행의 비율을 결정하기 위해 구한다.

점근선(Asymptote) 부적으로 가속화 되는 곡선이 근접하는 가상의 선

정상 분포(Normal distribution) 특정 수학적 함수로 정의된 빈도 분포로 종형이며 단봉 분포이고 대칭적임. 따라서 평균, 중앙, 최빈치가 모두 동일함

정적 가속화 함수(Positively accelerated function) 한 변인의 증가나 감소 비율이 다른 변인이 증가함에 따라 증가하는 함수. 이런 함수의 초기 기울기는 평평하지만 점차로 급하게 된다.

정적 함수(Positive function) 한 변인이 증가하면 다른 변인도 증가하는 관계

제약 내 무선화(Randomization within constraints) 특정 선정 규칙의 제약하에서 선정하는 방법

조작적 정의(Operational definition) 개념을 측정하는 데 필요한 조작들을 명세화 함으로써 개념을 정의하는 방법

종속변인(Dependent variable) 실험자가 측정하고자 하는 행동. 이러한 행동은 독립변인의 수준에 따라 변화될 수 있다.

주효과(Main effect) 요인설계에서 한 독립변인과 종속변인과의 관련성

준실험설계(Quasi-experimental designs) 실험법의 요구조건인 참가자들의 무선적 할당은 하지 못하지만 내적 타당도를 위협할 수 있는 요소들을 평가할 수 있는 연구

중앙치(Median) 모든 수치를 순서대로 나열한 후 가장 중앙에 있는 수를 뽑는 것으로 분포의 집중경향치의 한 측정치

질적 설계(Qualitative design) 의견이나 태도 등 사람들에 대한 서술적으로 기술된 자료를 이용하는 연구 설계들

짝진 집단 설계(Matched-group design) 피험자간 설계에서 종속변인과 관련이 높은 변인을 기준으로 비슷한 사람을 선정한 후 각 집단에 무선적으로 할당하는 방법

참가자(Participants) 연구자들이 그 행동을 조사하려고 하는 사람이나 동물(이전에는 피험자로 불림)

처치(Treatment) 실험자에 의해 실험적 조작을 가하는 것. 대개 아무런 처치를 받지 않는 통제 조건과 대별된다.

천장효과(Ceiling effect) 더 이상 높은 점수를 받을 수 없어서 자료의 끝 지점이 절단되는 효과

초록(Abstract) 연구보고의 짧은 요약

최빈치(Mode) 가장 빈번히 발생되는 점수로 분포의 집중경향치를 나타내는 한 측정치

추론통계(Inferential statistic) 관찰된 결과가 단지 우연에 의해서 발생되었을 가능성을 추론

할 수 있도록 하는 통계적 검증법

카이 자승 검증(Chi-square test) 관찰된 자료의 빈도가 기대 빈도 통계적으로 다른지를 결정하는 데 사용되는 통계적 추론의 비모수 검증

타당도(Validity) 측정도구나 개념들이 어떤 기준에 합당한 정도

통계적 결론 타당도(Statistical conclusion validity) 독립변인과 종속변인 사이에 통계적으로 유의미한 것으로 나타난 관계가 실제 유의미한 관계가 있을 정도

통계적 유의도(Statistical significance) 표본의 관찰된 특성이 우연에 의해 발생한 것이 아니라 전집의 실재 특성이라고 과학자들이 말할 수 있는 통계적 확률에 도달했을 때 통계적으로 유의하다라고 말한다. 이 확률은 일반적으로 $p<.05$나 $p<.01$이다.

통제집단(Control variable) 실험이 시행되는 동안 실험자가 특정 수준으로 고정시킨 뒤 변화되지 않도록 한 변인

틈입 시간계열 설계(Interrupted time-series design) 한 집단을 대상으로 실험적 처치 전에 여러 번의 관찰과 실험 처치 후에 여러 번의 관찰을 하는 준실험설계

편포된 분포(Skewed distribution) (기저선 실험을 볼 것) 분포의 한쪽 꼬리가 다른 한쪽에 비해 더 길게 뻗어나간 분포

평가 척도(Rating scale) 응답자가 자신의 평가 정도를 점진적인 차이를 보이는 항목 중에 선택할 수 있는 척도 (예를 들어 "아주 그렇다."에서 "전혀 그렇지 않다.")

평균(Mean) 모든 숫자를 더한 후 그 합계를 숫자의 개수로 나누어 준 것으로 집중경향치의 한 측정치

평균 처치 효과 크기(Mean treatment effect size) 행동에 대한 실험적 처치의 효과 크기를 대표하는 통계치. 처치집단의 평균에서 통제집단의 평균을 뺀 후 통제집단의 표준편차로 나누어 구해진다.

폐쇄형 질문(Closed-ended question) 주어진 보기에 대해서만 반응하도록 하는 설문지 질문

포스터 발표(Poster presentation) 연구내용을 여러 패널에 부착, 게시하여 연구를 발표하는 방법

표준편차(Standard deviation) 분포의 분산에 대한 측정치. 각 점수를 평균에서 뺀 후 제곱하여 각 점수들을 모두 더한다. 이 합산 점수를 점수의 개수로 나눈 뒤 제곱근을 취한 수가 표준편차이다.

피어선 적률 상관 계수(Pearson product-moment correlation coefficient) 두 등간이나 비율 척도 간의 연합도를 측정하는 데 사용되는 통계치

피험자 간 설계(Between-subjects design) 각 참가자들이 독립변인의 한 수준에만 노출되는 실험 연구의 한 방법

피험자 내 설계(Within-subject design) 각 참가자들이 독립변인의 모든 수준에 노출되는 실험 설계

함수(Function) 두 변인 사이의 관계를 직선이나 곡선으로 나타낸 것

함수적 실험(Functional experiment) 독립변인이

세 수준 이상이어서 독립변인과 종속변인의 함수적 관계를 제시할 수 있는 실험

호손효과(Hawthorne effect) 독립변인에 의해서가 아니라 단지 실험자가 참가자의 행동을 주시하는 것에 의해서 발생된 행동의 변화

혼합 요인설계(Mixed factorial design) 최소한 하나의 피험자 간 독립변인과 피험자 내 독립변인을 가지는 요인설계

ABBA 역균형법(ABBA counterbalancing) 수준 A와 B를 가지는 두 수준 단일 변인 실험에서 오염의 효과가 선형적일 때 이를 최소화할 수 있는 기법. 조건 A를 먼저 제시하고 그 다음 조건 B를 두 번 제시한 다음 다시 조건 A를 제시하는 방법

Kruskal-Wallis 순위에 의한 일원 변량 분석(Kruskal-Wallis one way ANOVA by ranks) 순위 척도로 된 자료에서 둘 이상의 독립집단 사이의 차이를 검증하는 데 적절한 추론통계검증

Mann-Whitney *U* test 순위 정보를 이용하여 두 집단의 차이를 검정하는 데 사용하는 비모수적 검증

Spearman 순위 상관계수(Spearman rank-order correlation coefficient) 두 순위 척도로 된 변인들의 연합 강도를 측정하는 데 사용되는 통계치

***t* 검증**(t-test) 독립변인의 두 수준들에서 발견된 차이가 우연에 의해 발생될 것일지를 결정하는 통계적 추론의 모수적 검증

Wilcoxon 짝진 쌍 부호 순위 검증(Wilcoxon matched group signed rank test) 동일하거나 짝진 참가자들로부터 얻어진 두 수준에서의 차이가 우연에 의해서 발생되었을 확률을 결정하는 데 사용하는 것으로 순위 척도로 된 자료에 적절한 추론통계검증

참고문헌

AAU statement on preventing and probing research fraud. (1983). *Chronicle of Higher Education, 26,* 8.

Adair, J. G. (1973). *The human subject.* Boston: Little, Brown.

Adair, J. G., & Epstein, J. (1968). Verbal cues in the mediation of experimenter bias. *Psy-ological Reports, 22,* 1045-1053.

Adams, J. A. (1972). Research and the future of engineering psychology. *American Psyhologist, 27,* 615-622.

Aldridge, I. W. (1978). Levels of processing in speech perception. *Journal of Experimental Psychology: Human Perception and Perfor-nce, 4,* 164-177.

American Medical Association. (1989, April). *AMA surveys of physician and public opinion on health care issues: 1989.* Chicago: Author.

American Psychological Association. (1982). *Ethical principles in the conduct of research with human participants.* Washington, DC: Author.

American Psychological Association. (1986). Guidelines for ethical conduct in the care and use of animals. *Journal of the Experimental Analysis of Behavior, 45,* 127-132.

American Psychological Association. (1992). Ethical principles of psychologists and code of conduct. *American Psychologist, 47,* 1597-1611.

American Psychological Association. (1994). *Publication manual of the American Psycho-logical Association* (4th ed). Washington, DC: Author.

American Psychological Association. (1997). Animal rights activity increases: Threats made against behavioral scientists. *Science Agenda, 10,* 1, 4.

Arnoult, M. D. (1972). *Fundamentals of scientific method in psychology.* Dubuque, IA: William C. Brown.

Associated Press. (1985). [Data available from POLL computer database]. Storrs, CT: Roper Center for Public Opinion.

Barber, B. (1976). The ethics of experimentation with human subjects. *Scientific American, 234,* 25-31.

Barber, T. X. (1976). *Pitfalls in human research.* New York: Pergamon Press.

Barber, T. X., & Silver, J. J. (1968). Fact, fiction, and the experimenter bias effect. *Psychological Bulletin Monograph Supplement, 70,* 1-29.

Boyce, J. R. (1989). Use of animals in research: Can we find a middle ground? *Journal of the Veterinary Medicine Association, 194,* 24-25.

Bradley, J. V. (1968). *Distribution-free statistical tests.* Englewood Cliffs, NJ: Prentice-Hall.

Bryant, F. B., & Wortmen, P. M. (1978). Secondary analysis: The case for data archives. *American Psychologist, 33,* 381-387.

Burd, 5. (1993). Report finds animal-rights activists have stepped up attacks. *The Chronicle of Higher Education, 40,* A31.

Campbell, S. K. (1974). *Flaws and fallacies in statistical thinking.* Englewood Cliffs, NJ: Prentice-Hall.

Christensen, L. (1988). Deception in psychological research: When is its use justified? *Personality and Social Psychology Bulletin, 14,* 664-675.

Clark, C., & Williges, R. C. (1973). Response surface methodology central-composite design modifications for human performance research. *Human Factors, 15,* 295-310.

Coke-Pepsi slugfest. (1976, July 26). *Time,* pp. 64-65.

Cook, T. D., & Campbell, D. T. (1979). *Quasi-experimentation: Design & analysis issues for field settings.* Chicago: Rand McNally.

Cordes, C. (1990). U. S. enters lawsuit accusing scientist, institutions of fraud. *The Chronicle of Higher Education, 37,* Al, A24, A25.

Coren, S., & Halpern, D. E (1991). Left-handedness: A marker for decreased survival fitness. *Psychological Bulletin, 109,* 90-106.

Coren, S., & Porac, C. (1977). Fifty centuries of right-handedness: The historical record. *Science, 198,* 631-632.

Daly, M., & Wilson, M. (1988). *Homicide.* New York: Aldine de Gruyter.

Decker, B. (1967). Words about words: I. Pessimistic. *Journal of Creative Behavior, 1,* 34.

Dewsbury, D. A. (1990). Early interactions between animal psychologists and animal activists and the founding of the APA committee on precautions in animal experimentation. *American Psychologist, 45,* 315-327.

Dillman, D. A. (1978). *Mail and telephone surveys: The total design method.* New York: Wiley.

Doyle, A. C. (1989). A scandal in Bohemia. In *The adventures of Sherlock Holmes.* New York: Tom Dougherty Associates. (Original work published 1891)

Dunlap, K. (1920). *Mysticism, Freudianism, and Scientific Psychology.* St. Louis: C. V. Mosby.

Erickson, F. (1973). What makes school ethnography "ethnographic"? *Anthropology and Education Quarterly,* 4, 10-19.

Estes, W. K. (1993). How to present visual information. *APS Observer, 6,* 6-9.

Feeney, D. M. (1987). Human rights and animal welfare. *American Psychologist, 42,* 593-599.

Fine, M. A., & Kurdek, L. A. (1993). Reflections on determining authorship credit and authorship order on faculty-student collaborations. *American Psychologist, 48,* 1141-1147.

Fisher, R. A. (1936). Has Mendel's work been rediscovered? *Annals of Science, 1,* 115.

Foertsch, J., & Gernsbacher, M. A. (1997). In search of gender neutrality: Is singular they a cognitively efficient substitute for generic he? *Psychological Research, 8,* 106-111.

Gallup, G. G., & Suarez, S. D. (1985). Alternatives to the use of animals in psychological research. *American Psychologist, 40,* 1104-1111.

Gantt, W. H. (1928). Ivan P. Pavlov: A biographical sketch. In W. H. Gantt (Ed.), *I. P. Pavlov's lectures on conditioned reflexes* (pp. 11-31). New York: Liveright.

Garner, W. R., Hake, H. W., & Eriksen, C. W. (1956). Operationalism and the concept of perception. *Psychological Review, 63,* 149-159.

Garvey, W. D., & Griffith, B. C. (1971). Scientific communication: Its role in the conduct of research and creation of knowledge. *American Psychologist, 26,* 349-362.

Glass, G. V., McGaw, B., & Smith, M. L. (1981). *Meta-analysis in social research.* Newbury Park, CA: Sage.

Glinski, R. J., Glinski, B. C., & Slatin, P. T. (1970). Nonnaivety contamination in conformity experiments: Sources, effects, and implications for control. *Journal of Personality and Social Psychology, 16,* 478-485.

Gosling, C., Knight, N., & McKenney, L. S. (Eds.). (1989). *Search PsycINFO: Student Workbook.* Washington, DC: American Psychological Association.

Gould, S. J. (1981). *The mismeasure of man.* New York: Norton.

Greenberg, M. S. (1967). Role playing: An alternative to deception? *Journal of Personality and Social Psychology, 7,* 152-157.

Greenwald, A. G. (1976). Within-subjects designs: To use or not to use? *Psychological Bulletin, 83,* 314-320.

Grobe, R. P., Pettibone, T. J., & Martin, D. W. (1973). Effectiveness of lecture pace on noise level in a university classroom. *Journal of Educational Research, 67,* 73-75.

Gross, A. E., & Flemming, I. (1982). Twenty years of deception in social psychology. *Personality and Social Psychology Bulletin, 8,* 402-408.

Hadaway, C. K., & Marler, P. L. (1998). Did you really go to church this week? Behind the poll data. *The Christian Century, 115,* 472-476.

Halpern, D. F., & Coren, 5. (1993). Left- handedness and life span: A reply to Harris. *Psychological Bulletin, 114,* 235-241.

Harcum, E. R. (1989). The highly inappropriate calibrations of statistical significance. *American Psychologist, 44,* 964.

Harlow, H. F. (1958). The nature of love. *American Psychologist, 13,* 673-685.

Harris, L. J. (1993a). Do left-handers die sooner than right-handers? Commentary on Coren and Halpern's (1991) "left-handedness: A marker for decreased survival fitness." *Psychological Bulletin, 114,* 203-234.

Harris, L. J. (1993b). Reply to Halpern and Coren. *Psychological Bulletin, 114,* 242-247.

Havemann, J. (1989, July 13). Proposals on animal research rattle cages. *Albuquerque Journal,* p. E4.

Hayakawa, S. I. (1978, June-July). *Change,* 6.

Herzog, H. A. (1995). Has public interest in animal rights peaked? *American Psychologist, 50,* 945-547.

Hostetler, A. J. (1988, June). Indictment: Congress sends message on fraud. *APA Monitor,* p. 5.

Huff, D. (1954). *How to lie with statistics.* New York: Norton.

Human Factors and Ergonomics Society. (1995). *Instructions and guidelines for poster presenters: Guidelines for preparing and arranging posters.* Santa Monica, CA: Author.

Infeld, L. (1950). *Albert Einstein.* New York: Scribner's.

Jackson, G. B. (1980). Methods for integrative reviews. *Review of Educational Research, 50,* 438-460.

Jacobson, J. W., Mulick, J. A., & Schwartz, A. A. (1995). A history of facilitated communication: Science, pseudoscience, and antiscience. *American Psychologist, 50,* 760.

Jaschik, 5. (1991). Agriculture Dept. issues final rules on care of research animals. *The Chronicle of Higher Education, 37,* A25-A31.

Jensen, A. R. (1978). Sir Cyril Burt in perspective. *American Psychologist, 33,* 499-503.

Johnson, D. A. (1971). Pupillary responses during a short-term memory task: Cognitive processing, arousal, or both? *Journal of Experimental Psychology, 90,* 311-318.

Jung, J. (1969). Current practices and problems in use of college students for psychological research. *Canadian Psychologist, 10,* 280-290.

Justice Department and Department of Agriculture release report on animal rights extremism activities. (1993, September). *Federation News,* p.6.

Kanekar, 5. (1990). Statistical significance as a continuum. *American Psychologist, 45,* 296.

Kennedy, J. E., & Landesman, J. (1963). Series effects in motor performance studies. *Journal of Applied Psychology, 47,* 202-205.

Kenrick, D. T., & Keefe, R. C. (1992). Age preferences in mates reflect sex differences in reproductive strategies. *Behavioral and Brain Sciences, 15,* 75-133.

Kihlstrom, J. E. (1995) From the subject's point of view: The experiment as conversation and collaboration between investigator and subject. American Psychological Society Annual Convention, June 27, 1995.

Kimmel, A. J. (1996). *Ethical issues in behavioral research: A survey.* Cambridge, MA: Blackwell.

Kirk, R. E. (1968). *Experimental designs: Procedures for the behavioral sciences.* Pacific Grove, CA: Brooks/Cole.

Kirk, R. E. (1990). *Statistics: An introduction.* Fort Worth, TX: Holt, Rinehart & Winston.

Krasner, L. (1958). Studies of the conditioning of verbal behavior. *Psychological Bulletin, 55,* 148-170.

Kuhn, T. 5. (1970). *The structure of scientific revolutions* (2nd ed.). Chicago: University of Chicago Press.

LeCompte, M. D., & Preissle, J. (1993). *Ethnography and qualitative design in educational research.* San Diego, CA: Academic Press.

Lerner, I. M. (1968). *Heredity, evolution, and society.* San Francisco: W. H. Freeman.

Levenson, R. L., Jr. (1990). Comment on Harcum. *American Psychologist, 45,* 295-296.

Ley, W. (1955). *Salamanders and other wonders.* New York: Viking Press.

Lipsey, M. W., & Wilson, D. B. (1993). The efficacy of psychological, educational, and behavioral treatment: Confirmation from meta-analysis. *American Psychologist, 48,* 1181-1209.

Loftus, G. R. (1993). Editorial comment. *Memory & Cognition, 21,* 1-3.

Loftus, G. R. (1996). Psychology will be a much better science when we change the way we analyze data. *Current Directions in Psychological Science, 5,* 161-171.

Madigan, R. M., Johnson, S., & Linton, P. (1995). The language of psychology: APA style as epistemology. American *Psychologist, 50,* 428-436.

Maggio, R. (1991). *The bias-free word finder: A dictionary of nondiscriminatory language.* Boston: Beacon Press.

Mangan, K. 5. (1990). Universities beef up security at laboratories to protect researchers threatened by animal-rights activists. *The Chronicle of Higher Education, 37,* A16-A19.

Mann, C. (1990). Meta-analysis in the breech. *Science, 249,* 476-480.

Martin, D. W., & Kelly, R. T. (1974). Secondary task performance during directed forgetting. *Journal of Experimental Psychology, 103,* 1074-1079.

Mashing, J. (1966). Role-related behavior of the subject and psychologist and its effects upon psychological data. In D. Levine (Ed.), *Nebraska symposium on motivation.* Lincoln: University of Nebraska Press.

McAskie, M. (1978). Carelessness or fraud in Sir Cyril Burt's kinship data? A critique of Jensen's analysis. *American Psychologist, 33,* 496-498.

McDonald, K. (1983). Fraud in scientific research: Is it the work of "psychopaths"? *Chronicle of Higher Education, 26, 7.*

Medvedev, Z. A. (1969). *The rise and fall of T. D. Lysenko* (I. M. Lemer, trans.). New York: Columbia University Press.

Meyers, C. (1990). Association fights restrictions on use of animals in research, drawing praise from scientists and anger from its critics. *The Chronicle of Higher Education, 37,* A25-A27.

Meyers, R. H. (1971). *Response surface methodology.* Boston: Allyn & Bacon.

Milgram, S. (1963). Behavioral study of obedience. *Journal of Abnormal and Social Psychology, 67,* 371-378.

Miller, N. E. (1985). The value of behavioral research on animals. *American Psychologist, 40,* 423-440.

Mitchell, D. B., & Richman, C. L. (1980).

Confirmed reservations: Mental travel. *Journal of Experimental Psychology: Human Perception and Performance, 6,* 58-66.

Monte, C. F. (1975). *Psychology's scientific endeavor.* New York: Praeger.

Navon, D., & Gopher, D. (1979). On the economy of the human processing system. *Psychological Review, 86,* 214-255.

Nelson, N., Rosenthal, R., & Rosnow, R. L. (1986). Interpretation of significance levels and effect sizes by psychological researchers. American Psychologist, 41, 1299-1301.

Nicks, S. D., Kom, J. H., & Mainieri, T. (1997). The rise and fall of deception in social psychology and personality research, 1921 to 1994. *Ethics and Behavior, 7,* 69-77.

Olson, P. O. (1989). Motorcycle conspicuity revisited. *Human Factors, 31,* 141-146.

Orne, M. T. (1962). On the social psychology of the psychological experiment: With particular reference to demand characteristics and their implications. *American Psychologist, 17,* 776-783.

Orne, M. T. (1970). Hypnosis, motivation and the ecological validity of the psychological experiment. In W. J. Arnold & M. M. Page (Eds.), *Nebraska symposium on motivation.* Lincoln: University of Nebraska Press.

Orne, M. T., & Evans, F. J. (1965). Social control in the psychological experiment: Antisocial behavior and hypnosis. *Journal of Personality & Social Psychology, 1,* 189-200.

Ortmann, A., & Hertwig, R. (1997). Is deception acceptable? *American Psychologist, 52,* 746-747.

Palladino, J. J., & Handelsman, M. M. (1995). On the light side: The history of APA format and style. *Psy Chi Newsletter,* 21, 6.

Parsons, H. J. (1974). What happened at Hawthorne? *Science, 183,* 922-932.

Pifer, L., Shimizu, K., & Pifer, R. (1994). Public attitudes toward animal research: Some international comparisons. *Society and Animals, 2,* 95-113.

Pirsig, R. M. (1975). *Zen and the art of motorcycle maintenance.* New York: Bantam.

Plous, S. (1996a). Attitudes toward the use of animals in psychological research and education: Results from a national survey of psychologists. *American Psychologist, 51,* 1167-1180.

Plous, S. (1996b). Attitudes toward the use of animals in psychological research and education: Results from a national survey of psychology majors. *Psychological Science, 7,* 352-358.

Popper, K. R. (1968). *The logic of scientific discovery* (rev. ed). New York: Basic Books.

Porac, C., & Coren, 5. (1981). *Lateral preferences and human behavior.* New York: Springer-Verlag.

Position statement on the use of animals in research. (1993.) *NIH Guide, 22,* 2-3.

Poulton, E. C. (1973). Unwanted range effects from using within-subject experimental designs. *Psychological Bulletin, 80,* 113-121.

Poulton, E. C. (1979). Composite model for human performance in continuous noise. *Psychological Review, 86,* 361-375.

Poulton, E. C., & Freeman, P. R. (1966). Unwanted asymmetrical transfer effects with balanced experimental designs. *Psychological Bulletin, 66,* 1-8.

Pressley, M. M., & Tullar, W. L. (1977). A factor interactive investigation of mall survey response rates from a commercial sample. *Journal of Marketing Research, 14,* 108-111.

Reed, J. G., & Baxter, P. M. (1992). *Library use: A handbook for psychology* (2nd ed.). Washington, DC: American Psychological Association.

Roethlisberger, F. J. (1977). *The elusive phenomena: An autobiographical account of my work in the field of organized behavior at the Harvard Business School.* Cambridge, MA: Division of Research, Graduate School of Business Administration (distributed by Harvard University Press).

Rogers, J. L., Howard, K. I., & Vessey, J. T. (1993). Using significance test to evaluate equivalence between two experimental groups. *Psychological Bulletin, 113,* 553-565.

Roscoe, S. M. (1980). *Aviation psychology.* Ames: Iowa State University Press.

Rosenberg, M. J. (1969). The conditions and consequences of evaluation apprehension. In T. Rosenthal & T. L. Rosnow (Eds.), *Artifact in behavioral research.* New York: Academic Press.

Rosenthal, R., & Fode, K. L. (1973). The effect of experimental bias on the performance of the albino rat. *Behavioral Science, 8,* 183-189.

Rosenzweig, S. E. G. (1970). Boring and the Zeitgeist: Eruditone gesta beavit. *Journal of Psychology, 75,* 59-71.

Rosnow, R. L., & Rosenthal, R. (1999). *Beginning behavioral research: A conceptual primer* (3rd ed). Upper Saddle River, NJ: Prentice Hall.

Rowland, L. W. (1939). Will hypnotized persons try to harm themselves or others? *Journal of Abnormal and Social Psychology, 34,* 114-117.

Ryder, R. D. (1979). The struggle against speciesism. In D. Paterson & R. D. Ryder (Eds.), *Animal rights-a symposium* (p. 14). London: Centaur Press.

Safire, W. (1979, November 4). *New York Times Magazine,* pp. 16-18.

Schindler, G. E. (1967). Why engineers and scientists write as they do: Twelve characteristics of their prose. *IEEE Transactions on Engineering Writing and Speech, EWS-10,* 32.

Schultz, D. P. (1969). The human subject in psychological research. *Psychological Bulletin, 72,* 214-228.

Segal, E. (1982). Editorial. *Journal of the Experimental Analysis of Behavior, 38,* 115.

Seligman, M. E. P. (1988). President's comments. American Psychological *Association Monitor, 29,* 2.

Sidman, M. (1960). *Tactics of scientific research.* New York: Basic Books.

Singer, P. (1976). *Animal liberation.* London: Jonathan Cape.

Singer, P. (1985). *In defense of animals.* New York: Basil Blackwell.

Skinner, B. F. (1950). Are theories of learning necessary? *Psychological Review, 57,* 193-216.

Skinner, B. E (1953). *Science and human behavior.* New York: Free Press.

Skinner, B. F. (1959). A case history in scientific method. In S. Koch (Ed.), Psychology: *A study of a science.* New York: McGraw-Hill.

Skinner, B. F. (1966). Operant behavior. In W. K. Honig (Ed.), *Operant behavior: Areas of research and application* (p. 21). New York: AppletonCentury-Crofts.

Smart, R. (1966). Subject selection bias in psychological research. Canadian *Psychologist, 7,* 115-121.

Staff (1983). *Chronicle of Higher Education, 29, 7.*

Staff. (1994, June 27). *Time,* p. 26.

Strunk, W., Jr., & White, E. B. (1979). *The elements of style* (3rd ed.). New York: Macmillan.

Tanur, J. M. (1994). The trustworthiness of survey research. *The Chronicle of Higher Education, 40,* B1-B3.

Van Orden, G. C., & Paap, K. R. (1997). Functional neural images fail to discover pieces of mind in parts of the brain. *Philosophy of Science Journal, 64,* 885-994.

Weber, S. J., & Cook, T. D. (1972). Subject effects in laboratory research: An examination of subject roles, demand characteristics, and valid inference. *Psychological Bulletin, 77,* 273-295.

Westfall, R. S. (1973). Newton and the fudge factor. *Science, 179,* 751-758.

Wickens, C. D. (1984). Processing resources in attention. In R. Parasuraman & D. R. Davies (Eds.), *Varieties of attention.* New York: Academic Press.

Wilson, G. T. (1985). Limitations of meta-analysis in the evaluation of the effects of psychological therapy. *Clinical Psychology Review, 5,* 35-47.

Wolins, L. (1962). Responsibility for raw data. *American Psychologist, 17,* 657-658.

Woodworth, R. S. (1940). *Psychology* (4th ed). New York: Holt.

찾아보기

ㅈ

저자소개

David W. Martin은 노스캐롤라이나주립대학교의 심리학과 명예교수이다. 하노버대학교에서 심리학과 물리학으로 학사를 받고, 오하이오주립대학교에서 공학심리학 전공으로 석사와 박사를 받았다.

Martin 박사는 주의와 의사결정, 기억 분야에서 많은 연구 논문들을 발표하였으며, NC State와 NMSU에서 우수 강의상을 받았다. 그는 American Psychological Association, American Psychological Society, Human Factors and Ergonomics Society, Psychonomic Society의 회원이며, Rocky Mountain Psychological Association의 회장직을 역임하였다.

그는 오랫동안 경주자동차를 몰았고, 그래서 'Dangerous David, the Racing Professor'로 알려져 있다.

역자소개

김민식

연세대학교 심리학과 학사, 석사

미국 밴더빌트대학교 박사

캘리포니아대학교(Davis) 박사후 연구원

육군사관학교 전임강사 역임

현재 연세대학교 심리학과 교수

감기택

연세대학교 심리학과 학사, 석사, 박사

미국 밴더빌트대학교 박사후 연구원

연세대학교 인지과학연구소 연구교수 역임

현재 강원대학교 심리학과 교수